Metromoorden

Pierre Frei

METROMOORDEN

BERLIJN 1945

LITERAIRE THRILLER

FONTAINE UITGEVERS

Oorspronkelijke titel: Onkel Toms Hütte, Berlin

Oorspronkelijke uitgever:
© 2003 Karl Blessing Verlag, München

Voor de Nederlandse taal:
© 2005 Fontaine Uitgevers BV, 's-Graveland
© 2005 Nederlandse vertaling Katja Hunfeld

Productie: Deul & Spanjaard, Groningen
Redactie: Nienke van Bemmel
Verzorging binnenwerk: PeterMusschenga.Ontwerp
Omslagontwerp: Studio Jan de Boer bNO, Amsterdam

De publicatie van dit boek is mede tot stand gekomen
door een toelage van het Goethe-Institut

ISBN 90 5695 031 2
NUR 302

Voor Catherine-Hélène

EERSTE HOOFDSTUK

De jongen hield de soldaat scherp in het oog. De Amerikaan nam zijn laatste Lucky Strike uit het pakje en gooide het lege omhulsel achteloos op de rails. Hij stak de sigaret op en wachtte tot de van station Krumme Lanke komende metro stopte. De jongen dacht na. Als die yank maar één halte verder reed tot Oskar Helene Heim, zou hij de half opgerookte sigaret daar na het uitstappen met een hoge boog met zijn vingers wegknippen en kon hij hem oprapen.

Een dozijn peuken van die lengte, de as keurig afgesneden met een scheermesje, bracht veertig mark op. Maar als de yank verder doorreed, was het vooruitzicht op een goede oogst mager. Hij zou de felbegeerde peuk op de vloer van de wagon plattrappen of uit het zomers openstaande raampje mieteren. De Amerikanen waren wat dat betreft zo zorgeloos.

Net zo zorgeloos had de kwartiermeester-generaal van de Amerikaanse strijdkrachten een vierkante kilometer rond het metrostation Onkel Toms Hütte met prikkeldraad laten omrasteren. Voor de Duitse passagiers had hij maar een kleine toegang opengelaten. Ook de winkelstraten langs beide zijden van het station werden voor de Duitse bevolking tot *off limits* verklaard. Het werden winkelgelegenheden voor de soldaten die ingekwartierd waren in de in beslag genomen woonhuizen eromheen.

Tientallen jaren eerder had een herbergier zijn zaak in het nabije Groenewald naar Harriet Beecher-Stowes boek *De hut van oom Tom* vernoemd, een naam die het Berlijnse openbaar vervoer eind 1929 overnam voor het nieuwe metrostation. In 1945 werd *Uncle Tom* al snel een begrip bij de Amerikaanse bezettingsmacht.

De metro stopte. De yank stapte in, zijn sigaret in de hoek van zijn mond, en leunde nonchalant tegen een stang van de wagon. Een passagier na hem deed de deur dicht. De stationschef in het midden van het perron hield zijn spiegelei omhoog. De conducteur helemaal vooraan gaf het signaal door aan de bestuurder met een klop op het raampje van het bestuurdershokje, en sprong op de zich in beweging zettende trein.

De jongen keek de trein na. Hij had besloten niet achter de peuk aan te gaan. Meteen nadat de man met het spiegelei hem de rug had toegekeerd, sprong hij op de rails en stak het lege sigarettenpakje in zijn zak.

Het hoofd van de stationschef doemde boven hem op. 'Wat doe jij daar beneden?' vroeg hij nors.

'Peuken zoeken.'

'En, al iets gevonden?' De man dacht aan zijn lege pijp.

'Geen peuken, alleen maar een dode vrouw.' De jongen wees laconiek naar een plek naast de rails.

De stationschef ging op de rand van het perron zitten, legde zijn spiegelei aan de kant en liet zich zuchtend en steunend op de rails zakken. Uit een van de openingen langs het spoor, waardoor je gebukt bij de bekabeling onder het perron kon komen, staken twee slanke benen in gescheurde nylons. Aan de voeten zaten de in Amerika destijds modieuze bruine pumps met witte bies en hoge hakken. Het witte leer was met donkerrode bloedvlekken besmeurd.

'Het is een Amerikaanse. Hup, rennen, ga de yankees halen.' De man klom het perron weer op en haastte zich naar zijn hokje. Hij rukte de hoorn van de haak van de praatpaal en zwengelde de slinger aan.

'Krumme Lanke? Hier stationschef Onkel Tom. We hebben een dooie op spoor één. Stop de treinen uit uw richting. Over.'

De jongen heette Benjamin, roepnaam Ben. Hij was een donkerblond gozertje van vijftien. De gebeurtenissen van de afgelopen maanden waren hem niet aan te zien: de bommen van de Engelsen en Amerikanen, de chaos tijdens de laatste oorlogsdagen, de razernij van het Rode Leger. Hij had alle belevenissen gewoon in een laatje in zijn hoofd gestopt om plaats te maken voor nieuwe indrukken. Nieuw waren Glenn Miller, *chewing gum*, Hershey's chocolate en ellenlange auto's, waarvan de Buick Eight wat Ben betreft bovenaan stond, gevolgd door de De Soto, Dodge en Chevrolet. Ook nieuw waren de schreeuwend bonte stropdassen en broeken tot op je enkel, Old Spice en Pepsi. En al dit nieuws was er van de ene op de andere dag geweest, toen de Russen overeenkomstig de afspraak half Berlijn hadden verlaten en ruimte boden aan de geallieerden om ook de verwoeste hoofdstad binnen te komen.

Ben klom de brede trap naar de loketten op en slenterde door de prikkeldraadpassage naar buiten, de stoffige zomerhitte in die je op slag dorstig maakte. In gedachten koos Ben voor een koel flesje Waldmeisterbrause, dat zo veelbelovend plopte als je de beugel opende en het koolzuur walmend als een geest uit de fles borrelde. Maar er was geen frisdrank, alleen maar stoffige hitte, vermengd met de lucht van DDT en *spearmint*-kauwgum. Sinds de Amerikanen er waren, rook alles anders. Langzaam slofte Ben naar de post aan de ingang van het *Sperrgebiet*. Haastige spoed zou een teken van medeleven zijn geweest. 'Dead woman on the U-Bahn,' zei hij achteloos.

'Okay buddy. It better be true.' De wachtpost greep naar de telefoon.

Het telefoontje kwam van de *Military Police*. Inspecteur Klaus Dietrich nam op.

'Ja, bedankt, we komen eraan.' Hij legde de hoorn op de haak en riep: 'Franke, de auto!'

'Die wordt net opgewarmd. Dat duurt nog wel een halfuur.' Rechercheur Franke wees uit het raam naar een oude Opel die langs de kant van de straat stond. Op de achterkant van de auto torende een soort afgezaagde geiser, die een politieman met restjes hout stond te voeren. Pas als het hout voldoende gloeide, zou het voor de motoraandrijving noodzakelijke houtgas ontstaan. Benzine was er niet voor de recherche Berlijn-Zehlendorf.

'We nemen de fiets,' besloot Dietrich. Hij was een grote man van vijfenveertig met haar dat al vroeg grijs was geworden. Zijn jukbeenderen staken uit, het resultaat van weinig rantsoen. Hij droeg een grijs, nu slobberend, dubbelknoops pak. Het was het enige pak dat Inge had kunnen redden uit het verwoeste appartement aan de Kaiserdam.

Dietrich trok een beetje met zijn linkerbeen. Zijn prothese schuurde bij warm weer. De prothese was hem aangemeten in het noodhospitaal van de voormalige Zinnowaldschool, waar Dietrich het einde van de oorlog had afgewacht. Vanwege zijn verwondingen had hij een gevangenisstraf na de oorlog kunnen ontlopen. In mei mocht hij al naar huis. Inge en de jongens hadden een onderkomen gevonden in de buurt van haar ouders in de Riemeisterstraat. Inges vader, dr. Bruno Hellbich, had de Hitlerjaren gedwongen werkloos, maar verder relatief probleemloos doorstaan. Na de bevrijding was hij teruggekeerd op zijn post als sociaal-democratisch wethouder van het stadsdeel Zehlendorf en kon hij zijn schoonzoon een baantje bezorgen als inspecteur bij de recherche. De recherche Zehlendorf had dringend een chef-inspecteur nodig.

9

Dat Klaus Dietrich voor de oorlog plaatsvervangend directeur van de beveiligingsdienst was geweest en politiek onbesproken, woog op tegen het ontbreken van zijn linkeronderbeen en het gebrek aan een criminalistische opleiding. Bovendien ontdekte Dietrich al snel dat gezond verstand voldoende was om zwarthandelaren, dieven en inbrekers de baas te blijven.

Een kwartier later kwamen de mannen aan bij het metrostation. Wapperend met hun legitimatiebewijzen baanden ze zich een weg door de groeiende mensenmenigte.

'Oh donders, m'n pa,' mompelde Ben en verdween.

Een Amerikaanse officier stond met een militaire politieman en de stationschef op het spoor. Ze hadden de dode vrouw naast de rails gelegd. Ze was blond en had een mooi, gelijkmatig gezicht. Haar blauwe ogen staarden in het niets. Bloederige wurgstriemen stonden in haar slanke hals. Klaus Dietrich wees naar de nylons, de bijna nieuwe pumps en het lichtgekleurde modieuze zomerjurkje. 'Een Amerikaanse,' zei hij bezorgd. 'Als een Duitser dit gedaan heeft, is het hommeles.'

Rechercheur Franke krabde op zijn hoofd. 'Haar gezicht komt me op de een of andere manier bekend voor.'

De officier rechtte zijn rug. 'Which of you guys is in charge here?'

'Inspecteur Dietrich en rechercheur Franke, recherche Zehlendorf,' stelde Dietrich zich voor.

'Captain Ashburner, Military Police.' De Amerikaan was lang en slank, met glad, blond haar. Hij keek wakker en intelligent uit zijn ogen. Hij wees op zijn collega. 'Dit is sergeant Donovan.' De sergeant had een gedrongen postuur, met krachtige, brede schouders en gemillimeterd haar.

Dietrich hield de linkerarm van de dode vrouw omhoog. Het glas van haar horloge was versplinterd. De wijzers stonden stil op acht voor elf. 'Vermoedelijk het tijdstip van de daad,' stelde hij vast. Hij wenkte de stationschef. 'Gisteravond tegen kwart voor elf, wie had er toen dienst?'

'Ik natuurlijk,' antwoordde de man beledigd. 'Tot de laatste trein om twaalf voor elf en weer vanaf zes uur 's ochtends. Ons wordt nauwelijks nog nachtrust gegund.

'Wachtten er veel passagiers op de laatste trein?'

'Een paar yankees met hun meisjes en twee, misschien drie Duitsers.'

'Was de dode daarbij?'

'Kan, maar misschien ook niet. Ik moest de trein van vier over halfelf naar Krumme Lanke afhandelen. Dan kijk je niet naar elke passagier. Alleen die gek met zijn stofbril en zijn leren pet sprong, om het maar zo te zeggen, in het oog. Die spoort niet helemaal, dacht ik nog.'

'Stofbril en leren pet?'

'Het leek net een motorrijder. Maar zo heel precies heb ik hem nou ook weer niet gezien. De verlichting van het achterste perrongedeelte is al weken stuk.'

'Dus hij stond in het schemerdonker.'

'Als enige als u het mij vraagt. De andere passagiers wachtten in het licht.'

'Zag u hem instappen?'

'Nee, ik moet de machinist voorin het vertreksignaal geven. Sorry, de tien over elf'

'Hey, Kraut, have a look.' De MP-sergeant gaf Dietrich een schoudertas. 'Geen Amerikaanse, maar een van jullie. Karin Rembach, vijfentwintig. Werkte in onze stomerij daarzo.' Hij wees door de afrastering naar de winkelstraat. 'Nylons en schoenen heeft haar boyfriend waarschijnlijk voor haar gekocht bij de PX. Soldaat Dennis Morgan is bij het Signal Corps in Lichterfelde gestationeerd.'

Klaus Dietrich deed de tas open. Een legitimatiebewijs voor Duitse werknemers van de *US Army* en een papiertje met de naam en het adres van de kazerne van de soldaat, bewezen hoe de sergeant aan zijn wijsheid kwam. 'Ik wil die Morgan graag verhoren.'

'Een Kraut die een Amerikaan verhoren wil? Heb je nog steeds niet begrepen wie hier de oorlog gewonnen heeft?' blafte de sergeant.

Ik heb vooral begrepen dat de oorlog voorbij is en dat moord nu weer wordt bestraft,' zei Klaus Dietrich rustig.

Het leek er even op dat de woeste Donovan zich op Dietrich wilde storten, maar de captain kwam er tussen: 'Ik zal Morgan morgen verhoren en u het protocol sturen. U stuurt mij op uw beurt het sectierapport. Een ambulance van ons Medical Corps brengt het lijk waarheen u maar wilt. Goodbye, inspecteur.'

De rechercheur keek de Amerikanen na. 'De heren waren niet bijzonder vriendelijk.'

'Het privilege van de overwinnaar. Franke, wat denk je van de man met de stofbril?'

'Of het is een gek, zoals de stationschef denkt, of het is iemand die niet herkend wilde worden. Inspecteur, waarom noemen die lui ons "Kraut"?'

Klaus Dietrich lachte. 'Onze transatlantische bevrijders denken dat wij

Duitsers niets anders eten dan zuurkool, "Sauerkraut".'

'Met kluif en erwtenpuree...' De stem van de rechercheur klonk plotseling erg weemoedig. Er kwam een sirene naderbij en verstomde. Twee soldaten met Rode-Kruisbanden om hun bovenarm droegen een brancard de trap af. Het mortuarium Berlijn-centrum was platgebombardeerd en lag bovendien in de sovjetsector. Klaus Dietrich liet het lichaam daarom naar het nabijgelegen ziekenhuis Bosrust brengen. Daar was zijn vriend Walter Möbius de geneesheer-directeur.

'Ik zal haar straks bekijken,' zei dr. Möbius. 'Ik moet de levenden opereren zolang we nog daglicht hebben, en na zonsondergang tot de elektriciteit wordt afgesloten om negen uur vanavond. Als je er per se bij wilt zijn? vanaf drie uur vannacht hebben we weer stroom.'

Een jonge man in een chique vooroorlogse Schotse ruit stak voor het metrostation elegant een extra lange Pall Mall op. Ben keek jaloers naar de dikke crêpezolen van de suède schoenen van de man. Hij kende hem vaag. Hendrik Claasen was een Nederlander en een zwarthandelaar. Alleen een zwarthandelaar kon zich zo'n prachtig pak veroorloven. Ben wilde ook een pak in een Schotse ruit en crêpezolen. Hij stelde zich voor hoe hij Heidi Rödel in een maatpak op centimetersdikke zolen zou ontmoeten. Dan zou Gerd Schlomm in zijn lachwekkende *Lederhosen* mooi stom staan te kijken.

De jongen rende van het station naar huis, blij dat hij een ontmoeting met zijn vader had weten te ontlopen. Pappa zou vragen hebben gesteld. In dit geval waarom Ben dode vrouwen op het metrospoor liep te zoeken in plaats van op school te zitten. Pappa had een subtiel sarcastisch ondertoontje waarmee hij de spijker altijd precies op de kop tikte.

Ben had in principe niets tegen school, maar wel tegen de regelmaat ervan. De achter hem liggende verwarrende tijden hadden niet alleen angst en spanning met zich meegebracht, maar ook avontuur en vrijheid en hij vond het moeilijk weer te wennen aan de gevestigde orde.

Thuis aangekomen ging hij achterom, sloop het schuurtje in de achtertuin in en trok zijn schooltas onder een paar aardappelzakken vandaan. Bens grootmoeder was onkruid aan het wieden bij de veranda. Ze had al maanden geleden het gras omgeploegd en er tabak geplant. De wethouder, haar man, was een zware roker. Ze droogde de bladeren voor hem op het fornuis. Het stonk verschrikkelijk in het hele huis, maar het was het waard. Hellbich was onuitstaanbaar als zijn lichaam tevergeefs naar nicotine snakte.

'Bij mevrouw Kalkfurth wordt een extra rantsoen margarine uitgedeeld. Ralf staat al in de rij. Ga hem aflossen. Je moeder komt later. Ze is naar de schoenmaker. Hopelijk kan hij de schoenen van je broer nog een keer repareren. Het joch loopt intussen op gympies vol gaten.'

'Oké.' Ben klom de steile trap op naar de zolderkamer die hij met Ralf deelde. Hij gooide zijn schooltas op het bed. Het lege pakje Lucky Strike legde hij bij het scheermesje in de tafellade om er later mee te gaan werken. Daarna ging hij weer naar beneden.

Er was niemand in de keuken. Hij trok de linkerla uit de keukenkast, stak zijn hand door de opening, schoof de grendel naar beneden en duwde de gesloten deur van binnenuit open. Inge Dietrich bewaarde onder in de kast de broodrantsoenen voor de hele familie: 's morgens en 's middags voor elk twee droge sneetjes brood. 's Avonds was er 'warm eten'.

Ben sneed een extra dikke snee af en klemde die tussen zijn tanden. Hij legde het brood terug in de kast, deed het deurtje dicht en deed de grendel er weer op. Daarna schoof hij de la terug op zijn plaats. Hij rende weg om zijn in de rij staande broertje af te lossen. Onderweg peuzelde hij zijn buit op met zo klein mogelijke hapjes. Dan genoot hij er langer van.

Kalkfurths winkel was gevestigd in de voormalige woonkamer van een rijtjeshuis aan de Am Hegewinkel. Andere kleine straatjes met bontgekleurde huisjes heetten Hochsitzweg, Lappjagen of Auerhahnbalz. Een van de jacht bezeten burgemeester had de straten ooit zo benoemd. De aan het huis vast gebouwde garage diende als opslag. Vroeger had daar de auto van de familie in gestaan. De Kalkfurths hadden een grote slagerij in het oosten van Berlijn gehad. Die was allang geruïneerd en de automobiel, een Adler, nog slechts een herinnering.

Omdat ze al voor de oorlog werkzaam was in de branche, kreeg de weduwe Kalkfurth na het ineenstorten van het Derde Rijk de kostbare vergunning voor een kruidenierszaak. Haar vroegere slagersgezel Heinz Winkelmann stond achter de geïmproviseerde toonbank. De weduwe zelf dirigeerde haar kleine onderneming vanuit een rolstoel en plakte de door de klanten achtergelaten bonnen 's avonds op grote vellen krantenpapier. Die werden door een vertegenwoordiger van het distributiecentrum één keer per week opgehaald. Mevrouw Kalkfurth was de enige bewoner van het huis aan de Am Hegewinkel. Discrete betalingen in natura: boter, gerookte worst en spek, aan de verantwoordelijke ambtenaar bij het huisvestingsbureau, voorkwamen dat ze als dakloze werd beschouwd.

De rij voor de winkel was grauw en eindeloos. Veel vrouwen droegen oude mannenbroeken en hoofddoeken. Er was geen kapper. Ralf stond ver achter in de rij. Met een afgebroken tak veegde hij over het trottoir. Kalkfurths getijgerde katje probeerde de tak te pakken te krijgen. Het spelletje stopte abrupt toen de teckel aan het einde van de rij zich los wist te worstelen en het katje te lijf wilde. Het poesje verdween met lange sprongen de garage in.

Ralf pakte de keffende hond bij zijn halsband en trok hem terug naar zijn eigenaar. 'Kunt u niet een beetje op uw hond passen?' riep hij verontwaardigd. 'Niet zo brutaal, jochie. Lehmann, zit.' De man deed de teckel aan de lijn.

Ralf liep de garage in. Tegen de achterwand vormden oude groentekisten en kapotte meubelen een onneembare vesting. 'Moetsie, Moetsie,' lokte hij. Er klonk een klaaglijk gemiauw als antwoord. Hier was geen doorkomen aan. Of toch?

De verschimmelde deuren van een klerenkast voor hem hingen scheef in hun scharnieren. De achterwand van de kast was gebarsten. De jongen wurmde zich erdoorheen. De kleine kat zat in het schemerdonker ineengedoken op een versleten lappendeken. 'Kom, Moetsie. Die stomme teckel zit alweer aan de lijn.' Hij tilde het angstige diertje op, dat zich met zijn nagels zo had vastgegrepen in de lappendeken dat die bij het optillen meekwam. Er kwam een zitting van een motorfiets onder tevoorschijn. Voorzichtig bevrijdde de jongen het dier. Hij legde de deken weer op zijn plaats en kroop met zijn beschermeling het daglicht in.

'Daar ben je dan eindelijk,' begroette Ben hem verwijtend. 'Waar sta je?'

'Achter dat mens met die groene hoofddoek.' Ralf liet de kat vrij en droop af. Ben ging tegen zijn zin op de plek van zijn broer staan. Hij haatte in de rij staan.

Hij verkortte zijn wachttijd door te dromen dat er een man langskwam, gekleed in een witte slagersjas en met een dampende worstjespan voor zijn buik, net als lang geleden aan het strand van de Wannsee. Toen was hij nog heel klein en er was geen oorlog. Hij kon het geluid van de mosterd die door de man uit een kraantje op een papieren bordje werd gedrukt nog bijna horen. Het klonk heerlijk smeuïg.

Zijn moeder kwam rond zes uur. Meester Gritscher had Ralfs sandalen voor de zoveelste keer gerepareerd. 'Een echte kunstenaar,' zei ze tegen de buurvrouw. 'Ga naar huis, je huiswerk maken,' beval ze haar zoon. 'En neem je broer mee.'

'Wat mag het wezen vandaag, mevrouw Dietrich?' Winkelmann stond blakend van gezondheid en goed doorvoed achter zijn toonbank. Hij zat dicht bij de bron.

'Honderdvijftig gram eipoeder, een brood en het extra rantsoen margarine. Kunt u het eipoeder als voorschot op het rantsoen voor volgende week noteren?'

'Dat moet ik de bazin eerst vragen. Mevrouw Kalkfurth, komt u eventjes?' riep Winkelmann naar binnen.

Martha Kalkfurth had donkere krullen met grijze plukjes. Haar gezicht was glad en rond, met een dubbele kin, haar leeftijd was er moeilijk aan af te lezen. Ze zat zwaar in haar rolstoel die ze handig tussen de zakken met gedroogde aardappelen en dozen vol zakken surrogaatkoffie door manoeuvreerde.

'Kan mevrouw Dietrich honderdvijftig gram eipoeder laten opschrijven?'

'Alstublieft mevrouw Kalkfurth, het is maar tot maandag, dan komen de nieuwe bonkaarten.'

Martha Kalkfurth schudde haar hoofd. 'Bij mij krijgt niemand een speciale behandeling, ook niet als hun man bij de politie is.' Ze keerde haar rolstoel om en reed weer naar achteren.

Ben vond zijn broer voor de ijssalon van de Amerikanen. Een van hen boog zich naar hem toe en gaf hem een grote portie *ice cream*. Ralf had meestal succes met zijn bedelarij, omdat bijna niemand zijn engelachtige gezicht kon weerstaan. Ze lepelden de bolletjes vanille en chocolade op weg naar huis samen op met hun wafeltjes. Het leven was oké.

Vanuit Club 48 zweefden de zachte klanken van 'Starlight Melody' en de aanlokkelijke geur van gegrilde steaks de avondlucht in. Bij de haastig passerende Duitsers wekte dit een onbereikbaar verlangen op. Ingenieurs uit de VS hadden de prefab-elementen van de club in drie dagen in elkaar getimmerd en in een week compleet uitgerust met keuken, cocktailbar, tafels en een dansvloer.

De commandant van de Amerikaanse sector in Berlijn, een tweesterrengeneraal uit Boston, had de club overgedragen aan de gewone soldaten en onderofficieren en met zijn vrouw een ererondje gedanst, voor hij zich opgelucht in het vlakbij gelegen Harnackhuis terugtrok, waar de hogere militaire en civiele rangen hun *dry martini's* nipten.

Jutta Weber werke in de keuken van het 'Fortyeight'. De knappe blonde dertigjarige vrouw schilde de aardappelen, waste af en sleepte met de zware pannen en koekenpannen, waarin *mess sergeant* Jack Panelli en zijn koks ingeblikte en diepgevroren spullen verwerkten tot een eenvoudige hartige hap.

Tegen elf uur 's avonds fietste Jutta naar huis. De fietslamp verlichtte haar weg door de Argentiniëlaan maar flauwtjes. De huizen lagen in het donker. Tot drie uur 's nachts werd de elektriciteit in deze buurt afgesloten. Daarna was Steglitz aan de beurt. De turbines van het openbaar energiebedrijf, waarvan de helft was platgebombardeerd, en de kolenschaarste dwongen tot deze rantsoenering van de elektriciteitsvoorziening. Uit de donkerte dook een late voetganger op. Jutta gebruikte haar fietsbel, maar de voetganger kwam recht op haar af. Ze week uit, schampte met haar voorwiel de stoeprand en verloor haar evenwicht. Hulpeloos lag ze op de stoep. Plotseling werd het gezicht boven haar even door naderende koplampen beschenen. De glazen van een grote stofbril weerspiegelden het licht. Een seconde later verdween het gezicht in de duisternis.

Er stopte een open jeep. De bestuurder sprong uit zijn wagen. 'Everything okay?' Hij hielp haar op de been. Ze herkende de strepen van een captain en de band van de MP. Hij was heel lang, ongeveer één meter negentig, schatte Jutta.

'Everything okay,' zei ze zelfverzekerd. 'I'm on my way home. I work at the Fortyeight.' Ze liet haar legitimatiebewijs zien, waarop stond dat ze in dienst was van de Amerikanen en waarmee ze bovendien ook na de *Sperrstunde* nog op de weg mocht komen. Vlakbij klonk het geluid van een startende motor. Het geluid verwijderde zich snel.

'Uw lamp is niet bijzonder sterk. Dan kan het snel gebeuren dat u een obstakel over het hoofd ziet.' Blijkbaar had hij de man met de stofbril niet gezien. 'Ik breng u naar huis.'

'Dat is echt niet nodig,' wilde ze afwimpelen, maar hij had haar fiets al in zijn jeep gezet en ze kon weinig anders meer doen dan instappen.

'Where do you want to go?'

'Rechtdoor, en rechtsaf de Onkel Tomstraat in.'

Hij startte. Ze bekeek hem van de zijkant. In het donker was er onder zijn helm maar weinig te zien van zijn gezicht. 'Bent u altijd zo laat nog op pad?' Hij had een rustige, mannelijke stem die haar vertrouwen gaf. Hij lijkt een beetje op Jochen, dacht ze droevig.

'Ik ben nooit voor elven klaar. Behalve woensdag. Dan sta ik al om zeven uur buiten.'

'U moet 's nachts heel voorzichtig zijn. U kunt nooit weten wie er in de duisternis rondspookt.' Hij sloeg af de Onkel Tomstraat in. Nummer 133 was een van de woonhuizen met twee verdiepingen aan de rechterkant van de straat, die een architect met een grote voorliefde voor bonte kleuren uit de jaren twintig overeenkomstig had laten schilderen. De soldaat hielp Jutta uit de jeep en laadde de fiets uit.

'Thanks captain. You were a great help.'

'It was a pleasure, madam.' Hij tikte als groet even tegen zijn witte helm.

Aardige jongens, die Amerikanen, dacht Jutta. Ze deed de voordeur open, draaide hem van binnen op het nachtslot en droeg haar fiets de kelder in. De fiets zette ze vast met een kettingslot. Zachtjes klom ze de trap weer op naar boven, bij het licht van een kleine knijpkat, die snorde als je de hendel bewoog.

Het appartement linksboven was vrijgekomen, nadat de voormalige huurder – een lokale NS-troepenleider – zijn vrouw en zichzelf had doodgeschoten toen het Rode Leger Berlijn was binnengevallen. Het appartement had drie kamers. Een daarvan bewoonden de Königs met hun twaalfjarige zoon Hans-Joachim. Jutta woonde in de kamer ernaast. Het kamertje tegenover had het bureau huisvesting toegewezen aan de net uit de gevangenis ontslagen Jurgen Brandenburg, een kleine donkerharige man van eind twintig, gekleed in het blauw van de *Luftwaffe*.

De deur van de kamer van de Königs stond open. 'Juffrouw Weber, komt u toch binnen, het wordt net interessant,' riep meneer König opgewekt. Hij schonk een van aardappels gestookte borrel in.

'Uit de clandestiene distilleerderij van mijn broer. Hij heeft in Steglitz een volkstuintje. Wilt u ook een glaasje?'

'Nee, dank u, meneer König.'

'Dus, waar waren we ook weer gebleven, commandant?'

Brandenburgs donkere blindenbril weerspiegelde het kaarslicht. Met zijn handen beeldde hij een van zijn talloze luchtgevechten uit: 'De Engelsen komen van boven uit de wolken. Een tweemotorige Mosquito. Een gevaarlijke jongen met drie boordmitrailleurs. Ik draai zijwaarts weg. Hij duikt langs mij heen en heeft een tijdje nodig om weer op te stijgen. Ik wacht tot hij weer naast me opklimt en beschiet zijn romp. Ratatatata... Pang! Schot in de roos. Hij vliegt me in duizend stukjes om mijn oren. Mijn vijfentwintigste overwinning in de lucht. Daar heb ik het ridderkruis voor gekregen, van "Hem" hoogstpersoonlijk.'

'Bravo!' Meneer König was er opgewonden van. 'Het ridderkruis. Ongelooflijk, niet, mevrouw Weber?'

Jutta bleef koel: 'Ik geloof er liever in dat het allemaal voorbij is en dat

"Hij" geen onzin meer praat maar brandt in de hel. Hebben jullie dan nog steeds niet genoeg van je moorddadige roverspelletjes?'

Brandenburg sprong op. 'Dat van die onzin, dat pik ik niet!'

'Houd er dan mee op het uit te kramen, okay? Welterusten.' In haar kamer stak Jutta een kaars aan en droeg die de badkamer in om haar tanden bij te poetsen. De smaak van de Amerikaanse tandpasta was sterker dan de afschuwelijke chloorsmaak van het leidingwater. Bij het in slaap vallen zag ze Jochen voor zich. Hij was al aan het begin van de oorlog gevallen. Door de wand heen kon ze de opgewonden stemmen van de mannen in de kamer ernaast horen. Houdt het dan nooit op?, dacht ze bitter.

De motorrijder was kwaad en teleurgesteld. Dagenlang had hij zijn slachtoffer geobserveerd voor hij had besloten dat ze het waard was. Zorgvuldig, bijna liefdevol had hij haar uitgekozen uit een klein kringetje van blonde kandidaten met blauwe ogen. Niet iedereen kwam in aanmerking wat hem betrof. Zo dicht was hij bij haar geweest, en toen had die jeep alles verpest. Wie weet hoelang hij nu weer op een nieuwe kans zou moeten wachten.

Hij spiedde om zich heen, maar op dit uur hoefde hij niet bang te zijn. Ongezien bracht hij zijn machine terug naar de bergplaats, waar hij ook de stofbril, de kaphandschoenen en de leren helm bewaarde. Hij werd opgeslokt door de donkerte. Het was niet ver naar zijn huis.

Hij ging meteen naar bed, deed het licht uit en wachtte gelaten op de droom die altijd dezelfde was: hij verdronk in de ogen van zijn uitverkorene, streek over haar lange, blonde haar en kuste haar mooie, volle lippen die zich bij zijn aanraking hartstochtelijk openden. Ze zuchtte als hij zijn lichaam tegen het hare duwde. Hij was een onovertroffen minnaar, krachtig en onvermoeibaar. Tot hij wakker werd en terugkeerde naar zijn bestaan als onhandige, onwetende en schuwe klungel zonder meisje.

Zo was het destijds ook met Annie geweest, Annie, die bij banketbakkerij Brumm tegenover het metrostation had gewerkt. Eindeloze zondagmiddagen had hij op het terras waar zij bediende taart en koffie besteld, steeds maar weer. Met zijn ogen had hij elke stap die ze zette gevolgd, elke beweging. Zijn veel te hoge fooi financierde hij uit de kas van het bedrijf van zijn ouders. Ze zei dan liefjes: 'Dank u wel hoor, meneer,' en maakte een lichte kniebuiging. Hij merkte niet eens dat ze met hem spotte.

Hij gaf haar bloemen en chocolade en een paar zijden kousen en zij lachte alleen maar: 'Wat jij wilt, is een beetje te hoog gegrepen voor je, jochie.' Zijn blozende jongensgezicht paste niet bij zijn leeftijd. Hij was al vijfentwintig.

De briljanten ring uit het sieradenkistje van zijn moeder veranderde de zaak. Ze deed hem om haar vinger en zei: 'Kom morgenavond maar naar boven.' Ze woonde in het opkamertje boven de bakkerij.

Hij kwam die maandag met zijn motor van zijn werk. Hij had zijn slagersschort nog aan. Zij wachtte hem al op. Haar naakte lichaam glansde prachtig in het licht van de grote kandelaar naast haar bed. Hij stond daar maar met afhangende schouders en durfde haar niet aan te raken. Hij wist niet waar hij kijken moest. Ze hielp hem uit het schort. Er rinkelde iets. 'Wat is dat?' Hij liet haar verlegen de kalverketting zien die hij vergeten had uit zijn schortzak te halen.

Met vlugge vingers kleedde ze hem uit. Toen ze zijn piepkleine lid zag begon ze te proesten. Toch deed ze haar best. Maar hoe ze ook haar best deed, het haalde niets uit. Hij was volledig verkrampt. Schouderophalend gaf ze het op. 'Kom maar terug als je volwassen bent, slappeling,' spotte ze en kleedde zich aan.

Hij wilde haar geen pijn doen en al helemaal niet kwetsen. Hij wilde alleen maar dat ze van hem was. Dat was de afspraak. Hij greep haar vast. Ze stribbelde tegen en trapte naar hem als een kalf voor de slachtbank. Hij greep naar de ketting die tot nu toe nog elk weerbarstig kalf had getemd. Haar weerstand brak al snel. Hij trok haar slipje ruw naar beneden en drong met geweld bij haar binnen. De kandelaar deed dienst als plaatsvervanger voor zijn falende mannelijkheid. Haar rochelen hield hij voor een teken van genot. Een overweldigend hoogtepunt deed hem huiveren terwijl hij het metaal in haar stak en niet ophield tot ze zich niet meer bewoog.

Niemand zag hoe hij haar de donkere voortuin indroeg en aan een tafel zette met omhooggetrokken jurk, zodat iedereen haar bebloede kruis kon zien. Men zou weten dat hij haar bezeten had. De ring trok hij van haar vinger.

Zo was het de eerste keer gegaan en zo ging het sindsdien altijd. Als zijn verlangen te sterk werd, kon hij hem maar op één manier bevredigen: met een jonge, blonde vrouw met blauwe ogen en een kalverketting.

Het was drie uur 's ochtends. In de kelder rook het naar formaline en ontbinding. Dankbaar liet Klaus Dietrich zich door een verpleegster een kapje voor mond en neus binden. De dode vrouw lag op een marmeren tafel, ze was goedgebouwd en had slanke ledematen.

Walter Möbius was hoofdarts geweest bij het Afrikaanse corps. 'Daar hadden we ook gebrek aan koeling. Jouw Karin moet snel onder de grond.'

'Míjn Karin. Dat klinkt eigenaardig. Ik ken haar helemaal niet. Maar ik wil wel weten hoe en wanneer ze gestorven is.'

'Gisteravond, rond elf uur. Met een vingerdikke ketting gewurgd. Hier, in haar hals kun je de afdrukken van de kettingringen zien. Maar dat is nog niet alles.' De arts wees naar het onderlichaam van de jonge vrouw. Haar blonde schaamhaar was verkleefd van het bloed. Hij nam een speculum en spreidde voorzichtig de bovenbenen van het slachtoffer. De inspecteur wendde zich respectvol af. 'Wat een beest,' zei Möbius na een kort onderzoek. 'Een scherp object. Met geweld ingebracht en bruut heen en weer bewogen.'

'Een knevelketting,' peinsde de inspecteur hardop. 'Een knevelketting waarmee hij haar met de ene hand kon wurgen, terwijl hij met de andere hand...' hij stokte. 'Tegen elven? Vermoedelijk voor de laatste trein om twaalf voor elf. Het perron was zo goed als leeg, de verlichting deels defect. De moordenaar verschuilt zich in het donker. De wurgketting smoort haar geschreeuw. Als hij met haar klaar is, duwt hij haar het spoor op, springt er achteraan, trekt het lijk uit het zicht onder het perron, klimt weer naar boven en wacht doodgemoedereerd op de laatste trein. Zo kan het gegaan zijn.'

De arts legde het speculum in een schaal. 'Zuster Dagmar heeft haar uitgekleed. Het slachtoffer droeg geen ondergoed. Weet men iets over haar?'

'Rechercheur Franke denkt dat hij haar gezicht al eens eerder heeft gezien. Hij kan zich alleen niet precies herinneren hoe en wanneer.'

'Ik snijd haar nu open. Wil je blijven kijken?'

'Nee, dank je. Ik kan niet garanderen dat ik niet van m'n stokje ga. Een van onze mensen haalt je sectierapport later op.' Dr. Möbius keek medelijdend naar de knappe dode vrouw. 'Wie zou ze geweest zijn, deze Karin Rembach?' Hij nam zijn scalpel.

Karin

In Weißroda waren de zomerse zondagen het heerlijkst. Na het middageten sluimerde het hele dorp en kon je stiekem ontsnappen: de veldweg langs, de hoge rogge in. Als je de halmen aan de rand van de akker voorzichtig opzij schoof, sloten ze zich weer achter je tot een ondoordringbaar gordijn. Midden in het korenveld had de wind een open plek achtergelaten. Daar gingen de vlechten uit het haar, zodat het lang op de schouders viel en dan kon je op je rug liggend de hemel binnendromen. Soms vond je hand dan zijn weg naar het centrum van je lichaam, totdat het van binnen bijna onhoudbaar begon te tintelen en je niet meer kon ophouden, zo goed voelde dat.

De zeventienjarige Karin vond het heerlijk als ze helemaal alleen was; als niemand haar opdroeg wat ze moest doen: het kippenhok uitmesten of het paard voeren. Ze verbleef nu al twee jaar op de boerderij van de Werneisens, sinds haar moeder – de zus van boerin Anna Werneisens – was overleden aan een zwak hart. Met Karins vader was ze nooit getrouwd geweest. Hij was Engelsman en voer als steward op een lijndienst tussen Londen en Hamburg. Als hij op doorreis in Cuxhaven was, had hij Engels met zijn dochter gesproken. Op een goede dag werd hij overgeplaatst naar het Verre Oosten. Ze hoorden nooit meer wat van hem. De Werneisens lieten het Karin niet direct merken. Maar als ze het varkenshok weer eens niet goed dicht had gedaan, of iets anders was vergeten, zeiden ze in het dorp altijd dat een stadskind hier nu eenmaal niet thuishoorde.

Ze merkte zelf ook wel dat ze anders was. Ze sprak ook anders dan de mensen hier: het pure Hoogduits van het noorden, in plaats van het vreemd klinkende dialect van de mensen hier aan de rand van Thüringen. Karin was blond en had lange, slanke ledematen. Ook dat onderscheidde haar van haar stevig gebouwde familieleden.

Als ze genoeg had gedroomd, ging ze overeind zitten en bond ze haar vlechten weer op. De uiteinden daarvan werden bijeengehouden door kleine leren riempjes met drukknopen, nog een verschil met de dorpsmeisjes, wier vlechten met linten werden vastgemaakt. Ze stond op, streek haar jurk glad en slenterde terug over de veldweg.

Bij de dorpsherberg hing een poster:

'DE BLONDE DAME'

MET NADJA HORN EN ERIK DE WINTER

Het was de aankondiging van een toneelgroep uit Berlijn, die tijdens het zomerreces door de provincie toerde. Karin bekeek de poster met de hoofdrolspeelster voor de zoveelste keer. De vrouw was een knappe, mondaine vrouw met geblondeerd haar en een wit vosje om. Naast haar prijkte de mannelijke hoofdrolspeler: een droomprins in rokkostuum. Karin kon haar ogen er niet vanaf houden.

Voor de smidse stond Hans Görke op Karin te wachten. Hij zag er gewassen uit, alleen zijn zwarte vingernagels getuigden van zijn werk aan het aambeeld. Hans was drie jaar ouder dan Karin. Hij was een korte gedrongen, roodharige vent met dikke armen en handen als kolenschoppen.

'Ik wilde je net op komen halen.'

'Oh?' Gespeeld nonchalant keek Karin op naar de vlag met het hakenkruis dat boven de smidse waaide. Görke senior was lid van de partij.

Ze wilde doorlopen, maar Hans hield haar vast aan haar onderarm. 'Waar was je eigenlijk?'

'Gaat je niks aan.'

'Gaat me wél wat aan. Je bent mijn meisje.'

'Krijg het niet te hoog in je bol.' Karin bevrijdde zich uit Hans' ijzeren greep door zijn vingers een voor een los te peuteren. Hij liet het zonder weerstand te bieden toe. Als hij gewild had, kon hij haar moeiteloos in de greep houden.

'Gaan we volgende week zondag naar Eckartsberga? Er is daar een dansmiddag in De Leeuw.'

'Ik heb geen zin om te dansen,' snibde ze.

'Zullen we een eindje om?'

'Moet melken.'

Terug in haar kamertje trok ze haar dunne jurk met het bloemenmotiefje en de witte kraag uit, evenals haar schoenen en witte sokken. Ze probeerde angstvallig niet in de spiegel te kijken die op de kast gemonteerd zat. Ze haatte haar blauwe tricot onderbroek met de pijpjes, evenals het hooggesloten hemd. Ze ging op de bedrand zitten, trok de klaarliggende wollen kniekousen aan en schoot een overall van grauwe dril aan, die te wijd zat en te veel knopen had.

Anna Werneisen stond aan het fornuis en maakte meelsoep voor die avond. Vol afschuw zag Karin de dikke klonten aan de oppervlakte drijven. 'Hans was hier,' zei haar tante.

'Weet ik.' Karin deed haar laarzen aan die naast de deur stonden.

'Probeer Hans maar te houden. Dat is de goeie voor jou. Hij wil naar Kösen, naar de ruiters, als hoefsmid. Dat is net zo goed als opperwachtmeester, wat de soldij betreft. Ik weet dat van de oude Riester. Die heeft gediend bij de cavalerie.' Anna Werneisen was een praktisch ingestelde vrouw.

'Hij heeft zwarte randen onder zijn nagels en ruikt naar roet.' Karin wachtte het antwoord van haar tante hierop niet af, maar ging op slobberende rubberlaarzen de stal in. Haar nichtjes Bärbel en Gisela zaten al bij de koeien. Karin gooide haar krukje rechts naast Lieses achterste en zette de emmer onder de koe. Ze masseerde de uier, nam twee tepels in de hand en begon: zachte druk met de duim en wijsvinger, de andere drie vingers een voor een laten volgen. Het leek wel wat op pianospelen. Tegelijkertijd licht naar beneden trekken en de melk spoot in de lege emmer met een blikken geluid dat hoger werd naarmate de emmer zich langzaam vulde. Liese keek tevreden kauwend om. De nichtjes giebelden. Ze hadden het over twee jongens uit Braunsroda waarmee ze in het hooi gelegen hadden.

Karin droeg de volle emmer naar buiten en goot hem leeg boven de zeef van de melkkan. In de stal stond Rosa al ongeduldig te loeien. Zij was nu aan de beurt. De drie meisjes melkten tweemaal daags ieder vier koeien. Het voederen en uitmesten deed vader Werneisen.

Na de meelsoep zaten ze bij de radio: een bakelieten kast met drie knoppen en een met stof bespannen ronde luidspreker waar de stem van een reporter uit klonk die opgewonden uit Wenen berichtte. De Führer had Oostenrijk *heim ins Reich* gehaald. 'Die heeft er nog lang geen genoeg van,' voorspelde pa Werneisen somber.

Karin luisterde niet. Ze bladerde in een oud nummer van de *Dame* en droomde weg bij de glanzende foto's van chique, elegante mensen zoals de blonde Nadja Horn en Erik de Winter: een droom van een man in rokkostuum.

Op een vrijdagochtend in juli stopte er een bus in Weißroda. Er zaten toneelspelers in. Op de binnenplaats van de dorpsherberg parkeerde ook een vrachtwagen met decorstukken. Karin was net het kippenhok aan het uitmesten, toen haar nicht Bärbel met het nieuws het erf op stormde. Karin gooide haar hooivork met een grote boog aan de kant. Dit moest ze zien.

Acteurs, technici en de regisseur Theodor Alberti, een man met een volle bos lang haar, een monocle en een Schotse terriër, stapten de bus uit. En Erik de Winter, de filmacteur.

Karin herkende hem meteen: het donkere, golvende haar, de smalle kin, de fluweelbruine ogen. Hij droeg een lichte flanellen broek met daarop een witte tennistrui en hij had een pak tijdschriften onder zijn arm. Hij lachte en wuifde, zoals hij altijd deed als er publiek in de buurt was. Het nieuwtje over de aankomst van de artiesten was echter nog niet verspreid en dus bestond het publiek uit Karin. Ze zwaaide onbevangen terug.

Erik de Winter was aangenaam getroffen door de slanke meisjesfiguur in de veel te grote overall, door het gelijkmatige gezicht met de expressieve ogen. 'Een jonge schoonheid,' zei hij terwijl hij zijn vrouwelijke partner uit de bus hielp.

'Je voorliefde voor het platteland is nieuw voor me,' merkte Nadja Horn spottend op. Ze leek slechts in de verte op de geblondeerde dame met het wit vosje. Ze droeg een rode hoofddoek om haar zwarte haar en een wijde strandbroek à la Dietrich. 'Maar toch, je smaak is zoals gewoonlijk subliem.' Ze stapte met lange, energieke passen op het verraste meisje af en gaf Karin een hand. 'Ik ben Nadja Horn.'

'U bent helemaal niet blond,' flapte Karin eruit.

'Wij acteurs zien eruit zoals het publiek het van ons verlangt. Zwart, rood, blond, brunette. Mag ik u aan mijn partner voorstellen? De heer Erik de Winter ? mejuffrouw... hoe zei u ook weer?'

'Karin Rembach.' Karin veegde het vuil uit haar gezicht.

Een lange blik uit reebruine ogen. 'Aangenaam, juffrouw Rembach.'

'Insgelijks. Ik heb u in een film gezien. U speelde daar een piloot.'

'Die film heette *De Hemelbestormers*.' Hij keek haar met een doordringende blik aan. 'Komt u vanavond? Aan de kassa ligt een vrijkaartje voor u klaar.'

Nadja Horn volgde de ontmoeting met plezier. Die kleine plattelandsjoffer maakte blijkbaar indruk op haar partner. 'Kom ons toch na de voorstelling opzoeken,' stelde ze voor. 'Dan kunt u ons vertellen of het stuk u beviel of niet. Meneer de Winter en ik zouden het zeer op prijs stellen.'

'Ik zal het tante Anna vragen,' beloofde Karin braaf en kon zich daarna wel slaan, dat ze dat had gezegd.

De binnenplaats was inmiddels volgelopen met nieuwsgierige mensen. Ademloos volgde het halve dorp hoe De Winter zich voorover boog om Karins hand te kussen. Haar hart bonsde, maar ze liet het niet merken. 'Tot vanavond dan,' riep ze, zodat iedereen het kon horen en liep op wolken terug naar het kippenhok.

Later in de keuken vroeg ze haar tante om toestemming. 'Neem een paar rozen mee uit de tuin en kom niet te laat thuis,' was het enige commentaar van Anna Werneisen. 'Kan geen kwaad als het kind eens andere mensen ziet,' verdedigde ze haar beslissing tegenover haar echtgenoot.

Het stuk was een komedie met grappige dialogen die een groot deel van het publiek niet begreep. Karin begreep de fijne ironie en de dubbelzinnigheid instinctief en genoot van de elegante kostuums van de acteurs. Zo wilde zij ook zijn.

Ze schaamde zich daarom des te meer toen ze in haar dunne zomerjurkje met het witte kraagje haar nieuwe vrienden na de voorstelling ging opzoeken. De twee acteurs hadden de beste kamers van de herberg gekregen.

'Kindje, wat aardig van je.' Nadja Horn kwam met open armen op haar af. Ze droeg een soepel vallend huispak. Ze had haar blonde pruik afgedaan en was nu weer donker. 'Prachtige rozen, dank je wel. Vond je het leuk?'

'Ja, heel erg. Vooral dat stukje waar Verena van Bergen doet alsof ze Armand al eeuwen niet heeft gezien, terwijl hij in de kamer naast haar op haar wacht.' Karin pakte de lange sigarettenhouder van tafel en ging maakte een pose, haar hand nonchalant in de lucht. 'Schatje, waar heb je het over? Armand interesseert me net zoveel als de teckel van dokter Dupont. Of was het een dobermann?' Ze kon Nadja Horns stem precies nabootsen.

'Bravo!' Erik de Winter applaudisseerde. Hij had zijn rokkostuum ingeruild voor een zijden *dressing gown* met choker en zag er geweldig uit. 'Slokje champagne?' Hij schonk in en gaf Karin het glas.

Het goedje kriebelde in je neus. Karin moest niezen. Ze lachte, ze was totaal niet verlegen. 'Ik heb zoiets nog nooit gedronken, weet je.' Ze nam nog een slokje, zonder te niezen deze keer. Hij hief het glas. 'Je dorp bevalt me wel. Alleen maar aardige mensen.' Het klonk een beetje neerbuigend.

En dan te bedenken dat hij niet eens weet hoe het gehucht heet, dacht Nadja, terwijl ze de rozen in een aardewerken beker zette. Een vaas was er niet. 'Dit is mijn dorp niet. Ik kom uit Cuxhaven.'

Nadja nipte aan haar glas. 'Ben je op bezoek bij je familie en help je hier een beetje op de boerderij?'

'Ik woon en werk hier sinds mammie is overleden. Maar binnenkort ga ik naar Berlijn.' Ze geloofde er heilig in, terwijl ze het zei. Om haar mooie, volle lippen lag een vastberaden trek.

Nadja bekeek het meisje nauwlettend. Ze hoorde het zuivere Duits en zag de natuurlijke en tegelijkertijd zelfbewuste houding. Hier zat geen onnozeltje van het platteland, er zat meer in. Erik had het goed gezien. Ze stond op. 'Kom, kindje. Erik, schenk ons nog maar een glaasje in.'

Karin volgde Nadja naar de kamer ernaast. De actrice schoof de twee helften van een enorme kastkoffer uit elkaar. Er hing wel een dozijn avondjurken in. Ze koos er eentje uit en gooide de jurk naar Karin. 'Probeer deze maar eens.' Karin had zich nog nooit uitgekleed in het bijzijn van iemand anders. Ze ging de badkamer in, maar haar gastvrouw volgde haar als vanzelfsprekend. Weifelend trok Karin haar dunne zomerjurkje uit. 'Wat afschuwelijk!' riep Nadja verschrikt uit bij het zien van de blauwe tricot onderbroek.

'Wacht maar eens even.' Ze verdween en keerde terug met een ragfijne onderjurk en een paar andere prachtige niemendalletjes. 'Vooruit meiske, je wilt toch mooi zijn,' probeerde ze Karin te overtuigen. Die overwon haar verlegenheid en trok het lelijke ondergoed uit.

Voor Nadja stond een volmaakte volwassen vrouw met lange slanke benen en mooie borsten. 'Ga daar maar voor de spiegel zitten.' Nadja maakte Karins vlechten los en borstelde het haar tot het in goudkleurige golven over haar schouders viel. Ze zette Karins wenkbrauwen iets aan en deed subtiel een beetje lippenstift op haar lippen: meer had het gelijkmatige jonge gezicht met de prachtige teint niet nodig.

'Sta op.' Heerlijk ruikende nevel uit Nadja's parfumverstuiver omhulde het naakte lichaam met koelte, zodat Karins tepels overeind gingen staan. Nadja hielp Karin met jarretels, zijden kousen en waarmee het verder nog nodig was. Het knetterde statisch toen Karin de lange jurk over haar hoofd aantrok. Een rijtje sluithaakjes maakte het kunstwerk compleet. Alles paste, ook de zilverkleurige pumps met de hoge hakken. Nadja klapte verrukt in haar handen.

'Nou, dat duurde lang,' mopperde Erik de Winter gespeeld toen de dames weer tevoorschijn kwamen. Daarna bewonderde hij met open mond de blonde jonge vrouw in haar nauwsluitende avondjurk. De jurk was hoog van voren en op de rug uitgesneden tot de taille. Ongelovig besefte Karin dat ze Erik helemaal van zijn stuk bracht.

'Armand, waar blijft de champagne? Ik ben bijna uitgedroogd,' kopieerde Karin Nadja uit de tweede acte en vleide zich net als haar voorbeeld op de leuning van een fauteuil zodat de split van haar jurk tot op haar knie openviel.

Erik hervond zichzelf. 'Alleen als ik deze dans van je mag, mijn liefste,' speelde hij zijn rol en zwengelde aan de grammofoon.

Karin had Erik en Nadja op het toneel zien dansen. Ze liet zich gewoon vallen in de armen van Erik en zweefde met hem over de krakende vloer. Ze rook zijn scherpe eau de cologne en voelde de zijde van zijn dressing gown. Hij voelde haar jonge lichaam en hield op met denken.

Er werd geklopt. Regisseur Theodoor Alberti stak zijn hoofd om de deur. 'Theo, kom toch binnen. Wil je ook een slok champagne?' zei Nadja op zangerige toon.

Het monocle weerkaatste in het licht. Bewonderend bekeek hij Karin van top tot teen. 'En wie hebben we daar? Het zal toch geen nieuwe collega zijn?'

Nadja Horn keek haar beschermelinge peinzend aan. 'Misschien.'

Karin danste uitgelaten over de keien van de dorpsstraat naar huis. Tante Anna had de poort in het hek opengelaten. Toen ze naar de deurknop greep, dook er plotseling een hand op uit het donker en pakte haar arm. 'Met die acteur wil je wel dansen, hè?' kuchte Hans Görke. De alcohol sloeg Karin in het gezicht. 'Wacht maar af, met hem ben ik ook nog niet klaar.' Hij liet Karin los en beende met zware passen weg.

In haar kamertje was Karin het voorval al vergeten. Ze trok haar dunne jurkje uit. De dessous had Nadja Horn haar cadeau gedaan. Met dit fijne dingetje aan ging Karin naar bed en dacht aan Erik de Winter. Ze viel gelukkig in slaap.

Op zaterdagavond was de tweede en laatste voorstelling. Görke had zijn zoon huisarrest gegeven, nadat regisseur Alberti hem over de dreigementen jegens een lid van zijn toneelgroep had verteld en op zijn beurt met 'maatregelen van de Reichskulturkammer' had gedreigd. 'Dan vlieg je met een hoge boog uit de partij, beste man,' had hij het voorval een beetje overdreven.

Dus bleef Erik de Winter ongedeerd en werd ook de afscheidsvoorstelling een groot succes. Karin mocht hij niet meer zien. 'Bevel van Theo,' zei Nadja hem, 'geloof me, het is beter zo, tenminste voor nu.' Erik meende een veelbelovende ondertoon in haar stem te horen.

Op zondagochtend maakte Nadja Horn haar opwachting bij de Werneisens. Ze werd onthaald in de voorkamer, waar ze op de bank plaats moest nemen. Afwachtend zaten de Werneisens tegenover haar.

De actrice kwam meteen ter zake. 'Ik wil uw nichtje meenemen naar Berlijn. Niet nu meteen, maar in de lente. Ze kan bij mij wonen en mij in de huishouding helpen. Dan heeft ze nog genoeg tijd voor de toneelschool. U krijgt van de vakvereniging een referentie wat mijn persoon betreft.'

'Het is niet waar. De toneelschool?' herhaalde Werneisen vol leedvermaak.

'Karin hoort niet in een koeienstal. Dat weet u net zo goed als ik. Ze heeft talent en dat moet ontwikkeld worden.' Instinctief wendde Nadja zich tot Anna Werneisen. 'Geef haar die kans.'

De boerin luisterde geboeid. 'Wij willen Karin niet dwarszitten, maar de kosten...' wierp ze tegen.

'Kost en inwoning krijgt ze van mij. De vraag is hoe ze aan haar schoolgeld komt.'

'Ze heeft een beetje geld van haar moeder. Maar dat is eigenlijk bestemd voor de uitzet.'

'En daar moeten wij mee over de brug komen?' Werneisen kneep zijn ogen samen. 'U denkt misschien dat wij domme boeren zijn, maar zo dom zijn we niet.'

'Een door u gekozen notaris zou het geld kunnen beheren en na zorgvuldige afweging de noodzakelijke betalingen voor Karin doen. Want de verantwoordelijkheid op me nemen voor het geld van een jong meisje, zo dom ben ik nou ook weer niet, meneer Werneisen.'

De boer keek haar verbluft aan. 'U bent me er eentje. Laten we Karin gaan, moeder de vrouw?' Anna knikte. De zaak was rond.

Het werden een lange herfst en een lange winter voor Karin. Ze liet niemand haar ongeduld merken en deed haar werk beter dan ooit. Ze was zelfs ? zij het van een afstandje ? aardig tegen Hans Görke.

Nadja Horn bewoonde een etage aan het Südwestkorso, waar veel kunstenaars zich gevestigd hadden. Karin keek vanuit het raam van haar kamer uit op het groene Breitenbachplein en de tussen struiken en voorjaarsbloemen verscholen ingang van de metro. Ze was nu drie weken in Berlijn en beleefde de stad met onverzadigbare nieuwsgierigheid. Haar financieel beheerder had haar een klein budget voor kleding toegestaan. Een paar giften van haar mecenas maakten de garderobe compleet. Het lelijke eendje van het platteland werd al snel een chique, Berlijnse zwaan.

Lore Broecks Toneelschool in de Kantstraat was gemakkelijk te bereiken met de bus. Nadja had haar beschermelinge daar voor de beginnersgroep ingeschreven. 'We moeten alleen maar ademhalingsoefeningen doen tot je geen lucht meer krijgt,' klaagde Karin.

'Het duurt niet lang meer voor je Gretchen speelt,' troostte Nadja haar.

'Met Erik de Winter als Faust,' droomde Karin. 'Hij laat niets van zich horen.'

'Hij draait met Josef von Baky op Rügen.'

'Is hij daar lang?'

'Je zult een beetje geduld moeten hebben. Ze zijn pas net met de buitenopnames begonnen.' Nadja zweeg even. 'Ik denk dat het tijd wordt, dat we eens praten. Je bent jong en mooi. Je zult veel mannen leren kennen. Ze zullen allemaal proberen je hun bed in te praten. Erik ook. Ik neem aan dat je als meisje van het platteland snapt wat ik bedoel.'

'Je bedoelt of ik weet hoe de stier bij de koe komt? Dat weet toch iedereen.'

'Maar ken je ook het verschil? De koe heeft geen keus. Jij wel. Kies je eerste man uit liefde. Vanaf de tweede moet je met je verstand kiezen.'

Karin begreep in eerste instantie niet wat Nadja bedoelde. Maar opeens verscheen er een mysterieus lachje om haar lippen. Er was er maar eentje voor haar. Nadja vermoedde waar Karin aan dacht en er verscheen een glimlach om haar lippen.

Bij de beginnersgroep van de toneelschool stond de discipline 'schermen' op het lesrooster die juni-ochtend. Lore Broeck onderhield goede betrekkingen met de *Reichsführer SS* en daarom onderwees een sportinstructeur van diens lijfgarde toekomstige toneelspelers. Hij heette Siegfried en was een blonde Germaan. Hij hanteerde het floret verbazingwekkend soepel en elegant. Hij stond achter Karin en stuurde haar hand. Schijnbaar geconcentreerd volgde ze zijn bewegingen, terwijl ze haar achterste 'toevallig' tegen zijn onderlichaam drukte. De andere meisjes giebelden. Siegfried werd rood.

Het was een van de kleine spelletjes waarmee ze de lessen opvrolijkte. Zo kon ze bijvoorbeeld Lore Broeck perfect nadoen, zodat de hele klas onder de tafel lag van het lachen. 'Karin, het ontgaat ons niet dat u over een zeker komisch talent beschikt,' becommentarieerde de lerares haar kleine sketches. 'Maar mag ik u verzoeken iets serieuzer te zijn en bij de les te blijven. Op het toneel kunt u ook niet de hele tijd staan te lolbroeken.'

Lore Broeck was een vurig nationaal-socialiste. Ze had haar grote tijd in de jaren twintig beleefd bij het Duitse Theater en de stomme film. Ze was van elegante dame veranderd in een moederlijk figuur die haar kuikens hoedde als een moederkloek. Jonge acteurs adoreerden haar en vroegen haar om advies als ze zorgen hadden.

'Ik laat u nu een terts zien,' kondigde de schermleraar aan.

Niemand keek. Lore Broeck was binnengekomen met Erik de Winter in haar kielzog. Hij werd meteen door de leerlingen omringd en bestormd met vragen en het verzoek om handtekeningen. Goedgehumeurd wimpelde hij iedereen af: 'Jongelui alsjeblieft, straks word ik nog onder de voet gelopen.'

Karin wachtte op de achtergrond af tot hij haar opmerkte.

Hij maakte zich los uit het groepje om hem heen en kwam naar haar toe. 'Hoe gaat het met u, Karin?' vroeg hij formeel. 'Mevrouw Broeck zegt dat u goed vooruit gaat.'

'Het gaat, dank u,' antwoordde ze houterig. Haar hart klopte in haar keel.

'Naar ik verneem is meneer De Winter een vriend van de familie, Karin,' zei mevrouw Broeck. 'Daarom krijgt u bij uitzondering de rest van de dag vrij.'

'Dat is lief van je, Lore.' Erik omarmde haar en knipoogde naar Karin. Die werd jaloers nagekeken door de anderen, toen hij haar hand nam en haar het leslokaal uittrok.

Beneden wachtte een crèmekleurige open auto, een Wanderer. Erik hielp Karin galant de auto in. Twee voorbijgangers herkenden de acteur en bleven staan. Hij wuifde lachend naar hen, stapte achter het stuur en startte de motor.

Ze reden door de Kantstraat naar de Masoerenlaan, langs de *Reichsrundfunk* tot het Adolf Hitlerplein en met oplopende snelheid de Heerstraat bergaf. Karin genoot van de wind in haar gezicht. Ze zweeg omdat hij zweeg. Bij de Stößenseebrug sloegen ze linksaf de Havelstraatweg in, die zich langs de rivier slingerde.

Bij het Schildhorn stuurde hij de wagen naar de kant van de weg en stopte. Uit het zonovergoten Groenewoud steeg een harsige dennenlucht. Op het water schitterden de witte zeilen. Boven hen bromde de kleine, dikke reclamezeppelin van Odol. Erik boog naar haar toe en kuste haar. Het kwam volledig onverwacht en voelde heel anders dan de onbeholpen kus van de buurjongens destijds in Cuxhaven of de toneelkussen tijdens de les. Instinctief opende ze haar lippen en ontmoette zijn zoekende tong. Haar lichaam trilde. Haar rillingen kwamen samen op één punt. Het was net als in het korenveld, als ze zichzelf streelde, maar dan veel beter.

Hij nam haar hoofd tussen zijn handen. Zijn stem was zacht en teder: 'Dat wilde ik je zeggen.' Hij reed langzaam door. Ze legde haar hoofd op zijn schouder. Ze was vervuld van een overweldigend geluksgevoel. Hij had zijn rechterarm om haar heen gelegd en liet de auto in de derde versnelling rustig rollen. Pas toen de Havelstraatweg achter hen lag, schoof hij haar voorzichtig opzij en schakelde op. 'Houd je van groene aal?' informeerde hij. Ze had geen idee wat dat was.

Aan de oever van de Wannsee bestelde hij het typisch Markse gerecht met peterselie-aardappelen en groene saus, met een moezelwijn erbij. 'Lekker,' loofde Karin met volle mond. Wat is ze toch nog jong, dacht hij.

'Film, hoe gaat dat eigenlijk?' wilde ze weten.

'Ach, het is vooral geduld betrachten. Je zit urenlang in een studio te wachten tot je aan de beurt bent. Dan zeg je een paar woorden tegen je partner die meestal niet eens aanwezig is, en de regisseur laat je dat duizend keer herhalen tot hij er eindelijk tevreden mee is.'

'Je partner is er vaak niet? Is ze ziek?'

Hij legde het aan haar uit: 'Je staat op de set en spreekt direct in de camera alsof die je partner is. Je partner doet hetzelfde door in de camera te antwoorden. Alleen ben jij dan allang bij de kapper of ergens anders. De regisseur moet de film later uit elkaar knippen.'

'Je bedoelt aan elkaar plakken,' corrigeerde Karin.

'Nee eerst uit elkaar. Film heeft zijn eigen taal.'

Nu snapte ze het. 'Je ziet op het doek de een spreken en de ander antwoorden, omdat de regisseur beide beelden eerst uit elkaar geknipt en daarna aan elkaar geplakt heeft.'

'Natuurlijk zijn er ook beelden waarin je alle acteurs ziet. Of een zwenk met de camera van de ene naar de andere kant, of van boven naar beneden, van dichtbij naar ver weg of omgekeerd. Dat hangt van het draaiboek af. Begrijp je het ongeveer?'

Ze dacht na. 'Mag ik nog meer groene aal?' vroeg ze ten slotte en werkte zichtbaar genietend de tweede portie weg. 'De enkele opnames duren dus niet erg lang?'

'Als het veel is draaien we een paar minuten achter elkaar per opname.'

'En als je iets fout doet, doe je het gewoon nog een keer. Er kan dus niets misgaan.'

'Je hebt het begrepen. Wil je ijs als dessert?'

Dat wilde ze. Het was erg erotisch haar met haar roze tong vol overgave het laatste restje ijs van het lepeltje te zien likken. 'Waar gaan we nu heen?' vroeg ze enthousiast.

'Als je wilt, naar mij toe. Maar ik kan je ook naar huis brengen.'

'Naar jou toe,' zei ze. Voor niets ter wereld wilde ze hun samenzijn nu al beëindigen.

Erik de Winter woonde in de Lietzenburgerstraat, niet ver van de Kurfürstendam. Karin keek met bewondering naar de elegante kamers met Bauhausmeubels en kunstobjecten. Ze wees naar een olieverfschilderij van een vrouw. 'Wat kijkt die gek.'

'Een Pechstein,' verklaarde hij. 'Entartete Kunst, zegt men vandaag de dag. De minister vindt dat ik die dame beter op onopvallender plekje op kan hangen. Hij ziet bij mij nogal wat door de vingers.'

'Jij kent een minister?'

'Dr. Joseph Goebbels, Reichsminister für Volksaufklärung und Propaganda. Een interessante man. Heeft veel op met ons filmmensen. Komt soms even langs als hij het op kantoor niet meer uithoudt. Kom, ik laat je de rest van het appartement zien.

De ingebouwde marmeren badkuip in de badkamer ontlokte haar een opgewonden gilletje. 'Mag ik?' vroeg ze spontaan.

Hij draaide de kraan open en goot geurend badschuim in het bad. Daarna liet hij haar alleen. Karin kleedde zich uit en klom in de kuip. Ze werd omhuld door het heerlijk ruikend schuim. Overmoedig kneep ze de grote spons uit boven haar hoofd en riep: 'Erik, kom er ook in.'

Hij verscheen in een witte badjas met in zijn hand een dienblad met champagne en twee glazen. Hij zette het dienblad neer naast het bad en liet zijn badjas vallen. Ze keek onbevangen naar hem op, naar zijn krachtige lichaam en strekte verlangend haar armen naar hem uit. Hij kwam het water in en trok haar naar zich toe. Hij voelde haar borsten terwijl hij haar kuste. Haar hand tastte eerst voorzichtig naar hem, maar werd algauw vrijmoediger. Hij raakte opgewonden. 'Wat ben jij groot zeg,' zei ze onschuldig en verbaasd.

Hij vulde hun glazen. Ze dronk het hare in één teug leeg, hij nam een slok. Hij pakte haar bij de taille en tilde haar op de badrand. Ze slaakte een gil van genot toen ze de koele champagne op haar venusdriehoek voelde tintelen.

Behoedzaam spreidde hij haar dijen en verborg zijn gezicht in haar schoot. Ze werd vervuld van een hemels gevoel dat steeds heftiger werd, bijna onverdraaglijk, tot ze haar hoogtepunt bereikte. Hij knielde voor haar neer. 'Kijk,' beval hij haar. 'Ik wil dat je alles ziet.' Voorzichtig drong hij bij haar binnen en de aanblik was zo nieuw en opwindend, dat ze de lichte pijn niet eens voelde.

Pas toen hij haar drijfnat van het bad naar het bed had gedragen en zichzelf discreet een condoom had omgedaan, liet ook hij zich gaan. Op deze zwoele Berlijnse namiddag in augustus had Erik een gewillige leerlinge gevonden.

Het schemerde. Vanaf het Olivaerplein drong een zware rozenlucht het open raam binnen. Een late merel floot zijn lied. In de verte klonk onweer. Moe en voldaan lagen de twee minnaars naast elkaar. Karin draaide zich naar Erik om en steunde met haar kin op zijn borst.

'Erik...?'

'Ja, lieverd.'

'Erik – ik wil bij de film.'

'Dames toch, dames toch. We spelen hier geen jodenschool, maar een Pruisisch meisjespension. Stilte en discipline, alstublieft,' riep regisseur Conrad Jung bezwerend. Jung was een grijsharige, levendige veertiger met een normaal postuur. Hij klapte in zijn handen. Het geroezemoes van de jonge actrices in hun schoolbanken verstomde.

De man met het *take*-bord ging voor de camera staan en schalde: '*Plicht en Liefde*, scène zesentachtig, take twintig, de derde!' Hij liet het bord zakken. Langzaam rolde de camera richting schoolbanken. Karin zat half verborgen in de tweede rij. Net als de anderen droeg ze een schort met ruches à la 1914 en boog zich over haar schrift. Ze schoof een stukje naar links om in beeld te komen.

'Stop!' riep Jung geïrriteerd. 'U daar, in de tweede rij.'

'Ik ben niet "U daar", ik heet Karin Rembach,' zei Karin onverschrokken.

'Zitten blijven en in uw schrift kijken als het even kan, juffrouw Rembach. Ik weet niet of u het gemerkt hebt, maar wij draaien al een halve minuut.'

Karin stond op. 'Hij heeft helemaal niet met het take-bord geklapt. Ik dacht dat de camera nog niet liep.'

'Gaat u zitten. Opname!' Karin bleef staan. 'Wat is er nu weer?' De regisseur verloor duidelijk zijn geduld.

'Zou het niet beter zijn als de lerares mij de beurt zou geven en ik bij het opstaan verrast naar het raam wijs, omdat ritmeester Von Stechow net aan komt rijden...?'

'Horen jullie dat? Juffrouw Rembach heeft de regie overgenomen.' Iedereen lachte. 'Erik, aan jou heb ik dit natuurtalent te danken, wat denk jij?'

Erik de Winter hield zich afzijdig. Hij was twee takes later aan de beurt. Hij droeg het uniform van een ritmeester van de Gele Oelanen. 'Karel heeft inderdaad niet geklapt voor de take. En wat juffrouw Rembachs voorstel betreft, vind ik het geen slecht idee. Probeer het toch gewoon eens, Conrad.'

'Oké, laten we spijkers met koppen slaan. Rembach staat niet alleen maar op, maar zegt ons wat ze buiten ziet, zodat wij zwakbegaafden ook begrijpen wat er aan de hand is. Misschien behaagt het de artieste ook zelf haar tekst te formuleren?' Het sarcasme droop er vanaf.

Karin ging zitten, haar ogen op het schriftje gevestigd. Ze hief het hoofd in de richting van de buiten beeld staande lerares. 'Ja juffrouw van Ilmen?' Ze stond op, waarbij ze vluchtig naar buiten keek. Daarna keek ze naar voren, begreep verrast wat haar ogen daar zojuist hadden gezien en wendde haar hoofd opnieuw naar het raam. 'Fritz' prevelde ze voor zich uit met een zweem van verlangen in haar stem. 'Ritmeester Von Stechow,' verbeterde ze hardop.

'Niet slecht,' gaf Jung tegen zijn zin toe. 'Waarom noemt de scholiere de ritmeester bij zijn voornaam?'

'Zodat de toeschouwer al vermoedt dat Ulrike verliefd op hem is.'

'We gaan het maar eens opnemen,' besliste Conrad Jung.

'Hij heeft "Rembach" gezegd,' zei Karin die middag verzaligd in de kantine.

'Je hebt indruk op hem gemaakt. Maar dat zal hij nooit toegeven. Je hebt trouwens ook indruk op mij gemaakt. Je was echt goed.'

'Zonder jou zat ik niet hier in Babelsberg.' Karin drukte Eriks hand tegen haar lippen. Ze likte met haar tong over zijn handpalm. Erik huiverde van genot.

'Conrad stond nog bij me in het krijt.'

Ze liet zijn hand zakken. 'Is hij een goede regisseur?'

'Hij is bij Fritz Lang als assistent in opleiding geweest, en heeft na diens vertrek met een paar krijgsfilms een goede reputatie opgebouwd bij de UfA. Zijn kracht ligt in scènes met grote mensenmassa's. Daarom heeft men hem hoog in het vaandel. Zijn volgende project is een grote historische film over koningin Louise.'

Karin beet gulzig in haar knakworstje. 'En wie speelt de koningin?'

'Hielscher wordt genoemd. Maar ik denk dat ze niet Arisch genoeg is naar de smaak van de minister.'

'Hoe is hij privé?'

'Jung? Een familyman. Vijf kinderen. Boze tongen beweren dat hij met Goebbels een wedstrijdje doet.'

'Wil jij kinderen?'

'Daar moet je eerst voor trouwen.'

'Ja?' zei ze vol verwachting.

'Luister schat,' ontweek hij. 'Ik draai met Willi Forst op de Rozenheuvel. We zullen elkaar een paar maanden niet kunnen zien.'

'Een paar maanden? Toe maar. Dan sta ik je een kleine Weense figurante toe,' zei ze zogenaamd blijmoedig.

Toen ze terugliepen naar de hal, hoorden ze harde marsmuziek denderen uit de anders ? met het oog op geluidsopnames ? zo zwijgzame luidsprekers van de ruimte waar de films gemonteerd werden. Het Duitse leger was Polen binnengevallen.

'Erik, ben ik Arisch genoeg?' vroeg Karin plotseling.

Hij wist waar ze op doelde. 'Blonder kan niet en je bent ook slank en groot ? en erg knap. Maar vergeet het verder maar, want Conrad Jung neemt geen beginners. Je bent nog lang niet zover. Zien we elkaar vanavond?'

Hij had voor Karin een klein appartement op de hoek van de Hohenzollerndam en de Mansfelderstraat ingericht. Hij zocht haar daar op zo vaak hij kon. Ze kookte graag en hij overnachtte bij haar. Maar het fijnste waren hun vrijpartijen in zijn marmeren bad.

'Geen tijd,' zei ze kortaf. Tot lang na middernacht lag ze wakker en dacht na.

Nadja Horn zei hetzelfde als Erik, maar met andere woorden. 'Oké, je hebt een kleine gesproken rol veroverd. Dat heb je heel slim gedaan, dat moet ik helaas toegeven. Maar daarom ben je nog niet meteen een actrice. Ga verder naar school, leer je klassiekers. Als je goed bent, komt het succes vanzelf. Als de fascisten tenminste intussen niet alles kapotmaken.' Nadja maakte geen geheim van haar mening over de nationaal-socialisten. Ze schonk nog een kop thee in. 'Ben je gelukkig met hem, meis?'

'Hij is de beste man van de wereld. Nadja, hoe zag koningin Louise eruit?'

'Sinds wanneer ben je geïnteresseerd in geschiedenis?'

'Sinds Conrad Jung een film over koningin Louise gaat maken.'

'Begin er nou niet weer over. Zet het uit je hoofd.'

'Louise van Mecklenburg-Strelitz, echtgenote van Friedrich-Wilhelm III van Pruisen. Geboren 1776. Moeder van Friedrich-Wilhelm IV en Wilhelm I. Napoleon was zeer onder de indruk van haar trotse houding na zijn overwinning op Pruisen.' Karin had de encyclopedie gelezen. 'Ze moet erg knap zijn geweest,' droomde ze hardop. 'Ze stierf toen ze pas zesendertig was. Vind je niet dat ik ouder lijk dan ik ben?'

'Ben je iets van plan?'

Karin had alles goed doordacht. 'Jung draait nog drie weken voor *Plicht en Liefde*. Daarna moet hij nog monteren. Zolang gaat hij alleen in het weekeinde naar zijn gezin aan het Scharmützelmeer. Gedurende de week blijft hij in de stad. Hij heeft een appartement aan het Leninplein, achter het Komische Cabaret. Ik ga hem verrassen als Louise. Nadja, help je mij?'

'Je bent niet goed wijs.'

'Wat kan er nou gebeuren, behalve dat hij me er vierkant uitzet?'

Nadja deed nooit suiker in haar thee. Nu gooide ze afwezig het ene klontje na het andere in haar kopje. Na het zesde klontje barstte ze in schateren uit en kon niet meer ophouden.

'Dit wordt de mafste grap van het jaar,' riep ze opgetogen. 'We vragen Manon Arens,' voegde ze er iets rustiger aan toe.

Manon Arens was een gebocheld oud vrouwtje. Ze werkte al een eeuwigheid als kostuumontwerpster bij het toneel. 'Een empirejurk: lichtblauw met grijs bezet,' besliste ze en presenteerde haar bezoeksters alle passende accessoires uit de kostuumgarderobe. 'Toi-toi-toi meid,' giebelde ze en keek op naar de drie koppen grotere Karin.

Voor de historische haardracht met diadeem zorgde Roland-Roland, de stercoiffeur van de komische opera. Hij kwam naar Nadja's appartement toe. 'Veel plezier bij het gekostumeerde bal,' wenste hij de dames toe. Hij was niet ingewijd in het plan.

Nadja bekeek Karin met een kritische blik. 'Je bent een betoverende jonge koningin,' oordeelde ze goedkeurend. Ze legde haar beschermelinge een lange, zwarte avondcape om de schouders. 'Karin Rembach past niet bij je. Je moet een andere naam bedenken.'

'Verena van Bergen,' riep Karin spontaan. 'Weet je nog wel?'

'Natuurlijk weet ik dat nog. Goed, waarom niet. Verena van Bergen. Dat klinkt Arisch en aristocratisch. Precies wat die fascisten willen. Toi-toi-toi meid.'

Een taxi bracht Karin naar het Leninplein. Conrad Jung opende de deur.

Hij herkende zijn bezoekster niet. 'Mag ik binnenkomen?' vroeg Karin.

'Wie bent u? Wat wilt u?'

Ze deed haar capuchon af en liet de cape vallen. Ze stond recht tegenover hem in haar lichtblauwe empirejurk. Het diadeem schitterde, net als haar blauwe ogen.

'Ik vraag het niet voor mezelf, sire,' zei ze met warme stem, 'ik doe het voor Pruisen.'

Hij was verbluft en wist opeens wie ze was: 'Karin Rembach.'

'Van nu af aan Verena van Bergen.'

Hij bewonderde haar uitdossing. 'Zeer goed in scène gezet, Verena van Bergen,' loofde hij. 'Maar desalniettemin ? waarom zou ik u de rol geven?'

Karin deed een haakje los. De jurk gleed op de grond. Ze stond naakt voor hem.

'Daarom,' zei ze met een lach.

'Je hebt snel bijgeleerd. Gefeliciteerd met koningin Louise.' Erik de Winter was uit Wenen gekomen om zijn lof te uiten. Conrad Jungs *Plicht en Liefde* ging in première in het Gloria-Paleis. 'Zien we elkaar na de voorstelling?'

'Ik ben bang van niet.' Haar instinct waarschuwde haar zich op het premièrefeestje te laten zien met haar oude en haar nieuwe minnaar. 'Ik heb morgenvroeg rijles. De auto is al besteld. Een DKW cabriolet, zwart-geel met spaakwielen. Ik kan nog steeds niet geloven dat ik me zoiets kan veroorloven. Wees niet boos, Erik, alsjeblieft.'

'Een ander keertje dan.' Hij was een goede verliezer.

Ze omhelsde hem, haar lippen dicht bij zijn oor.

'Dank je,' fluisterde ze. 'Bedankt voor alles.'

'Ontspannen alstublieft, juffrouw Rembach. Langzaam de koppeling op laten komen. Ja, heel goed. Tegelijkertijd een lichte druk op het gaspedaal, alsof het een rauw ei is.'

Dat met dat rauwe ei lukte niet zo goed, want de lesauto schoot met een schok naar voren en dreigde het trottoir mee te nemen, omdat Karin het stuur krampachtig vasthield en helaas niet recht. De rij-instructeur corrigeerde het gelaten. 'Zo en dan nu de rechtervoet van het gaspedaal en de linker weer op de koppeling. Houdt de koppeling ingetrapt en zet de auto in de tweede ver-snelling, net zoals we dat deden in het oefenmodel. Nee, niet kijken. Naar voren kijken, altijd kijken in de richting waarin u rijdt. Ziet u wel, het lukt toch? Voet van de koppeling en druk het gas maar in. Mooi rechtuit sturen en nu in de derde en hoogste versnelling. Koppeling, schakelen, gas.'

Een zekere architect Speer had van de Brandenburger Tor tot het Adolf Hitlerplein een brede doorgang laten wegbreken tussen de wirwar van huizen in het Berlijnse westen. Hij had er een straat laten aanleggen die breed genoeg was voor marsen, parades en duizenden toeschouwers. De rij-instructeur had deze laan uitgekozen om op te oefenen. Karin reed om de Siegessäule heen naar de Brandenburger Tor. Zolang ze zich op het stuur kon concentreren, zonder te worden gestoord door koppeling en versnellingsbak, ging het eigenlijk allemaal goed.

'Bravo,' riep haar medeleerling vanaf de achterbank. 'Isabel Jordan,' stelde ze zich na de rijles voor. Ze was een slanke, donkerblonde vrouw met grijze ogen. Ze was langer dan Karin en een paar jaar ouder.

'Karin Rembach.'

'Uw eerste les, nietwaar? Ik heb er al vijf op zitten. Mijn man staat erop dat ik het doe. Hij zegt dat hij het zat is mij naar de kleermaakster te brengen. Maar in werkelijkheid wil hij gechauffeerd worden zodat hij op weg naar de rechtbank zijn stukken kan bestuderen. Hij is advocaat, moet u weten.' Isabel Jordan kletste er vrolijk op los. 'En u, juffrouw Rembach?'

'Ik ben actrice. Ik heb net mijn eerste auto besteld.'

'Proficiat. Mijn man heeft veel mensen van de film als cliënt. Oh, daar is hij net. Kom, wij brengen u naar huis. Darling, dit is Karin Rembach, actrice.'

'Verena van Bergen, als ik het wel heb.' Mr. Rainer Jordan kuste Karins hand. 'Conrad Jungs koningin Louise. Heel Babelsberg heeft het over u.'

'Mijn artiestennaam,' legde Karin uit aan Isabel.

'Een echte filmster dus. Wanneer gaat het beginnen?'

'Volgende week. We draaien bijna een jaar lang.'

'Als de grootmachten het niet eens worden over Polen, zitten we dan al midden in de oorlog,' voorspelde mr. Jordan.

'U moet niet naar hem luisteren. Hij is een beroepspessimist. U moet gauw eens bij ons komen dineren. Ik bel u op.'

Uit de ontvanger in de garderobe klonk een blikken stem met een Weens volksaccent: '... sinds kwart voor zes wordt er teruggeschoten.' Het was vrijdag, 1 september 1939. De Duitse *Wehrmacht* was Polen binnengevallen.

'Nou zitten we mooi in de penarie.' Greetje Weiser draaide de knop van de radio om. De regisseur had de geliefde volkstoneelspeelster de rol van Gravin

Thann toebedacht, een hofdame die de jonge koningin in plat Berlijns de waarheid zegt. Karin mocht haar collega graag, die ook privé geen blad voor de mond nam.

'Na alles wat de Polen ons hebben aangedaan... Op een gegeven moment is ook Zijn geduld op,' verdedigde Karin de heerser van het Grootduitse rijk. Net als zovelen in Duitsland wist ze niets van de SS'ers die in Pools uniform op bevel van Hitler de rijkszender Gleiwitz hadden overvallen. Een laatste excuus voor een oorlog die sowieso al was gepland. Karin was te veel met haar rol bezig om over politiek na te denken. 'Over een paar weken is het weer vrede.'

'Vergis je er maar niet in, kleine meid. Als zo eentje de smaak te pakken heeft, houdt ie niet meer op met vreten.' Weiser hanteerde haar poederkwast zo energiek dat het poeder in de rondte stoof. 'Maar laten we er maar over ophouden. Wij tweetjes draaien nu met die gehoorzame celluloid rijksadjudant een film, en ik zal je eens wat zeggen meid: met jou houd ik het wel een paar maanden uit.'

'Dus da's nou onze koningin Louise.' Karin hoorde het Rijnlandse accent, zag de bewonderende blik in de intelligente bruine ogen, het gladde donkere haar, het hoge voorhoofd en het op ontelbare vrouwen uitgeprobeerde charmante lachje. Een perfect zittend pak en een vleugje eau de cologne maakten de verschijning van de gastheer af. Rijksminister dr. Joseph Goebbels was kleiner dan Karin en bewoog zich ondanks zijn horrelvoet met verbazingwekkende elegantie. Hij schonk de champagne persoonlijk in. Het illustere gezelschap was uitgenodigd om in kleine kring de privé-voorstelling van de minister bij te wonen. Conrad Jung had zijn hoofdrolspelers meegenomen om de voorstelling te zien. Ze hadden tien maanden vermoeiende opnames achter zich.

'Dank u, excellentie.' Karin nam haar glas aan.

Weer die bewonderende blik. Een beetje te berekenend, vond ze. 'Komt u toch mevrouw, u kunt naast mij zitten. Ik neem aan dat u het werk van onze vriend Jung al hebt mogen zien?'

'Slechts wat losse scènes op de montagetafel.'

'Dan is het dus voor u ook een première, en ik begrijp uw hartkloppingen volkomen. Ik ben benieuwd. Zullen we beginnen?'

Een adjudant in een bruin partij-uniform gaf een seintje, waarop de wandlampen werden gedimd. Op het doek verscheen het logo van de UfA. De film begon. Het was een mix van hoofse pracht en praal, indrukwekkende massascènes en aandoenlijke episoden uit het leven van de jonge koningin. Conrad Jung en zijn cameraman hadden Karin alias Louise als serene, klassieke schoonheid neergezet. De scène met Napoleon, waarin de koningin smeekt om een goede behandeling van haar volk, vormde het hoogtepunt van de film. De muziek zwelde aan en de verlichting vlamde op.

Nerveus hield Karin haar hoofd voorovergebogen en wachtte op het oordeel dat haar in één klap zou maken of breken. Om haar heen werd gezwegen. Niemand waagde het iets te zeggen voordat de minister iets zei. Ze zag haar buurman vanuit haar ooghoeken. Goebbels pakte zijn glas, draaide het peinzend in het rond, nam een klein slokje en genoot duidelijk van de angstige spanning die hij opbouwde.

Ten slotte draaide hij zich naar Karin toe en begon te applaudisseren. 'Ik mag u feliciteren met een geweldige kunstzinnige prestatie.'

Iedereen klapte. Karin haalde opgelucht adem. 'Verena van Bergen, ik beloof u een gouden toekomst.'

Hij kuste haar hand en zocht daarbij haar blik. Ze vond zijn aandacht onaangenaam, maar ze liet het hem niet merken en schonk hem een stralende lach. 'Dank u wel, Excellentie.'

'Ook u, Conrad Jung, en alle overige deelnemers, mijn hoogachting. Een grootse film. We zullen hem na de eindoverwinning naar de Biënnale sturen. Tot die tijd laten we de film rusten. We zitten in het tweede oorlogsjaar. Onze soldaten vechten in Frankrijk. We kunnen hun en het Duitse volk nu geen Franse overwinning en een Pruisische nederlaag aandoen. U bent het vast met mij eens dat het verraad zou zijn.'

'Ja natuurlijk ? correct ? wat een inzicht...' de onderdanigheid droop ervan af.

'Wat vindt u, mevrouw Van Bergen?' Goebbels' mondhoeken stonden spottend.

'Meld de film volgend jaar voor Venetië aan.'

Er volgde een pijnlijke stilte. Had ze gedurfd deze machtige man tegen te spreken?

Goebbels hief het glas in haar richting. 'Op uw gezondheid, liefste.' Hij had het meteen begrepen.

Het tochtte in de keuken. Bij de laatste luchtaanval waren er twee ramen gesprongen. Het karton was maar een matige vervanging. Karin maalde koffie. Die had Erik haar samen met een paar zijden kousen uit Parijs toegestuurd.

'Ik heb geen koffiemelk meer. En ik heb nog maar een paar klontjes suiker,' riep ze.

'Geen wonder in het vierde oorlogsjaar.' Conrad Jung kwam de badkamer uit. Hij depte de laatste restjes scheerschuim van zijn kin. 'Bewaar de suiker maar voor het paard. Je speelt een dappere, jonge boerin wier man aan het oostfront vecht terwijl zij het thuis te maken krijgt met Pools en Russisch landarbeidergespuis dat de oogst saboteert. De auteurs wilden dat je aan het einde een heldendood zou sterven, maar dat heb ik veranderd.'

'Dank je, Conrad. Ik heb een hekel aan sterfscènes.'

'Goebbels wil dat hij de rol doet. Je hebt destijds als Louise veel indruk op hem gemaakt. Ook je beide laatste films vond hij goed. Hij is je niet vergeten.'

'Ik ben ontroerd.'

'Ik laat het draaiboek liggen. Hij wil het binnenkort met ons bespreken. Hij verwacht dat ik verhinderd zal zijn. Hij wil met je naar bed. Je ontbreekt nog in zijn collectie.'

'Moet ik nou beledigd zijn of gevleid?' Karin schonk koffie in.

'Dat hangt ervan af wat je wilt.'

'En jij?' Ze smeerde een broodje met honing voor hem.

'Wij hebben elkaar de laatste tijd maar weinig gezien. Ik zal vanaf nu meer thuis zijn. Lore verwacht ons zesde kind. Ze is een fantastische vrouw. Jij hebt me allang niet meer nodig. Natuurlijk draaien we nog wel met elkaar.' Hij ging de slaapkamer in om zich aan te kleden. 'Wat jij beslist is je eigen zaak. Denk eraan: Goebbels kan onbeperkt over je beschikken.'

Nadja Horn was de enige persoon die Karin vertrouwde. Nadja wist wat goed was. Karin parkeerde aan het Breitenbachplein en liep de paar meter naar het Südwestkorso. De voordeur was door de druk van een bomexplosie uit zijn scharnieren gesprongen. Ze ging de trap op naar de eerste etage en belde aan. Nadja verscheen in negligé.

'Sorry dat ik gewoon zo binnenval hoor, maar ik heb dringend je raad nodig.' Sinds een poosje mocht ze Nadja tutoyeren.

'Kom binnen.' Op de ivoorkleurig gelakte meubeltjes schitterden glasscherven. 'Frieda heeft nog niet opgeruimd,' verontschuldigde Nadja zich. 'Weer een raam minder. Zelfs het karton wordt schaars. Wil je een sherry?' Nadja had altijd nog iets lekkers uit vredestijd paraat.

'Nee, dank je, luister.'

'Je minnaar Conrad Jung verlaat je niet alleen, maar geeft ook nog adviezen over met wie je naar bed moet gaan,' vatte Nadja samen wat Karin haar vertelde.

'Maar dat is geen reden verdrietig te zijn. Vergeet niet waarom je in de eerste plaats met hem naar bed bent gegaan.'

'Je zou het ook een beetje subtieler kunnen zeggen.'

'Pas op voor Goebbels. Hij is klein, lelijk en heeft sinds zijn geboorte een klompvoet die hij naar voren schuift alsof het een oorlogssouvenir is. Hij probeert zijn minderwaardigheidscomplex te verdoezelen met steeds weer nieuwe veroveringen. Omdat hij tevens heer en meester is over het bewegende beeld, graait hij daarbij vrijuit tussen het personeel van de UfA, Terra en Tobis.'

'Nadja, wat moet ik doen?'

'Je moet hem ontlopen en wel zo, dat je zijn ego niet krenkt. Mijn vriend Coert Hoffmann draait een blijspel in Praag. Daar zit je ver genoeg weg.'

'Een blijspel? Ik wil geen flutterig blijspel. Ik wil een grote rol in een drama.'

'Als blonde Germaanse boerin op een landgoed, die het helemaal alleen moet redden tegen bandieten uit Oost-Europa en daarbij een paar van die Untermenschen koelbloedig neerknalt?' Nadja had het draaiboek gelezen. 'De oorlog is een verloren zaak. Je zult je later voor zo'n opruiende rol moeten verantwoorden. Wees geen domoor. Ga naar Praag. Ik praat met Hoffmann.'

Karin hoorde iets achter zich. Onwillekeurig draaide ze zich om. Erik de Winter stond in de deuropening van de slaapkamer. Hij droeg een kamerjas en zag eruit als in een van zijn rollen.

'Erik?'

'Sinds gisteren terug uit Parijs. Generaal Von Choltitz heeft de geweldloze aftocht geblazen. De mooiste stad ter wereld blijft behouden. Darling, hoe is het met je?' Hij trok haar naar zich toe en gaf haar een kus op haar wang. Karin rook Nadja's parfum aan zijn schouder. Opeens wist ze dat ze nog steeds van hem hield.

'Ik wist niet dat jullie tweetjes sinds kort samen zijn. Gefeliciteerd.'

'Sinds kort? Hoor je dat?' Nadja lachte haar donkere toneellach. 'Wij waren al een paar toen jij nog niet bestond, meid. Met onderbrekingen weliswaar, dat geef ik toe. De afwisseling deed ons beiden goed, nietwaar Erik?' Het was Nadja's kleine triomf over haar jongere rivale.

'Ik moet gaan. Dank je voor je advies Nadja. Erik, bedankt voor de koffie en de kousen.'

Haar DKW wilde niet starten. Tevergeefs trok Karin aan de ontluchtingsklep en de startknop. Net als andere artiesten had ook zij het begeerde rode hoekje op haar nummerbord, waarmee het haar was toegestaan auto te rijden.

'Nou joffer, dat kleine wonder heb er niet veel zin in, wel?' grijnsde een jonge man. Hij waggelde behendig op twee krukken naderbij. Zijn linkerbeen hield net onder de heup op. Hij droeg een gouden erespeldje op zijn jas. 'Laat maar effe kijken.' Hij deed de motorkap open, rommelde wat onderin de motor en riep: 'Starten maar.'

Pruttelend startte de motor. Karin boog uit het raampje. 'Wat was het?'

'De benzineleiding zat los. Ik heb hem provisorisch vastgezet, maar de garage moet de moertjes nog effe goed aandraaien, anders gaan ze weer los. Zeg, ken ik je niet ergens van? Oh ja, nou weet ik het weer. Verena van Bergen. Ik heb je in de film gezien.'

'Aardig van u dat u mij herkent. En wie bent u, als ik vragen mag?'

'Paul Kasischke.'

'Aangenaam, meneer Kasischke. Kom, stap in. Waar wilt u naartoe?'

'Naar mijn moeder. Die zit bij de koeien.'

Het was van het Breitenbachplein niet ver tot de boerderij Dahlem, een staatsboerderij die de inlijving van het dorp bij de grote stad Berlijn had overleefd. Karin liet tram 40 passeren. Daarna draaide ze het erf op. Ze hielp haar passagier de auto uit.

'Heb u nog een ogenblikje? Moeder blijft erin, als ze d'r eentje van de film ziet.'

Karin volgde de man wat onbeholpen op haar modieuze hakken. Op de keitjes was er geen beginnen aan. In de stal ging het iets beter. Zes vrouwen keken wantrouwig op van de koeien die ze aan het melken waren. De buitengewoon elegante verschijning met hoed en zijden kousen was hier in het geheel niet op zijn plaats.

'Moe, dit is Verena van Bergen. Ze heb me met haar auto hierheen gebracht en wil je even begroeten.'

Onbevangen strekte Karin haar hand uit. 'Goedendag mevrouw Kasischke. Uw zoon heeft mij zeer geholpen. Mijn auto wilde niet starten.'

Moe Kasischke bekeek Karin van top tot teen. 'Ik heb u in de bioscoop gezien. Bedankt dat u mijn jongen mee hebt genomen. Hij is slecht ter been. Maar hij heb wel een mooi speldje.' Het klonk erg verbitterd.

'Dat spijt mij zeer. Als ik u op de een of andere manier kan helpen...'

'De mooie jongedame van de film kan misschien wel effe helpen melken,' grapte een van de vrouwen.

'Maar dan wel met handschoentjes aan,' hoonde een ander.

'Houd eens vast.' Karin stroopte haar handschoenen af en gaf ze aan moe Kasischke. Ze trok haar jurk ongegeneerd op tot ver boven haar knie en ging wijdbeens op het melkkrukje zitten. De melk spoot met een krachtige straal de emmer in.

'Tjemig, 't is d'r eentje van ons,' merkte iemand verbaasd op.

Karin stond op. 'Hoe een mens zich kan vergissen, nietwaar? Tot ziens, dames. En nogmaals mijn welgemeende dank, meneer Kasischke.' Ze keerde de auto en reed weg. Wat zou er van hem worden na de oorlog?

De oorlog is verloren, hoorde ze Nadja nog zeggen. Had Nadja gelijk? Misschien kon ze toch beter dat blijspel in Praag doen. Aan de andere kant was Conrads aanbod wel aanlokkelijk. Ze had om drie uur die middag een afspraak bij de fotograaf. Tijd genoeg voor een klein bezoekje aan Lore Broeck. Een onafhankelijke second opinion kon geen kwaad.

'Alleraardigst, dat je je oude lerares komt opzoeken.' Lore Broeck was geëmotioneerd. 'Het is hier zo stil geworden. Onze jeugdige minnaars en toekomstige drama-acteurs vechten aan het front. Karin, Erwin Meinke uit je klas is inmiddels luitenant-majoor. Bijna alle meisjes zijn in dienst. Maar jouw werk is net zo belangrijk. We hebben nu acteurs nodig die Duitsers spelen.

'Dat is de reden waarom ik hier ben, mevrouw Broeck. De minister wil dat ik een dramarol ga doen onder regie van Conrad Jung: een Duitse grootgrondbezitster. Nadja Horn zegt dat de oorlog verloren is en dat zo'n rol mij daarna parten zou kunnen gaan spelen. Ik zou graag uw eerlijke mening horen.'

Lore Broeck lachte haar warme, moederlijke lach waarmee ze al hele generaties scholieren had getroost. Ze trok Karin naar zich toe. Haar volle boezem was aangenaam warm. 'Och, wat erg,' verzuchtte ze, 'mijn kleine meid zo te pesten.'

Ze schoof Karin net zo snel als ze haar daarnet naar zich toe had getrokken weer van zich af en riep opgewekt: 'We gaan de op een na laatste fles Rheinhessen openmaken en lekker kletsen over die goeie ouwe tijd. Weet je nog hoe je mij altijd nadeed? Dat waren kleine staaltjes acteerkunst. Alleen kon ik dat destijds niet zo openlijk toegeven.' Lore Broeck giechelde. 'Ik had je talent toen al in de gaten.'

Ze bladerden in oude albums vol krantenknipsels over Lore Broecks tijd op het toneel. Karin wees op een foto van een markant mannengezicht waarop een handtekening prijkte. 'Dit ziet er interessant uit. Wie is dat?'

'Een zekere Max Goldmann. Hij ging schuil achter de Arische naam Reinhardt. Hij verdween op een gegeven moment naar Amerika.'

'Wat mijn vraag betreft...' herinnerde Karin haar voormalige lerares bij het afscheid.

'Dat wijst zich vanzelf. Volg je hart, mijn kind.' Lore Broeck werkte Karin de deur uit en haastte zich naar de telefoon.

Een urenlang durend bombardement van de Engelsen zorgde ervoor dat de bewoners van het huis aan de Hohenzollerndam 25 de halve nacht in de kelder doorbrachten. Karin was nog in diepe slaap toen de volgende ochtend om acht uur de bel ging. Buiten stonden twee mannen in lange, grijze leren mantels, met vilten hoeden op. 'Geheime Staatspolizei.' Ze lieten hun legitimatiebewijzen zien.

'Mevrouw Rembach, Karin, alias Verena van Bergen?'

'Ja?' Karin kreeg een weeïg gevoel in haar buik. Ze had van de Gestapo gehoord, maar op de manier als van een soort nevelig spook. En nu stonden diens afgezanten voor de deur.

'Mogen wij binnenkomen?'

'U ziet toch dat ik nog niet gekleed ben. Kunt u straks niet terugkomen? Waar gaat het eigenlijk over?'

'Een dringende kwestie. Dus mogen wij u verzoeken...?'

Weifelend liet Karin haar bezoekers binnen. 'Gaat u zitten, alstublieft. Excuseer, het duurt maar een paar minuten.' Ze verdween de badkamer in en kleedde zich daarna snel aan in de slaapkamer.

'Zo, ik sta u geheel ter beschikking.'

'Wij moeten u verzoeken met ons mee te komen,' zei de oudste van de twee plechtig.

'Waarom? Heb ik iets misdaan?' Ze kreeg geen antwoord.

'Ik zal mijn beklag doen bij rijksminister Goebbels.'

'Dat is uw goed recht. Komt u alstublieft.' Beneden wachtte een zwarte Mercedes die haar naar de Prins Albrechtstraat bracht. Via trappen en schoongeboende gangen kwamen ze door een hoge dubbele deur. Achter een groot bureau stond een jonge man met kort, donkerbruin haar op. Hij droeg een goedzittend duifgrijs uniform met zwarte kraag en zilveren revers en elegante laarzen. Hij liep om zijn bureau heen om zijn gast te begroeten. 'Geachte mevrouw Van Bergen, dank u dat u bent gekomen. Ik ben SS-officier Hofner.' Hij sprak met een Beiers accent. Hij sloeg zijn hakken tegen elkaar als in een

Pruisisch officierscasino en gaf haar een handkus.

'Gaat u toch zitten, beste vrouw.'

Karin haalde opgelucht adem. Dit klonk niet als een arrestatie. Hofner ging achter zijn bureau zitten. 'Uw vorige film vond ik erg goed. Wij hebben luchtig vertier nodig in deze zware dagen.' Voorzichtig trok hij de lange roos in een hoge kristallen vaas dichter naar zich toe. 'Maar wij hebben ook vastberadenheid en een ijzeren wil nodig om te overwinnen. Dit zijn de woorden van onze Reichsführer die mij vanochtend belde.' Hij rook aan de roos. 'Onze Reichsführer is ter ore gekomen dat Nadja Horn beweert dat de oorlog zou zijn verloren. Kunt u bevestigen dat zij dat heeft gezegd?'

'Lore Broeck,' flapte Karin er onwillekeurig uit.

'Een oprechte volkskameraad en goede kennis van onze Führer, aan wier woorden nooit te twijfelen valt. Aan de uwe ook niet mag ik aannemen, mevrouw Van Bergen.' In de stem van de officier lag een gevaarlijk koude ondertoon.

Karin hield haar hoofd gebogen en zweeg. Hofner liet het hier niet bij. 'Ik noteer dat juffrouw Nadja Horn gisteren in haar woning aan het Breitenbachplein letterlijk tegen u heeft gezegd: "De oorlog is verloren."'

'Dat heeft ze nooit zo bedoeld. Het was maar een dom geklets. Ondoordacht en lichtzinnig. Zoals wij kunstenaars soms zijn.'

De SS-officier reikte haar een officieel ogend document.

'Wij hebben hier het protocol van uw getuigenverklaring voorbereid. Lees het alstublieft goed door en bevestig de juistheid ervan met uw handtekening.'

Karin las de paar getypte regels. Objectief gezien waren ze juist. 'De verantwoordelijke instanties zullen uw versie van het lichtzinnige, maar niet kwaadaardige gedrag van juffrouw Horn aanhoren,' voegde Hofner er op onvriendelijke toon aan toe. Karin ondertekende. Hofner tekende ook en verzegelde het document met zijn dienstzegel. 'Nog een ogenblik geduld, alstublieft.' De officier ging de kamer uit.

Karin dacht aan haar vriendin en mecenas. Zo erg kon het niet zijn. Die drukke Sabine Sanders was er ook met de schrik vanaf gekomen. Die had zich door een grimeur een baardje aan laten plakken en op Theo Alberti's verjaardagsfeestje een Hitlerparodie opgevoerd waarbij iedereen slap had gelegen van het lachen. Ze werd door iemand verraden en moest een onaangenaam halfuurtje doorbrengen op het politiebureau. Daarna had de jonge actrice een berisping gekregen van de *Reichsfilmkammer*. Nadja zou nu ook wel zo'n berisping krijgen.

Het duurde eeuwig voordat Hofner terugkwam. Hij was weer de vriendelijkheid zelve. 'Wij hebben u nogal bruut uit uw nachtrust gehaald. Ik mag u verzoeken ons te verontschuldigen. Mag ik u uitnodigen met mij te gaan ontbijten bij Borchardt?'

'Erg vriendelijk van u meneer Hofner. Maar helaas moet ik voor geluidsopnames naar Babelsberg.' Karin dwong zichzelf tot een glimlach.

'Ik begrijp het. Beroepsmatige verplichtingen gaan voor. Mijn mensen zullen u naar huis brengen.' Handkus, klakken van de hielen. Ze was vrij om te gaan.

Thuis greep ze meteen naar de telefoon om Nadja te vertellen van Lore Broecks schandelijke daad. De huishoudster nam de telefoon op, helemaal overstuur. 'Ze hebben mevrouw Horn opgehaald. Ze hebben haar in de boeien geslagen alsof ze een misdadigster is.' Karin begreep het meteen. SS-officier Hofner had haar aan het lijntje gehouden zodat ze Nadja niet kon waarschuwen. 'Rustig maar, Frieda. Het zal allemaal wel meevallen.'

Maar hoe erg kon het worden? Karin haalde haar auto uit de garage. Mr. Jordan zou wel raad weten.

In de Brandenburgerstraat waren bulldozers aan het werk. 'Een Engelse luchtmijn,' hoorde ze. 'Daar kan een viermotorige Lancaster er maar eentje van meenemen. Zo'n ding weegt vier ton.' De bom had drie huizen tot stof geblazen. 'Van die lui in de kelder is geen vingerkootje meer over,' vertelde een politieman haar, voordat hij haar de omleiding wees via de Konstanzerstraat.

Jordans kantoor bevond zich op de eerste verdieping van een herenhuis in de Lützowstraat dat nagenoeg onbeschadigd was gebleven, afgezien van de inslag van een luchtafweergranaat die abusievelijk niet was afgegaan op drieduizend meter hoogte.

'U hebt helaas geen afspraak, mevrouw van Bergen. Ik zal zien of ik u ertussen kan schuiven.' De secretaresse praatte zachtjes via de interne telefoon.

Ze moest een kwartier wachten tot de geluidsdempende dubbele deur openging en Jordan een cliënt naar buiten begeleidde. Het was Heinrich George. Karin herkende haar beroemde collega meteen. George gaf alle dames in het secretariaat de hand. Ook Karin kreeg een hand. Blijkbaar hield de grote acteur haar voor een typiste.

'Juffrouw van Bergen. Hoe gaat het met u? Kom binnen. Ik sta een beetje onder tijdsdruk. Waarmee kan ik van dienst zijn?'

Karin kwam meteen ter zake. 'Nadja Horn is door de SS opgehaald in verband met een domme uitlating. Ik had nooit gedacht dat Lore Broeck zoiets zou doorvertellen.'

'Lore Broeck en haar vriendin Ida Wüst zijn de verschrikkelijkste verraadsters in de branche,' spuwde de advocaat verachtelijk. 'Ik zal de verdediging van Nadja Horn op mij nemen.'

'Haar verdediging? Komt zoiets onzinnigs dan voor de rechtbank?'

'Ik vrees van wel.'

'Krijgt ze een boete?'

Mr. Jordan zweeg. Karin kreeg een bang vermoeden: 'Krijgt ze soms een werkverbod en wordt ze uit de Reichsfilmkammer gegooid? Nee, dat zullen ze toch niet doen. Nadja is zo geliefd bij het publiek. Het zou protesten regenen.' Jordan zweeg nog steeds. 'Gevangenis toch niet?'

'Ik zal u als getuige oproepen, zodat u juffrouw Horn kunt ontlasten, juffrouw van Bergen. Maar u komt niet uit onder een verklaring onder ede.' De advocaat keek haar ernstig aan. 'Ik heb weinig hoop. Een uiting als deze geldt als hoogverraad.' Zijn stem klonk geknepen. 'En op hoogverraad staat de dood door de guillotine.'

'Ze komen 's morgens vroeg, twee bewaaksters en een bewaker. Ze hoeven je niet te wekken, want je ligt toch al nachtenlang wakker. De vrouwen helpen je in een schort en schuiven je voeten in houten klompen. De bewaker doet je handboeien aan. Daarna knippen ze je haar af tot de nek vrij ligt. Je loopt door lange gangen langs bleke gezichten die je stom aanstaren door de luikjes van hun celdeur.

Ze brengen je een trap af, doen een deur open en zetten je voor een lessenaar. De bewaker doet je handboeien af. Op de lessenaar staat een brandende kaars en een kruis. Daarachter herken je de officier van justitie die bij de rechtbank je leven heeft opgeëist en nu ook zal krijgen. Naast hem je advocaat en een lekenrechter. Verspreid door de kamer staan drie neutrale mannen in zwarte pakken. Links van je een zwart gordijn dat van het plafond tot op de vloer hangt. Je ziet het nauwelijks.

Je ziet de officier van justitie die het oordeel nog een keer voorleest. Je weet niet waarom, want je kent het immers. Je hoort zijn laatste woorden: "Scherprechter, doe uw plicht."

Het zwarte gordijn wordt opengerukt. Slecht licht in de betegelde ruimte daarachter. Je ziet het schavot. Het is kleiner dan je had verwacht. Eén van de zwartgeklede mannen pakt je van achter bij je enkels. Een ander houdt je handen vast op je rug. De derde pakt je om je bovenarmen en borst. Zo slepen ze je naar de tafel en schuiven je naar voren als een brood in de oven. Je ziet de mand die je hoofd zal opvangen. Je voelt het harde hout dat om je nek wordt vastgezet. De beul trekt aan het touw. De guillotine valt. Het vallen duurt een eeuwigheid, voordat je eindelijk bent verlost.'

Karin hief haar betraande gezicht ten hemel. 'Dat heb ik nooit gewild,' snikte ze, terwijl haar hele lichaam schokte.

'Lore Broeck wilde het zo. Ze had een oude rekening openstaan met Nadja. Een banaal jaloersig akkefietje.' Erik de Winter lag naast Karin in het gras. 'Ik moest als lekenrechter ooit een executie bijwonen. Ik wilde je dit verhaal niet besparen. Ook al is het nu bijna een jaar geleden. Alleen dat wat je kent, kun je ook verwerken.'

Goebbels had behalve propagandistische films ook licht vermaak verordend om de bevolking af te leiden. Regisseur Theodoor Alberti draaide met Karin en Erik een vrolijke liefdesfilm: *Lentespel*. De warme, zonnige lente van het jaar 1945 was ideaal voor de buitenopnames aan de rivier.

Het artilleriegedonder uit het oosten was dichterbij gekomen de afgelopen dagen. Sinds gisteren trokken colonnes Duitse soldaten langs de nabije rijksweg. Uitgemergelde, spookachtige verschijningen, vervuld van de vage hoop de westelijke linies aan de andere kant van de Elbe te bereiken en zich daar gevangen te laten nemen, om zo aan de bolsjewisten te ontkomen.

'Laat de grimeur je maar weer opkalefateren.' Erik hielp haar overeind en trok haar onmiddellijk weer in het gras. Een Russische laagvlieger scheerde met zingende motor over hen heen. Zijn machinegeweren ratelden. De aarde sprong alle kanten op. Daarna was het stil. Hoog in de lucht zong een leeuwerik met alle macht tegen het wapengeweld in.

'Oké, kunnen we weer, mensen?' riep de regisseur vanaf de oever van de rivier. 'Kom op, we gaan de zwemscène doen.'

'Zonder mij, Theo,' riep de opnameleider vanuit de struiken.

'Wat is er Erwin?'

De opnameleider wees naar de andere kant van de rivier. 'Niets bijzonders. Alleen maar een Russische tank die koers zet richting Grootduitse film. Adios amigo's, ik peer 'm!' Hij trok zijn sportpet stevig op zijn hoofd en verdween aan de andere kant van de dijk.

Nu kon je het gedreun van een dieselmotor en het gerinkel van kettingen duidelijk horen. Een T34 kwam langzaam tevoorschijn. 'Kom op, naar beneden.' Erik rolde het talud af en dook het riet in. Karin hield haar schoudertas stevig onder haar arm en volgde hem. Gelukkig had ze een broek, een trui en stevige schoenen aan: in het draaiboek ging aan de zwemscène een wandeling vooraf. Ze kwam naast Erik in het riet terecht. Achter elkaar waadden ze door modder, die tot hun knieën kwam. Na de volgende bocht in de rivier klommen ze aan land.

Erik wees naar een hooimijt. 'Daar kunnen we even rusten om te drogen, voor we verder lopen. Ik heb een tante in Nauen. We kunnen bij haar onderduiken tot de trotse overwinnaars zijn uitgeraasd.'

'Nee Erik, het is beter dat we uit elkaar gaan.' Ze omhelsde hem stevig. 'Na de oorlog, om halfvijf.'

Karin bereikte Berlijn via sluiproutes vóór de Russen. Ze bracht de laatste oorlogsdagen door in de kelder van haar appartement, samen met de andere bewoners. Toen de schoten buiten eindelijk verstomden, greep ze haar koffertje. 'Ho, ho, waar gaat dat heen?' snauwde meneer Krap. Hij was lid van de partij en schuilkelderwachter. Hij nam zijn functie erg serieus.

'Naar boven, naar mijn woning om de eindoverwinning te vieren,' antwoordde Karin sarcastisch.

'U kunt beter hier blijven juffrouw Van Bergen,' waarschuwde tandarts dr. Seidel.

'Ik heb me lang genoeg verstopt.' Vastbesloten deed Karin de kelderdeur open.

'Niemand verlaat de schuilkelder zonder mijn toestemming,' blafte meneer Krap.

'Houd je grote mond, Krap, en doe die helm af alsjeblieft,' zei Seidel. 'Onze bevrijders zouden je hoofddeksel wel eens verkeerd kunnen uitleggen.'

Karin klom de trappen op naar de tweede verdieping. Afgezien van wat scherven en splinters, was haar woning nog intact. Ze ging de keuken in. Door een spleet van het met planken dichtgetimmerde raam kon ze zien wat er beneden op de Hohenzollerndam gebeurde.

Mongolisch uitziende troepen stopten met hun Poolse paarden en wagens midden op straat. Jolig dolden de soldaten een naakte jonge vrouw over straat en sleepten haar een van de wagens op. De ene na de andere soldaat klom op de wagen onder het zeil. Minstens twintig mannen stonden in de rij te wachten. Het gekrijs van het slachtoffer was tot in Karins appartement te horen. Maar algauw ging het gegil over in een gejammer dat steeds zachter werd, tot het helemaal verstomde. Jij bent de volgende, dacht Karin en haar hele lichaam verzette zich tegen deze gedachte. Ze dacht ineens aan het verchroomde pistool. Dat was een rekwisiet geweest in een van Conrad Jungs films. Hij had het haar na de première gegeven als aandenken, met een vol magazijn. 'Mocht je ooit een slechte man ontmoeten...' had hij gegrapt. Ze haalde het wapen uit zijn bergplaats en deed het in de zak van haar trainingspak. Ze zou ten minste een van haar aanranders doden voordat ze de hand aan zichzelf zou slaan.

Een smerige jeep stond piepend op de rem. De officier naast de chauffeur stond op en schreeuwde een bevel. De Aziaten gehoorzaamden met tegenzin. Ze klommen op hun wagens en lieten hun zweep knallen. Langzaam begonnen de ruwharige paardjes te lopen. De misbruikte vrouw werd vanuit een van de wagens op straat gegooid. Ze bleef in een onnatuurlijke houding op het plaveisel liggen. Haar kruis was één grote bloederige massa. De officier sprong uit de jeep, trok zijn pistool en wenkte de twee soldaten achter in de jeep dat ze hem moesten volgen. Gebukt liepen de mannen richting voordeur en verdwenen uit Karins zicht.

De chauffeur stapte uit. Hij richtte zijn machinegeweer op het levenloze, naakte hoopje mens dat op straat lag. Het slachtoffer richtte zich op onder het geweld van het schotsalvo en zakte daarna volledig in elkaar.

Karin hoorde hoe ze de appartementen doorzochten. Eerst op de begane grond, daarna de eerste verdieping. Alle woningen moesten bij een luchtaanval open blijven, om in geval van brand gemakkelijker te kunnen worden geblust. De binnendringers hadden dus vrij spel.

Met opgeheven hoofd wachtte ze op de drie Russen in de deuropening van haar appartement. Ze hield het wapen in haar zak stijf vast. De officier richtte zijn pistool uit automatisme op haar. Ook goed, dacht Karin schouderophalend.

De soldaten drongen langs haar heen. Ze kwamen vrijwel meteen terug en zeiden iets wat klonk alsof het onder uit hun maag kwam. Blijkbaar dat er verder niemand in het appartement was. De officier stak zijn wapen terug in het holster. Een kort bevel. De soldaten trokken zich terug.

Karin bekeek de man eens goed. Hij was groot en slank met grijze ogen en een energieke kin. Hij droeg een lintje aan zijn stoffige uniformjasje met brede schouderstukken. Hij deed de deur van het appartement dicht en zette zijn helm af. Een knap hoofd met dun blond haar kwam eronder tevoorschijn. Hij haalde een etui uit zijn zak.

'Wilt u een sigaret?'

Karin rookte niet, maar het leek haar raadzaam het aanbod niet af te slaan. 'Ja, dank u.' Ze nam er eentje.

Hij gaf haar een vuurtje. 'De eerste dagen zullen het ergst zijn,' zij hij verontschuldigend. 'Daarna zal het allemaal rustiger worden.'

'U spreekt Duits,' riep ze verrast en hoestte. Ze had het vloeiende Hoogduits nu pas herkend.

'U bent geen bijzonder ervaren rookster,' lachte hij. 'Wij Balten spreken vele talen. Dat is je reinste zelfverdediging. Ik ben majoor Maxim Petrovitsch Berkov.'

'Karin Rembach.'

'Nazi?'

'Actrice. Niet van de partij, als u dat bedoelt.'

'Wij houden van kunst en van kunstenaars. Wacht even. Ik heb brood, worst en wodka in de auto. Sluit de deur achter mij.'

Toen hij terugkwam droeg ze een licht ongestreken zomerjurkje dat beter paste bij deze warme meidag dan het trainingspak. Zijn blik ging dwars door de dunne stof heen. Met een onverwachte snelle beweging trok hij haar naar zich toe en stroopte haar jurk op. Hij hield het kleine pistool in zijn hand. Karin had het in het elastiek van haar onderbroek verstopt. 'Ik denk dat het zo beter is.' Hij streek haar jurk glad. 'Nasdrovje.' Hij gaf haar de wodkafles.

Karin dronk weinig, maar at veel van de worst en het legerbrood. Ze had al dagen geen eten meer gehad.

'Jij blijft bij mij,' zei hij plotseling. 'Ik vind je leuk.'

Zijn besluit kwam met haar wensen overeen. Ze had bescherming nodig en deze hier maakte een beschaafde indruk. Karin was rationeel. Hij had haar ook kunnen verkrachten en aan zijn soldaten overlaten. De vraag was daarom niet of zij hem wilde, maar of ze hem lang genoeg bij zich kon houden tot het ergste voorbij was.

'Kom hier, Maxim Petrovitsch.' Met haar stem beloofde ze hem wat hij verwachtte.

Het was een verstandige afspraak waar het hele huis van profiteerde, ook al haalden sommige vrouwen er hun neus over op. De majoor was tolk van de zojuist tot stadscommandant benoemde generaal Bersarin. Hij liet een tankwagen met drinkwater en twee wachtposten voor het hoekhuis neerzetten. Hij nam levensmiddelen mee die Karin met de overige bewoners deelde en liet ramen in Karins woning zetten. Hij was als minnaar zowel hartstochtelijk als liefdevol.

Op 1 juli 1945 trokken de geallieerden Berlijn binnen. Hoewel er veel chloor in zat, kwam er weer water uit de waterleiding, het openbaar vervoer reed weer en in de theaters werd meer en beter gespeeld dan in de twaalf jaar ervoor. Het huis op de hoek van de Hohenzollerndam en de Mansfelderstraat hoorde bij West-Berlijn. Maxim Petrovitsch Berkov kwam niet meer.

Het scheidsgerecht voor toneel- en filmkunst hield zitting in een klaslokaal. De voorzitter was een oude communist die de Russen hadden bevrijd uit een concentratiekamp. De man probeerde objectief te zijn en liet Karin uitspreken.

'Het klopt dat ik drie films heb gemaakt met Conrad Jung. *Koningin Louise* werd door Goebbels onderdrukt, *Midzomernacht* was een liefdesverhaal naar een Scandinavische novelle en *Elmsvuur* een tragedie over de vrouw van een zeeman in de vorige eeuw. Mijn werk voor Jung was belangrijk voor mij. Hij is respectabel regisseur.'

'Ik vind het veelbetekenend dat de gedaagde de maker van een opruiende film als *De eeuwige jood* een respectabel regisseur noemt,' riep de vrouwelijke bijzitter links van de voorzitter. Het was een dikke vrouw rond de vijftig die Karins schoonheid niet kon uitstaan.

'Hebt u meegewerkt aan die film?' vroeg de voorzitter.

'Nee. Ik deed op dat moment mee aan een blijspel in Praag en daarna een onschuldige liefdeskomedie bij de UfA met Erik de Winter, onder regie van Theodoor Alberti. De Russen onderbraken onze buitenopnames in het Havelland.'

'Dank u voor uw uitvoerige opsomming.' De voorzitter richtte zich tot alle aanwezigen: 'De beroepsmening van de gedaagde met betrekking tot Conrad Jung en het feit dat deze een antisemitische film heeft geproduceerd mag ons oordeel niet beïnvloeden.' Hij bladerde in zijn paperassen voor hij verder praatte. 'Juffrouw Rembach, we komen tot een zeer ernstige beschuldiging.'

Karin boog haar hoofd. Ze sprak met een onderdrukte stem: 'Mijn mecenas en vriendin Nadja Horn, aan wie ik alles te danken heb en die ik lichtzinnig en ondoordacht heb vernietigd.' Ze keek op: 'Dit gebeurde niet met voorbedachten rade, meneer de voorzitter. Het zal me mijn leven lang achtervolgen.'

'Niet met voorbedachten rade? Wat een leugen!' protesteerde de bijzitter. 'Het verslag van uw getuigenis voor de rechtbank, waarmee u Nadja Horn aan de beul uitleverde, ligt voor ons!'

'Het recente oordeel van de officier van justitie ook,' wierp mr. Jordan,

Karins advocaat, tegen. 'Volgens dit oordeel werd het proces tegen juffrouw Karin Rembach, alias Verena van Bergen, een paar dagen geleden geannuleerd. Ik heb destijds persoonlijk van de theaterdocente Lore Broeck vernomen dat zij de door Verena van Bergen in privé-kringen geuite uitspraak van Nadja Horn, dat de oorlog zou zijn verloren, aan de Gestapo heeft doorgegeven. Niet juffrouw Van Bergen, maar mevrouw Broeck heeft Nadja Horn verraden. Helaas kunnen we laatstgenoemde hiervoor niet meer berechten, daar zij bij een bombardement om het leven is gekomen.'

'Het gaat niet om de strafrechtelijke, maar om de menselijke kant van deze aangelegenheid. De gedaagde heeft van haar goede relatie met het naziregime geprofiteerd en ten minste indirect de dood van een collega veroorzaakt,' hield de bijzitter vol.

'Wilt u hier nog op reageren, juffrouw Van Bergen?' Karin schudde haar hoofd. Ze werd misselijk van het hele gebeuren.

'Drie jaar beroepsverbod,' luidde het oordeel van het scheidsgerecht na een korte bespreking.

'En waar moet ik van leven in die tijd?' vroeg ze verontwaardigd.

'Ga maar langs bij het arbeidsbureau,' kreeg ze te horen.

Maar daar was geen werk voor haar. Een behulpzame medewerker daar had wel een idee: 'Als u een beetje Engels spreekt, de yanks zoeken nog arbeidskrachten.'

Haar vader had Engels met haar gesproken voor hij naar het Verre Oosten was verdwenen. Dat was nu twaalf jaar geleden. Er was een beetje blijven hangen. 'I want work' klonk wel redelijk, vond Karin. Op het bureau voor haar stond een naambordje: CURTIS S. CHALFORD. Achter het bureau zat een vriendelijke man van in de veertig met nog maar weinig dun blond haar, een rond en rozig gezicht en waterblauwe ogen. Meneer Chalford was chef van het *German American Employment Office* in Lichterfelde.

Washington had banen in het bezette Duitsland uitgeschreven. Overal in de VS solliciteerden werkelozen en mensen die hoopten snel carrière te maken. Er waren avonturiers bij, nieuwsgierige mensen en veel emigranten. Het was niet altijd de crème de la crème die zonder al te lange opleiding naar het aangeslagen Duitsland werd uitgezonden. Ze werden stuk voor stuk in een uniform gehesen dat donkerder was dan het officiersuniform van de US Army, maar wel dezelfde pasvorm had. Op de linkerbovenarm prijkte een driehoek met het opschrift: US CIVILIAN.

Meneer Chalford was duidelijk een goeie. 'Well, fraulein Rembak, let's see what we can do for you.' Hij deed een map open en bladerde er langzaam doorheen. 'Huishoudster bij majoor Kelly? Serveerster in het Harnackhuis? Schoonmaakster bij het Telefunken-gebouw?' Hij had een zwaar Amerikaans accent. 'Allemaal al weg.'

Nieuwsgierig bekeek Karin de kleine obelisk van zwart marmer waar een slinger van prikkeldraad omheen gewikkeld zat. 'Een echte Barlach,' legde meneer Chalford trots uit toen hij zag waar ze naar keek. 'Behoorde hier tot voor kort tot de zogenaamde Entartete Kunst. Heeft de Hitlerjaren overleefd in een duiventil. Ik kon het kopen voor een paar dozen Chesterfield. Maar nu terug naar u, fraulein Remback. Ik denk dat ik iets voor u heb. Onze stomerij in Uncle Tom zoekt mensen. Sergeant Chang zal u de fijne kneepjes leren. Honderdtwintig mark per week, legerkost, maandelijks een half voedselpak-ket. Meisjes die vriendelijk glimlachen krijgen van de klanten nog wel eens een paar sigaretten cadeau. Okay?'

Karin hoefde er niet lang over na te denken. Legerkost en de felbegeerde levensmiddelen uit de Amerikaanse voedselpakketten gaven de doorslag. Meneer Chalford knikte tevreden. 'Loop even langs de fotograaf en laat u onderzoeken. We willen geen tuberculose en geslachtsziektes.'

Sergeant Chang was een vrolijke Chinees uit San Francisco die tevergeefs pro-beerde Karin in te wijden in de geheimen van een paar dozijn flesjes waarmee je fruit-, wijn-, gras-, vet- en andere vlekken moest behandelen, voordat het kledingstuk de grote chemische trommel in kon. Karin haalde de flesjes hope-loos door elkaar. Sergeant Chang besloot dat ze daarom beter ingezet kon wor-den aan de balie.

Meneer Chalford had het al voorspeld. Een glimlach werd vaak beloond met chocolade of sigaretten. Sommige mannen wilden een afspraakje met Karin. Dan verzon ze een excuus. Meestal zei ze dat ze een Amerikaanse *boyfriend* had. Een jonge soldaat van het Signal Corps deed dienst voor dit leu-gentje om bestwil. Dennis Morgan was een onschuldige jongen uit Connecticut. Hij nodigde haar uit naar Club 48 en gaf haar nylons en schoe-nen uit de PX cadeau. Jurken had ze genoeg. Ze had haar hele garderobe kun-nen redden. Ze was aardig tegen Dennis, meer niet. En Dennis was blij dat hij tegenover zijn kameraden met zo'n mooie *fraulein* kon prijken.

Otto Ziesel, de Duitse chauffeur uit de motordivisie die met een legertruck de vuilnisdienst verzorgde en de grote tonnen achter de winkeltjes leegde, was minder sympathiek. Hij droeg zwartgeverfde GI-kleding en was een engerd. 'Yankee-snollen,' noemde hij Karin en haar collega's.

'Liever een bink van een yank dan een Duitse slapjanus zoals jij.' Karins collega Gerti Kruger zat nooit om repliek verlegen. Ze had een boom van een zwarte sergeant uit de transportdivisie aan de haak geslagen.

'Ze moesten jullie van onderen dichtnaaien,' siste Ziesel hatelijk.

Op een dinsdagochtend in augustus riep sergeant Chang Karin naar achter. Hij had de wachtpost aan de hoofdpoort aan de lijn. Er was een *German* aan de poort die haar per se moest zien. 'Five minutes, no more,' stond Chang zijn medewerkster toe.

Het was Erik de Winter die aan de poort stond. Hij was mager geworden en droeg een slordig pak. Maar hij had zijn jongensachtige lach niet verloren. 'Erik!' Huilend liep Karin op hem af. Ze omhelsden elkaar. 'Je leeft,' was alles wat ze over haar lippen kreeg.

'Vrijgelaten door de Russen.' Ze hadden hem bij zijn tante in Nauen gevonden en tijdelijk in een kamp opgesloten. 'De ouwe vrijster in je appartement zei me waar ik je kon vinden.'

'Juffrouw Bahr. Huisvesting heeft haar mij toegewezen. Twee kamers zouden te veel zijn voor één persoon. En jij?'

Eriks appartement aan de Lietzenburgerstraat was verwoest. 'Een voltreffer, vlak voor het einde. Ik heb onderdak bij vrienden aan het Fazantenplein. Juffrouw Bahr vertelde me dat je een beroepsverbod opgelegd hebt gekregen?'

'Vertel ik je later. De sergeant heeft me maar vijf minuten pauze gegeven.'

'Luister, mijn engel. De oude producer van de UfA is terug. De nazi's hadden hem verjaagd, maar nu is Erik Pommer als machtige US-filmofficier teruggekeerd. We kennen elkaar goed. Hij heeft me vanavond te eten uitgenodigd. Ik praat met hem. Ik ben er zeker van dat we je beroepsverbod kunnen laten opheffen als ik borg sta voor je.'

'Oh Erik, dat zou heerlijk zijn.'

'Kom morgen na je werk naar mij toe, dan weet ik meer.' Hij gaf haar zijn nieuwe adres.

'Tot morgenavond!' Karin omhelsde Erik onstuimig.

De militaire gouverneur werd verwacht. De gala-uniformen van de *Army Band* moesten worden gestoomd. Sergeant Chang had iedereen tot een late dienst verordonneerd. Karin hielp hem de kledingstukken te sorteren. Ze dacht aan Erik terwijl ze haar werk deed. Hij zat nu met een kennis aan het diner.

Morgen zou ze weten wat hij voor haar kon doen. Ze was het zat de kleren van de yankees te stomen. Film, dat was haar wereld. In Babelsberg werd weer gewerkt. De UfA heette nu DEFA. En in een voormalige gifgasfabriek in Spandau draaide een Pool zijn eerste productie. Hij had voor de financiering ervan een koffer met een ongelooflijke hoeveelheid dollars meegesleept.

Vlak voor de laatste metro vertrok, stond ze op het perron. Aan de verlichte kant stonden een paar GI's met hun meisjes. De rest van het perron was donker. Achter de op dit uur allang gesloten kiosk dook een gestalte op. Karin schrok. Waarom draagt hij een motorhelm en een stofbril?, dacht ze verwonderd. Hij legde een rinkelende ketting om haar nek. Ze wilde gillen, maar de ketting snoerde haar de keel dicht. Als een stuk vee trok haar aanrander haar achter de kiosk.

Ze maaide hulpeloos met haar armen. Er kwam een bijna onhoorbaar rochelen uit haar keel. Gretige vingers trokken haar jurk omhoog en haar slipje naar beneden. Ze voelde een gloeiende pijn in haar kruis. Haar belager kuchte opgewonden. Ze was blij dat ze bewusteloos raakte. Ik haat sterfscènes, was haar laatste gedachte.

TWEEDE HOOFDSTUK

Inge Dietrich deelde het ontbijt uit. Twee sneetjes bruinbrood per persoon. Er werd een dun bruinachtig brouwsel van geroosterde kastanjes bij gedronken, waarin een halve lepel melkpoeder werd geroerd die maar niet wilde oplossen en in kleine klontjes aan de oppervlakte bleef drijven. 'Goh, ik dacht dat het meer was,' zei Inge Dietrich verwonderd terwijl ze het brood sneed.

'Dat heb je met die rantsoenen,' zei haar man laconiek. 'Maar jullie bengels krijgen tenminste schooleten.'

'Elke dag bonensoep, bah,' meesmuilde Ralf.

'Bij mij zat er laatst een echt stuk vet spek in,' zei Ben likkebaardend, blij dat zijn moeder niet meer aan het brood dacht.

'Hebben jullie je mappen gepakt?'

'Ja, kom.' Ben trok zijn broer van zijn stoel. Hij had besloten dat hij vandaag voor de verandering maar weer eens naar school ging. Op woensdag hadden ze gymnastiek, tekenen en aardrijkskunde. Dat betekende dat er maar lekker weinig tijd overbleef voor wiskunde en Latijn. Maar het belangrijkste vandaag was godsdienst in het zesde uur. Ben wilde pastoor Steffen spreken. Hij had dringend een Nieuw Testament nodig.

Captain John Ashburner legde het papier neer dat hij in zijn hand had en leunde in zijn bureaustoel achterover. Voor het raam van zijn kantoor in de Garystraat wasten twee opgeschoten jongens een paar jeeps van de MP. Sergeant Donovan had een doeltreffende methode ontwikkeld om autowassers te rekruteren. Hij liet gewoon een paar jongens arresteren wegens rondhangen. 'Dan doen die nietsnutten van een Hitlerjugend-bengels ten minste eens iets zinnigs,' had hij zelfvoldaan gezegd.

Bezorgd las de captain verder. Die Duitse inspecteur had niet alleen zijn belofte gehouden en hem het sectierapport toegestuurd, maar hij had ook meteen een vertaling meegeleverd. Geen prettige lectuur. Hij dacht aan zijn thuis, waar zoiets niet voorkwam. Wel eens een eenvoudig rechttoe rechtaan geval van doodslag, omdat er iemand jaloers of dronken was, maar zelfs dat gebeurde maar zelden. Ze hadden hem in Rockdale, Illinois, net voor de vierde keer tot sheriff gekozen toen hij werd opgeroepen. Maar de captain hoopte gauw weer thuis te zijn. Niet dat hij naar Ethel verlangde. Die had het veel te druk met de fanclub van het plaatselijke honkbalteam. Maar hij vond het veel leuker bij hem thuis de orde te handhaven, onderweg met allerlei mensen een babbeltje te maken en dan snel in Bill's Bar een bakkie te gaan halen.

Donovans jeep stopte met piepende remmen voor de deur. De sergeant had een aggressieve rijstijl, wat misschien lag aan het feit dat hij op zijn ranch in Arizona meer met paarden en teugels werkte dan met gemotoriseerde paardenkrachten. Hij stapte uit en gebaarde zijn bijrijder met hem mee te gaan.

'Morgan, sir,' rapporteerde hij even later.

'Lees dit eens, sergeant.' Ashburner liet Donovan het autopsierapport zien. Donovan las het met een grimmig gezicht. Ashburner wendde zich tot de jonge soldaat: Soldaat Dennis Morgan, Army Signal Corps, correct?'

'Ja, meneer.'

'U kent een Duitse fraulein genaamd Karin Rembach?'

'Ja, meneer. Karin werkt in de stomerij bij Uncle Tom.'

'Je vriendin?'

'Ja meneer.' De jonge soldaat bleef in de houding staan.

'Kom mijn jongen, ga eens zitten. Weet je waarom je hier bent?'

'Nee meneer.' Morgan ging nerveus zitten.

'Wanneer heb je Karin voor het laatst gezien?'

'Vier dagen geleden. We zijn naar de bioscoop geweest.'

'Zien jullie elkaar binnenkort weer?'

Dennis Morgan aarzelde even. 'Ik hoop morgen, meneer.'

De captain had de korte aarzeling gezien. Ging het hier om de onzekerheid tegenover een meerdere? Of wist de man dat Karin Rembach dood was. Zijn verdenking werd versterkt. Noch *Stars and Stripes*, noch de soldatenzender AFN had het nieuws over de moord gebracht. De media van de US Army interesseerden zich niet voor vermoorde Duitsers. De captain geloofde niet dat

Morgan kranten las. Sergeant Donovan mengde zich in het gesprek. 'Ze is heel knap, die Karin van je, niet waar?'

'Ja, dat is ze, sergeant.'

Donovan zei op samenzweerderige toon: 'Is ze goed in bed, Dennis?'

De jonge soldaat werd rood. 'Dat weet ik niet sergeant, ik bedoel, ik denk het wel.'

'Hoezo, "dat weet ik niet"?' drilde Donovan verder.

'Ik bedoel, ik weet niet wat u bedoelt met "goed in bed", sergeant.'

'Omdat je helemaal niet met haar naar bed bent geweest. Dat weten we van Karins collega Gerti. Je mocht haar niet aanraken, niet? En dat terwijl je haar zoveel cadeaus hebt gegeven en haar zo vaak mee uit hebt genomen. Je bent woedend en teleurgesteld. Je bent bang dat iedereen het te weten zal komen. Als ze haar mond open zou doen, zouden je kameraden je belachelijk hebben gemaakt. Is het niet zo?'

'Ik weet het niet sergeant.'

'Is het niet zo?' brulde Donovan.

Dennis Morgen boog zijn hoofd. 'We zijn gewoon goede vrienden,' zei hij zachtjes. 'Captain, waar gaat dit allemaal over? Waarom ben ik hier?'

Sergeant Donovan greep hem bij zijn revers. 'Omdat die Karin van je dood is.'

'Dood? Karin is niet dood. We hebben morgen namelijk een afspraak, weet u, om zeven uur bij de wachtpost van Uncle Tom.' Morgan sprak snel, alsof hij zichzelf wilde overtuigen.

Donovan schudde hem grof door elkaar. 'Ze is dood en weet je waarom? Omdat iemand haar beestachtig heeft vermoord. Wie, Morgan? Wie heeft Karin vermoord?'

De jonge soldaat huilde geluidloos.

'Zo is het wel genoeg, sergeant,' sprak Ashburner vermanend. 'Dat was alles Morgan,' zei hij mild. De soldaat sprong op en in de houding. Hij groette met een betraand gezicht, maakte rechtsomkeert en marcheerde naar buiten. Ashburner leunde weer peinzend achterover. 'Hij leek oprecht ontdaan.'

'Of hij speelt het spelletje bijzonder koudbloedig,' wierp Donovan tegen.

'Bedoelt u dat hij haar vermoord zou kunnen hebben?'

'Het is mogelijk meneer. Ik heb zijn alibi onderzocht. Morgan moest dinsdag van negen uur tot drie uur 's nachts de wacht houden bij de McNair-barakken. Alleen, bij de achterste poort van ons wagenpark. Het zou een peulenschil zijn geweest met een voertuig weg te rijden en toch op tijd weer terug te zijn voor de wisseling van de wacht.'

'De vraag is of hij het echt gedaan. En waarom?'

'Ik zie het zo, meneer. Hij mag haar niet aanraken. Daar is hij eerst teleurgesteld en dan woedend over, tot hij haar begint te haten. Als hij haar niet kan bezitten, dan niemand.'

'Met respect voor je huisvrouwenpsychologie, Mike, denk ik toch dat de jongen even onschuldig is als jij en ik.'

'Het is mogelijk, captain. En bovendien, een fraulein meer of minder, wat maakt het uit? Ze duiken toch met jan en alleman het bed in, niet alleen maar met onze boys. Waarom kan het geen Duitser zijn geweest?'

'Ja, waarom niet?' vond ook Ashburner. 'Maak maar een kort rapport op waarin Morgans alibi wordt bevestigd en stuur dat naar die Duitse inspecteur. Dan is de kwestie voor ons afgehandeld. Laat de Duitse politie er verder maar mee worstelen.'

'In orde meneer.'

De captain stond op. 'Ik weet niet wanneer ik weer hier ben. Jij bent zolang de baas.' Hij draaide zich om en wilde gaan.

'Meneer.' Sergeant Donovan wees naar de witte helm en het holster met de zware Magnum die aan de kapstok hingen, maar Ashburner schudde zijn hoofd en pakte alleen zijn pet.

Ben zag Heidi Rödel voor het eerst toen hij uit de metro kwam. Heidi was zestien. Ze droeg sandalen met zelfgemaakte blokhakken en een blouse die haar vader had genaaid uit de stof van een parachute van een neergestorte Engelsman. Onder de zijde kon je de welvingen van haar borsten zien. Ben vond haar adembenemend mooi. Het was nog mooier geweest als hij haar zou mogen aanraken, maar dat zat er vermoedelijk niet in. Alhoewel, bij meisjes wist je het nooit.

Heidi wierp haar donkerbruine haar met een korte hoofdbeweging naar achteren. 'De yankees hebben in de Broeckstraat een club voor de jeugd geopend. Daar mag je knutselen, tekenen en discussiëren en je krijgt er ook chocola.'

Iemand in Washington was op het idee gekomen dat het bevorderlijk zou zijn de blijde boodschap van vrijheid en democratie in het bijzonder onder de door de nazi's bedorven jeugd te doen verspreiden. En omdat de Amerikanen er toch al waren en ze de amerikanisering van de leergierige Duitsers al hadden ingeluid met kauwgum, oploskoffie en Bing Crosby – ofschoon het eerste Frans was, de tweede Zwitsers en de derde Iers van origine – was het hun taak de jeugdprogramma's te organiseren.

Men kon hiervoor de vele in beslag genomen villa's gebruiken. Speelgoed, gereedschap, muziekinstrumenten en wat er verder nog nodig was voor de jeugd had de US Army als het best uitgeruste leger ter wereld ook genoeg. Het was het begin van de *German Youth Activities*, in het kort 'djie-wai-eej' genoemd. En alle legeronderdelen wedijverden om de beste GYA-club uit de grond te stampen.

'Zullen we er samen naartoe gaan?' greep Ben zijn kans.

'Ik heb al afgesproken met Gerd Schlomm. Die heeft een toneelgroepje opgericht en ik krijg de hoofdrol.'

Tegen een hoofdrol kon Ben niet op, in ieder geval niet tot hij die Lederhosen-sukkel kon overtroeven met een maatpak. 'Ik kom wel eens langs,' zei hij verdedigend, 'alhoewel ik het erg druk heb.'

Pastoor Steffen had daadwerkelijk een Nieuw Testament tevoorschijn getoverd. Het was een druk van flinterdun papier, precies het soort dat Ben nodig had. Tevreden klom hij de trap op naar zijn zolderkamer. Ralf had een uur eerder vrij gehad van school en was naar zijn vriend Hajo König in de Onkel Tomstraat gegaan. De kust was dus vrij.

Ben nam het scheermesje en het lege pakje Lucky Strike uit de tafellade. De yankees scheurden normaliter maar een klein stukje van het zilverpapier af om bij hun sigaretten te kunnen komen. Het buitenste omhulsel en het band-je bleven intact. Zo was het ook bij dit pakje. Met de botte kant van zijn zak-mes peuterde hij voorzichtig de bodem van het pakje open op de plek waar het aan elkaar geplakt zat. Hij trok het zilverpapiertje eruit zonder het uit de vorm te trekken. Hij stak het ondersteboven weer in het omhulsel en trok het omhoog tot aan het bandje.

Voorzichtig legde hij het pakje op tafel, de bovenkant leek nu weer als nieuw. Hij sloeg het Nieuwe Testament open en sneed met zijn mes rechthoek-jes ter grootte van het pakje sigaretten uit het bijbelboek Lucas, niet meer dan tien per keer.

Het was nu zaak het pakje te vullen tot het de juiste dikte en elasticiteit kreeg, de lange kanten van de juiste bolling te voorzien en het pakje met wat lijm onopvallend weer dicht te plakken. Tevreden over zijn geslaagde opera-tie, woog Ben het pakje in zijn hand. Toen hij zijn broer de trap op hoorde stommelen, stak hij het in zijn zak.

Ralf was twee jaar jonger dan Ben. Hij had weliswaar een engelachtig gezicht, maar schijn bedroog. 'We willen morgenmiddag naar het bosje bij de Krumme Lanke. Ga je mee?'

'Waarom?' vroeg Ben achterdochtig.

'Hajo kent daar een kuil waar ze neuken.'

Ben besloot het hergebruik van het pakje sigaretten naar overmorgen te verschuiven. 'Oké,' zei hij grootmoedig.

Jutta Weber wreef dozijnen kalfsschnitzels in met knoflook, kruidde ze met zout en peper en haalde ze door bloem, geklopt ei en paneermeel.

'Met knoflook, dat is een goed idee,' prees sergeant Jack Panelli en gooide de gepaneerde schnitzels in de hete olie. Het siste vervaarlijk.

'Een echte wienerschnitzel moet in varkensvet worden gebraden,' sprak ze de chef-kok belerend toe.

'Zodat ik de thora van majoor Davidson om mijn oren krijg?' Majoor Davidson was de rabbi van het garnizoen. Er waren hier veel joodse soldaten. Jack Panelli grijnsde. 'Als goede katholiek kun je mij na diensttijd met liefde een echte wienerschnitzel voorzetten. Het was een geniaal idee van me jou van de spoelkeuken naar het fornuis over te plaatsen. Had ik je al gezegd dat je een verdomd goede kok bent?'

'Dank je, Jack. Mijn ouders hebben in Köpenick een kroeg. Daar kon je vroeger gedegen kost eten. Ik hielp mijn moeder vroeger vaak in de keuken.'

Jutta ging door met haar werk. In Club 48 was het rond het middaguur een drukte van jewelste met de soldaten die er kwamen eten. Rond halftwee werden de laatste bestellingen gedaan. Daarna kwam de afwas en was het tijd voor de dinervoorbereidingen. Hiermee was de namiddag om. Uit automatisme wilde ze op haar horloge kijken. Maar dat zat sinds begin mei om de arm van een pokdalige Rus, die haar alleen maar niet had verkracht omdat hij geen erectie kon krijgen.

Sergeant Panelli had haar blik gezien. 'Het is vijf uur.'

'Vijf uur...' Diana Gerold had dat altijd geroepen als ze wilde dat Jutta thee ging zetten. Een Ceylon Orange Pekoe, thee die er in het laatste oorlogsjaar allang niet meer was geweest. Ze had hem af en toe van een kennis bij de Zwitserse ambassade gekregen. Dan hadden mevrouw Gerold en zij in een achterkamertje van de boekhandel in de winkelstraat gezeten, en geluisterd naar het af en aan rijden van de metro, en dan sprak mevrouw Gerold over de nieuwe boeken die waren verschenen en die ze aan het lezen was. Het werden er steeds minder. Soms dacht Jutta aan Jochen, en het feit dat hij dood was.

Jochen... Vastberaden schudde ze haar weemoedige gedachten van zich af. Ze zou hem naar zich toe halen. Het was haar vrije avond. Dat kwam goed uit. Tegen zeven uur trok Jutta haar witte schort uit en schoot het versleten jasje aan dat ooit onderdeel was van een elegant pakje. Nu droeg ze het op een dun zomerjurkje, waarvan het blauw haar bruine benen goed deed uitkomen. Ze fietste de paar minuten naar Onkel Toms Hütte en liet de wachtpost haar pasje zien die haar toegang verschafte tot het voor anderen verboden Sperrgebiet.

Een groot makelaarskantoor had begin jaren dertig woonhuizen van twee verdiepingen uit gegoten beton en in de vorm van een rechthoek om het metrostation heen laten bouwen. De Schieffenstraat vormde een van de twee lange zijden van de rechthoek. Blijkbaar was de straat te smal geweest voor de veldmaarschalk van de keizer en dus had men de straat sinds kort vernoemd naar de minder bekende generaal Wilski. Beneden rechts in de – nu dus – Wilskistraat nummer zevenenveertig, hadden Jochen en Jutta hun tweekamer-appartement bewoond. Intussen was het hele blok in beslag genomen.

Naast het belknopje stond haar naam nog steeds. Ze belde aan. De zoemer ging en de deur kon worden opengeduwd. Een grote, leptosome Amerikaan in shorts en T-shirt verscheen in de deuropening. 'Hey, it's you,' riep hij blij ver-rast. 'I'm John Ashburner, remember me?' Zonder zijn helm en wapen zag hij er veel beter uit dan bij hun eerste nachtelijke ontmoeting.

'Natuurlijk herinner ik mij u, captain. Ik ben Jutta Weber.'

'Was u naar mij op zoek?'

'Ik wist niet dat u hier woonde. Dit was vroeger ons appartement.'

'Sorry, ik kon daar niets aan doen. Ik hoop dat u elders een goed onderko-men .hebt gevonden?'

'Huisvesting heeft me een klein kamertje in de Onkel Tomstraat toege-wezen.'

'Wat kan ik voor u doen?'

'Ik zou graag de foto van mijn man met zijn leerlingen hebben. Als de foto er nog is, zou ik hem graag meenemen.'

'Komt u toch binnen.'

De foto hing links naast de balkondeur. Het was een groepsfoto voor de Keizer Wilhelmtoren in het Groenewoud. 'Schoolreisje in 1939. Zijn laatste.'

'Was hij leraar?'

'Ja, hij daar in het midden, dat is hem. Hij is in Polen achtergebleven. En dit was Didi, een van zijn leerlingen.' Ze wilde nog iets toevoegen, maar deed het niet.

Ashburner nam de foto van de wand. 'Ik heb weliswaar geen bevoegdheid over in beslag genomen goederen, maar ik denk niet dat de kwartiermeester er iets op tegen heeft. Sigaret?'

'Nee dank u, ik rook niet.'

'Wilt u echt niet een paar pakjes?'

'Waarom?' vroeg ze afwijzend.

'Because you are a young and pretty woman.' Hij stak zijn bewondering niet onder stoelen of banken.

'Ik zei al dat ik niet rook, en als betaling voor liefdesdiensten die u hoopt te krijgen is een paar pakjes te weinig.'

'Doe niet zo raar. Alleen het feit dat ik u aardig vind, betekent dat nog niet dat ik van plan ben u aan te randen. Ik dacht dat we misschien wat zouden kunnen praten. Wat dacht u van koffie?' Jutta aarzelde. 'Het huis heeft zes appartementen. Rond deze tijd is iedereen thuis. U kunt dus om hulp roepen of desnoods uit het raam springen. We zijn immers op de begane grond, weet u nog wel?'

Ze lachte, omdat hij zo serieus keek toen hij het zei. 'Oké, koffie dan. En excuseert u mijn reactie. Het is vandaag de dag vast niet gemakkelijk met ons overgevoelige, door zelfmedelijden overmande Duitsers om te gaan. Waar wilt u met mij over praten?'

'Over uw leven. Ik weet bijna niets over Duitsers.'

Terwijl hij in de keuken water opzette, keek Jutta om zich heen. De eettafel stond er nog en ook Jochens stoel aan het raam. De rest van de inrichting bestond uit bij elkaar gesprokkeld ander in beslag genomen goed. Op de foto op het dressoir stond een jongere John Ashburner samen met een aardig uitziende jonge vrouw.

'Dat is Ethel. We zijn tien jaar getrouwd.' De captain zette een dienblad met waterkoker, kopjes en een blikje gecondenseerde melk op tafel. Er lagen bruine foliezakjes met één portie Nescafé op een bordje. 'Neem er twee, dan is het sterker,' bood Ashburner Jutta aan, maar ze had er aan een genoeg. De gecondenseerde melk was dik en zoet, zodat suiker niet nodig was. Er klonk een droge knal toen haar gastheer een olijfkleurig rantsoenblik koekjes opentrok.

'Hebt u een beroep?'

'Ik ben eigenlijk boekhandelaar. En u? Bent u altijd politieman geweest?'

'Ja, maar ik wilde eigenlijk veel liever een café beginnen.' Hij kreeg een dromerige blik. 'Roodgeruite kleedjes en kaarsen in wijnflessen op tafel. Wist u dat ik het kookboek van mijn Breslauer grootmoeder heb geërfd? Als je de recepten een beetje aanpast, zou het ook nu nog een sensatie zijn. Echt lekker ouderwets, dat vinden de mensen geweldig.'

'En, wat is er van uw droom geworden?'

'Niets. Ethel vond het maar niets. Andere mensen bedienen vond ze beneden haar stand.'

'Dat spijt mij zeer, captain.'

'Gewoon John. Wij Amerikanen noemen elkaar graag bij de voornaam.'

'Oké, John dus. Dan ben ik Jutta.'

Hij nam een slok koffie en zette zijn kopje neer. 'Jutta, hoe was het toen die Hitler kwam?'

'We moesten een hoop boeken uit de rekken halen. De meeste mensen hadden dat helemaal niet in de gaten, want die lazen niet. Voor de rest ging het leven gewoon door.' Ze had geen zin hem de afgelopen jaren te beschrijven. Dat zou hij toch niet begrijpen. 'En toen kwam de oorlog.'

'De nazi's zijn de oorlog begonnen.'

'Dat kan wel zijn.'

'Hoe waren ze, die nazi's?'

'De broer van mijn vader was een PG.'

'PG?' Ashburner begreep het niet.

'Parteigenosse. Maar oom Rudi was echt geen menseneter. Er zaten veel mensen bij de NSDAP. Heel normale mensen. Mijn man wilde ook lid worden. Hij hoopte dat hij dan sneller zou worden bevorderd als leraar.'

'En hoe zat het met die kampen?'

'Als dit een verhoor is, vraag dan toch ook alsjeblieft hoe wij jullie bommen vonden. Als het boven je hoofd donderde alsof er een verhuiswagen aankwam wist je dat hij precies boven je hing. Als het gedonder dan plotseling ophield, kon je alleen nog maar bidden dat hij bij de buren zou inslaan.'

'Dat moet erg geweest zijn,' gaf hij toe. 'Nog een kopje? Of liever whisky?'

'Geen van beide. Waarom interesseert u zich voor ons, Duitsers?'

'Omdat u een Duitse bent. Omdat u heel anders bent dan de vrouwen bij ons thuis.' Jutta bekroop een teder gevoel dat ze tevergeefs probeerde te onderdrukken. De man stond op, bang dat hij te veel had gezegd. 'Waar zal ik u naartoe brengen?'

'Ik ben met de fiets en hoef niet ver. Hartelijk dank voor de koffie. Zien we elkaar weer? Ik heb op woensdagavond vrij.' Hij vond het leuk dat ze het zo direct vroeg. 'Om zeven uur bij de poort van de wachtpost?' stelde hij voor.

'Oké, John.' Ze ging op haar tenen staan en gaf hem een kus op zijn wang. Op de klok van de metro was het even voor elven. Jutta overwoog of ze meteen naar huis zou gaan. Nee, ze ging nog even langs bij Schmidt. Meneer Schmidt was eigenlijk altijd op tot na middernacht. Hij was apotheker en had aan het begin van de oorlog een kist met geparfumeerd water in de kelder begraven, waarvan hij nu af en toe wat afstond. Er moesten zes hongerige kinderen worden gevoed. Jutta had Jack Panelli en half pond bonenkoffie afgetroggeld. De sergeant miste het niet en Jutta kreeg er een fles echte eau de cologne voor.

De Schmidts woonden buiten het *Sperrbezirk*. Het miezerde een beetje. Jutta schoof haar fiets langs het hoge hek, waarachter dag en nacht stroom was en mensen met doorvoede gezichten woonden, en jonge vrouwen van het *Women Army Corps* hoge pumps en kousen droegen die nog niet kapot waren en op straat rookten. Ze dacht aan John Ashburner en of hij haar goed genoeg beviel om met hem naar bed te gaan, maar ze vond er geen antwoord op.

In de buurt startte een motor. Ze week uit toen de motor met een verblindende koplamp vlak langs haar heen knetterde. Hoofdschuddend liep ze door.

Aan een paal stond een rol prikkeldraad die blijkbaar was overgebleven bij de bouw van het hek. Jutta gilde. Een bleek gezicht met wijd opengesperde dode ogen staarde haar van tussen het prikkeldraad aan.

Die avond kregen ze 'warm eten': gedroogde aardappelstaafjes van de Amerikanen die je twee dagen lang in de week moest zetten om ze te kunnen bereiden. Met een roux van een beetje meel en de in eigen tuin verbouwde uien, leek het gerecht in de verte op een aardappelsoep. Het gezin zat om de tafel en lepelde zwijgend.

Dr. Bruno Hellbich tikte geïrriteerd op de rand van zijn bord. 'De buren kweken hun eigen aardappelen. En ze hebben ook wortelen. En groene kroppen sla. Neem daar maar eens een voorbeeld aan.'

'Papa, dat is niet eerlijk. Bij ons staat de hele tuin vol met jouw tabak,' wees Inge Dietrich haar vader terecht.

'Ja, moet ik dan naar de zwarte markt en ons laatste beetje zilver verpatsen voor een paar yankee-sigaretten?' vroeg de wethouder beledigd.

'Je zou ook bijvoorbeeld minder kunnen roken,' merkte zijn schoonzoon zakelijk op.

Het leek er even op dat er een van de eerder lachwekkende dan gevreesde Hellbische woede-uitbarstingen op komst was, maar zijn dochter verhinderde dat. 'Mevrouw Ziedler stond ook bij Kalkfurth voor margarine in de rij. Ze bewaart haar broodbonnen in de keukentafellade, zei ze. Toen ze onlangs de la opendeed, lagen er alleen nog maar een paar snippertjes. Een muis had de bonnen opgegeten. Het maandrantsoen voor een heel gezin foetsie. Ze had weinig hoop, maar ze deed de snippers in een enveloppe en ging naar de chef van de bonnenafdeling. Die lachte zich een hoedje en gaf haar zonder omhaal nieuwe bonnen. Hij zei dat je zo'n verhaal niet zelf kon verzinnen.'

Het was geen bijzonder grappig verhaal, maar het kalmeerde haar vader. 'Een verstandig man,' zei hij goedkeurend en stak een kaars aan op het moment dat de stroom werd afgesloten.

'Dat mens is zo hard als een blok graniet, die mevrouw Kalkfurth.' Inge Dietrich beschreef hoe ze had geprobeerd eipoeder op rekening te krijgen.

'Ze is verbitterd. Maar daar moet je begrip voor hebben. De familie is niet erg gelukkig. In 1929 kopen ze het huis aan de Am Hegewinkel, in een buurt die chiquer is dan de Prenzlauer Berg. Daar hadden ze hun slagerij. Hun worstwinkeltjes zaten overal in de stad. Kalkfürther worstjes kende iedereen. Maar ja, het succes bracht niet veel goeds. Adalbert Kalkfurth werd door een os bij het slachten in de buik getrapt, waardoor zijn darmen werden opengereten. De slagerij werd overgenomen door een gezel, geholpen door Kurt, de zoon van de slager. Kurt zou de zaak eigenlijk ooit overnemen. Hij was een potige kerel met een babyface. Hij knetterde voortdurend met zijn brommer door de buurt. Hij meldde zich vrijwillig voor de motordivisie, maar raakte meteen in het begin tijdens de Poolse veldslag gewond. Martha Kalkfurth kreeg een hersenbloeding toen haar het nieuws werd verteld. Sindsdien zit ze in een rolstoel. Is er nog aardappelsoep?'

'Een halve lepel voor elk.' Inge Dietrich verdeelde nauwkeurig de soep die over was. Ze was zesendertig en had een paar zilveren draden in haar volle bruine haar, herinneringen aan de ontelbare nachten die ze, met haar zoons dicht tegen zich aan gedrukt, in de kelder had zitten luisteren naar het donderen van de vliegtuigen en het vallen van de bommen.

Haar gezicht glansde zacht in het kaarslicht. Wat is ze toch mooi, dacht haar man Klaus teder. Ze glimlachte even, alsof ze wist wat hij dacht.

De wethouder was klaar met eten. Hij draaide een sigaret uit de groen gedroogde tabak en was beleefd genoeg om hem in de tuin op te roken. 'Het is een heerlijke, warme nacht,' riep hij. 'Kom toch ook naar buiten.'

'We gaan naar boven,' riep zijn dochter. 'Welterusten vader. Ben, Ralf, help oma bij het afruimen en blijf niet meer al te lang op. Klaus, kom je?'

Hij nam de knijpkat die in elk huishouden onmisbaar was en maakte licht terwijl ze de trap opgingen. Zwijgend kleedden ze zich uit. De nacht was ondanks de miezerende regen licht genoeg om haar te kunnen zien. Haar lichaam met de nog altijd stevige borsten en de slanke taille boven de vrouwelijk ronde heupen. Hij ging op de rand van het bed zitten en maakte zijn prothese los. Hij zette hem compleet met schoen en sok aan de kant. Ze knielde voor hem neer en omhulde hem met haar volle, warme lippen. In bed vervolgden ze hun kalme, maar zeer bevredigende ontmoeting.

Midden in de nacht ging de telefoon. Klaus Dietrich had ooit een kartonnetje tussen het belletje gedaan zodat zijn vrouw niet werd gewekt door het geratel. Het was rechercheur Franke. 'Weer een moord, meneer de inspecteur. Deze keer direct aan de omheining van het Sperrgebiet van de yankees.'

Dietrich sprak op fluistertoon. 'Waar precies?

'Helemaal achteraan, waar vroeger markt was. Ik wacht daar op u. Over en uit.'

Dietrich kleedde zich stilletjes aan, maar zijn prothese viel uit zijn hand en kletterde op de grond. 'Wat is er aan de hand, schat?' vroeg Inge slaperig.

'Werk aan de winkel.' Dietrich haalde zijn fiets van de veranda en reed weg. Hij mocht niet over de kortste weg door het Sperrgebiet, dus reed hij de omweg over de Waltraudbrug door het Fischtalpark. Tussen de bomen riep een kleine uil. Een vroege eend kwaakte in de vijver. Vanuit het oosten schemerde de eerste voorbode van de komende dag. Het was oneindig stil en vredig.

Franke had de koplampen van de Opel op een plek in het hek gericht. Iets verderop stond de jeep van de MP, waar sergeant Donovan met zijn armen over elkaar tegenaan stond geleund. De inspecteur zette zijn fiets neer en knikte naar de sergeant, maar Donovan deed alsof hij het niet zag. Zwijgend wees Franke naar het hek. Op het eerste gezicht zag Dietrich alleen maar prikkeldraad. De gruwelijke details zag je pas als je beter keek.

'Een zekere Jutta Weber heeft de dode ontdekt,' rapporteerde de rechercheur. 'Ze reed met haar fiets naar het bureau Zehlendorf-centrum om het aan te geven. Ik heb haar gevraagd vanmiddag naar het bureau te komen.'

Klaus Dietrich keek naar het door blonde plukken haar omgeven bleke gezicht. Uitgebluste blauwe ogen staarden hem aan van tussen het prikkeldraad. 'Wat weten we?' vroeg hij zonder zich om te draaien.

'Dat ze Helga Lohmann heet, vijfendertig is en voor de yankees werkt. Haar boodschappentas met pasje en vier blikjes corned beef lagen hier bij het hek.'

'Sporen?'

'Misschien dat vodje daar?' Franke wees naar een stukje stof aan het prikkeldraad.

Dietrich pakte het stukje textiel en hield het peinzend tegen het licht. 'Olijfgroene gabardine. Zou van de trenchcoat van een Amerikaan afkomstig kunnen zijn.'

In het licht van de koplampen verscheen een hand, die hem het stukje stof uit de hand trok. 'In beslag genomen,' zei sergeant Donovan in het Duits. Hij had dit blijkbaar al vaak gezegd, want het kwam vloeiend over zijn lippen.

'But we need the evidence,' protesteerde Dietrich.

'Shut up, you goddam Kraut!' blafte Donovan en legde zijn hand dreigend op het handvat van zijn Magnum voor hij in zijn jeep sprong en met gierende banden wegreed.

'Wat doen we met haar?' vroeg Franke een beetje radeloos.

Dietrich wees naar de imperiaal op het dak van de auto. 'Als we haar daar boven goed vastbinden, krijgen we haar onbeschadigd naar Bosrust.'

'Het kan haar niet meer deren,' bromde Franke en pakte mee aan.

Dr. Möbius nam de tang aan. 'Met vriendelijke groeten van de conciërge. De oude man was tamelijk chagrijnig, toen zuster Dagmar hem kwam wekken vanwege dit stuk gereedschap.' Het was vier uur in de ochtend. De kliniek had sinds een halfuur weer stroom. 'Volkomen normaal chirurgenwerk,' zei de arts sarcastisch en begon het prikkeldraad door te knippen. Hij boog het ene draadje na het andere weg, tot de dode bevrijd van prikkeldraad voor hen lag. Ze droeg een eenvoudige grijze jurk met een witte kraag. Haar kousen waren gescheurd. Samen met de verpleegster kleedde de arts de vrouw uit. De politiemannen wachtten op de achtergrond. De rechercheur wiebelde nerveus van het ene been op het andere. Ondanks zijn mondkapje, werd hij toch niet goed van de reuk van formaline en ontbinding. 'Geen slipje, net als bij de eerste,' stelde dr. Möbius nuchter vast. 'Kom maar hier.' Alleen Dietrich gaf gehoor aan die oproep.

De dode was een stevige vrouw met volle borsten en striae op haar buik.

'Op de hals weer die wurgtekens van een ketting,' vervolgde Möbius zijn relaas. 'Bloedsporen in het schaamhaar en op de dijbenen. De moordenaar heeft ook dit slachtoffer verminkt met een scherp voorwerp,' voegde hij er na een kort onderzoek aan toe. 'Weten we wie deze vrouw was?'

'Helga Lohmann, vijfendertig jaar. Werkt voor de Amerikanen. Meer hebben we nog niet. Wanneer is de dood ingetreden?'

'Onder voorbehoud van de autopsie zou ik zeggen: twee tot drie uur geleden.'

De inspecteur rekende snel. 'Dus tussen tien en elf uur. Toen regende het nog. Dat verklaart de regenjas. Franke, wat denk jij ervan?' Hij kreeg geen antwoord. Zijn collega was wit weggetrokken en tegen de grond gegaan.

Helga

Het huis stond aan de rand van de Onkel Tombuurt in de Sophie Charlottestraat. Het huis was over twee verdiepingen ingedeeld in zes ruime appartementen. Helga Lohmann had het van haar ouders geërfd, die bij een skivakantie om waren gekomen onder een lawine. De Lohmanns woonden beneden aan de rechterkant. Hier bevond zich ook Reinhold Lohmanns accountancy. In de kelder had hij voor zijn SA-stormtroep een schietbaan gebouwd voor kleine kalibers.

Eén keer per week daverde het huis op zijn grondvesten, maar dat vonden de bewoners geen probleem. Ze vonden de gezette man met zijn bruine hemd wel grappig.

'Is het niks voor úw man?' vroeg Helga op een woensdagavond in het trappenhuis aan de knappe, zwartharige mevrouw Salomon van de tweede verdieping. Die antwoordde dat haar man Leo Salomon een goede schutter was, die met zijn inmiddels overleden vader vaak op jacht was gegaan en dat hij zich aangemeld had voor de schutterstroepen van de bruinhemden.

'Het is echt zo hè? Dat onze grote kinderen toch het liefst met geweren spelen,' giechelde Helga vrolijk.

'Ze hebben hem afgewezen,' vertrouwde mevrouw Salomon de huiseigenaresse toe. 'Wij zijn namelijk joden.'

'Wat een onzin,' vond Helga. 'U gaat toch net als wij met Pasen en met de kerst naar de kerk en u geeft toch ook geld voor de winterhulp van de Führer? Ik zal wel met mijn man praten.'

'Het zijn aardige mensen en ze betalen de huur op tijd. En meneer

Salomon is ook geen beginner. Hij ging vroeger altijd met zijn vader op jacht,' zei Helga Lohmann later bij het avondeten tegen haar man.

Reinhard Lohmann belegde zijn boterham zorgvuldig met drie plakjes worst. Hij was een stevig gebouwde kerel van zesendertig jaar met dun haar en levervlekken op zijn onderarmen. Hij was tien jaar geleden met de tien jaar jongere verpleegster getrouwd. Tot die tijd werkte Helga Rinke op de kinderafdeling van de Charité. Ze was zwanger van een jonge arts. Lohmann wist dat. Maar haar eigendom en de daaraan verbonden huurinkomsten boden financiële zekerheid. Hijzelf had als belastingaccountant niet erg veel succes.

'Dat met Salomon kan niet.' Hij legde een vierde plakje worst op brood, waarvoor eigenlijk geen plaats meer was. Het plakje hing over de rand.

'Waarom niet? Jullie kunnen nog wel een goede schutter gebruiken voor de volgende regionale wedstrijden. Dat heb je zelf gezegd.'

'Gezegd – gezegd,' babbelde Kareltje en sloeg met zijn lepeltje in de pap die zijn moeder had versierd met patroontjes frambozensiroop uit een kannetje.

Kareltje was zes jaar oud. Hij was na het huwelijk van de Lohmanns ter wereld gekomen. Reinhard Lohmann had hem zonder aarzeling als eigen zoon aangenomen. Dat was echter voordat de mongoloïde kenmerken zichtbaar waren geworden: een bol hoofdje, scheve ogen, kleine, plompe, laag aangezette oren, een platte neus en een dikke tong. Lohmann vermeed vanaf die dag samen met de jongen in het openbaar te worden gezien.

Voor Helga was haar zoon het normaalste kind dat er was. Ze negeerde de tactloze opmerkingen en het gestaar volledig. In haar kleine wereldje tussen metrostation en de Riemeisterhoek gebeurde dat ook nog maar weinig, want hier was men aan het kind gewend geraakt en mocht men de jonge, blonde moeder graag.

'Nou, waarom niet?' herhaalde Helga en wreef een paar papvlekken van het plastic tafelkleed onder Kareltjes bord. 'Netjes eten,' maande ze haar zoon.

'Ik heb wel geprobeerd Salomon er bij te krijgen,' verdedigde Lohmann zich.

'Maar er kwam een vraag van bovenaf, of ik gek was geworden er een Sam bij te willen halen.'

'Hij heet niet Sam maar Leo, en hij is een buitengewoon nette medeburger. Praat toch nog eens met je schoolvriend Olbrich.'

Günther Olbrich en Reinhard Lohmann hadden zich beiden direct vanuit het gymnasium vrijwillig laten rekruteren tijdens het laatste jaar van de Eerste Wereldoorlog. Ze hoefden niet meer naar het front, maar werden al snel naar huis gestuurd om hun eindexamen in te halen. Olbrich werd advocaat en juridisch raadsman van de NSDAP. Het bestuur van de partij benoemde hem na het aantreden van Hitler tot directeur van de juridische afdeling van de Berlijnse *Gauleitung*. Hij had goede relaties met de top en werd ooit zelfs uitgenodigd op het domein van Hitler op de Obersalzberg, het heiligste der heiligen.

Lohmann was meteen na de overwinning van de nazi's tot de partij toegetreden, omdat hij hoopte dat zijn carrière er op vooruit zou gaan, maar dat bleef uit. Met behulp van zijn vriend bracht hij het tot plaatsvervangende *Sturmführer* van 'die gekke oorlogsvereniging' zoals Helga de SA noemde, en dat was een brodeloze carrière.

'Günther heeft twee kaartjes voor ons voor de Olympische Spelen,' probeerde Lohmann zijn vrouw af te leiden. 'We kunnen de auto zaterdagavond uit de garage halen.' Helga had de Brennabor samen met het huis geërfd van haar ouders. Maar ze kroop alleen maar achter het stuur als Reinhard erop stond. Hijzelf kon niet rijden.

Helga straalde. 'Dan gaan we daar picknicken. Kareltje kan bij Salomon blijven. Je vindt de kleine Ruth toch zo aardig, Kareltje?'

'Kleine Ruth,' echode de jongen. Zijn ogen straalden.

Op zaterdagavond reden ze naar het sportpark. Het heerlijke weer droeg bij aan de zonnige stemming. De mensen waren vrolijk en ontspannen. Er waaiden een paar hakenkruisvlaggen in de wind, maar de vlaggen van de gastlanden waren in de meerderheid en het beeld werd niet door bruine uniformen, maar door elegante Berlijnse vrouwen bepaald.

Het pas gebouwde Olympiastadion was een imposant stukje architectuur. 'Dan kan de wereld eens zien wat wij allemaal kunnen,' zwijmelde Helga, en keek met oma's operaverrekijker naar de regeringstribune. Ze zag een goedgehumeurde Führer in een wit uniformjasje en een druk gebarende Göring, wiens ronde gezicht glansde in de zon. De plaatsvervangende Hess herkende ze aan zijn dikke wenkbrauwen. De overige grootheden kende ze niet.

Ze keek naar beneden de arena in. 'Die Amerikaan, Jesse Owens, die ziet er echt geweldig uit. Zo mooi bruin. Pang! Het gaat beginnen. Goh, wat kan die man rennen. Ja, ja, jaa! Eerste!' Opgewonden sprong ze overeind.

'Als ze ons niet van onze koloniën hadden beroofd, hadden we nu een Duitse negerkampioen,' mopperde Lohmann.

Helga deed haar picknickmand open. 'Heb je zin in een worstenbroodje en een biertje? De flesjes zijn nu nog koud. Ik heb ze in de kelder meteen in een krant gewikkeld.'

'Krijgen wij ook een biertje?' Het was Günther Olbrich. 'Dit is Ulla Seitz,' stelde hij zijn partner voor. De jonge vrouw met donker kortgeknipt haar aan zijn zijde groette behoudend. 'Hebben we veel gemist?'

'De honderd meter,' zei Lohmann terwijl hij bier uitdeelde. 'Jullie zijn laat.'

'Ik kon niet eerder,' legde zijn vriend uit. 'Ik moest mijn pak nog passen bij de kleermaker. In de staatsopera is een rokkostuum verplicht vanavond. De rijksregering geeft een receptie ter ere van de Olympische Spelen. Stel je voor zeg, de Bulgaarse koning en de Italiaanse kroonprins komen ook.'

'Welke kleur heeft uw avondjurk?' vroeg Helga nieuwsgierig. Ze kreeg een boze blik terug en het pinnige antwoord: 'Ik ben niet uitgenodigd.'

'Je had best een beetje op je woorden kunnen passen,' verweet haar man haar later thuis. 'Ulla Seitz is Olbrichs secretaresse en minnares.' Ze zaten bij de radio en luisterden naar de laatste wedstrijduitslagen. Helga had haar zoon boven bij Salomon opgehaald. Hij leunde tegen hen aan en luisterde met open mond naar de geluiden die uit de bakelieten kast kwamen en die hij niet verstond. Af en toe pruttelde hij tevreden. Automatisch veegde ze hem het speeksel van zijn lippen.

Lohmann maakte notities met zijn potlood. 'Als het zo doorgaat, halen wij meer goud dan de Amerikanen.' Kareltje liet zijn moeder los om bij zijn vader op schoot te klimmen. Lohmann schoof hem van zich af. 'Tijd om naar bed te gaan,' zei hij bars.

'Waarom houd je toch niet van hem?' zuchtte Helga later in bed.

Op 10 mei 1940 marcheerden de Duitse troepen Nederland, België en Luxemburg binnen, werd Winston Churchill de nieuwe Britse premier en stuurden de Duitse ordehandhavers de eerste arrestanten in het bezette Polen naar een nieuw kamp: Auschwitz. De oorlog was negen maanden oud en Kareltje vierde zijn tiende verjaardag.

's Morgens gingen moeder en zoon naar de winkelstraat bij metrostation Onkel Toms Hütte. Helga wilde naar mevrouw Gerolds boekhandel. Ze kwam hier soms om een boek te lenen.

'Ik denk dat ik iets voor u heb. U houdt toch van historische romans?' De assistente van de boekhandel trok een dikke pil uit de kast. 'Hier, alstublieft: *De dokter van de koningin*. Het is het verhaal van dokter Johannes Angelus Weiss, lijfarts van koningin Christine van Pruisen, echtgenote van Frederik de Grote. Heel spannend, met veel liefde.'

'Ja, dat neem ik. Dank u wel.' Helga lachte verlegen. 'We kennen elkaar nu al zovele jaren en ik weet nog niet eens hoe u heet.'

'Jutta Weber. Mevrouw Lohmann, is het niet? Uw naam staat in ons bestand. Ik geef u het boek drie weken zonder meerprijs, omdat het zo dik is. En jij, wat wil jij lezen?' Jutta streek de jongen over zijn hoofd. Ze kende hem al van toen hij nog in de kinderwagen lag.

'Kareltje is vandaag jarig. Hij mag iets uitzoeken.'

'Gefeliciteerd, Kareltje.'

Kareltje klemde *De drie biggetjes* van Walt Disney onder zijn arm.

Die namiddag werd er een feestje gevierd. Helga maakte koffie. Voor Kareltje was er chocolademelk. Helga stak de tien kaarsjes aan die in een kringetje op de taart stonden. Kareltje blies ze vrolijk uit. 'Nog een keer,' riep hij. Helga vervulde die wens met genoegen.

'Nu wordt er geschoten.' Reinhard Lohmann had een eenvoudige luchtbuks voor zijn zoon gekocht. Ze gingen ermee de kelder in. Kareltje slaakte gilletjes van opwinding en kon na een korte uitleg verbazingwekkend goed met het wapen omgaan. Sinds hij deelnam aan het bijzonder onderwijs, maakte hij goede vorderingen. De loden projectielen hadden de vorm van mini-zandlopers. Ze tikten dof op de bodem van de blikken kogelvanger. Lohmann nam de buks en trof meteen in de roos. Kareltje slaagde erin een acht te treffen. Er ontstond een harmonie tussen vader en zoon die er nog nooit eerder was geweest.

'Komen jullie naar boven?' Helga wachtte al ongeduldig. 'En nu mama's cadeau.' Ze trok Kareltje de slaapkamer in. Tien minuten later verschenen ze weer. Kareltje had een zwarte korte broek en een bruin hemd aan, met daaroverheen een koppelriem, schouderriem en een halsdoekje. Het was het uniform van de tien- tot veertienjarige jongetjes van de Hitlerjugend dat eruit moest zien als een padvindersuniform. De jongen zag er belachelijk uit.

Lohmann was eerst sprakeloos. Daarna ontsnapte hem een benepen 'niet te geloven...'.

'Wat is niet te geloven?' vroeg Helga uitdagend. 'Op hun tiende worden ze allemaal lid van de Hitlerjugend. Onze zoon doet ook mee, net als de rest.'

'Meedoen,' zei Kareltje ijverig en maakte grimassen met de spieren in zijn gezicht die hij niet kon beheersen. 'Hitlerjugend,' voegde hij nog toe.

'Denk toch aan zijn situatie,' probeerde Lohmann nogmaals.

'De jongen is kerngezond en sterk. Kom Kareltje, we gaan de kaarsjes nog een keertje uitblazen. En maandag schrijven we je in bij de Hitlerjugend.'

Lohmann verdween zwijgend zijn kantoor in. Toen Helga haar zus wilde bellen, hoorde ze zijn stem aan de andere telefoon: '...verkleed als een jongen van de HJ, stel je voor zeg. Dat kleine gedrocht maakt ons volslagen belachelijk in het openbaar.'

'Dat kan natuurlijk niet,' beaamde zijn schoolvriend Olbrich aan de andere kant van de lijn. 'We vinden wel een oplossing, maak je maar geen zorgen.'

'Stilletjes legde Helga de hoorn op de haak. En toch wordt hij een HJ, besloot ze opstandig.

Die zaterdagavond bezocht Helga haar zus, die negen maanden zwanger was. Ze logeerde er die nacht en kwam op zondagmiddag terug. Reinhard wachtte haar op, samen met Günther Olbrich.

'Meneer Olbrich, wat aardig van u. Ik ga koffie zetten. Wilt u een stukje verjaardagstaart? Waar is Kareltje?'

'Daar willen wij met u over praten.' Olbrich schraapte zijn keel.

'Mevrouw Helga, uw man heeft zich vrijwillig ingeschreven voor de officiersopleiding. Na die opleiding zal hij als luitenant naar het front worden gestuurd.' Daarom heeft hij besloten dat Kareltje in een inrichting beter kan worden verzorgd dan hier thuis zonder vader.'

'Luitenant Lohmann, dat klinkt geweldig,' zei Helga blij. 'Je zult er knap uitzien in een officiersuniform. Maar maak je geen zorgen om mij en de jongen.' Opeens begreep ze het. 'Jullie hebben toch niet... Kareltje is toch niet...'

'Hij zit sinds gisteren in een inrichting. Geloof me, het is het beste zo,' mompelde Lohmann.

'In wat voor inrichting? Ik ga hem meteen halen.'

'Zonder toestemming van de vader is dat niet mogelijk,' wierp Olbrich tegen. 'En die heeft na beoordeling van de medische feiten een verstandig besluit genomen.'

'Hij is de vader helemaal niet!' Helga schreeuwde het uit. 'Hij is een sukkel en een nul, die op mijn kosten leeft. Laat je vriend de boeken maar zien, Reinhard, laat maar zien hoe weinig je verdient. Beslissing? Wat voor beslissing? Sinds wanneer neemt hij beslissingen?'

Lohmann stond op. 'We moeten nu gaan. Günther rijdt mij naar Döberitz. Na mijn opleiding kom ik terug voor een kort verlof. Dan praten we hier rustig over.' Hij nam zijn koffertje. Hij had alles precies gepland en ging alle discussie uit de weg door te vluchten.

'Lafaard die je d'r bent!' schreeuwde ze hem achterna. 'Waar is mijn zoon?'

Het schalde door het hele trappenhuis, tot haar stem schor werd en men alleen nog maar een troosteloos huilen kon horen.

Op maandag werden de Salomons gedeporteerd op een open vrachtwagen waar al twintig mensen op verzameld waren. Meneer Salomon had zijn arm beschermend om zijn vrouw en dochter heen gelegd. Hij droeg het IJzeren Kruis Eerste Klasse op zijn borst. Zijn gezicht was versteend. Mevrouw Salomon had haar ogen neergeslagen, alsof ze zich schaamde. De kleine Ruth zwaaide. Helga zwaaide apathisch terug. Een paar dagen gelegen nog, zou ze tegen dit onrecht hebben geprotesteerd en de Führer een brief hebben geschreven. Nu waren haar gedachten slechts nog gericht op haar zoon, die haar was afgenomen.

Ze ging weer aan tafel zitten en draaide het volgende telefoonnummer uit het telefoonboek. Er klonk een verveelde vrouwenstem aan de andere kant van de lijn. Ze vertelde na kort te hebben geluisterd dat wat Helga die morgen al vele malen had gehoord: de tienjarige Karel Lohmann was niet bekend.

'Zo schieten we niets op,' mompelde ze en zocht het nummer van het kantongerecht op. Ze werd naar voogdijzaken verwezen. Daar luisterde men geduldig naar Helga's verhaal en werd ze doorverbonden met de verantwoordelijke rechter. Die was terughoudend: 'Als de vader van het kind een hoger partij-apparaat heeft ingeschakeld en die een oordeel heeft uitgesproken met zijn toestemming, dan is dat oordeel bindend volgens onze nieuwe richtlijnen met betrekking tot onderbrenging en opname in een inrichting.'

'Als moeder heb ik niets te zeggen?'

'Het zou het beste zijn als u nog eens zou proberen met uw man te overleggen, mevrouw Lohmann. Probeer uw man om te praten. Het belangrijkste is dat hij u zegt waar uw zoon zich bevindt, zodat u hem tenminste kunt gaan opzoeken.'

Dat was een idee. Ze zou met Reinhard gaan praten. Zonder zijn vriend Olbrich in de buurt, viel hij al snel van zijn geloof. Een uur later zat ze in de trein naar Döberitz. Daar vond ze na veel vragen de weg naar de officiersopleiding.

'Ene mevrouw Helga Lohmann,' meldde de wachtpost via de telefoon aan de poort. 'Wil spreken met deelnemer Reinhard Lohmann.'

Tussen de barakken deden in overalls geklede soldaten onder het gebrul van een onderofficier zinloze oefeningen. Zat Reinhard hier ook bij? Ze kon de gezichten niet herkennen. Een jonge officier haastte zich naar de poort.

'Luitenant Hartlieb. Komt u alstublieft mee? Overste Marquardt verwacht u in zijn dienstkamer.'

De overste was een grijsharige vijftiger. 'Wij hadden u zo snel niet verwacht, mevrouw Lohmann.'

'U verwachtte mij?' Helga begreep het niet.

'Is onze gemotoriseerde boodschapper dan niet bij u aangekomen?' De overste leek even uit zijn doen. 'Nou ja, het zij zo, in ieder geval moet ik u condoleren mevrouw. Een tragisch ongeval, en dat op de eerste dag van zijn opleiding.'

Tijdens schietoefeningen had een handgranaat officier in spe Lohmanns halve schedel weggeblazen.

'We hebben voor de opleiding buitgemaakte Poolse karabijnen toebedeeld gekregen. Inferieur spul. Zou een goede officier zijn geworden, uw man. Uiteraard krijgt hij een militaire begrafenis. Nogmaals mijn condoléances. Als ik verder nog iets voor u kan doen...?'

Helga schudde haar hoofd mechanisch. De overste begeleidde haar opgelucht naar de deur.

Op de terugweg zat Helga helemaal alleen achter in de trein. Ze zag Reinhards gezicht voor zich, lachend en jong, zoals ze hem had leren kennen. Maar echte rouw wilde niet opkomen. Nu kan hij me niet meer zeggen waar Kareltje is, was haar enige gedachte.

Er was één persoon die het haar kon zeggen. Helga hoopte hem op Reinhards begrafenis te zien. Maar de schoolvriend had ervoor gekozen een grote krans en een schriftelijke condoléance op handgeschept papier te sturen. Hij zat voor zaken bij de partijtop in München en excuseerde zich. Op de dag dat hij terug was uit München, ging Helga hem meteen opzoeken.

De juridisch directeur van de nationaal-socialisten, dr. Günther Olbrich, zat in het gebouw van de Berlijnse Gauleitung in de Hermann Göringstraat. Helga meldde zich aan de poort en werd naar de eerste etage gedirigeerd, naar een wachtkamer met luxueuze fauteuils.

Toen na een halfuur de deur eindelijk openging, sprong Helga vol verwachting op van haar zitplaats. Het was Olbrichs secretaresse. Ze was vermagerd en had een harde trek om haar mond. Ze is zijn minnares niet meer, schoot het Helga door het hoofd.

'Juffrouw Seitz, is het niet? Helga Lohmann. Herinnert u zich mij nog? We hebben elkaar ontmoet tijdens de Olympische Spelen. Mijn hemel, dat is alweer bijna vijf jaar geleden. Hoe gaat het met u?'

De secretaresse bleef koeltjes. 'Gecondoleerd. Dr. Olbrich heeft zijn condoléances al uitgesproken. Hij laat zich excuseren. Hij kan u momenteel niet te woord staan.'

'Dat geeft niet. Ik wacht wel.'

'Zoals u wilt.' Een blik vol onbegrip. Ulla Seitz verdween weer naar haar kamer.

Eindeloos wachten. Geheugenspelletjes. Bijvoorbeeld met welke hand de boer op het olieverfschilderij achter haar uitzaaide, en welke voet hij voor had terwijl hij over zijn akker liep. Hij zaaide helemaal niet, maar ging met de sikkel door het koren. Plaatjes raden. Dat speelde ze vaak met Kareltje. De oude huisarts dr. Weiland had dat aangeraden: 'Het is een goede geheugentraining voor de jongen.'

Ze zag Kareltje voor zich, hoe hij zijn handjes voor zijn ogen deed en raadde hoe *De man met de gouden helm* boven het dressoir eruitzag. 'Hij heeft een groene helm op met een veer, en daar zit een vogel op, die chocolade in zijn snavel heeft.'

'Het is niet waar!' zei ze dan altijd verbaasd. Kareltje kon dan bijna niet meer ophouden met giechelen, omdat hij haar zo goed voor het lapje had gehouden. Ze moest onwillekeurig glimlachen en huiverde toen de realiteit haar weer in haar ijskoude greep kreeg. Ze hadden haar Kareltje afgepakt.

Op haar horloge was het vijf uur. Was ze in slaap gesukkeld? Had dr. Olbrich haar al binnengeroepen? Aarzelend drukte ze de deurklink van de kamer naast haar naar beneden. Ulla Seitz stond voor de spiegel haar lippenstift op te frissen. 'Het kantoor is gesloten.'

'Dr. Olbrich?'

'Is al weg. Hij had een vermoeiende dag. Kom morgen maar terug.'

Ze was er de volgende ochtend al om negen uur en wachtte hem op bij de ingang. Hij bleef even staan. 'Mevrouw Helga, wat een verschrikkelijk ongeluk. Het spijt mij zeer.'

'Zegt u mij alstublieft waar mijn zoon is.'

'Ik heb haast. De *Gauleiter* verwacht mij. Vraagt u toch om een afspraak bij mijn secretaresse.' Hij sprong in de paternosterlift.

Helga ging langzaam de trap op. Ulla Seitz schonk net een kopje thee in. 'Wilt u ook een kopje?'

'Nee, dank u. Ik moest bij u een afspraak maken. Ik hoef geen afspraak.

Ik wil alleen maar dat dr. Olbrich u vertelt waar mijn zoon naartoe is gebracht en dan zegt u het mij. Ik moet naar hem toe. Hij is hulpeloos zonder mij.'

'Ik weet niet of ik u kan helpen.' Weer die koelte in haar stem, net als gisteren.

Helga boog haar hoofd en sprak zachtjes: 'Het groeit in je, totdat je op een dag dolgelukkig de eerste schopjes voelt in je buik. Je kunt bijna niet wachten tot het geboren wordt. Eindelijk is het er dan. Jouw kind. Het mooiste kind ter wereld, zelfs al is het niet zoals de andere kinderen. Je houdt van je kind en je doet alles wat je kunt, en meer. Het heeft jou nodig, net zoals jij je kind nodig hebt. En dan komt iemand het van je afpakken.' Ze keek de secretaresse nu recht in de ogen: 'U weet niet hoe het voelt, als plotseling alles leeg is.'

Ulla Seitz ontweek Helga's blik niet. 'Leeg,' herhaalde ze bitter. 'Helemaal leeg.' Ze zweeg even voor ze vervolgde: 'Hij heeft me gedwongen een abortus te plegen. Een zwangere secretaresse was niet gepast, dat snapte ik toch wel? Oh ja, ik begreep het maar al te goed. Ik begreep vooral dat hij een jongere wilde. Ze is achttien en werkt in de telefooncentrale. Een knap, onschuldig ding. Als tegemoetkoming behoud ik mijn positie, met goed salaris en recht op pensioen. Uw zoon bevindt zich in verpleeghuis Klein Moorbach. Het is een gesloten inrichting met een afdeling voor kinderen die momenteel niet in het plaatje passen. Wees voorzichtig. Als moeder die haar kind terug wil hebben, bereikt u daar niets. Eén verkeerde stap en u ziet hem nooit meer terug.'

'Dank je.' Helga greep naar haar hand. Ulla Seitz week uit. Ze zei ineens hard: 'Dr. Olbrich heeft het erg druk. Het zou beter zijn als u zich hier niet meer liet zien. U kunt hem schriftelijk om contact verzoeken.' Olbrich was binnengekomen.

Klein Moorbach was een afgelegen gehucht aan de rand van het Spreewoud. Helga had haar oude fiets de trein mee in genomen. Ze fietste over landelijke wegen. Lichtgroene berken, leeuweriken, blauwe hemel, weilanden in bloei en een tractor op een veldweggetje, die lawaaiig walmend de geur van dieselolie verspreidde. Helga registreerde de lente-idylle niet. Ze was op verkenningstocht. Als vermomming had ze een schildersezel en verf meegenomen. Met waterverf kon ze redelijk overweg.

Bij de dorpskroeg van Klein Moorbach zette Helga haar fiets neer. Op de radio klonk de tune van een extra bericht: Frankrijk had gecapituleerd. De mannen rond de stamtafel keken op. 'Nou, dan is het binnenkort over met dat gedoe,' zei iemand.

Het rook er naar verse groenten, boter en gebraden vlees. 'Gehaktbrood,' legde de blozende bazin de vreemdelinge uit. 'Dat kost u vijftig gram vleesbonnen.'

'Broodbonnen zul je bedoelen, nietwaar Frieda?' riep een knecht die aan de bar zat. De mannen lachten. Helga lachte mee.

'Jullie hoeven die rotsnippertjes niet af te rekenen,' kaatste de bazin goedgehumeurd de bal terug. 'Groente en aardappelpuree krijgt u er van mij zonder bonnen bij. Biertje?'

'Nee, dank u. Doet u maar een mineraalwatertje,' zei Helga.

'Vakantie?'

'Een snipperdag. Ik wil een beetje gaan schilderen, het landschap. Is er hier een plekje dat heel erg mooi is?'

'De beek aan de rand van het bos,' zei een boer aan een tafeltje naast haar. 'Alleen is het daar momenteel niet veilig, want er is een gek uitgebroken uit het gesticht.'

'Gesticht?'

'Zenuwkliniek Klein Moorbach heet het officieel. Je komt er makkelijker in dan uit. Je bent vandaag de dag al gek als je scheel kijkt. Maar die ontsnapte man is wel echt gevaarlijk.'

De deur vloog open. Er stapte een veldwachter binnen. Hij had een snor en droeg een groen uniform.

'En Erwin, hebben jullie hem al?' vroeg iemand.

De veldwachter deed zijn helm af en ging zitten. 'Hij is in handen van een van de speciale commando's gevallen. Hij wilde vluchten met een bootje. Van honderd meter in het hoofd geschoten. Als ze hem nou meteen een kopje kleiner hadden gemaakt, hadden wij niet zoveel werk gehad. Maar nee hoor, eerst gooien ze hem nog in een isoleercel. Ze zeggen dat hij jongetjes had misbruikt en vermoord.'

Helga was geschokt. 'Maar in die inrichting zitten toch alleen maar kinderen?'

De veldwachter keek haar wantrouwig aan. 'Hoe weet u dat?'

Helga herstelde zich onmiddellijk. 'Ik vind het onverantwoordelijk zo'n beest samen met kinderen op te sluiten. Het is de hoogste tijd dat de partij ingrijpt.'

'Frieda, pilsje!' riep de veldwachter. Hij wilde niets te maken hebben met de partij.

Na het eten ging Helga op weg. Ze liet haar fiets bij de dorpskroeg staan, want ze kon hem in het oerwoudachtige bos, dat met beekjes was doortrokken, niet gebruiken. Te voet kon je wel over de beekjes komen. Overal lag wel een boomstam of een plank.

Na een halve kilometer stond Helga voor een manshoge muur. Ze volgde de hem tot ze bij een toegangspoort kwam waarop een bord was aangebracht met de tekst:

GENEESKUNDIG INSTITUUT KLEIN MOORBACH

RASSENHYGIËNISCH ONDERZOEKSCENTRUM

In de verte verrezen dreigend de kantelen van een lelijk gebouw uit de tijd van keizer Wilhelm. Oorspronkelijk was het gebouw het landhuis geweest van een adellijke familie. Er kwam een man met een pet op uit het portiershuisje. Hij had een herdershond aan de lijn en begon met zijn ronde. De kiezelstenen van de oprijlaan knarsten onder zijn laarzen.

Helga sloot haar ogen en concentreerde zich op het gele bakstenen gebouw. Mama is hier, Kareltje, dacht ze. Ze voelde zijn warmte, zoals altijd, als hij zich aan haar vastklampte, op zoek naar bescherming. Hij was een lieve jongen en helemaal niet lastig. Maar hij was zo hulpeloos ten opzichte van zijn leeftijdgenoten en daarom zo kwetsbaar.

Ze zette haar schildersezel onder een boom neer. Klein Moorbach lag voor haar. 'Mama haalt je hieruit,' zei ze vastberaden.

Thuisgekomen nam ze haar intrek in Reinhards voormalige kantoor en begon een verbitterde strijd met de ambtenarij. Ze belde met kantoren, maar kwam meestal niet verder dan het secretariaat. Ze stuurde aangetekende brieven met een attest van de oude huisarts waarin die schreef hoe onschuldig de medische toestand van Kareltje was: '...huiselijke zorg door de moeder voldoende. Opname in een inrichting niet nodig...'

Van sommige klachten werd weken later de ontvangst bevestigd. Dat wel. Maar het oordeel was altijd negatief: '...delen wij u daarom mede... geen zeggenschap hebben over... hebben wij uw brief van... wijzen wij u erop dat... uw klacht is niet rechtsgeldig... met Duitse groet, hoogachtend...'

Maanden verstreken. Er ontstonden steeds meer en nieuwe oorlogsgebieden. Het Duitse leger marcheerde van overwinning naar overwinning. Helga nam het allemaal niet waar. Ze pijnigde haar hersens tijdens slapeloze nachten. Waar een wil is, is een weg, hamerde het door haar hoofd. Maar er leek geen weg naar Kareltje te zijn. Ze verliet het huis alleen maar voor het hoogstnodige. De meeste tijd zat ze apathisch thuis, tevergeefs wachtend op post en telefoontjes.

'Zo kan het niet langer,' mopperde haar zus Monica tijdens een sporadisch bezoekje. 'Dat niksdoen is niets voor jou.'

'Wat moet ik dan doen?' vroeg Helga moedeloos.

'Nou in ieder geval niet als een oud wijf bij de pakken neerzitten. Doe eindelijk eens wat.'

Op een goede maandag raapte Helga al haar moed bijeen en reed naar haar oude werkplek in de Louisenstraat. Ze had een afspraak gemaakt bij de hoofdzuster. Het rode bakstenen gebouw van de Charité, dat in 1727 door keizer Wilhelm I was ingewijd en oorspronkelijk had gediend als opvanghuis voor de armen, schitterde onbezord in de zon.

Binnen was het een minder vrolijke bedoening. Jonge mannen in gestreepte badjassen hingen rond op de gangen. Mannen met één been op krukken, mannen zonder benen in een rolstoel. Een blonde reus met een verbrand gezicht en verbonden stompjes, waar ooit zijn handen zaten. Het afval van roemrijke slachtingen.

Er zweefde een groepje witte jassen langs. 'Eugène,' riep Helga spontaan. Een grote man met grijze haren voorop in het groepje hield zijn pas in. 'Helga.'

'Denk aan uw ronde, professor,' zei iemand vermanend.

'Ik kom zo.' Eugène greep Helga's hand. 'Om twaalf uur in mijn kantoor, afdeling neurochirurgie. Ik kijk er naar uit.' De glimlach op zijn zongebruinde gezicht straalde net als vroeger.

Het gesprek met de hoofdzuster verliep positief en vlot. 'Wij hebben dringend verplegend personeel nodig. Een weekje cursus om uw kennis op te frissen en ik kan u als verpleegster inzetten. Ik kan u niet beloven dat ik een plek heb voor een kinderverpleegster. Kunt u daarmee akkoord gaan?'

'Ja hoofdzuster. Dat kan ik zeker.'

'Goed, dan kunt u nu naar beneden gaan naar personeelszaken. Die doen de papieren. Ik zal zeggen dat u eraan komt.'

'Als het kan over een halfuurtje. Ik zou graag even snel een kennis willen opzoeken bij neurochirurgie.'

Helga werd ontvangen door een oudere secretaresse. 'De professor verwacht u.' Professor Eugène Klemm was de geneesheer-directeur op de neurochirurgie van de Charité.

'Helga...' Hij omhelsde haar. 'Ik kan je niet zeggen hoe blij ik ben je te zien. Hoelang is het geleden? Nee, niet zeggen, dan voel ik me nog ouder. Maar jij, jij bent helemaal niet ouder geworden. Je bent geen spat veranderd.' 'Slijmbal die je d'r bent.' Helga werd helemaal warm van binnen en voelde een onvervuld verlangen. Ze maakte zich los uit zijn omhelzing. 'Je bent een belangrijk man, nietwaar? En privé? Getrouwd? Kinderen?'

'Acht jaar getrouwd, een dochtertje van zeven, een zoon van vijf. En hoe zit het bij jou?'

'Tien jaar getrouwd, weduwe sinds vorig jaar, één zoon. Onze zoon, Eugène.'

Het duurde een paar seconden voor hij het begreep. 'Waarom heb je me nooit iets verteld? Dan was het allemaal anders gelopen.'

'We hadden een paar romantische weken met elkaar. Meer was de bedoeling niet. Een ambitieuze co-assistent en een verpleegstertje in opleiding. Het zou nooit goed zijn gegaan. Je zou niet zijn waar je nu bent. Bovendien had mijn man het kind al voor zijn geboorte erkend. Ik had eigen kapitaal en was niet op hulp aangewezen.'

'Zo eenvoudig allemaal?' Er klonk een beetje teleurstelling in zijn stem.

'Nee Eugène, gemakkelijk was het allemaal niet. Kareltje is inmiddels elf. Hij is een lieve jongen.' Ze aarzelde even. Daarna barstte ze los. 'Maar ze hebben hem van me afgenomen. Hij is een mongool. Hij past niet in deze maatschappij. Hij zit in Klein Moorbach. Hij gaat daar kapot zonder mij. Eugène, help ons.'

Het nieuws greep hem duidelijk aan. Maar hij bleef koel en zakelijk. 'Klein Moorbach is een gesloten inrichting. De geneesheer-directeur, dr. Ralf Urban, is een uitstekende psychiater en neuroloog. Een vakman op het gebied van zware geestelijke stoornissen.'

'Kareltje is niet gek,' wierp Helga tegen. 'Hij is alleen maar iets langzamer in zijn ontwikkeling.'

'Dat weet ik,' zei hij sussend. 'Maar dat wordt hier en daar een beetje anders gezien. Klein Moorbach is onderdeel van het rassenhygiënisch onderzoekscentrum.'

'En dat betekent?'

'Daar wil ik niets over zeggen. Luister, Helga, ik ken Urban. Ik zal hem vragen of hij je als verpleegster kan inzetten op de kinderafdeling. Ik verzin wel iets. Je gaat onder je meisjesnaam. Hij mag er absoluut niet achter komen dat je Kareltjes moeder bent.'

'Maar dat kan toch helemaal niet? Hij zal op me afstormen en "mama" roepen.'

'Daar moet je iets op verzinnen. Daar kan ik je niet bij helpen.'

'En verder?'

'Je bent een goede verpleegster en je kunt goed met kinderen omgaan. Maak jezelf onmisbaar. Blijf in Klein Moorbach, blijf bij onze zoon. Ik weet niet voor hoelang. Eén, twee jaar? Op een goede dag zal het nazispook verdreven worden.'

'Eugène, zo mag je niet praten. Natuurlijk gebeuren er dingen die niet door de beugel kunnen, zoals met de familie Salomon. De Führer weet ook niet alles. Maar ooit wordt alles goed.'

'Geloof je daar echt in?' vroeg hij meewarig.

Een nalatigheidje van de personeelsafdeling kwam Helga ten goede.

'Heil Hitler,' groette ze de man van de administratie. Hij droeg een speldje van de partij op zijn borst. 'De hoofdzuster heeft gebeld. Laten we maar eens kijken. U ging in 1929 uit dienst? Dan moeten we uw dossier hier eigenlijk nog hebben. En, wat zei ik, zuster Helga Rinke uit Zehlendorf. Dat bent u toch, niet? Een bewijs van het feit dat u Ariër bent kunnen we denk ik wel weglaten. U bent zo blond en Duits. Is er verder iets gewijzigd? Naam, adres?' Helga ontkende en kon twee dagen later een pasje met pasfoto en op haar oude naam, afhalen bij de kliniek.

De aanvraag bij Klein Moorbach duurde wat langer. Klemm moest eerst met een goed verhaal komen bij zijn collega Urban. 'Een uitstekende kinderverpleegster, die Helga Rinke. Voor Klein Moorbach uitermate geschikt. Ze is knap en nog vrij jong. We kennen elkaar een beetje privé, als u begrijpt wat ik bedoel. Helaas denkt ze daardoor dat ze een bepaald recht op mij heeft. En ik wil niet dat mijn vrouw... snapt u? Ik ben u dankbaar voor uw hulp, dr. Urban.' Urban snapte het helemaal.

Op een grijze novemberdag stond Helga voor het smeedijzeren hek van de inrichting Klein Moorbach. De herdershond blafte in het kantoortje van de portier. De man met de pet verscheen. 'Zuster Helga Rinke. Ik word verwacht.'

'Hebt u een pasje?'

Ze liet haar pasje van de Charité zien en werd binnengelaten. De poort ging met vervaarlijk geknars achter haar dicht. Helga liep op het getraliede gebouw toe, de kiezels knerpten onder haar voeten.

'U hebt bij de Charité ervaring opgedaan met kinderen?' Dr. Ralf Urban was een elegante man van in de veertig, die zijn op maat gemaakte witte jas hooggesloten droeg als een officiersuniform.

'Ja meneer. Geheimrat Sauerbruch liet post-operatieve patiëntjes altijd graag aan mij over.

'Generalartz Sauerbruch,' verbeterde hij haar.

'Een fantastische man om voor te werken.'

'Collega Klemm waardeert u zeer, zuster Helga. Zoals u weet zijn onze patiëntjes geen normale, maar psychisch en fysiek gestoorde kinderen.' Urban drukte op een belletje. Zuster Doris verlaat ons vandaag. Ze wijst u uw kamer en brengt u naar uw verpleegstation.'

'Mag ik u vragen waarom zuster Doris vandaag ophoudt?'

De vrouw die binnenkwam had de vraag gehoord. 'Omdat ik me heb gemeld voor een veldhospitaal aan het front. Onze dappere jongens daarbuiten hebben me meer nodig dan die waardeloze schepsels hier.'

Zuster Doris was een sportieve jonge vrouw met kastanjebruine vlechten die ze onder haar kapje om het hoofd had opgestoken. Ze droeg een rijkssportspeldje op haar blouse.

'Werk zuster Helga in, en geef haar de sleutel,' beval dr. Urban.

'Ja meneer.' Doris nam Helga bij haar arm.

'Eén verzoek nog, meneer.'

'Ja?' Urban keek de jonge vrouw bedachtzaam aan.

Helga had erover nagedacht hoe ze Kareltjes enthousiaste begroeting zou kunnen toelaten zonder getuigen. 'Ik wil mijn nieuwe kinderen bij de eerste begroeting graag alleen zien, zodat ik meteen mijn autoriteit kan doen laten gelden.'

'Zuster Doris, wat vindt u ervan?'

'Het is geen slecht idee, meneer. Dan kan zuster Helga die kleine monsters meteen laten zien wie de baas is.'

'Goed dan.' Dr. Urban verdiepte zich alweer in zijn lectuur.

Zuster Doris marcheerde voorop, over de kiezelstenen van het voorplein naar een zijvleugel waar de verblijven van het verplegend personeel lagen. De kamer op de eerste verdieping was licht en vriendelijk. Er was een kleine badkamer en je had uitzicht op het herfstig uitziende park. Helga zette haar koffer neer. 'Verpleegster in opleiding Evi heeft de kamer naast u,' informeerde Doris. 'Ze is een gewillig jong ding, maar niet zijn type.' Ze genoot zichtbaar van haar woorden. 'Dat bent u eigenlijk meer. Urban heeft soms een paar wensen. Mocht u mijn advies willen aannemen, doet u dan vooral niet te truttig. Hij kan u zonder al te veel moeite in de moeilijkheden brengen.'

'Hebt u daar ervaring mee?' Helga kon het niet laten te vragen.

'Ik ben ook niet zijn type. Ik breng u naar het kinderstation. Hier, uw sleutel. Die past overal hier in huis. U moet hem altijd aan uw ketting dragen en overal de deur achter u afsluiten. Onze gasten zijn erg gevaarlijk. Vergeet dat nooit. En wat uw patiënten betreft: u kunt de kleine engerds het beste vastgebonden laten.'

Helga kon bijna niet meer luisteren. Kareltje, dacht ze. Kareltje, mama is zo bij je.

Er zat een stalen deur tussen de verpleegsterkamers en het hoofdgebouw. Zuster Doris opende de deur. Ze kwamen in een gang. Mannen in asgrauwe inrichtingskledij strompelden langzaam voorbij zonder een greintje besef in hun vale gezichten. Twee potige bewakers sleepten een krijsende patiënt in een dwangbuis langs hen heen. Helga dwong zichzelf geen reactie te tonen, maar ze was geschrokken.

Aan het einde van de gang was een traliedeur die naar een trappenhuis leidde. 'Het kinderstation is één verdieping hoger. Ik laat u nu alleen.' Doris deed de deur achter Helga op slot. Helga beklom de treden van de trap met kloppend hart. Bovenaan de trap bevond zich opnieuw een traliedeur en daarachter een lange gang. Kinderstemmetjes wezen haar de weg.

Een witte deur met een getralied raampje. Ze deed de sleutel in het slot en opende de deur. De stank walmde haar tegemoet. 'Mijn God,' fluisterde ze. In twee rijen militair opgestelde bedden lagen kinderen van verschillende leeftijden met hun handen en voeten aan het bed vastgebonden met verband. Ze telde twintig jongens en meisjes in verschillende stadia van dementia infantilis. Sommige kinderen kwamen bijna normaal over, andere hadden duidelijke symptomen, waaronder een afschrikwekkend waterhoofd. Ze hadden allemaal een bedpan en lagen in hun eigen uitwerpselen. 'U kunt de kleine engerds het beste vastgebonden laten,' dreunde het na in Helga's hoofd.

Ze vond haar eigen zoon in het achterste bed. Zijn ooit levenslustige ogen stonden dof in het opgeblazen gezicht. Hij herkende haar niet. Ze maakte hem los en hielp hem overeind. 'Kareltje,' mompelde ze en kuste zijn uitdrukkingsloze gezicht. 'Alles komt goed, mijn kind.' Ze hield hem stevig tegen zich aan. In haar omarming lag een jaar vertwijfelde strijd. Kareltje liet het apathisch over zich heen gaan.

Naast Helga begon iemand zachtjes te huilen. Het meisje in het bed moest een jaar of twaalf, dertien zijn. Het was op een aparte manier heel mooi om te zien en leek in eerste instantie normaal. Helga maakte haar los. Het trok meteen haar knieën op onder de smerige deken. 'Je hoeft niet bang te zijn. Ik doe je niets. Hoe heet je?'

'Lisa,' klonk het zachtjes vanonder de deken.

'Mooi, Lisa. Ik ben zuster Helga. Luister eens allemaal, kinderen!' riep ze hard. 'Ik ben zuster Helga, maar jullie mogen me allemaal 'mama' noemen. Allemaal samen: Ma-ma.'

'Ma-ma, ma-ma,' klonk het vanuit alle bedden eerst door elkaar heen, maar algauw in koor: 'Ma-ma!'

'Mama, mama,' lalde Kareltje plotseling met een dikke tong en strekte zijn handen naar Helga uit. Hij had haar herkend. Ze trok haar zoon naar zich toe. Ze zou hem nooit meer loslaten. Tranen stroomden over haar wangen.

Ze herstelde zich. 'Lisa, is hier een badkamer en zijn er toiletten?' Het meisje klom uit bed en wees naar een deur aan het einde van de zaal. Er lag een schoongeboende badkamer met een groot bad en meerdere douches achter de deur. Daarnaast bevonden zich een wc en een grote wasbak. 'Wordt blijkbaar niet vaak gebruikt?'

Lisa schudde haar hoofd. 'Zuster Doris heeft het ons verboden.'

'Dat wordt nu anders.' Helga draaide aan de knop van een van de douches. Er was genoeg heet water. 'Kleed je maar uit en ga onder de douche. Ga je wassen.' Lisa gehoorzaamde blij. Haar mooie, slanke figuurtje vertoonde al de eerste vrouwelijke rondingen. Alleen als je beter keek, kon je de symptomen van haar klaarblijkelijk lichte stoornis zien. In een grote kast lag beddengoed opgestapeld en schone kledij. Lisa kleedde zich stralend aan.

Kareltje was de volgende. Helga zeepte hem in. Elke beweging was vervuld van oneindige liefde en tederheid. Ze wreef hem droog en hielp hem in een pyjama en badjas. Ze kamde zijn vochtige haar. 'Knippen doen we straks,' besloot ze. 'Ga je bed maar afhalen. Lisa, jij helpt hem. We gaan alle bedden schoon opmaken. En nu het volgende kind.' Helga was bezig een ongeveer zesjarige jongen te bevrijden, bij wie de dementie duidelijk zichtbaar in een vergevorderd stadium was. Lisa legde een hand op haar arm. 'Niet doen,' fluisterde ze. 'Hans wordt helemaal wild en doet zichzelf pijn.'

Ze wasten de kleine jongen in bed en maakten zijn bed op zonder hem los te maken. Helga had ervaring met bedlegerige patiënten. 'Is er nog iemand bij die we beter niet los kunnen maken?' Lisa zei van niet. Een uur later waren alle kinderen schoon en hun bedden ook. De slaapruimte was gelucht en schone bedpannen stonden opgestapeld onder de wasbak in het toilet. 'We zijn allemaal oud genoeg om naar het toilet te gaan,' riep Helga vrolijk.

Steeds weer keek ze liefdevol naar haar zoon. Hij was groter geworden en volwassener. Maar hij leek toch nog steeds een klein kind. Ze wist dat hij nooit boven het geestelijke niveau van een zesjarige uit zou komen, en dat hij hooguit twintig jaar zou kunnen worden. Dat had haar huisarts haar na de geboorte uitgelegd en ze had het in medische vakliteratuur nagelezen.

Onbeholpen vleide hij zich tegen haar aan. 'Mama, mama...' Alle kinderen dromden om haar heen. 'Mama... mama...' klonk het uit de kindermonden.

Sleutels knarsten in het slot. Zuster Doris kwam binnen met een man in een witte jas. 'In het begin denkt iedereen dat hij het beter kan. Maar geloof me maar, het blijven kleine monsters.'

'Die u in hun eigen viezigheid laat stikken.'

Zuster Doris haalde ongeïnteresseerd haar schouders op. 'Doet u maar wat u wilt. Mijn tijd hier is voorbij. Dit is meneer Götze, de verpleger van deze afdeling.'

Helga schudde krachtig zijn hand. 'Aangenaam, meneer Götze.' Ze keek op haar horloge. Het was tijd voor het middageten. 'Waar eten de kinderen?'

'We voeren ze in hun bedden. Dan maken ze alleen maar zichzelf vies,' verklaarde Doris kort.

'Maar misschien wilt u liever de eetruimte gebruiken?' opperde Götze, waarop hij een vernietigende blik van zuster Doris moest incasseren.

'Dat wil ik, meneer Götze,' zei Helga opgewekt. 'Bovendien kunt u mij vast vertellen of er hier een dorpskroeg is zodat we mijn eerste werkdag hier kunnen beklinken.'

'Natuurlijk, bij Bredewiets in Groot Moorbach. Ik ga het de anderen zeggen. En als u verder nog hulp nodig hebt, ben ik te allen tijde beschikbaar, nietwaar Lisa?' Het meisje was in een hoekje gekropen en antwoordde niet.

Op de volgende zaterdag had Helga de middag vrij. Ze bracht een paar dingen naar de wasserij en ging met de stofzuiger door haar kamer. Rond vijf uur had ze de boel aan kant. Ze trok haar gevoerde laarzen aan en een dikke jopper. De koude novemberlucht in het park deed haar goed. Er was veel om over te piekeren. Haar nieuwe baan en de daarmee verbonden verantwoordelijkheid voor haar kleine beschermelingen; voor Kareltje en haarzelf. Hoelang zou ze het hier met haar zoon moeten uithouden?

'Op een goede dag zal het nazispook verdwijnen,' hoorde ze Eugène nog zeggen. Ze verlangde hevig naar die dag maar voelde zich tegelijkertijd een verrader, omdat ze de Führer daarmee automatisch ook verwenste. Hij zou dan waarschijnlijk met pensioen moeten gaan of zo.

Achter een stel woekerende rododendrons viel ze bijna in een pas gegraven kuil. Ze herinnerde zich dat de keukenmeid Meta had gezegd dat er problemen waren met de vuilnisophaaldienst. De vuilniswagen kreeg niet voldoende benzine toebedeeld. 'Dan begraven we onze troep zelf wel,' had zuster Meta laconiek gezegd. Ze kwam uit Saksen.

Ze liep tot aan het kleine traliepoortje in de parkmuur dat was afgesloten. Buiten de muur ruiste een met riet omzoomd beekje dat diep in het bos verdween. Er kwamen een paar eenden aangevlogen die neerstreken op het water en kwakend naar de kant zwommen. Het begon al te schemeren. Helga keerde terug naar haar kamer, waar de warmte als een warme deken om haar heen sloeg. Ze trok haar jurk over haar hoofd uit, en deed haar kamerjas aan. Net toen ze haar laarzen uit wilde trekken, werd er op de deur geklopt.

'Ja, binnen!' riep ze verwonderd.

Het was dr. Urban. Ze had hem al een tijdje verwacht en zich er afkerig op ingesteld met hem naar bed te moeten. Een afgewezen en dus in zijn trots gekrenkte chef zou voor Kareltje en voor haar gevaarlijk kunnen worden. Altijd praktisch blijven denken, had ze gedacht.

Dr. Urban had bloemen en een fles champagne meegebracht. 'Mijn persoonlijke welkomstgroet.'

'Dat is heel vriendelijk van u, meneer. Excuseert u mij voor mijn kledij. Als ik had geweten dat u kwam...'

'Alstublieft,' wimpelde hij af, terwijl hij bleef staren naar haar laarzen. 'U bent hier al aardig gewend en u hebt uw afdeling perfect in de hand. Mijn complimenten, zuster Helga.' Urban liet de laarzen niet uit het oog.

Doris' woorden schoten Helga weer te binnen en het begon haar te dagen dat ze waarschijnlijk helemaal niet met haar baas naar bed hoefde. 'Ga champagneglazen halen,' zei ze op bevelende toon. De arts bracht twee flûtes mee terug. 'Niet zulke, ga andere halen,' beet ze hem toe.

Dr. Urban ging zonder morren nog een keer, maar kwam met lege handen terug. 'Ik kan geen andere vinden,' verontschuldigde hij zich.

Om helemaal zeker van haar zaak te zijn, dreef Helga het op de spits: 'Omdat je niet goed hebt gekeken. Ga terug en zoek nog eens.'

Iedere andere baas had dit niet over zich heen laten komen, maar dr. Urban gehoorzaamde ijverig. Helga wist het nu bijna zeker. Dr. Urban behoorde tot het soort mannen dat alleen bevredigd kan worden als ze zich aan een vrouw kunnen onderwerpen. Dat had ze tijdens haar opleiding bij het thema 'seksualiteit' geleerd. 'Ik zal het deze keer nog door de vingers zien,' zei ze streng toen de arts opnieuw zonder glazen terugkeerde. 'Maak de fles open en ga zitten.' Helga ging bevallig zitten en zorgde ervoor dat haar kamerjas iets openviel, zodat haar knieën en laarzen goed zichtbaar waren. Dr. Urban keek er begerig naar.

Er kwam een gesprek op gang. Hij vertelde haar over zijn vrouw en dochter die beiden in Berlijn woonden. 'Gertraud kan niet tegen de sfeer hier en Gisela zit op het Luisenstift in Dahlem. Ik ben helemaal alleen in de villa.' Helga had het voormalige huis van de beheerder van het landgoed in het park gezien. Het was even lelijk als de voormalige residentie. 'Komt u mij daar alstublieft een keertje opzoeken?' Het klonk bijna smekend.

'We zullen zien,' zei Helga koeltjes.

'Mag ik uw laarzen aanraken?' vroeg hij ten afscheid.

Haar inschatting was juist geweest. 'De volgende keer.' Het gaf Helga op een vreemde manier voldoening de arts aan het lijntje te houden.

'Kiekeboe, kiekeboe!' Kareltje had zich verstopt achter een dikke eik. De andere kinderen zochten hem. In het park klonk hun gelach en geroep. Kareltje verruilde zijn verstopplek voor een plek achter de bramen. 'Kiekeboe!' Kleine Hans ontdekte hem het eerst. Hij haalde diep adem van opwinding, liet Helga's hand los en stormde op Kareltje af die hij omstuimig omhelsde. Hij kraaide van de pret. Twee weken geleden nog had ze niet gedurfd hem een tweede keer uit bed te laten, nadat hij bij de eerste poging met zijn vuisten op haar had ingeslagen en zijn hoofd tegen de muur had geramd. Maar tijdens het vertellen van een vrolijk verhaal te midden van haar kinderen, had hij helemaal niet in de gaten gehad dat ze zijn boeien had losgemaakt. Ook toen hij merkte dat hij vrij was, had hij rustig verder naar het verhaal geluisterd. Voor de zwaar gestoorde jongen die tot nu toe in het beste geval volledig werd genegeerd, was een nieuw leven begonnen. De andere kinderen hielpen hem door hem bij hun spelletjes te betrekken.

Vooral Lisa had een kalmerende invloed op hem. Ze haalde hem ertoe over mee te zingen als Helga met de anderen 'Hänschen Klein' aan het oefenen was, wekenlang, tot het kinderliedje in koor werd meegezongen. Helga was trots op haar kleine succesjes en ze was gelukkig te midden van haar kinderen. Niemand merkte dat ze Kareltje net iets meer aandacht gaf, omdat geen mens zich voor haar en haar verpleegafdeling interesseerde.

Ze was eigenlijk de baas in haar eigen kleine rijk. Dr. Urban liet haar haar gang gaan. Af en toe vroeg hij via de huistelefoon na of op de kinderafdeling alles in orde was en Helga ging op haar beurt soms bij hem op bezoek in de villa om zijn meesteres te spelen.

Broeder Götze was niet bijzonder behulpzaam. Hij bracht de meeste tijd door in de voormalige remise waar ook Helga's fiets stond. Daar knutselde hij aan een groene vrachtwagen. 'Orders van de baas,' zei hij gewichtig.

Vanochtend lag hij zoals gewoonlijk weer onder die vrachtwagen, een Opel Blitz, en sleutelde ergens aan. De kinderen keken nieuwsgierig toe. Kleine Hans was opgetogen omdat hij Götze een tang mocht aangeven.

Plotseling rinkelde de telefoon aan de muur. Götze krabbelde onder de auto vandaan. 'Ja meneer. Ik ben ermee bezig, meneer. De flens van de uitlaat moet worden vernieuwd. Morgen komt het vervangende onderdeel. Ik rijd de wagen zo voor.' Hij hing op en viste de autosleutels van de spijker naast de telefoon.

Helga klapte in haar handen. 'Kom kinderen, we gaan naar papa Zastrow.' Ze nam Hansje op haar arm en liep voorop met de kinderen achter zich aan. De kinderen zongen 'Hänschen Klein' terwijl ze door het park naar het portiershuisje liepen. Zastrow had het gietijzeren hek geopend. 'Grote auto,' riep Kareltje opgewekt. Een open Horch rolde langs met voorin twee officieren met veel zilver op de chique zwarte kraag van het grijze uniform.

De portier sloot de poort weer. 'Visite voor de baas,' bromde hij. 'Ik heb een vermoeden dat daar niks goeds achterzit.'

Helga kroelde de herdershond Jule, die een onschuldige oude dame bleek. 'Ja, waarom?' vroeg ze.

'Omdat die doodshoofden nooit goed nieuws zijn. Allemaal gespuis, dat is het.'

'Ben je nou helemaal gek geworden, Zastrow? Zulk geklets kost je je kop.'

De portier grijnsde: 'Niet als u het niet verder vertelt, zuster Helga. Uw zorgen om mijn kostbare hoofd vertellen mij overigens dat u ook niet zo overtuigd bent van de zuiverheid van onze Grootduitse directie.'

Helga ging er niet verder op in. 'En u weet niet wat er aan de hand is?'

'Ik heb gehoord dat er een paar patiënten worden overgeplaatst. Maar waarheen, weet alleen de baas. Maar dat zoek ik nog wel uit.'

De kinderen werden ongedurig. Kareltje trok aan de jas van zijn moeder. Hansje spartelde op haar arm. Het was tijd voor het middageten. 'Eet smakelijk, vader Zastrow.' Helga begeleidde de kinderen terug naar binnen. Op de oprit stond de groene Opel Blitz met daarnaast de geneesheer-directeur en de twee geüniformeerde bezoekers. Ze luisterden geconcentreerd naar de wild gebarende Götze. Dr. Urban zwaaide naar de kinderen. De kinderen zwaaiden vrolijk terug.

Helga zag de groene Opel Blitz twee weken later weer, op haar vrije middag. De vrachtwagen stond achter het hoofdgebouw bij de leveranciersingang. Hoofdbewaker Grabbe en twee helpers droegen een groepje patiënten de laadruimte in. Het waren allemaal zware gevallen, voornamelijk oudere mannen en vrouwen. Het was geen prettig gezicht. Verpleger Götze controleerde iets buiten aan de vrachtwagen. Hij deed de deuren op slot en klom in de cabine. De vrachtwagen sprong aan. 'Waar worden die patiënten heengebracht?' vroeg Helga aan de Grabbe.

'Dat moet u aan de baas vragen.' Grabbe knikte met zijn hoofd naar het raam van dr. Urbans kantoor. Die keek vanuit zijn werkkamer de wegrijdende vrachtwagen na.

Helga begon aan haar geijkte wandeling door het park. Ze dacht erover na of ze Urban vanavond zou bevelen met blote voeten door de sneeuw te lopen om haar handschoenen te halen. Daarna zou ze de leren handschoenen langzaam aantrekken en hij zou verlekkerd toekijken. Hij vroeg haar elke keer weer vooral streng te zijn. Ze negeerde zijn verlangende blikken naar de hondenzweep boven de open haard, waardoor hij nog sterker opgewonden raakte. In plaats daarvan beval ze hem de avond voor haar neus op zijn knieën door te brengen, of ze vernederde hem met een paar doeltreffende uitspraken. Helga walgde van dit spelletje, maar ze had begrepen dat ze hierdoor macht over hem kreeg. Macht die ze ten goede van haar kinderen kon inzetten. Ze kreeg speelgoed, leesboeken en tekenmateriaal voor haar kinderen en de keuken kreeg de opdracht vaker zoetigheid en taart naar de kinderafdeling te sturen. Helga wilde niets voor zichzelf.

Op 'normale' momenten bleek Urban een boeiende gesprekspartner. Bij een van die gelegenheden sneed Helga het thema mongolisme aan: 'Laten we bijvoorbeeld Kareltje eens nemen. De jongen is twaalf en eigenlijk heel zelfstandig. Hij zou veel beter bij zijn ouders kunnen zijn. Dan hebben wij weer plek voor een veel dringender geval.'

'Kinderen als Kareltje horen niet in een gezonde volksgemeenschap,' wees hij haar terecht.

Helga werd uit haar gedachten opgeschrikt door het geluid van een naderende motor. Ze was al langer dan een halfuur onderweg in het park. De groene vrachtwagen kwam aangereden vanaf de poort en reed richting muur. Nieuwsgierig kroop Helga door de bosjes om te zien waar de vrachtwagen heenreed. De vrachtwagen reed achterwaarts tot aan het gat waar ze twee weken geleden bijna ingevallen was. Götze stapte rustig uit, klom op de tree achter de laadruimte en spiedde door het raampje. Hij deed de deur open en klom weer in de cabine.

De motor loeide en de laadruimte begon te kantelen. De deuren zwiepten open. Mensenlichamen met opengesperde monden, vertrokken gezichten en verkrampte ledematen gleden van de gekantelde laadruimte in de kuil. Helga's schreeuw van ontzetting werd door de huilende motor overstemd toen de laadbak weer in horizontale positie zakte. Götze sprong de cabine weer uit en spuugde in zijn handen. Hij pakte een schop en begon scheppen aarde op de doden te gooien. Helga kon zich achteraf niet meer herinneren hoe ze terug naar haar kamer was gekomen.

Twee keer nog moest Helga aanzien hoe de bewakers hulpeloze patiënten in de vrachtwagen stopten. Ze wist inmiddels dat de giftige uitlaatgassen van de motor door een slangetje direct naar de dichtgekitte laadruimte werden geleid, terwijl Götze zijn in doodsstrijd verkrampende vracht een halfuur lang door de buurt reed, voor hij ze in een massagraf kieperde.

'Het loopt op rolletjes, meneer,' hoorde ze hem na een van de ritten aan de telefoon in de remise zeggen. Ze werd overmand door machteloze woede. Ze was medeplichtig aan een onbeschrijfelijke misdaad en kon er niets tegen doen. Of wel? Misschien moest ze het wel tegen de Führer zeggen. Maar, hoe kon je die bereiken? Was het wel slim zich zo bloot te geven? Als de daders iets hoorden van haar plan en er wat met haar gebeurde, was Kareltje ten dode opgeschreven.

Op een ochtend vlak voor kerstmis kon ze de beslissing niet langer voor zich uit schuiven. Ze was net bezig Kareltje een rekensommetje uit te leggen. Lisa borstelde Hansjes haar en de andere kinderen waren aan het verven. Het was een mooi kliederboeltje. Overal zaten verfspatten. Alle kinderen waren fanatiek bezig. Helga was gelukkig in haar rommelige kleine wereldje en probeerde niet te denken aan wat daarbuiten gebeurde.

Leerling-verpleegster Evi stormde binnen. Helga had haar naar het magazijn gestuurd om nieuwe wollen sokken voor de kinderen te gaan halen. Evi was erg opgewonden: 'We krijgen geen nieuwe spullen meer, zegt de magazijnbeheerder. De kinderafdeling wordt meteen met nieuwjaar overgeplaatst.'

Helga werd duizelig. Evi ratelde onbekommerd door: 'Weet u al waarheen, zuster Helga? Hartheim, dat zou mooi zijn. Dat is een moderne open inrichting, voor de lichtere gevallen. Misschien mogen wij wel mee?'

Helga dwong zich met alle macht rustig te klinken. 'Ik heb geen idee, Evi. Dat horen we nog wel. Ga jij met de kinderen naar de eetzaal? Ik moet nog even iets doen.'

Helga trok haar jopper aan. Buiten was het waterkoud. De sneeuw was gesmolten. Helga verliet het gebouw en maakte een omweg door het park om ongezien naar het portiershuisje te komen. Vader Zastrow zat met Jule naast een gloeiende gaskachel. 'Zuster Helga, wat is er met u? U ziet eruit alsof u een spook hebt gezien.'

Ze zette alles op het spel: 'Ze willen de kinderen vermoorden.'

De oude man knikte. 'Met Götzes gaswagen, net als de rest. Ze noemen dat "zuivering van mensonwaardige levens", die massamoordenaars. Met Urban voorop. Hij is lid van het rassenhygiënische onderzoekscentrum. Het is een SS-afdeling voor "het behoud van de zuiverheid van het Germaanse ras".'

'We moeten het subiet melden bij de Führer.'

Zastrows blaffende lach ging over in een zware hoestaanval. 'De Führer?' hikte hij toen hij zich had hersteld. 'Die krijgt de rapporten van uitvoering vers van de pers op zijn bureau.'

'Hij weet er al van?'

'Hij heeft de eerste steen van deze waanzin gelegd. Je kunt het nalezen in zijn boek, Mein Kampf. De uitvoering ervan laat hij aan anderen over.'

Helga kwam terug op haar verhaal. 'Vader Zastrow, ik moet hier weg, maar... ik ben niet alleen. Help ons, alstublieft.'

'Ons?'

'Kareltje en mij.' Ze legde hem haastig het hoogstnodige uit.

Zastrow dacht na. 'Ken je het stroompje dat langs de kleine poort loopt?'

'Ja?'

'Kerstavond. Dan vieren ze feest.' Hij gaf haar een grote ijzeren sleutel. 'Dit is een reservesleutel waar niemand iets vanaf weet. Het slot zal geolied zijn. Probeer er rond zeven uur tussenuit te knijpen. Als jullie buiten zijn, geef je een lichtsignaal. Mato zal een lucifer aansteken, zodat jullie kunnen zien waar het bootje ligt. Mato is mijn jongste zoon. Hij brengt jullie in veiligheid.'

Broeder Götze speelde de kerstman. Hij deelde kerstkransjes en taai uit. Sommige kinderen waren bang voor zijn witte baard. Anderen zaten onverstoorbaar te smikkelen. Er brandden kaarsen op een pseudo-Germaanse houten Jul-pyramide die de geneesheer-directeur persoonlijk had neergezet, voordat hij naar vrouw en kind in Berlijn was vertrokken. Helga kon wel schreeuwen van woede en ontsteltenis over het ijskoude cynisme van deze moordenaars.

Zuster Evi had kleine Hans op haar schoot genomen en zong 'Stille Nacht'. Over haar jonge gezicht gleed een zedige, jeugdige blik. Kareltje bekeek de zuster met een ontluikende puberale interesse.

Onopvallend keek Helga op de klok. Het was tijd. Ze snuffelde, haalde haar neus op en trok haar zoon naar zich toe. 'Bah, Kareltje, zo'n grote jongen al en dan nog zo'n ongelukje?'

Kareltje protesteerde: 'Ik heb het niet in mijn broek gedaan.'

'Dat zullen we dan wel zien. Evi, wij gaan ons even verschonen. Het zal wel even duren.' De leerling-verpleegster hief haar handen op en begon 'Oh Denneboom' te zingen.

Helga nam haar zoon bij de arm. De gangen en het trappenhuis waren uitgestorven. Beneden klonken vrolijke stemmen. Het personeel vierde samen met de patiënten die ertoe in staat waren kerst in de hal. In haar kamer trok ze Kareltje wollen kousen, sokken, een trainingspak en een dikke trui aan. Daaroverheen kwamen rubberen laarzen en een wollen muts die ze een voor een uit het magazijn had gestolen. 'Ik heb het niet mijn broek gedaan,' bleef Kareltje volhouden.

'Nee, dat weet ik,' stelde Helga haar zoon gerust. 'Luister eens even heel goed naar me. Mama en jij gaan nu hier weg. Je moet stil zijn, zodat niemand het merkt. Je hoeft niet bang te zijn. Ik ben bij je.'

'Ik heb het niet in mijn broek gedaan en ik ben ook niet bang,' zei Kareltje.

Helga trok zelf ook haar laarzen en haar jopper aan en bond een hoofddoek om haar hoofd. Ze stak de kleine zaklantaarn in haar zak. Ze had haar weinige bezittingen in haar koffer gepakt. Die was dichtgebonden met een leren riem. Ze nam de koffer in de ene en Kareltje in de andere hand. Stilletjes slopen ze de trap naar beneden. Helga deed de buitendeur voorzichtig open – en deinsde geschrokken terug. Grabbe stond voor de deur met een borrelfles in zijn hand. De alcoholwalm kwam haar tegemoet.

Helga dwong zichzelf te glimlachen. 'Fijn kerstfeest, meneer Grabbe,' wenste ze hem vrolijk toe.

'Vrolijk kerstfeest,' echode Kareltje.

'Hetzelfde,' antwoordde Grabbe met een dikke tong en klopte Kareltje vriendelijk op zijn hoofd.

Het sneeuwde. De wind blies grote natte vlokken in hun gezicht. Helga meed het verlichte voorplein. Ze liepen over het pad naar de remise en verder tussen de bosjes tot het traliepoortje in de muur. Het slot was goed geolied. Het was zoals vader Zastrow had beloofd.

'Mama, ik heb het koud!' riep Kareltje.

Geschrokken legde Helga hem een hand op zijn mond. Ze hield de zaklantaarn in de richting van het water en knipte hem aan en uit. Met kloppend hart wachtte ze op een antwoord. Duizend gedachten schoten er door haar hoofd. Wat als Zastrows zoon niet op kwam dagen? Ze kon niet terug naar de inrichting. Dan restte alleen de vlucht in het onzekere. Als dat mislukte, zou ze Kareltje haar hoofddoek om zijn nek leggen alsof ze een bloeding moest stelpen. Het zou niet langer dan twintig seconden duren. Ze zou hem meteen daarna volgen.

Er vlamde een lucifer op. Het vlammetje maakte heel even een gezicht zichtbaar. Door de dwarrelende sneeuwvlokken was het moeilijk een bootje in het riet te kunnen zien. Ze nam haar zoon op haar rug. Hij was zwaar en duwde haar tot over haar knieën in de zware modder. Het was bijna niet te doen de voeten een voor een, stapje voor stapje uit de zuigende massa te trekken. Ze werden door krachtige armen de boot in gehesen. 'Onder het zeil,' beval de redder.

Helga wist niet hoelang de tocht duurde. Het leek wel of ze eeuwig lag te rillen onder het dekzeil met haar van de kou bibberende zoon. Ze luisterde naar het monotone ritme van de roeiriemen. Toen het bootje naar rechts zwenkte, spiedde Helga vanonder het zeil vandaan. Het sneeuwde niet meer. De nacht was helder genoeg om een paar meter ver te kunnen zien. Haar schipper stuurde de boot met behulp van zijn roer op een bepaalde plek de ogenschijnlijk ondoordringbare rieten wand aan de oever in. Het riet week uiteen. Wilgen bogen diep voorover. Hun takken zwiepten tegen het dekzeil. Drijfhout schampte met een dof geluid langs de boordwand. Ze gleden een smal waterstraatje in. Hier staken elzen hun takken spookachtig in de lucht.

Er verstreek nog een kwartier tot de boeg van de boot tegen een steiger botste. Haar redder legde aan en hielp de twee de boot uit. Ze moesten tegen een talud op, waarachter een groot huis in de donkerte opdoemde. Het was verschrikkelijk koud en nat. Kareltje klampte zich aan zijn moeder vast. Mijn God, waar ben ik?, dacht Helga in paniek.

De huisdeur ging open. Gouden licht stroomde door de deuropening naar buiten. Binnen was het warm en gezellig. Het rook er naar gepofte appels en kaneel. Een kerstboom met kaarsjes verlichtte de kamer. Vijf mensen dromden om de nieuwkomers heen. De vrouwen droegen kunstig gemaakte kapjes met vleugels en fijn geborduurde schouderdoeken. De man droeg een blauw schort met een wit patroon. Hij had donker haar met enkele grijze haren en een gezonde tint. Hij deed een stap naar voren en zei met gedragen stem: 'Witamy was wutsobnje w Blotojskem.'

Helga was radeloos. Haar gastheer herhaalde in het Duits: 'Hartelijk welkom in het Spreewoud. Ik ben Fryco Hejdus. Dit is mijn vrouw Wanda. Dit zijn mijn dochters Marja, Slawa en Breda. En Zastrows zoon Mato kent u inmiddels.'

Hun veerman Mato bleek een knappe man van midden twintig te zijn met kastanjebruin haar. Hij keek Helga bewonderend aan. Ze gaf hem een hand. 'Dank je, Mato. Dank u wel, u allemaal. Kareltje, zeg eens dank je wel.' Kareltje gaf iedereen beleefd een hand. De meisjes giebelden en gaven hem een zoen op zijn voorhoofd. Ze waren tussen de veertien en achttien, schatte Helga. Ze was verrast hoe onbevangen de meisjes Kareltje in hun midden opnamen, hoewel ze vermoedelijk nog nooit een mongooltje hadden gezien.

Mevrouw Wanda gaf de twee droge kleren om aan te trekken. Toen ze droog voor de kerstboom zaten, wachtte hun een grote dampende ketel punch om op te kikkeren. De heer des huizes schonk de punch met een houten kelk in houten bekers. De sfeer was zo vriendelijk en ontspannen, het was alsof ze elkaar al jaren kenden.

Helga was bezorgd. 'En als ze ons zoeken?'

Hejdus schudde zijn hoofd. 'Niet op kerstavond. En al helemaal niet met dit hondenweer. Morgen praten we rustig bij.'

Ze aten gebakken karpers met aardappelen, groene Spreewoudsaus en met dille ingemaakte augurken. Kareltje at gemanierd en genoot zichtbaar. De meisjes moederden over hem. Helga had zich lang niet meer zo behaaglijk en thuis gevoeld als aan tafel, bij deze vreemdelingen die vloeiend Duits spraken. Soms vervielen ze in hun eigen taal, het Sorbs. Dat de jonge Mato alleen maar oog voor haar had, vond Helga grappig en vleiend tegelijk.

Wanda Hejdus had een bed voor Helga en Kareltje opgemaakt, waar de twee in elkaars armen in slaap vielen.

Een stralend zonnige kerstdag verrees vanuit de mist. De familie Hejdus zat al aan de ontbijttafel toen Helga en Kareltje verschenen. Ze kregen tulband en voor de kinderen was er chocolademelk. De volwassenen dronken echte bonenkoffie. Die had Wanda Hejdus in Lubbenau geruild voor tien dozijn eieren.

'Dat het zover moet komen,' mopperde Hejdus. 'Die rotoorlog.'

'Onzin,' antwoordde zijn vrouw. 'Ook onze grootouders en overgrootouders moesten ruilen, of het nou oorlog was of niet. Aan geld is in het Spreewoud altijd al gebrek geweest.'

Na het ontbijt gingen ze naar buiten. Het tijdens de afgelopen nacht zo spookachtige huis lag uitnodigend in de zon. Iets verderop achter het huis stond een rietgedekt huisje. 'Daar woont Zastrow met zijn zoon,' verklaarde Hejdus. 'Wij verbouwen de Kaupe samen. Kaupe, zo noemen wij het door de Spree opgeworpen zandeiland dat door onze voorouders al driehonderd jaar geleden werd bewoond en ontgonnen.' De gastheer zei het vol trots. 'Wij verbouwen augurken, uien, mierikswortel, boekweit en natuurlijk aardappelen. Onze visvangst draagt wezenlijk bij aan de eindoverwinning, zegt de plaatselijke groepsleider, en laat de dikste karpers voor zichzelf inpakken.'

'Dat is de reden dat hij het door de vingers ziet als wij weer eens vergeten de vlag te hijsen op de verjaardag van de Führer,' voegde zijn vrouw er licht spottend aan toe.

Mato zwaaide lachend naar hen. Hij zat in het bootje te vissen. Kareltje liep naar hem toe. Mato hielp hem de boot in.

'Hij zou eigenlijk aan het oostfront moeten zitten,' bromde Hejdus. 'Maar hij wil niet vechten voor een systeem dat ons als tweederangs mensen beschouwt. Wij Sorben en Slaven behoren niet tot het Germaanse heerserras.'

'En als iemand hem nu ziet? Een gezonde jonge kerel, maar geen uniform...?'

'Dan zal het hem net zo vergaan als de jonge Lenik. Die lag op school altijd al dwars. Voor het stadhuis in Lübben verscheurde hij zijn wapenoproep en verklaarde luidkeels dat hij wel iets beters te doen had dan voor die idioten ten strijde te trekken. De SA lichtte hem midden in de nacht van zijn bed. We vonden hem de volgende ochtend in een vat augurken met zijn hoofd in de pekel.'

Hejdus' oudste dochter slaakte een gesmoorde kreet. 'Ze waren verloofd, Marja en hij,' zei haar moeder verdrietig.

In de verte kwaakte een opgewonden eend. 'Kom het huis in, snel.' Hejdus nam Helga bij haar arm. Mato kwam met Kareltje van de steiger. In de keuken opende Hejdus een luik. Helga keek een schacht in. Eén meter lager kon ze haar eigen gezicht in het water zien spiegelen. Er gingen sporten naar beneden.

Hejdus trok aan een ketting. Er klonk geruis en gegorgel. Het water vloeide af en gaf een luik vrij dat met vier grote vleugelmoeren zat vastgeschroefd. Mato daalde af, maakte de schroeven los en deed het luik open. 'Hup, naar beneden, de jongen en u,' beval Hejdus.

Helga hielp Kareltje de schacht in en ging na hem naar beneden. Mato wachtte moeder en zoon al op. Onder het luik bevonden zich nog meer sporten naar beneden, die naar een ongeveer drie bij vier meter grote ruimte leidden. Mato ontstak het olielampje op tafel. In het schamele licht ontwaarde Helga een krukje en een brits. Hejdus schroefde ondertussen het luik boven hun hoofden weer vast. Je kon het water horen ruisen. 'Het stijgt een halve meter,' zei Mato tevreden. 'Geen paniek. Het luik is goed afgedicht. Met vrouwenhaar volgestopte fietsbanden zijn de beste afdichting die er bestaat. Op die manier dichten ze zelfs de luiken van onderzeeërs.' De jonge man wees naar een opening op halve hoogte. 'Dat is de beluchtingsbuis. Hij eindigt buiten in een boomstronk. Te eten en te drinken hebben we hier voldoende. Zolang we stil zijn, kan niemand ons hier vinden.'

'Hoe weten jullie wanneer er iemand komt?'

Mato legde het uit. 'Dat kon u gisterennacht in de donkerte niet zien, maar aan de monding van het kanaal staat een oude jachthut voor de eendenjacht. Daar zit permanent iemand van ons op wacht. Als er iemand komt, kwaakt hij op zijn lokfluitje dat klinkt als een wintertaling. Vanaf dat moment hebben we ongeveer tien minuten om te verdwijnen.'

Ze hoorden het geluid van een motor. De motor zoemde kwaadaardig, als een horzel. Mato hief waarschuwend zijn hand: 'Barsig.'

Helga drukte Kareltje stevig tegen zich aan, bereid om zijn gezicht in haar schoot te duwen als hij een kik zou geven. De jongen keek haar uit zijn smalle oogjes sluw aan en legde zijn vinger op haar lippen. Hij had de situatie doorzien.

Doodsangst welde in Helga op. Het was alsof ijskoude vingers zich om haar nek legden en haar bijna deden stikken. Het geluid van de motor verstomde. Je kon wat dof stemgeluid horen doordringen. Helga was nat van het zweet, ze hapte naar lucht. Mato zette het krukje onder de opening van het beluchtingskanaal en gebaarde haar dat ze er op moest klimmen. De koele lucht was een verademing. Helga haalde een paar keer diep adem.

Boven sloeg de motor weer aan. Snel verwijderde zich het geluid. Beneden heerste een minutenlang durende stilte waarin angstig werd afgewacht. Waar wachtten ze op? Eindelijk klonk het geluid van gorgelend water. Het luik ging open en Hejdus' hoofd werd zichtbaar. 'Alles in orde. Jullie kunnen boven komen.'

De meisjes namen Kareltje mee naar buiten om verstoppertje te spelen. Helga ging aan tafel zitten met de anderen. Ze beefde en kreeg een borrel om te kalmeren. 'Wie is Barsig?'

'De wachtmeester van het district Lubbenau, een echte fanatiekeling. Hij duikt overal vanuit het niets op met zijn buitenboordmotor. Hij dacht waarschijnlijk dat wij niet op hem zouden rekenen tijdens de kerstdagen. Vorige Pasen heeft hij op die manier de Sivalniks tijdens het clandestiene slachten betrapt. Die zitten nu allemaal in Cottbus opgesloten.' Hejdus balde zijn vuisten, zo hard dat zijn knokkels wit werden. 'Als het niet zulke erge gevolgen zou hebben voor iedereen hier, hadden we hem allang een kopje kleiner gemaakt.'

'Zijn er dan veel van dat soort mensen?'

'Othmar, de postbode, is ook zo'n fanatiekeling en Kaunitz, de plaatselijke groepsleider. Die heeft ervoor gezorgd dat de oude Wicaz onder de guillotine terechtkwam. Omdat hij naar "vijandige" zenders luisterde.'

Die middag kwam vader Zastrow. Hij had twee snipperdagen. 'Er wordt naar u en de jongen gezocht,' wist hij te melden. 'De baas heeft de Gestapo geïnformeerd. Je reinste offensief als je het mij vraagt. Ze denken dat het spoor naar Berlijn leidt.'

'Prima,' zei zijn zoon tevreden. 'In het Spreewoud zoekt geen hond.' Hij nam Helga's hand en streelde die een beetje onbeholpen. 'U hoeft niet bang te zijn.'

'Urban is dus terug,' concludeerde Helga. Ze probeerde zakelijk te blijven. Maar haar bevende stem verried haar gevoelens. 'Wat gebeurt er met de kinderen?'

Zastrow praatte zachter. 'Ze worden op vier januari om drie uur ingeladen.'

'Ik moet naar Klein Moorbach,' besloot Helga. 'Wie kan me brengen?'

'Ik beslist niet!' riep Mato uit. 'Ik vond die ene tour al erg genoeg.'

'U vindt de weg nooit in uw eentje. Wat wilt u daar eigenlijk?' vroeg Hejdus.

'Kijken wat er gebeurt. Getuige zijn, op de dag des oordeels.'

'Als u wordt opgepakt, wordt u naar de Gestapo-leiding in Cottbus gebracht. Daar krijgen ze u vroeg of laat zover dat u gaat praten en dan zijn wij allemaal de pineut. Ze wachten toch alleen de goede gelegenheid en het excuus af om onze hele volksstam op te pakken en in een kamp te stoppen, net zoals ze met de zigeuners hebben gedaan.'

Mevrouw Wanda probeerde te sussen: 'Blijf hier, Helga. Kareltje heeft u nodig. Binnenkort is deze nachtmerrie voorbij. Dan kunt u gaan en staan waar u maar wilt.'

Zastrow was optimistisch: 'Sinds de Amerikanen zijn ingeschakeld, is het echt nog maar een kwestie van tijd.'

'U hebt gelijk. Wat dom van me. Ik ben u allemaal zeer dankbaar dat Kareltje en ik hier bij u onderdak hebben gevonden,' zei Helga verontschuldigend tegen haar gastfamilie. Ze verzweeg dat haar besluit al vaststond.

De meisjes speelden met Kareltje op de steiger. Hij werd van alle kanten bemoederd. Hejdus repareerde fuiken in de bleke winterzon. Mevrouw Wanda was in de keuken bezig. Helga slenterde naar Zastrows huisje. Mato zat aan het raam en oefende op zijn accordeon. Zijn vader was gisteren al teruggekeerd naar zijn portiershokje. Helga ging achter Mato staan en aaide hem over zijn haar.

'Doe geen moeite, ik vaar u daar niet naartoe.' Ze begon zachtjes zijn nek te masseren. 'En bovendien, wat wilt u dan doen in dat gesticht?' Haar handen stroopten de schouderbanden van de accordeon van zijn schouders. Haar handpalmen maakten cirkeltjes op zijn borst. Ze voelde door zijn overhemd heen hoe zijn tepels hard werden. Hij zette de accordeon op tafel. 'Hejdus vermoordt me als ik u er naartoe vaar.'

'Hejdus hoeft het toch ook niet te weten.' Ze trok hem overeind en draaide hem naar zich toe. Zachtjes raakten haar lippen de zijne, terwijl ze zei: 'Nietwaar, jij brengt me toch?' Ze duwde haar heupen tegen hem aan. Eigenlijk best wel leuk, zo'n knappe jongen te verleiden, dacht Helga, verrast door haar eigen frivoliteit.

Ze zoende hem. Haar tong was lustig als die van een slang. Ze wreef haar bekken tegen hem aan en voelde hoe zijn mannelijkheid groeide. Voorzichtig duwde ze hem in de geruite kussens op het bed.

Het werd een onstuimige ontmoeting nadat hij zijn eerste verlegenheid had overwonnen. Ze kwam drie keer klaar, voordat ook hij met een schreeuw explodeerde. Daarna lagen ze rustig naast elkaar. 'En dat alles voor een boottochtje?' lachte hij overmoedig.

'Hoe ver is het van de inrichting tot de dichtstbijgelegen grotere plaats?'

'Vanaf Klein Moorbach is het tien kilometer naar Lubbenau. Als je het precies wilt weten, laat ik het je straks op de kaart zien.' Hij wilde haar naar zich toe trekken, maar ze schoof hem van zich af. Hij haalde de kaart uit de tafellade en vouwde hem uit op het bed. 'Oké, dus je wilt eventjes naar het gekkenhuis, God weet waarom. Maar waarom naar Lubbenau?'

'Wie hier geen vragen stelt en doet wat ik wil, zal worden beloond,' fluisterde ze hees in zijn oor. Daarna omhulde ze zijn penis met haar warme lippen. Hejdus peuterde aan de radio. Hij deed hem alleen 's middags aan voor het nieuws, om de vreemd ogende accu te sparen. De stroommasten eindigden in Lubbenau. De met fanfaretunes omlijste extra uitzendingen om overwinningen te melden waren al langere tijd niet meer te horen. In plaats daarvan meldde de nieuwslezer over de heldhaftige strijd rond Stalingrad en over de vorderingen aan het front in Afrika door Rommel. Ervaren luisteraars ontcijferden het nieuws als het begin van het einde. Kareltje zat met de meisjes aan tafel over een plaatjesboek gebogen. Mevrouw Wanda stond aan het fornuis. Helga wilde dit vredige tafereel eigenlijk helemaal niet verlaten, maar ze ging het huis uit, zogenaamd om nog even naar de was aan de waslijn te kijken. Mato wachtte haar op in zijn boot.

Ze gleden geluidloos door het stroompje dat er zonnig bij lag. Het was ongewoon warm voor deze tijd van het jaar. Een vroege roerdomp liet van zich horen en op het kanaal kwamen ze een paar bootjes tegen. Afgezien van een hoofdknikje werd er niet gegroet. In deze onzekere tijden waren de mensen meer op zichzelf. Even voor drieën hadden ze het riet bij de parkmuur bereikt. Zastrows extra sleutel opende de kleine poort. Verborgen achter de rododendrons lukte het Helga ongezien bij het inrichtingsgebouw te komen.

De Opel Blitz stond al klaar bij de leveranciersingang. Götze leunde verveeld tegen de motorkap en rookte een sigaret. Er hingen ook drie bewakers rond. Je kon kinderstemmetjes horen zingen: *'Hänschen klein, ging allein in die weite Welt hinein...'* Zuster Evi verscheen met achter haar aan, twee aan twee, de kinderen. Ze hielden elkaars hand vast en zongen: *'...Stock und Hut stehn ihm gut...'* De bewakers tilden de kinderen een voor een de vrachtwagen in. *'...ist ganz wohlgemut.'*

Helga dacht aan de vele uren waarin ze dit liedje met de kinderen had geoefend. Haar hart kromp ineen. Ze dwong zichzelf toe te kijken zonder iets te doen. Als ze zou ingrijpen, zou ze worden gearresteerd en zou men alles uit haar weten te persen. Dan zou ook Kareltje sterven en Mato en nog vele mensen meer. De Sorben zouden allemaal in het kamp terechtkomen.

'Und die Mutter weinet sehr...' Zuster Evi zong mee. Ze wilde samen met de kinderen de vrachtwagen in, maar werd door Grabbe weer naar buiten getrokken.

Götze trapte zijn sigaret uit en sloeg beide deuren dicht. '... *hat sie doch kein Hänschen meer...*' hoorde je buiten de kinderstemmetjes nog zingen. Götze deed de deuren op slot, klom de cabine in en startte de motor. De vrachtwagen zette zich in beweging. Opeens zag Helga dr. Urban voor het raam van zijn kantoor op de eerste etage staan. Monster! Wilde ze schreeuwen. Kindermoordenaar! Haar gezicht was nat van de tranen.

Ze keerde terug naar het bootje. Mato was verbaasd. 'Dat ging snel. En nu wegwezen hier.'

'We blijven tot het donker wordt. Ik moet nog iets doen.' Ze kroop onder het dekzeil en viel in een verdovende slaap. In haar droom hoorde ze de kinderstemmetjes: *'Hänschen klein...'* Toen ze wakker werd was het nacht.

Ze sloeg het dekzeil terug. 'Wacht tot ik terug ben.'

'Maar dat is waanzin,' protesteerde Mato. 'Als ze je betrappen, zijn we allemaal de sigaar. Kom, wees toch verstandig, we varen terug.'

Haar hoofd stond er helemaal niet naar, maar ze legde toch haar arm om hem heen. 'Wees een lieve jongen,' fluisterde ze in zijn oor. 'Thuis wordt het weer leuk.'

Natte sneeuw waaide Helga in het gezicht op haar weg door de bosjes naar de remise. Ze deed het licht aan. Je kon de remise vanaf de inrichting niet inzien. De groene Opel Blitz stond op zijn plek. Haar fiets stond ernaast. Ze greep de muurtelefoon en draaide het interne nummer van Urban. Hij nam de telefoon bars op: 'Ja, wat is er nou?'

Helga kroop in haar gehate rol van meesteres: 'U weet wie dit is.'

'Hij was verrast: 'Zuster Helga?'

'Ik wil u zien, hier in de remise.'

'In de remise?'

'Ben je een papegaai of zo? Kom meteen en neem de zweep mee.'

'De zweep. Begrepen.' Zijn stem klonk onderworpen en begerig tegelijk.

Ze knoopte haar jopper open zodat haar rok en laarzen zichtbaar waren. Toen Urban binnenkwam stond ze wijdbeens achter de vrachtwagen. 'De zweep,' eiste ze koud. Hij gaf haar de zweep met een hondse onderdanige blik. Met de knop van de zweep wees ze naar de fiets. 'Laad die fiets op en stap in.' Hij gehoorzaamde. 'Kleed je uit.' Hij deed het zichtbaar opgewonden. 'Op zijn hondjes, het gezicht naar voren,' beval Helga. Zijn achterste was groot en plat. Zijn penis bungelde rood en lelijk tussen zijn dijen. Ze knalde met de zweep tegen haar laarzen. Hij dook bang in elkaar. Daarna deed ze de deuren op slot. De sleuteltjes van de vrachtwagen hingen op hun plaats naast de telefoon.

De versnellingspook zag er net zo uit als bij haar eigen auto. Ze trok aan de starter. Na een paar huilende geluiden sloeg de motor aan. Ze zette de wagen in de eerste versnelling en gaf gas. De vrachtwagen sprong vooruit. Er klonk een krassend geluid toen ze de vrachtwagen in zijn twee schakelde. Het was lang geleden dat ze voor het laatst een auto had bestuurd. Door de smalle spleetjes van de in verband met de luchtafweer verduisterde lantaarnpalen langs de oprijlaan drong net genoeg licht om de weg naar de poort te vinden. Ze stopte voor de poort en toeterde ongeduldig.

Zastrow kwam slaperig naar buiten met Jule aan de lijn. Hij deed de poort open zonder te kijken. 'Misdadigers,' mompelde hij.

Ze had de kaart in haar hoofd. Vanaf de poort liep een weggetje naar de straat. Rechtsaf reed je naar Lubbenau. Het sneeuwde niet meer, maar ze reed langzaam. Haar gezicht was versteend. Ze wist dat de motor bij elke omwenteling dodelijke gassen de laadruimte instuurde. Urban zou moeten hoesten, kokhalzen en ten slotte rochelen. Hij zou worden overvallen door krampen, tot hij ellendig aan zijn einde zou komen, krampachtig schokkend. Helga voelde genoegdoening bij deze gedachte.

Ze had ongeveer een halfuur nodig voor de tien kilometer. Ze wilde zeker zijn van haar zaak. Ze stopte op het verlaten stadhuisplein, deed de motor uit en sprong uit de cabine. Ze deed de vergrendeling open. Urbans naakte lichaam zakte haar tegemoet. Hij had zich tijdens zijn doodsstrijd aan de deur vastgeklampt. Zijn bovenlichaam hing over de achterkant van de laadruimte heen. Ze trok haar fiets naar buiten en legde een boodschap naast de dode die ze van tevoren had gemaakt:

ZO WORDT ER IN KLEIN MOORBACH
'MENSONWAARDIG LEVEN' UITGEMOORD.
18 KINDEREN EN 34 VOLWASSENEN
ZIJN REEDS OMGEBRACHT

Helga had maar een kwartier nodig voor de terugrit met de fiets. Bij de parkmuur aangekomen, nam ze haar fiets op haar schouders en baande ze zich een weg door de bossen tot aan de kleine poort.

Ze opende het poortje en schoof haar fiets er doorheen. De fiets zette ze terug tegen de muur in de remise.

'Alles geregeld?' vroeg Mato toen ze de boot in klom.

'Alles geregeld.' Uitgeput kroop ze onder het dekzeil.

Er werd een bijzonder commando van de Gestapo uit Berlijn op de zaak gezet. Maar ze tastten volledig in het duister. Helga had de letters van de boodschap naast het lijk van Urban uit de krant geknipt en aan elkaar geplakt. Het blad papier had ze uit een nieuw schrift van de Hejdus-dochters gescheurd en de rest van het schrift verbrand. Het waren standaard schoolschriften die je overal kon kopen. Tijdens haar nachtelijke escapade had ze steeds handschoenen gedragen. Bovendien werd ze al weken vermist en dus niet met de recente gebeurtenissen in verband gebracht.

'De mensen zijn woedend,' zei Hejdus toen hij uit de stad terugkwam. 'Ze hebben de gaswagen helemaal aan puin geslagen. Wie de wagen heeft gereden is niet bekend.' Hij keek Helga veelzeggend aan. 'Tja, wij weten ook van niets.'

Speciale eenheden van de politie en de SS kamden in de dagen daarop te voet en met bootjes het hele bosgebied door. Maar hun speurhonden konden vanwege het vele water geen geurspoor vinden. Helga, Kareltje, Mato en nog twee deserteurs brachten veel tijd door in hun schuilplaats onder het huis.

Na een tijdje werden de zoektroepen teruggetrokken en keerde de rust weer in het Spreewoud, dat zijn vluchtelingen niet had prijsgegeven.

Dat deed het ook niet in de maanden die volgden. Terwijl de geallieerde bommenwerpers over hun hoofden doorvlogen naar Berlijn, ging het leventje op de Kaupe zijn eenvoudige gangetje. Een heerlijke lente verdrong de laatste oorlogswinter. In maart was het zonnig en warm en in april kon je de zomerse warmte al voelen. Helga, Mato en Kareltje hoefden steeds minder vaak naar hun schuilkelder. In het nu niet meer zo grootse Duitse Rijk had men belangrijkere zaken aan zijn hoofd dan het bespioneren van de Sorben.

Helga en Mato hadden een geheime ontmoetingsplek in het jachthutje. Mato zat achterovergeleund op de smalle bank terwijl Helga op hem zat, en gezamenlijk bewogen ze een bevredigend hoogtepunt tegemoet. Ze vreeën met elkaar wanneer het maar kon. Mato met de enthousiaste overgave van een jonge hond en Helga met het plezier van een ervaren vrouw. Ze was vijfendertig en dit soort lichaamsbeweging deed haar goed. De bewoners van de Kaupe wisten van de relatie en keurden het stilzwijgend goed.

Iedereen zat buiten in de zon, toen de twee naar huis terugkwamen. Er vloog een dubbeldekker met een rode ster op de vleugels over hen heen. Hij snorde als een naaimachine. De meisjes zwaaiden naar boven. De piloot zwaaide terug. 'Kijk nou. Binnenkort is het voorbij,' zei Zastrow die zijn post als portier had verlaten. 'Nu is het alleen nog maar de vraag of de nieuwe heersers beter zijn dan de oude,' voegde hij er sceptisch aan toe.

De nieuwe heersers kwamen op een zondag. Helga was net aan het zwemmen. Ze hield van de momenten in het koude water. Ze voelde zich dan gewichtloos en vrij. Voor haar was de oorlog ondanks het steeds naderbij komende kanonnengebulder iets onwerkelijks gebleven dat haar niet echt raakte. Nu werd de oorlog in één klap werkelijkheid. Een vlak ponton, aangedreven door een motor, kwam over het water aangegleden en legde aan. Er sprongen zes soldaten van het Rode Leger aan land, met machinepistolen in de aanslag. Een van hen had een pokdalig Mongools gezicht. Helga zwom met een paar krachtige slagen snel naar de oever. De soldaten staarden haar aan. Ze hadden nog nooit een vrouw in een badpak gezien.

Een van de soldaten riep wat en vuurde een salvo de blauwe hemel in. De andere soldaten joelden. Twee van hen grepen Helga beet die zich zwijgend probeerde te verdedigen, in de wetenschap dat ze geen schijn van kans had.

'Mama, mama!' Kareltje kwam aanstormen. Hij was inmiddels een krachtige vent van bijna vijftien, die in zijn naïviteit geen greintje angst kende. Hij ging als een idioot tegen de indringers tekeer en ging beschermend voor zijn moeder staan.

'Kareltje, niet doen, ze schieten op je,' smeekte Helga. Kareltje bleef aan de grond genageld staan. Een van de zes soldaten riep iets. Hij nam de pokdalige bij diens arm en zette hem naast Kareltje. Iedereen kon het zien: de Mongool en het mongooltje leken wel broers. Ze keken elkaar verbluft aan. De soldaat omhelsde Kareltje en sloeg hem vriendschappelijk op de rug. De overigen lachten en applaudisseerden. Helga kon vrijelijk het huis binnen gaan.

Daar stond Hejdus samen met zijn vier vrouwen naast het fornuis met een jachtgeweer in de hand. 'Voordat het zover komt, plegen we zelfmoord,' bromde hij.

Helga trok snel iets aan. 'Waar is jullie Spreewoudse gastvrijheid gebleven?' riep ze, en ging weer naar buiten. De soldaten kletsten en lachten samen met Kareltje. Toen Helga bij hen was nam hij zijn moeder in de arm en zei tegen zijn nieuwe vrienden: 'Mama, mijn mama.'

Een van de soldaten begreep het. 'Matka.' Hij wees naar Helga en daarna naar Kareltje: 'Sin.'

Mevrouw Wanda en de drie meisjes hadden hun hoofd- en schouderdoeken omgedaan en droegen dienbladen met water, brood en zout naar buiten. Ze maakten een lichte kniebuiging voor hun gasten, niet onderdanig, maar met een lach op hun gezicht als welkomstgroet. De soldaten begrepen het gastvrije gebaar en namen hetgeen hun werd aangeboden dankbaar aan.

Aarzelend kwamen de twee Zastrows uit hun huisje. Ook Hejdus kwam erbij zitten, nadat hij zijn jachtgeweer had verstopt.

Nu werd er echt gegeten en gedronken. Er was gortworst, pannenkoeken met gierstekool en karnemelk. Er werd gelachen en gekletst. De Sorben en de Russen ontdekten tot hun grote vreugde nogal wat overeenkomsten in hun Slavische talen.

Vader Zastrow bracht de gezamenlijke gevoelens tot uitdrukking toen hij zei: 'Mensen, ik geloof dat de oorlog voorbij is.'

Nog nooit had Helga haar zoon zo gelukkig gezien. Hij sprong opgewonden op en neer en vulde ijverig de borden en glazen van de gasten als die leeg waren. Na het eten danste het gezelschap bij de muziek van Mato's accordeon. Kareltje danste onbeholpen met Breda en leek er maar geen genoeg van te krijgen. Opeens zakte hij midden in een dans in elkaar. Helga knielde bij hem neer. Zwaar ademend lag hij op de grond, de ogen gesloten, zijn pols zwak.

De mannen droegen hem het huis in. Helga kleedde haar zoon uit, wreef hem in met jenever en dekte hem warm toe. Ze ging naast zijn bed zitten en hield zijn handen vast. Ze wist dat dit het einde was. Zijn onderontwikkelde hart had het bijna vijftien jaar volgehouden.

Kareltje opende zijn ogen voor de laatste keer. 'Mama,' zei hij met zware tong.

'Je sterft in vrijheid, mijn zoon,' fluisterde Helga, 'dat is mijn geschenk.'

Buiten startten de soldaten het ponton en zetten af. Het geluid van de motor ebde weg. In de slaapkamer werd het stil. Kareltje ademde niet meer.

Ze begroeven Kareltje achter het huis. De meisjes huilden. Helga had geen tranen meer. De voldoening haar taak te hebben voldracht gaf haar troost. Ze had hem vanaf het eerste ogenblik behoed en beschermd. Ze had voor hem gestreden en hem verdedigd. Ze had hem goede en gelukkige dagen gegeven. Nu haar strijd gestreden was, hield niets haar meer in het Spreewoud. Ze keerde op het dak van een goederentrein terug van Cottbus naar Berlijn.

Het huis aan de Sophie Charlottestraat was niet geraakt en zat vol met daklozen. Helga ging net zolang naar het kantoor van huisvesting tot men haar eindelijk een kamer in haar eigen huis toewees. Maar tot die tijd woonde ze bij haar zus in Tempelhof. Monika's dochtertje Erika was vijf. 'Ze heeft haar vader voor het laatst gezien in 1942 en kan zich hem niet meer herinneren. Ze zeggen dat het jaren gaat duren voor de Russen hun gevangenen vrijlaten. De jonge mevrouw Pillau van hiernaast wil niet zolang wachten.

Ze duikt af en toe de koffer in met een student. Ik heb gehoord dat het eigenlijk wel lekker is, zo'n jonge man in bed. Wat vind jij ervan?'

Helga vertelde haar zus van haar relatie met Mato. 'Een lieve jongen. Hij wil me per se komen opzoeken. Hopelijk komt er een Spreewouds meisje tussen. Ik heb er werkelijk geen zin in. Ik wil mijn leven op orde brengen en werk zoeken.'

'Waarom ga je je oude beroep eigenlijk niet gewoon weer uitoefenen. Kinderzusters zijn altijd nodig,' probeerde haar zusje haar op te peppen. Helga ging het proberen. Ze reed naar de Charité, die nu in de Russische sector lag. De geallieerden waren een paar dagen geleden Berlijn binnengereden en hadden delen van de hoofdstad als de hunne geclaimd. Er waren geen zichtbare demarcatielijnen tussen west en oost, behalve een paar lelijk grote borden op de verbindingswegen, waarop stond: U VERLAAT DE BRITS-FRANS-AMERIKAANSE SECTOR VAN BERLIJN. Het kon de Berlijners weinig schelen. Ze reden kriskras door hun stad en ook naar buiten de stad, meestal om iets te eten of om naar dakloos geworden familieleden en vrienden te zoeken.

'U wilt weer bij ons beginnen? Prima. Ga maar naar de personeelsafdeling,' werd Helga door een vriendelijke dame aan de receptie ontvangen.

'Rinke, Helga?' De man van de administratie was dezelfde als bij haar vorige bezoek aan dit kantoor. Hij had alleen zijn partijspeldje afgedaan. Hij trok een dossier uit de stapel. 'Verpleegster op de kinderafdeling tot 1929. Opnieuw aangesteld in 1941.' Hij fronste. 'Momentje, alstublieft.' Hij verdween naar een zijkamer. Helga hoorde hoe hij telefoneerde: '... ze liet zich overplaatsen naar Klein Moorbach, naar die euthanasie-inrichting... het is toch mijn plicht als antifascist...' meer kon ze niet verstaan. Meer hoefde Helga niet te verstaan. Ze verliet zachtjes het kantoor. Weg hier! De westerse kranten hadden erover geschreven. Overal in de door de Sovjets bezette zone werd door de NKWD naar vermeende nazimisdadigers gespeurd die dan in kampen werden opgesloten die de Sovjets van de echte nazi's hadden overgenomen.

'Die doen geen moeite de waarheid boven tafel te brengen,' zei Helga tegen haar zus. 'Gelukkig kennen ze mij als Helga Rinke en niet als Helga Lohmann. Maar desalniettemin krijgen geen tien paarden mij meer naar het oosten.'

'Ga toch met je verhaal naar de krant,' stelde Monika voor.

Maar daar wilde Helga niets van weten. 'Dat brengt de kinderen van Klein Moorbach ook niet terug.'

'Wat ben je van plan?'

'Ik ga hier eens kijken.'

Buurvrouw Pillau schoot haar te hulp: 'Probeer het eens bij de yankees, mevrouw Lohmann. Die zoeken Duitse arbeidskrachten voor van alles. Schoolengels is voldoende. Mijn schoonzusje heeft een baantje in de kantine van Telefunken bemachtigd. Daar is de US-nieuwsdienst neergestreken. Ik zal Marina morgen meteen vragen hoe je daar kunt solliciteren.

'Bij het German American Employment Office in Lichterfelde,' vernam Helga de volgende dag en kreeg meteen het adres in de Finckensteinlaan. 'Vragen naar meneer Chalford.'

Meneer Chalford was het hoofd van het kantoor. 'How good is your English, fräulein Lomenn?'

'Frau Lohmann. Mijn man is gesneuveld.' Dat kwam dicht genoeg bij de waarheid. Zijn werkelijke dood klonk een beetje te banaal.

'Can you please say this in English, frau Loman?'

'My man is dead in the war.' Het klonk een beetje houterig, maar Meneer Chalford vond het blijkbaar voldoende.

'Have you got a profession?'

Ze was verbaasd hoe goed ze het allemaal verstond. 'I am a sister for children.'

'A children's nurse, perfect. Hoe is uw kennis van het huishouden? Kunt u koken?'

'Ik denk het wel.'

'Ik denk dat ik wel iets voor u heb. Colonel Tucker en zijn familie zoeken een huishoudster.' Chalford speelde met een potlood terwijl hij dit zei. Zijn Duits was onbeholpen, met een zwaar Amerikaans accent. Mrs Tucker heeft iemand nodig die vooral voor de twee boys zorgt. Het huis bevindt zich in Dahlem. Aan de Im Dol. Gekke straatnaam vindt u niet? Als u de colonel en zijn vrouw bevalt, hebt u de baan.'

Helga keek Chalford gefascineerd aan. Ze was nog nooit zo dicht bij een Amerikaan geweest. Chalford was een vriendelijke dertiger met dunner wordend blond haar, een rond rozig gezicht en waterblauwe ogen. Hij leek een aardige man, maar Helga voelde zich niet tot hem aangetrokken. 'Eerst moet u natuurlijk even naar de medic,' legde hij haar uit. 'Wij nemen alleen maar kerngezonde mensen aan. En dan maken we nog even een foto voor ons personeelsdossier. Waar woont u?'

Helga gaf hem haar adres in de Sophie Charlottestraat. Ze mocht eindelijk haar kamer betrekken in haar eigen huis. Chalford legde zijn potlood neer.

'Veel geluk mevrouw Loman.' Hij knikte haar bemoedigend toe en verdiepte zich in een dossier.

Buslijn T was wegens benzinegebrek nog steeds niet hersteld. De Amerikanen hadden een eigen lijn uitgestippeld die soldaten, Amerikaanse burgers, Duitse werknemers bij de army met een buspasje en een paar slimme Berlijnse jongens die zich kauwgum kauwend en met een opvallende das gekleed uitgaven voor yankees, vervoerde in olijfgroene bussen.

De rit duurde een kwartier, langs de naar de nieuwe president benoemde Truman Hall, waarin de onlangs geopende Post Exchange zich bevond. In de 'PX' konden de Amerikanen kopen waarvan de Duitsers alleen maar konden dromen, dingen waarvan ze niet meer wisten dat ze bestonden. De *engineers* hadden voor dit onbereikbare paradijs een tapijt van kant-en-klaar gras uitgerold en er grote, volgroeide bomen geplant die tijdens de eerste maanden werden gestut door houten constructies. Ondertussen zaagden de inwoners van Berlijn de laatste dennen uit het Groenewoud om, om brandhout te hebben voor de komende winter.

Im Dol was een rustige Dahlemer villastraat die nog de sfeer van de welstand van zijn voormalige bewoners uitstraalde. Je kon het huis van de colonel vanaf de straat niet zien, omdat het een stuk naar achteren lag. Zijn rechtmatige eigenaar, een mensenschuwe biochemicus, had er in dienst van het naziregime dodelijke bacterieculturen gekweekt. Hij zette zijn werk inmiddels in een laboratorium in de buurt van Moskou voort.

Er stond een blauwe Studebaker op de inrit geparkeerd. Een man in een zwartgeverfd yankee-uniform harkte het gras tussen de berken. Hij onderbrak zijn werk toen hij Helga zag. 'Ja?'

'Mijn naam is Lohmann. Colonel en mevrouw Tucker verwachten mij. Het gaat om de baan als huishoudster.'

De man keek Helga geringschattend aan. 'Die baan krijg je nooit,' zei hij met spottende stem. 'Tucker houdt van jong vlees.'

'Uw mening interesseert mij niet. En ik wil ook niet dat u mij tutoyeert,' zei Helga bits terug.

'Ook goed. Kijk daar maar eens door het keukenraam.'

Tucker stond in vol ornaat aan de keukentafel tussen de naakte dijbenen van een op het tafelblad zittend meisje. Het meisje stootte korte ritmische kreetjes uit.

'Don't go away,' kuchte Tucker toen hij Helga opmerkte. Blijkbaar genoot hij nog meer als hij publiek had. Hij stopte zijn pik in zijn broek. 'I suppose you are the housekeeper. Come in.' Het meisje gleed van de tafel en knoopte haar schort dicht. 'That's Rosie, the housemaid,' stelde Tucker het meisje voor. 'Myra and the boys have gone shopping. They'll soon be back. I'm off to the office. Rosie, show her around the house.'

Rosie was zeventien. Een kleine brunette met heldere bruine ogen. 'Wat kan ik eraan doen?' verontschuldigde ze zich. 'Als hij mij ontslaat moet ik terug naar de zone Auf den Acker. Wat gaat u doen als hij brutaal wordt?'

'Me laten ontslaan. Weet mevrouw Tucker ervan?'

'Die kijkt de andere kant op. Hij laat haar op zijn beurt rustig zuipen.'

'Wie is die kerel in de tuin?'

'Klatt. Tuinman en soms chauffeur. Jat als de raven. Zorgt voor vers vlees voor de colonel. Slijmt bij mevrouw Tucker.'

Buiten klonk lawaai. Twee kleine bengels in honkbalpakjes stormden het huis binnen. Een jonge vrouw met een sigaret in haar mond kwam achter hen aan. Klatt droeg de boodschappen het huis in.

'I'm Myra Tucker. I suppose it's about the job as housekeeper.'

'Helga Lohmann,' zei Helga.

'Okay, come on Helga, we gaan naar de studeerkamer. Rosie, jij zorgt voor de tweeling.' Mevrouw Tucker ging voor. De studeerkamer was het met hout-beslag versierde werkvertrek van de voormalige huisheer.

'A drink?'

'Nee, dank u mevrouw.'

'For heaven's sake, noem me Myra.' Mevrouw Tucker hengelde een fles gin van het cocktailwagentje en goot een enorme bel in een cognacglas. 'Dry ver-mouth,' zei ze en spoot er een beetje van in een glas. Ze nam een grote slok. 'De olijven heb ik al opgegeven. Je krijgt ze bij de PX niet zonder pit. Met ansjovis gevuld vind ik ze lekker. Houdt u ook van olijven?'

'Ik zou het niet weten. Ik heb ze nog nooit gegeten.'

'Echt niet? Nou ja, dat geeft niets. Okay. U bent hier voor de baan. Als u kunt koken en met de jongens overweg kunt, hebt u hem.' Mevrouw Tucker dronk haar glas leeg en schonk het weer vol. Ze vergat de vermout en lachte opeens hardop. 'Godzijdank bent u te oud naar de smaak van de colonel. Hebt u een gezin?'

'Mijn man is al heel lang dood. Mijn zoon is in mei gestorven.'

'Dat spijt mij heel erg voor u.' Myra Tucker keek Helga met volgeschoten ogen aan. Vermoedelijk verborg zich achter de ginfles een gevoelige, diep gekwetste vrouw. 'U kunt meteen morgen beginnen. Dan hebben u en Rosie twee dagen de tijd voor de voorbereidingen. We geven een feestje op zaterdag-avond. Okay?'

'Oké.' Instinctief nam Helga haar nieuwe werkgeefster voorzichtig het glas af. 'Dat hebt u niet meer nodig vanaf nu. U hebt nu mij.' Ze greep Myra's hand. De Amerikaanse verstijfde, maar na een paar seconden lag ze als een hulpeloos kind in Helga's armen te snikken.

Colonel Harold Miles Tucker was een beroepssoldaat. Hij had een bataljon van de *Air Borne Division* geleid en was met zijn parachutisten vanuit Normandië tot aan de Elbe gekomen. De dienst in Berlijn was zijn eerste vreedzame baan. Hij was de Amerikaanse stadscommandant als adjudant ter beschikking gesteld. Op diens bevel had hij Myra en de tweeling over laten komen. De generaal verlangde van zijn ondergeschikten een voorbeeldig gezinsleven, in het bijzonder tegenover de Duitsers. Het was een onderdeel van de door het *State Department* bevolen 'democratische heropvoeding' van de verliezers. Sinds opheffing van het fraterniseringsverbod was contact met het Duitse volk uitdrukkelijk gewenst. Dat hoorde Helga van Klatt, die de stoppelharige houw-degen en rokkenjager Tucker bewonderde.

Helga had met Rosie koude schotels, salades, schalen met fruit en toetjes klaargemaakt. Allemaal ongekende lekkernijen, bijna allemaal uit blik. Kareltje zou verrukt geweest zijn, dacht Helga. Ze voelde een steek in haar middenrif.

Tegen achten druppelden de gasten binnen. Tucker en zijn vrouw begroet-ten hen bij de voordeur: krachtige, gezonde officieren van zowel de land- als de luchtmacht. Hun vrouwen waren op stereotype wijze knap. Ze slaakten ver-rukte gilletjes als ze een vriendin zagen die ze weliswaar die middag nog bij de kapper hadden gezien, maar die werd onthaald alsof ze elkaar jaren niet had-den gesproken. US-medewerkers in burger in hun schijnuniform, dat werd bespot door de militairen, vroegen luidruchtig om whisky. Er was ook een select gezelschap Duitsers uitgenodigd.

De stadscommandant generaal Henry C. Abbott kwam in een eenvoudig donker pak. Hij had een smal hoofd met grijs haar en een verweerd gezicht. Mevrouw Abbott was een oma-type met zilverkleurige krullen. Ze vroeg naar de Tucker-tweeling, die al in bed lag. De generaal was opgeleid op Westpoint en kwam voort uit een oude, hooggeplaatste familie uit Boston. Hij was een bezeten zeiler en begon een geanimeerd gesprek met de burgemeester van

Zehlendorf over de wederopbouw van een zeilcultuur op de Wannsee, waar hij en een paar Britse officieren mee waren begonnen. Dr. Struwe luisterde beleefd. Hij had andere problemen.

Helga bediende aan het buffet. 'Voor mij graag een wat Virginia-ham met eiermayonaise,' bestelde iemand. Meneer Chalfords roze ronde gezicht glansde vriendelijk. 'Ik zie dat u zich hier al helemaal thuis voelt, mevrouw Loman.'

'Ja meneer, en bedankt dat u mij deze baan hebt gegeven.'

'Dat is mijn werk, mevrouw Loman.' Chalford probeerde zich met zijn bord voorzichtig een weg te banen door de menigte. Hij had blijkbaar iemand gezien die hij kende.

Helga zag plotseling ook een bekende. 'Eugène!' riep ze verrast. Hij hoorde haar niet. Pas toen ze vlak achter hem stond en zijn naam herhaalde, draaide hij zich om.

'Helga, wat leuk om je te zien,' zei hij. De lucht was opeens zwanger van emotie. Prof. dr. Eugène Klemm was sterk vermagerd. Zijn kraag en zijn pak waren hem te wijd geworden. Zijn huid leek doorschijnend en hij zag asgrauw, zoals de meeste hongerige inwoners van Berlijn. 'Heb je al iets gegeten?' was het eerste dat Helga te binnen schoot.

Hij schudde zijn hoofd. 'Degene die het het meest nodig heeft, houdt zich het meest in. Het is een kwestie van trots denk ik.'

'Wacht eventjes.' Helga haastte zich terug naar het buffet en keerde terug met een vol bord. 'Klatt neemt een biertje voor je mee.'

'Nog steeds de verzorgende jonge leerlingverpleegster. Ik herinner me aan een nachtdienst in het ziekenhuis. Jij gaf me 's ochtends een kop bouillon zodat ik er niet bij neerviel.' Zijn stem was warm. Helga had het gevoel dat ze bloosde. Ze werd door lang vergeten gevoelens overmand.

'Een ogenblikje, Eugène,' zei ze en liep naar haar werkgeefster toe die op het punt stond haar glas jus met gin aan te vullen. 'Mevrouw Abbott heeft heel aardig naar de tweeling gevraagd. U moet even naar ze gaan kijken Myra. En denk eraan, dit spul hebt u niet nodig.' Ze nam Myra de fles af en gaf hem aan Klatt. Daarna ging ze met hamrolletjes rond, eerst de stadscommandant, vervolgens Meneer Chalford en daarna nog een groep jongere officieren op het terras. Toen ze zich naar Eugène omdraaide, was hij weg.

Rond de klok van tien namen de laatste gasten afscheid. 'Mijn vrouw was de hele avond nuchter. Hoe hebt u dat voor elkaar gekregen, Helga?' Er klonk respect in de stem van de colonel, al zei hij het een tikkeltje spottend.

'Ik weet niet waar u het over hebt meneer.'

Tucker gaf Rosie een wenk. Ze volgde hem schouderophalend naar de studeerkamer.

Myra Tucker giebelde als een klein meisje. 'We hebben hem mooi beetgenomen, niet? Dat gaan we vanaf nu vaker doen. Dank u wel Helga, u hebt geweldig geholpen. U kunt morgen opruimen. In de serre wacht iemand op u. U kunt hem drankjes en hapjes aanbieden, wat u maar wilt en laat u niet storen. Ik ga naar bed. Welterusten.'

'Welterusten, Myra.'

Eugène zat in een van de rieten stoelen tussen de planten. Hij zat er een beetje verloren bij. Helga was blij dat hij was gebleven. Ze ging bij hem zitten. 'Hoe kwam je eigenlijk uitgerekend op dit feestje terecht?'

'Ik werk als assistent in het militaire hospitaal en mocht een wrat verwijderen bij de bevelhebber van luchtbasis Tempelhof. Het resultaat vond men blijkbaar goed genoeg om mij in te schatten als sociaal acceptabel. Vandaar de uitnodiging.'

Helga schudde afkeurend haar hoofd. 'Jij als assistent? Weten ze dan niet wie je bent?'

'Wat maakt het uit. Vertel hoe het jou is vergaan. Wat doe je hier?'

'Ik ben huishoudster en kindermeisje bij de Tuckers.'

'En daarvoor?'

'Vlucht uit Klein Moorbach. De details vertel ik een andere keer. Kareltje en ik konden ons in het Spreewoud verstoppen tot het einde van de oorlog.' Ze boog haar hoofd. 'Hij is overleden.'

Hij knikte afwezig. 'Renate en de kinderen ook. Ze liggen onder ons huis in de Blütenstraat begraven. Een voltreffer. Ik bivakkeer min of meer in het tuinhuisje.' Hij deed een paar passen voor hij verder praatte. 'Ik heb hier bijna een uur gezeten en nagedacht en ik heb een voorstel.'

'Wat voor voorstel?'

'Ik wil hier weg, Helga. Ik wil opnieuw beginnen. Ik ben zestig, nu kan het nog. Mijn oude leraar, professor Levi, is tachtig en opereert niet meer. Hij heeft mij een aanbod gedaan. Ik kan als neurochirurg naar zijn kliniek in Philadelphia komen. Hij wil voor de emigratie van mijn vrouw en mij zorgen.'

'Jij en je vrouw? Zei je net niet dat...?'

'Weg hier, Helga. Stel je dat eens voor. Een nieuw begin in een nieuw land. Geen honger, geen verleden, maar een veelbelovende toekomst. Ik beschouw het als een goed voorteken dat we elkaar vandaag hebben ontmoet, want ik wil niet alleen gaan. We kunnen over twee weken trouwen. Als goede vrienden en wie weet – later misschien als echtpaar, als je dat wilt.'

Helga kon geen woord uitbrengen. Begripvol legde hij zijn hand op haar arm. 'Denk erover na. Kom morgenavond met je antwoord naar mij. Ik moet nu weg. Ik heb nachtdienst. Ze sturen een jeep.' Hij boog naar haar toe en gaf haar een kus op haar slaap. 'Welterusten, Helga.'

De jeep met Eugène was allang weg. Uit de studeerkamer klonk Rosie's gekreun. Helga hoorde het allemaal niet. Als een slaapwandelaarster haalde ze haar tas uit de keuken en verliet het huis.

Er viel een motregentje. Ze nam haar vaste weg naar huis: door de Kroonprinsenlaan die ze een paar dagen geleden hadden vernoemd naar de Amerikaanse militaire gouverneur Clay, wat Helga nogal slijmerig vond. Daarna langs de Argeniniëlaan en ten slotte linksaf langs het metrostation en de kerk.

Ze was buiten adem van de opwinding. De Atlantische Oceaan leek opeens nog maar een vijver. Amerika lag plotseling voor het grijpen. Op hetzelfde moment besefte ze dat het net zo goed Madagascar of de Lüneburger Heide kon zijn, als ze maar met Eugène samen was. Haar liefde voor hem was al die jaren niet bekoeld.

Het prikkeldraad van het Spreebezirk was op dit traject niet verlicht. Helga zag de gestalte pas toen hij met zijn armen omhoog voor haar stond. De stofbril was in het donker vaag te zien. Er klonk metaalgerinkel. Ze voelde hoe een ketting haar de keel dichtsnoerde. Haar handen grepen in het niets. Ze rochelde. Begerige vingers kropen onder haar jurk, trokken haar slipje naar beneden.

Ze voelde hoe er met geweld iets hards bij haar naar binnen werd geduwd. Ze brandde van binnen van de pijn, terwijl ze haar overweldiger hoorde kuchen van opwinding. 'Kareltje... Eugène... Help mij!' wilde ze schreeuwen, maar de ketting sneed haar stem af. Daarna wist ze niets meer.

DERDE HOOFDSTUK

Inspecteur Dietrich had die ochtend een afspraak bij de commissaris aan het Alexanderplein. Rechercheur Franke nam ondertussen de getuigenverklaring van Gerti Krüger op, een kittige Berlijnse. 'Juffrouw Rembach was dus uw collega bij de stomerij?'

'Karin. Ja meneer de commissaris. Weet u eigenlijk wel wie ze was?' Gerti Krüger zweeg veelbetekenend. 'Ze sprak er nooit over, maar ik wist het wel. "Ik weet het wel hoor," zei ik tegen haar, "jij bent Verena van Bergen," zei ik. Zegt ze droevig tegen mij: "Dat is nu verleden tijd." Zo'n aardig mens en helemaal geen kapsones.'

'Natuurlijk!' Franke sloeg zich tegen het voorhoofd. 'Verena van Bergen, de filmactrice. Dat ik daar niet eerder op gekomen ben. Ik wist toch dat ik dat gezicht ergens van kende.'

'En nou is ze dood. Als ik dat zwijn in mijn vingers krijg...' Gerti beet op haar lippen.

'Verdenkt u iemand in het bijzonder?'

'Nou, ik wil niet te veel zeggen, maar die Ziesel is zo'n onguur type.'

Franke luisterde aandachtig: 'Wie is die Ziesel?'

'Otto Ziesel, de vuilnisman van de Amerikanen. Hij komt twee keer per week de vuilnis ophalen. Hij heeft een ziekelijk soort pest aan alle meisjes die met een yankee uitgaan. "Ze moesten jullie van onderen dichtnaaien", zei hij tegen Karin en mij. Als u mij de uitdrukking wilt excuseren, meneer de commissaris.'

Franke maakte notities. 'Dank u, juffrouw Krüger. We zullen hem dagvaarden voor een officieel verhoor, zo gauw de baas er is.'

Gerti Krüger haalde een oud filmtijdschrift uit haar boodschappentas en legde het op tafel. 'Die heb ik voor u meegenomen. Daar staat ze in, meneer de commissaris.'

De broers kwamen om één uur uit school en gingen vol verwachting aan tafel zitten. Maar ze moesten geduld hebben, want hun vader kwam pas om twee uur van het bureau. 'Je reinste wereldreis,' zei Klaus Dietrich toen hij binnenkwam. 'Vanaf het Potsdammerplein zijn de rails beschadigd. Dus heb ik tot aan het Alexanderplein de paardentram genomen. En dan vindt de commissaris het ook nog nodig mij te berispen om mijn te laat komen. Daarbij kan meneer zelf gebruik maken van een heus automobiel gevuld met Russische benzine. Hij klaagde er overigens ook nog over dat het onderzoek te langzaam vordert.'

Het middageten deed hem de ergernissen van die ochtend vergeten. Er stond echte soep met echte balletjes op het menu. Inge Dietrich had de met bont gevoerde uniformjas van haar man bij de vrouw van een Russische officier in Eberswalde geruild voor vijftig kilo meel en een taai stuk rundvlees. Klaus Dietrich wilde de jas sowieso niet meer aan, omdat die hem herinnerde aan een periode die hij het liefst zo snel mogelijk wilde vergeten. Hoe Inge de vijftig kilozak vanaf de Russische barakken naar de trein en vanaf daar op het dak van een goederentrein naar Berlijn had gekregen, was een raadsel.

Ze had een beetje meel voor de balletjes apart gehouden en de rest naar mevrouw Molch gebracht. Die handelde in alles wat officieel niet te koop was. De twee vrouwen waren het eens geworden bij een paar schoenen en een kilo wol. Ralf kon tenslotte niet in sandalen door de sneeuw deze winter. Van de wol zou oma voor de jongens truien breien.

'Met een snufje nootmuskaat en geroosterde spekblokjes, zo deden we dat vroeger,' likkebaardde de wethouder.

'Nootmuskaat? Wat is dat?'

Ralf kreeg geen antwoord omdat zijn grootvader net was begonnen met een langdradig verslag van de buurtvergadering die gisteren had plaatsgevonden. Er was besloten speciale de-nazificatierechtbanken in te richten, om vermeende nazi's te kunnen berechten. 'Dat is het minste dat we kunnen doen voor onze reputatie in de wereld.'

'Reputatie? Welke reputatie?' Klaus Dietrich liet zijn vraag zweven. Hij had dikke wallen onder zijn ogen van oververmoeidheid. Ook de hitte verdroeg hij niet goed. De thermometer op de veranda gaf achtentwintig graden in de schaduw aan. Dietrich gaf zijn vrouw een vluchtig kusje in het haar en duwde zijn fiets door de voortuin de straat op.

Ook Ben en Ralf gingen erop uit. Hajo König wachtte hen al op aan de bosrand. Hij was een kleine bengel met zomersproeten en zat bij Ralf in de klas. De jongens liepen door het door illegale houthakkers kaalgeslagen bos naar Krumme Lanke. Kalm spiegelde het water van het meer in de zon. Een gezin waterhoentjes trok zilveren lijnen door het water. Op een plek waar de herfstregen in de loop van de tijd een kleine, zanderige baai had opgeworpen, trokken de jongens hun hemd en hun broek uit. Ze hadden hun zwembroek al aan. Ben wilde meteen het water in maar Hajo zei: 'Laten we eerst in de bosjes gaan kijken.'

Ze baanden zich een weg door het jonge hout dat het meer omzoomde en dat werd omgeven met een wildhek. De jonge boompjes van het toekomstige bos waren voor dieven nog niet interessant, omdat er niet genoeg hout aan zat. Ze waren daarom onbeschadigd. Verweven met braamstruiken, brandnetels en ander onkruid was een dicht struikgewas ontstaan, dat welig tierde omdat de door de oorlog sterk uitgedunde boswachterij geen mankracht had om de verwildering in het bos bij te houden.

De jongens kwamen aan op een open plek en bukten zich. In een kuil voor hen hurkte een naakte jonge vrouw wijdbeens. Ze had haar hoofd ver achterover geworpen en bewoog haar heupen terwijl ze steunde en kreunde. Het hoge gras verborg degene die onder haar lag.

Gebiologeerd staarden de jonge voyeurs naar haar op en neer wippende borsten. Ben dacht aan Heidi Rödel. Hajo friemelde aan zijn zwembroek. Opeens schreeuwde de jonge vrouw het uit en liet zich voorovervallen op haar onzichtbare minnaar. De jongens wachtten in spanning af wat er nu zou gebeuren, maar er gebeurde niets.

Na een tijdje stonden de man en de vrouw op. De man was nogal oud, minstens veertig, schatte Ben. Zijn slapper wordende piemel glansde nat in de zon. De jonge vrouw hurkte bij een struik neer en deed een plas. De jongens slopen zachtjes weg.

'Normaal ligt de vrouw onder,' wist Hajo te vertellen over eerdere geheime bezoekjes.

Ralf grijnsde. 'Ligt Heidi Rödel ook altijd onder? Of doet ze het helemaal niet met je?'

'Natuurlijk doen we het en niet te zuinig ook,' zei Ben nonchalant en probeerde het gesprek onopvallend een andere draai te geven. 'Wie het eerst in het water is!'

Ze renden achter elkaar aan naar de oever van het meer. Ralf en Hajo stormden het water in. Ben volgde hen in een rustiger tempo om niet buiten adem te raken. Hij liep tot zijn schouders het water in en ademde tien keer diep in en uit om zijn bloed met zuurstof te verrijken. Dat had hij in het *Nieuwe Universum* gelezen. Hij dook onder water en zwom met krachtige slagen verder het meer in. Hij was van plan zijn record onder water vandaag te verbeteren. Hij hield zijn ogen open. In het veenachtige water kon je maar amper een halve meter zien. Hij dacht met gemengde gevoelens aan de reuzenmeerval die zich hier volgens de geruchten onder water schuilhield. Bij visboer Ehlers hadden ze een paar jaar geleden een exemplaar in de etalage gehad. Het beest was meer dan een meter lang geweest, met baardvinnen zo groot als regenwormen en scherpe tanden.

Hoewel zijn borstkas bijna uit elkaar spatte, lukte het hem nog en paar seconden onder water te blijven. Toen hij het echt niet langer uithield, zwom hij met twee krachtige slagen vooruit naar de oppervlakte, waardoor hij nog een meter won. Hij hapte naar lucht. De gezichten aan de oever waren kleine, lichte vlekken. Verbaasd besefte hij dat hij onder water tot ver over de helft van het meer was gezwommen, ten minste tachtig meter.

'Wij dachten al dat je verzopen was,' grapte Ralf. Er klonk bewondering in de stem van zijn broertje.

'Een kwestie van ademtechniek,' zei Ben gewichtig.

Het paartje uit de bosjes stond tot aan de knieën in het water. Ben vond dat de jonge vrouw er in haar zwarte badpak veel beter uitzag dan naakt. De man droeg een driehoekige zwembroek die aan de zijkant vastgesnoerd was. Hij fluisterde de vrouw iets in haar oor. Zij lachte.

Op de terugweg gingen de jongens door het Riemeisterven om kikkervisjes te vangen. 'Hé, niet te geloven man,' riep Ralf enthousiast en wees naar een dobberend graseilandje voor hen.

In het riet stak een door het mos groen uitgeslagen brandbom. De moerasachtige ondergrond langs het ven had de bom zachtjes opgevangen waardoor het ontstekingsmechanisme niet had gewerkt. Een Lancaster bommenwerper van de *Royal Air Force* had een paar jaar geleden zijn restlading na een aanval op het Berlijnse stadscentrum boven het Groenewoud afgeworpen. De meeste bommen waren gezonken in het ven. Maar deze bom had de oorlog aan de oppervlakte overleefd.

Ben trok zijn vondst uit de drab en wankelde ermee van het glibberige, wiebelende graseilandje naar de kant. De bom had de vorm van een zeshoekige staaf van ongeveer zes centimeter doorsnee en een halve meter lengte. Hij was van termiet, dat net zo zwaar was als ijzer. Het bovenste gedeelte bestond uit een lichte aluminiumhuls die diende als geleiding. Ben knikte hem om. Er kwam een dun blikken kruisje tevoorschijn, waarin de kop van de ontstekingspin werd vastgehouden. Het kruis moest door de enorme klap bij het neerkomen naar boven ombuigen, waardoor de ontstekingspin werd losgelaten die vervolgens in de lading sloeg. Het was een simpele techniek die vaak niet werkte. Tijdens de oorlog had Ben zo'n blindganger al vaker laten ontploffen in het zand achter de helling waar ze altijd sleeden in de winter, gewoon omdat hij vuurwerk zo leuk vond.

Zich bewust van de bewonderende blikken van zijn twee toeschouwers, nam Ben zijn zakmes en boog de vier pootjes van het blikken kruis omhoog. Daarna sloeg hij de staaf op zijn kop tegen een steen. Er volgde een plop en toen begonnen er sissend vonken uit de ontsteking te vliegen. Ben hield de bom als een fakkel voor zich uit. 'Kinderachtig spul.' Hij gooide de bom met een grote boog weg. Hajo rende er achteraan. 'Laat liggen,' waarschuwde Ben. Maar de kleine jongen hield de bom, die aan de bovenkant inmiddels brandde, vast en hield hem met gestrekte arm boven zijn hoofd. 'Net vuurwerk!' riep hij enthousiast.

'Gooi dat ding weg!' riep Ben.

De ontploffing kwam onverwacht. Plotseling had Hajo een zwart gezicht. Hij staarde verbijsterd naar zijn hand die net nog een brandende staaf had vastgehouden. De hand lag nu samen met de staaf in het gras. De springstof in de verbeterde versie van de bom was erop gebouwd te verhinderen dat mensen tijdens het blussen de bom uit het raam zouden gooien. De bom had Hajo's hand eraf gerukt. Zijn ogen draaiden weg en hij ging tegen de grond.

'Verdomme.' Ben haalde zijn riem uit zijn broek en zei: 'We moeten zijn arm afbinden, anders bloedt hij dood.' Hij bond zijn bewusteloze kameraad vakkundig af. Dat had hij bij de Hitlerjugend tijdens de eerstehulplessen geleerd.

Opgewonden begroette Franke zijn meerdere toen die terugkwam van de lunch. 'Ik wist meteen dat ik haar kende. Hier, alstublieft.' De rechercheur sloeg het tijdschrift open. Klaus Dietrich zag een plaatje van een mooie jonge blondine aan de zijde van een knappe jonge man. 'Erik de Winter en Verena van Bergen – het nieuwe Duitse filmpaar,' stond er onder de foto.

Dietrich was verbaasd. 'Dat is ons lijk van de metro.'

'Ze was nogal beroemd.'

'Nou, ik ken haar niet, Ik ben voor de oorlog niet zo vaak naar de bioscoop geweest en aan het front kwam ik nooit bij de voorstelling. Wij lagen meestal op vijftig kilometer voorsprong op de rest van de troepen.' Dietrich had gediend bij de pantserdivisie.

'Eerst Karin Rembach en nu Helga Lohmann. Beiden knap, beiden jong,' somde Franke op. 'Beiden blond, met blauwe ogen. Beiden op dezelfde beest-achtige wijze vermoord...'

'... beiden werkzaam bij de yankees,' vulde Klaus Dietrich aan, 'en beiden na de Sperrstunde vermoord. Wat zegt ons dit, Franke?'

'Dat de dader een Amerikaan is, of een Duitser die bij de Amerikanen in dienst is en zodoende de Sperrstunde mag overschrijden. Getuige Krüger ver-denkt een Duitse vuilnisman die bij de yankees in dienst is.' Franke deelde Dietrich mee wat Gerti Krüger hem die ochtend had verteld.

'Probeer iets over die Ziesel te weten te komen,' droeg Dietrich hem op. 'Het zou namelijk ook iemand zónder vergunning kunnen zijn die het alge-mene uitgaansverbod als alibi wil gebruiken,' voegde hij eraan toe.

Sergeant Vollmer stak zijn hoofd om de deur. 'Een zekere Jutta Weber,' zei hij.

De bezoekster was bleek en nerveus. Klaus Dietrich gaf haar een hand. 'Ik ben inspecteur Dietrich. Rechercheur Franke kent u al. Neemt u plaats, alstublieft, mevrouw Weber. Hij gaf Jutta een stoel. 'Ik heb een paar vragen aan u. Het duurt niet lang.'

'Zo, dan heb ik eerst uw naam, adres, geboortedatum en huwelijkse staat nodig.' Jutta gaf hem de informatie die hij nodig had. Rechercheur Franke mishandelde de oeroude schrijfmachine met twee vingers. 'Onkel Tomstraat 133,' herhaalde hij. 'Woont u daar alleen?'

'Ik deel het appartement met een familie König en een meneer Brandenburg. Een teruggekeerde soldaat.'

'U vond het lijk gisteravond tegen elf uur aan de afrastering van de Amerikaanse enclave, is dat correct?' wilde Dietrich weten.

'Ja, ik was op weg naar een kennis.'

'Na de Sperrstunde?' Franke keek wantrouwig op.

'Ik werk voor de Amerikanen en heb een pasje.'

'Net als de twee vermoorde vrouwen,' flapte Franke eruit.

Jutta schrok. 'Twee vrouwen?'

'Helaas, ja. U moet echt voorzichtig zijn als u 's avonds zo laat alleen nog op pad gaat. Maar maakt u zich geen zorgen. We pakken hem binnenkort op. U kunt ons daarbij helpen. Volgens onze berekeningen moet u de dode vlak na haar dood hebben ontdekt. Is u iets opgevallen? Hebt u misschien iemand gezien?'

'Nee, of toch, jawel. Ik heb een motorrijder gezien. Hij dook op uit het niets en reed vlak langs mij.'

'Droeg hij een leren muts en een stofbril?' Klaus Dietrich wachtte gespannen op het antwoord.

'Dat weet ik niet. Ik werd verblind door zijn koplamp.'

'Ver-blind,' hamerde Franke op de schrijfmachine.

'Welke kant ging hij op?'

'Richting Onkel Tom. Ik fietste door. En daar hing ze. Het was afschuwelijk. Dat bleke gezicht in die rol prikkeldraad. Ik herkende haar eerst niet. Maar toen wist ik opeens wie het was.'

De inspecteur was verrast. 'U wist wie de dode was?'

Jutta's ogen werden vochtig. 'Ik werkte vroeger in de boekhandel van mevrouw Gerold in de winkelstraat. Helga Lohmann was een klant van ons. Ze kwam jarenlang samen met haar zoontje naar onze uitleen.' Helga huilde stilletjes.

Klaus Dietrich gunde haar de tijd. Hij besefte dat Helga net zo jong, knap en blond was als de twee vermoorde vrouwen. En blauwe ogen had ze ook. Hij schrok ervan.

Helga kalmeerde. 'Een stofbril met grote glazen?'

'U zei toch daarnet dat de koplamp van de motor u verblindde?' zei Franke geïrriteerd. Hij had zo zijn ervaring met de tegenstrijdige informatie van getuigen.

'Een paar dagen geleden, toen ik 's avonds laat naar huis fietste was dat. Een voetganger. Ik wilde hem uitwijken en viel van mijn fiets. Toen hij zich over mij heen boog zag ik de stofbril. Maar opeens was hij weg. Kort daarna startte er in de buurt een motorfiets.'

'Kunt u zich nog aan het tijdstip herinneren?'

'Vorige week woensdagavond, zo tegen elf uur.'

'Niet zo snel,' kreunde Franke die nog steeds aan het worstelen was met de schrijfmachine.

'Leest u dit alstublieft goed door en onderteken het dan,' zei de inspecteur

124

tegen zijn getuige. 'Wij hebben uw adres, mochten er nog vragen zijn. Dank u hartelijk voor uw medewerking mevrouw Weber. Probeer er niet te veel over in te zitten.' Hij begeleidde haar naar buiten.

'Een seriemoordenaar met een motorfiets,' vatte Franke samen. 'Aan het begin van de oorlog moesten we al onze gemotoriseerde voertuigen inleveren. Niemand heeft tegenwoordig zoiets in zijn bezit, om nog maar te zwijgen over de benzine. De dader kan alleen maar een yankee zijn.'

'Waarom geen Franse of Engelse bezetter?' zei zijn chef. 'Of die Hollander bij mij uit de buurt? Hendrik Claasen, een krachtige blonde vent. Hij rijdt elke twee weken op zijn motor naar Nijmegen om in te kopen en komt dan met de prachtigste handel voor de zwarte markt terug. Maar hij heeft ondanks zijn luxueuze goederen geen geluk bij de vrouwen. Zegt mijn vrouw tenminste. Is dat je niet verdacht genoeg? Of wat zou je zeggen van een Rus, die 's nachts op zijn motor de westerse sector binnenrijdt om zijn misdaden te begaan? Nee, Franke, de dader hoeft geen Amerikaan te zijn. En wie zegt ons eigenlijk dat de motorrijder en de moordenaar een en dezelfde persoon zijn? Wat de perronchef en mevrouw Weber hebben gezien kan net zo goed toeval zijn.'

'Wel een beetje veel toeval, vindt u niet?' bromde de rechercheur.

Het was geweldig druk in de Florabar in Schöneberg die middag. Er was een groep soldaten van het Signal Corps neergestreken voor een biertje. Ze waren met verlof en trapten lol met een paar meisjes. De Florabar was de stamkroeg van een groep soldaten van de *Transport Division* die eveneens met verlof was. Zij meenden een al oudere aanspraak op de aanwezige meisjes te kunnen maken. Er kwam nog bij dat de mannen van de nieuwsdienst blank, en de vrachtwagenchauffeurs zwart waren. Toen de MP arriveerde, stond zwart voor, wat sergeant Donovan snel beëindigde door zijn knuppel met name op kroezige negerhoofden te laten neersuizen. 'Laad die rotnegers in,' beval hij zijn mannen toen het wat rustiger werd, 'en doe er een paar blanken bij.'

'Vooral hem daar, sergeant,' zei een boomlange neger en wees op een blanke korporaal.

'Ach, is het werkelijk? Wie voert hier het bevel?' Donovan hield zijn knuppel dreigend in de lucht. De zwarte man rolde zijn mouwen omlaag. Hij had drie strepen meer dan Donovan, die zijn knuppel daarop verslagen liet zakken.

'Adjudant Roberts,' stelde de reus zich voor. 'Wij hebben een robbertje met onze vuisten geknokt. Alleen de korporaal trok een mes. Eén van ons is gewond geraakt. Dus, sergeant?'

Donovan kookte van woede, maar hij had geen keus. 'Het mes, korporaal,' blafte hij de blanke man toe. Hij stak het mes bij zich. 'U rijdt met mij mee en de gewonde nigger ook.'

De adjudant bleef heel rustig. 'Zwarte man, kleurling, neger ook nog als het moet, maar bij nigger houdt het op. Vooral als het door iemand als u wordt gezegd.' Donovans hand greep naar het handvat van zijn magnum. Kalm trok Roberts zijn uniformjasje aan dat bezaaid was met de hoogste Amerikaanse oorlogsonderscheidingen. Woedend sprong Donovan achter het stuur en gaf gas. Hij reed de gewonde naar het legerhospitaal Onder de Eiken. Gelukkig was de steekwond niet levensgevaarlijk.

Voor het bureau van de MP stond het busje met de arrestanten al te wachten. 'Stuur alle vechtersbazen maar naar hun eenheden,' beval captain Ashburner. 'Hun oversten zullen de straf vaststellen. De korporaal blijft hier en zal worden voorgeleid aan de provost marshal.'

De zwarte adjudant salueerde stram. 'Uw sergeant heeft het mes als bewijsstuk meegenomen, sir. Wellicht wilt u het van hem overnemen?'

'Dank u wel, adjudant. Het mes op mijn bureau, Donovan.'

Aarzelend legde Donovan het mes op tafel. 'Laat die korporaal toch lopen meneer,' zei hij toen ze alleen waren. 'Ik zal ervoor zorgen dat zijn verlof voorlopig ingetrokken wordt.'

'De provost marshal zal de aanklacht formuleren. Dat is alles, sergeant.'

'Jawel, meneer.' Donovan was niet tevreden met deze beslissing.

'Schenk eens koffie voor ons in, Mike en ga zitten.'

'Jawel meneer, komt eraan.' Donovan schonk twee kopjes koffie in uit een thermoskan.

'Mike, luister. Ik heb nog eens over die twee vermoorde vrouwen nagedacht. We kunnen de mogelijkheid dat een Amerikaan de moorden zou hebben begaan nog steeds niet uitsluiten. Wat vind jij ervan?'

'Ik vind dat we hier praten over twee Duitse hoeren. En daar moet een van onze dappere jongens voor boeten?'

'Ik herinner je aan de woorden van de Duitse inspecteur dat de oorlog voorbij is en dat moord weer wordt bestraft, of het nou een Duitser of een Amerikaan is.'

'We hadden net zo'n geval in 1944, tijdens onze mars door het Rijnland. Een van onze jongens was een beetje te grof tegen een Duits meisje. De provost marshal noemde het verkrachting en moord, terwijl die verdomde kleine slet vrijwillig haar benen had gespreid. Nou ja, en dat die soldaat in zijn opwinding haar keel per ongeluk dichtdrukte, daar kon hij werkelijk niets aan doen. In ieder geval hebben we hem voorzichtig een vleeswond toegebracht en hem als gewonde naar huis gestuurd. Zo kreeg onze kolonel voldoende tijd hem over te plaatsen naar het front in de Pacific. Een praktische oplossing, vindt u ook niet captain?'

'Mag ik je een vraag stellen, Mike? Wat zou je doen als de twee vermoorde vrouwen van ons corps waren geweest en de moordenaar een Duitser?'

'Shoot the bastard,' antwoordde Donovan vanzelfsprekend.

Er kwam een melding via de walkietalkie binnen. 'Patrouille drie, Miller. We hebben in zone achttien een Ivan opgepakt. Hij wil ons wijsmaken dat hij een zekere Kless zoekt, of zoiets. Joe en ik vinden dat er een luchtje zit aan zijn verhaal, captain. Wat doen we met deze knaap?'

'Niets, Miller, als het woord "viermogendhedenverdrag" je iets zegt.' Ashburner spoedde zich naar zijn mannen. Op verwikkelingen met de vrienden uit de Sovjet Unie zat hij al helemaal niet te wachten. De patrouillewagen stond bij de Wannseebrug dwars voor een witte BMW sportwagen met open dak waar een lange slanke Russische officier tegenaan geleund stond. Hij had zijn pet afgedaan zodat zijn piekige blonde haar tevoorschijn was gekomen. Hij rookte een sigaret met een lang mondstuk en keek geamuseerd naar korporaal Miller en diens chauffeur Joe, die op een afstandje stonden met hun handen op hun holsters, klaar om te schieten.

Ashburner groette de man formeel. 'Captain Ashburner, United States Army Military Police.'

'Majoor Berkov, staflid van stadscommandant generaal Bersarin. Bijzonder aangenaam met u kennis te maken, captain Ashburner.' De Rus sprak zo elegant Engels dat het Amerikaanse knauwen van Ashburner bijna plomp klonk.

Alle overeenkomsten en regels flitsten door Ashburners hoofd. Alle leden van de vier geallieerde strijdkrachten mochten zich in Berlijn te allen tijde naar elkaars bezettingszones bewegen, mits ze een uniform droegen. 'Ik hoop dat mijn mannen u correct hebben behandeld, majoor Berkov. U zoekt een zekere Kless?'

'Niet Kless, maar Kleist. Uw mensen hebben mij geloof ik niet goed verstaan. Hij heeft hier ergens zelfmoord gepleegd en ik zoek zijn graf.'

'Een zelfmoordenaar die Kleist heet. Dat is een zaak voor de Duitse politie. Ik zal mijn mensen radiotelegrafisch opdragen zich met de Duitsers in verbinding te brengen. Dan sturen ze iemand die u kan helpen bij uw zoektocht. Kende u de man?'

'Wie?' Berkov begreep het niet meteen, maar het begon hem langzaam te dagen. 'Heinrich von Kleist? Nee. Hij beging samen met zijn vriendin Henriette Vogel zelfmoord in november 1811, hier aan de kleine Wannsee. Kleist was een Duitse dichter uit een oud Pruisisch adellijk geslacht.

'U hebt me mooi te grazen genomen, majoor,' mompelde Ashburner beschaamd.

'Onzin, captain. Ik weet dat toevallig omdat ik een klein beetje Duitse literatuur heb gestudeerd,' verontschuldigde Berkov zich. Ashburner wenkte een oude man die hun de trap naar de oever wees. 'Zijn *Zerbrochenen Krug* en de *Prinz von Homburg* vind ik erg mooi.' Berkov maakte een paar foto's van de grafsteen.

'Prachtige wagen.' Ashburner wees naar de BMW toen ze de trap weer waren opgeklommen.

'Die heb ik onder een paar hooibalen op een boerderij ontdekt. Ik neem hem mee naar huis als oorlogsbuit. Het recht van de overwinnaar. Wilt u een proefritje maken, captain?' De majoor opende het portier uitnodigend.

'Daar zeg ik geen nee tegen. Corporaal Miller, zet uw patrouille voort. Joe, breng mijn jeep naar het bureau.' Ashburner stapte in. Hij wees naar een klein gouden plaatje met de letters M.G. op het dashboard. 'De initialen van de vorige eigenaar?'

'Zou kunnen.' Berkov keerde de sportwagen en gaf gas. Ashburner genoot van de razendsnelle acceleratie. Ze hadden alle twee hun pet afgedaan en lieten de warme wind om hun oren suizen. Ze keken elkaar even aan en begonnen spontaan te lachen als twee kleine jongens. Het was een stralende nazomerdag. De huizen in de westerse voorsteden waren zo goed als onbeschadigd. Er speelden kinderen in de voortuin. Alleen een paar dichtgetimmerde ruiten en wat splinterinslag op de weg herinnerden nog aan de oorlog.

'Moet hier vroeger mooi zijn geweest,' riep Ashburner.

'Geef die nazi's een paar jaar en het gaat beter met ze dan ooit tevoren,' riep Ashburner terug.

Het landschap veranderde drastisch hoe verder ze richting stadcentrum reden. Overal lag puin en as langs de straten en overal werd opgeruimd. Er lag een waas van kalk- en baksteenstof in de lucht. De mensen waren somberder en aangeslagener dan buiten de stad.

De Rus stopte op de hoek van een straat. 'Ik heet Maxim Petrovitsch. En u?'

'John.'

'Allright John, waar zal ik je naartoe brengen?'

'Onkel Tom. Ik wijs je de weg. Ik zou je graag willen uitnodigen voor een drankje, Maxim Petrovitsch, maar ik heb een afspraak. Misschien een andere keer?'

'Graag.' De majoor keerde en reed de captain met halsbrekende snelheid naar Onkel Tom. Jutta stond al aan de ingang van de verboden zone te wachten. 'Wat een knappe vrouw. Proficiat, John,' lachte Berkov. Ashburner stapte uit en zijn nieuwe vriend drukte het gaspedaal diep in.

Jutta kwam Ashburner tegemoet. 'Hallo John. Waarom heb je die droom van een man weggestuurd? Die zou zelfs zonder die blitse sportwagen gevaarlijk kunnen worden.' Ze vond het leuk Ashburner een beetje te pesten.

Hij nam haar serieus. 'Majoor Berkov? Ik kan hem uitnodigen als je hem wilt leren kennen.'

Ze haakte bij hem in. 'Wil ik helemaal niet, want ik heb een afspraakje met jou, weet je nog? En ik val om van de honger.'

'Ik heb boodschappen gedaan.' John Ashburner was blij dat het gesprek zich weer op zeker terrein bevond.

Ze betraden de verboden zone langs de wachtpost. Jutta wees naar de hoge afrastering. 'Verschrikkelijk, dat hek. Als ik weer denk aan die arme vrouw in het prikkeldraad...'

'Dat moet een schok zijn geweest,' zei Ashburner. Jutta knikte. Hij voelde dat ze er verder niet over wilde praten.

Hij had de tafel in de woonkamer die ochtend al gedekt. In het midden stond een vaas met rozen. Hij had de tuinman van het Harnackhuis met een pakje sigaretten ertoe overgehaald de tuin te plunderen. 'Wat prachtig,' zei Jutta blij. 'Ik heb voor het laatst rozen gezien bij de bruiloft van mijn zusje. Daarna werden er overal alleen nog maar aardappelen en groentes verbouwd. Zelfs in het plantsoen.'

'Ze zijn voor jou. Ik wil dat je ze meeneemt.'

'Dank je wel, John. Dat is heel aardig van je.'

'Het leek me leuk om samen te koken.' Hij gaf haar een schort en deed er zelf ook eentje voor. Op haar schort stond een wit konijntje met een kookmuts op. Op de zijne stond een karikatuur van een buldog met een pollepel in zijn bek. Jutta vond het nogal belachelijk.

De US-kwartiermeester had koelkasten laten plaatsen in alle in beslag genomen huizen. Ashburner nam een fles wijn uit de zijne en vulde er twee glazen mee. 'Prost, zeggen jullie toch?'

'Prost, John.' Ze nam een slokje. Het was eeuwen geleden dat ze wijn had geproefd. Bij Club 48 deelde sergeant Panelli hoogstens eens een rondje bier uit. 'Wat gaan we voor lekkers maken?'

'Garnalencocktail, steak met zoete maïs, met een rode chianti erbij. IJs na. Oké?'

'Heerlijk. Wat moet ik doen?'

'Jij maakt het blikje garnalen open en de pot mayonaise.'

'Hè nee, als je eieren, olie, citroen en mosterd hebt, maken we de mayonaise zelf.'

Haar garde hing nog op zijn oude plekje in de keukenkast. De benodigde ingrediënten waren er ook. Ze deed het eigeel in een kom, mengde die met peper en zout, voegde een paar druppels citroensap toe, een beetje mosterd en een snufje suiker. Hij keek gefascineerd toe, een excuus om haar ongegeneerd te kunnen aanstaren. Jutta boog zich geconcentreerd over haar werk en blies een weerbarstige haarlok uit haar gezicht. De aanblik had iets ontroerends. De rimpel in haar elegant gebogen nek wekte gevoelens in hem op die hij niet zo goed kon plaatsen. Het jonge silhouet dat door haar dunne zomerjurk heen schemerde, maakte haar begerenswaardig, maar tegelijkertijd ook weerloos. Ethel liep thuis altijd rond met de krullers in het haar en ging hoogstens naar de keuken om een colaatje uit de koelkast te halen. Wat een wereld van verschil...

Langzaam druppelde Jutta de olie in de kom, terwijl ze de garde los uit de pols hanteerde. 'Olie en eigeel moeten op kamertemperatuur zijn, dat is het hele geheim,' doceerde ze. Voor zijn ogen ontstond een heerlijke, dikke, gele mayonaise, waar Jutta de garnalen in deed. Daarna vulde ze twee met slablaadjes belegde kommetjes met het mengsel.

Hij verwarmde de maïs in de boter en zette de pan aan de kant. Hij had de geribbelde gietijzeren grillpan samen met de schorten speciaal voor deze gelegenheid bij de PX gekocht. 'De pan moet goed heet zijn, zodat de steaks niet worden gegaard, maar gegrild. Hier, de test.' Hij spetterde een paar druppels water in de pan die onmiddellijk verdampten. 'Pas op, nu!' Het siste toen hij de steaks in de pan legde. Hij bakte geconcentreerd en serieus, net een jongetje met zijn elektrische trein.

Ze hield de tedere gevoelens die in haar opkwamen niet tegen. 'Een kwart minuutje aan elke kant om de poriën dicht te laten schroeien. En dan nog twee tot vier minuten aan elke kant, afhankelijk van de dikte van de steaks. Als er kleine bloeddruppeltjes naar buiten komen zijn ze "au point", zoals de

Fransman zegt.' Hij was zichtbaar trots op zijn kookkennis.

'Bravo John. Ongeëvenaard zoals je dat doet.' Hij had een tube ansjovispasta ontdekt en mengde die met boter. 'Hier besmeren we de steaks mee.'

'Wij zijn een goed team, vind je niet?' De onbeholpenheid van deze liefdesverklaring maakte haar des te mooier. Hij ontkurkte de chianti en zette de fles op tafel.

Jutta deed haar schort af en voelde hoe zijn blik door haar jurk heen ging, niet opdringerig, maar bewonderend. Hopelijk vindt hij mijn heupen niet te breed, schoot haar door het hoofd. Hij hield haar stoel voor haar vast. Jutta genoot van deze beleefde geste en schonk hem een glimlach.

'Vertel mij eens iets over thuis,' vroeg ze hem tijdens het eten. 'Ik weet zo goed als niets over Amerika.'

'Ik ook niet. Ik ken Rockdale, Illinois. Dat is ongeveer waar de Missouri in de Mississippi stroomt. Vierduizend inwoners, twee kerken en aan de hoofdstraat Bill's bar. En het politiebureau. Eromheen groene heuvels, weilanden. Ik ben opgegroeid op onze boerderij. Mijn broer Jim doet de boerderij. Ik ben hoofd van politie. Een rustig baantje. Bij ons gebeurt er niet veel.'

'En je vrouw?'

Hij lachte meewarig. 'Daar gebeurt ook niet veel mee. Ethel vond het idee van een zwangerschap afstotend.'

'Jochen wilde eerst een Volkswagen en daarna een zoon. Het is hem alle twee niet gelukt. Hij werd geraakt door een Poolse scherpschutter. Uitgerekend in de latrines. Nog niet eens een heldendood was hem vergund.'

'Ik heb de oorlog niet meegemaakt. Ik ben na de oorlog opgeroepen om voor recht en orde te zorgen. Als er niet meer gevochten hoeft te worden, komen de jongens snel op gekke gedachten.' Hij schonk wijn bij. 'Weet je dat ik altijd al heb gewild dat ik gewoon zo kon praten met iemand, over wat dan ook? En dat die ander dan gewoon naar mij luistert.'

'Roodgeruite tafelkleedjes en kaarsen in wijnflessen, zo moet het eruit zien niet waar, je kleine Duitse zaak?'

'Dat heb je onthouden?'

'Natuurlijk. Ik vind het een goed idee.'

'Houd je van cognac?'

'Nee, dank je, John. Na al die wijn zou ik van mijn stokje gaan.' Ze ging vlak voor hem staan en keek omhoog in zijn ogen. Hij aarzelde voor hij haar in zijn armen nam en kuste. Hij was al bijna vergeten hoe dat voelde. Hij voelde haar zachte, warme lichaam en nam haar geur in zich op. Het leek wel een hemelse eeuwigheid zoals ze daar stonden. Zachtjes duwde Jutta hem van zich af. 'We hebben nog veel tijd, nietwaar John?' fluisterde ze. Dat was een belofte. Roezig bracht hij haar terug naar huis in zijn jeep en wachtte tot ze binnen was.

De deur van de kamer van Königs stond open. Hoewel het al erg laat was, zaten de Königs met Brandenburg aan de borrel. Jutta bleef staan. 'Hoe gaat het met uw zoon?' vroeg ze.

'Morgen doen ze de vervolgoperatie. Ze willen nog huid over de stomp heen transplanteren.' Mevrouw König veegde een traan uit haar ooghoeken.

'Kop op, Ilse. Binnenkort krijgt hij een gloednieuwe hand met alles erop en eraan. De dokter heeft gezegd dat de Amerikanen geweldige vorderingen hebben gemaakt op dat gebied.'

'Ik wens uw zoontje beterschap. Welterusten.'

Brandenburg liep achter Jutta aan de keuken in. Hij was een beetje dronken. 'Weer met de jeep gekomen? Hoe is de koers op dit moment. Eén nummertje voor één pakje sigaretten?' Ze trof zijn wang, ook in het donker, hard. Zijn bril viel op de grond. Hij bukte zich en tastte met zijn handen het kleed af. Toen ze de kaars had aangestoken, had hij zijn bril alweer op. 'Respect, u treft goed.' Ze keek hem niet meer aan en vulde een vaas met water voor haar rozen.

Toen ze in bed lag voelde ze wroeging. Hij was niet nuchter geweest en een hulpeloze blinde. Ze had hem niet moeten slaan. Later hoorde ze de gilletjes van genot uit zijn kamer. Het verdriet van mevrouw König om haar zoontje was blijkbaar overwonnen.

Op weg naar de badkamer de volgende ochtend, ontmoette ze meneer König. 'U moet de Hauptmann niet zo dwarszitten,' sprak hij haar vermanend toe. 'Denk u zich toch eens in wat die man allemaal heeft moeten meemaken!'

VIERDE HOOFDSTUK

Met gebogen hoofd zaten Ben en Ralf aan de ontbijttafel. Maar de verwachte donderpreek bleef uit. Met zijn rust trof hun vader de jongens veel harder. 'Jullie hebben alledrie schuld,' zei Klaus Dietrich zakelijk, 'maar alleen Hajo moet ervoor boeten, zijn hele leven lang. Als jullie dit allang vergeten zijn, loopt hij nog steeds zonder hand rond. Denk daar maar eens over na. En nu naar school.'

Opgelucht stormden de jongens over de veranda naar buiten. 'Ga je niet mee?' vroeg Ralf.

Ben schudde zwijgend zijn hoofd. Hij verstopte zijn schooltas weer op de bekende plek. Latijn, Engels en aardrijkskunde konden ook wel tot morgen wachten. Vandaag stond het Potsdammerplein op het programma.

'Je zou Ben een beetje bij wiskunde kunnen helpen. Hij snapt de logaritmes niet,' zei Inge tegen haar man.

'Als ik tijd heb,' beloofde Klaus en wierp zijn blik op zijn schoonvader die mopperend aan tafel zat.

'Die vreselijke surrogaatkoffie komt me mijn strot uit,' schold dr. Hellbich. Zijn slechte humeur was echter niet aan de koffie, maar aan de zitting te wijten die hij de dag ervoor met de Berlijnse partijvoorzitters had gehad. 'Ze zijn toch waarachtig van plan voormalige communisten op te nemen in onze SPD. Het zouden ook antifascisten zijn. Moordenaars zijn het. Ze waren net zo erg als de nazi's en dat heb ik ook gezegd. Ik heb tegengestemd. Gelukkig zijn mijn vrienden en ik in de meerderheid. De vraag is alleen hoelang nog. Zegt zo'n jonge bengel tegen mij dat we pragmatisch moeten wezen. Die snotneus weet niks van de sociale democratie van voor '33, noch van het verzet waar wij in hebben gezeten.'

'Je bent helemaal nooit bij het verzet geweest,' corrigeerde Klaus Dietrich hem. 'Je bent net op tijd vroegtijdig gepensioneerd, met een eigen huisje en een tuintje met rozen en al. Zo was het.'

Inge gaf haar man een teken dat hij het niet op de spits moest drijven. Ze maakte zich zorgen om de bloeddruk van haar vader. Maar Hellbich explodeerde niet, hij ging over tot de aanval: 'Hoe staat het met je werk? Het schiet niet op, of heb je die vrouwenmoordenaar inmiddels opgepakt? Geeft niet hoor, je collega van voor de oorlog was ook niet beter.'

Dietrich spitste zijn oren. 'Wat was er dan voor de oorlog?'

Helbich nam met een zuur gezicht nog een slokje van het bruine brouwsel. 'Dat was in '36. De Olympische Spelen waren net begonnen. Ik zie haar nog voor me. Annie. Jong, knap, blond, blauwe ogen. Ze bediende bij banketbakkerij Brumm, tegenover het metrostation. Ik haalde daar altijd onze broodjes. Ze werd op een ochtend dood in de voortuin gevonden. Zeldzaam dat de kranten dat destijds niet hadden. De hele zaak werd sowieso op een spaarvlammetje gehouden. Toevallig kende ik iemand op het bureau. Hij vertelde mij de details. Onbeschrijflijk wat de moordenaar met het arme ding had gedaan voor hij haar wurgde.'

Als door een wesp gestoken sprong Klaus Dietrich op van zijn stoel en zakte met een schreeuw van de pijn op de grond. 'Die rotprothese,' steunde hij.

Inge hielp hem overeind. 'Ga liggen, we doen hem af.'

'Geen tijd, ik moet naar de recherche.' Maar zijn vrouw bleef bij het kwartier verplichte rust tot de zenuwen in het afgezette been gekalmeerd waren. Daarna fietste Klaus Dietrich naar zijn werk.

'Franke, we moeten details hebben.' Dietrich haalde de fietsklemmen van zijn broekspijpen en legde ze in de middelste la van zijn bureau. 'Had die dader destijds ook een motorfiets? Hoe mishandelde hij zijn slachtoffer? Waarmee werd die Annie destijds gewurgd?'

De rechercheur haalde verontschuldigend zijn schouders op. 'Ik weet er niets van, meneer. Voor de oorlog zat ik bij de politie in Schöneberg. Misschien weet iemand op het politiebureau er iets over.'

'Dan gaan we daarheen.'

De Opel was opgewarmd. De versnelling kraakte en de motor joelde, maar Franke slaagde erin het voertuig zonder ongelukken van de recherche naar het politiebureau te rijden, dat tien minuten verderop lag. De meeste ramen van het politiebureau waren dichtgespijkerd met karton, maar sommige waren open vanwege het heerlijke zomerweer. De stoep voor de deur was opengehaald en bewerkt tot een klein aardappelveldje.

Twee politieagenten met grauwe hongerige gezichten stapten over de planten heen om aan hun namiddagronde door de wijk te beginnen. Ze hadden hun groene uniformen op bevel van het hoofdbureau zwartgeverfd, waardoor een vuilige donkere tint was ontstaan die vooral op het jasje erg lelijk stond. Ze droegen een houten knuppel aan hun koppel. Het leren holster met de Parabellum 0.8 hadden ze moeten afgeven.

'Ach gut, de heren recherche,' begroette de diensthebbende oude hoofdwachtmeester de bezoekers. 'Wat kunnen wij ordinaire trottoirsluipers voor jullie doen?'

'Ons vertellen waar de aktes van voor de oorlog liggen, mits ze niet in de een of andere kachel zijn beland,' grapte Franke.

'Alles is er nog, heren. Wij verliezen weliswaar af en toe een oorlog, maar een akte verliezen, dat nooit. Ewald neemt jullie mee naar de kelder.'

Ewald was een mannetje met een muizig gezicht en mouwstukken. 'Iets interessants?' vroeg hij hoopvol terwijl ze de keldertrap afliepen.

'Het is maar hoe je het bekijkt,' bromde Franke en keek verafschuwd naar de keldervloer die onder water stond. In het stinkende water dreven een paar dode ratten. Tussen de stellingen had men planken op bakstenen gelegd om erbij te kunnen.

'De riolering is volledig verwoest. Een Russische granaatbommenwerper op de laatste dag,' zei Ewald verontschuldigend. 'Wat zoeken jullie?'

'Alles over een moord op een vrouw in 1936. Voor zover wij weten is de zaak nooit opgehelderd. Het slachtoffer werd gewurgd in de voortuin van banketbakker Brumm tegenover het metrostation Onkel Tom gevonden,' vatte Dietrich samen.

Ewald verdween tussen de stellingen. De planken kraakten en het water golfde met een akelig geslurp over een afvoerputje heen en weer. Teleurgesteld kwam Ewald na een paar minuten weer tevoorschijn. 'Geen vrouwenmoord, opgehelderd of niet. Alleen een doodslag, waarvan de dader heeft bekend. Ik heb ook 1935 en 1937 doorgekeken, maar niets gevonden.'

'Het is in augustus 1936 gebeurd, tijdens de Olympische Spelen. Mijn schoonvader kan zich er nog precies aan herinneren. Hij kende het slachtoffer van gezicht. Ze bediende bij de bakker,' hield Dietrich vol.

'Of zijn de aktes misschien verloren gegaan?' probeerde Franke.

'Hier gaat niets verloren,' zei Ewald schoolmeesterachtig.

'Zou u nog eens willen kijken?' vroeg Dietrich geduldig. 'Het is echt belangrijk voor een zaak waar wij me bezig zijn.'

Ewald dook weer tussen de stellingen. deze keer hoorden de mannen hem met zijn tong klakken en gesprekken voeren met zichzelf. Er verstreek een kwartier voor Ewald weer opdook. 'Ik heb daarnet op alfabet gezocht. Zonder resultaat, zoals ik al zei. Nu heb ik de opeenvolgende nummers gecontroleerd en wel voor het hele jaar 1936. Het begint met akte 36/I/I/III B, dus: jaar, maand en nummer. De Romeinse drie aan het einde staat voor diefstal. De B staat voor subcategorie zakkenrollen.'

'En welke code werd er voor moord gebruikt?' onderbrak Franke hem.

'IA. Maar zoals gezegd hadden we in 1936 in Zehlendorf maar één doodslag, dus IB. Maar er zit een hiaat in augustus. De akte met nummer 122 ontbreekt. Dat is heel merkwaardig, want op de plaats van een uitgeleende akte moet er normaliter een registerkaart staan met de naam en afdeling van degene die het dossier heeft uitgeleend. En die kaart ontbreekt.'

'Kunt u de datum van het dossier achterhalen?'

Ewald balanceerde opnieuw over de planken naar de stellingen. deze keer kwam hij meteen weer. 'De dossiers ervoor en erna werden op drie respectievelijk zeven augustus geopend, mocht dat van belang voor u zijn.'

De inspecteur en zijn rechercheur waren blij dat ze via de trap naar boven uit de stank konden ontsnappen. Dietrich wendde zich tot de hoofdwachtmeester: 'Hoelang bent u al hier?'

'Sinds 1938, inspecteur. Ik zat daarvoor in Pankov.'

'Toch kunt u mij misschien helpen. Een vrouwenmoord in Onkel Tom in 1936. Wie kan destijds het onderzoek hebben geleid?'

'Willem Schlüter. Die was sinds 1935 hoofd van de Zehlendorfer recherche en op het laatst als commissaris. Tijdens de oorlog was hij commandant van een Gestapo-eenheid in de Oekraïne.

'U weet niet toevallig wat er met hem gebeurd is?'

'Natuurlijk weet ik dat, inspecteur. Hij zit achter tralies in Brandenburg. Hij was verantwoordelijk voor massamoorden in Kiev. Ze zeggen dat de Russen hem als getuige nodig hebben voor andere gruweldaden, anders hadden ze hem allang geëxecuteerd.'

'In de Brandenburg-gevangenis? Franke, we gaan een verzoek indienen om met hem te mogen spreken.'

'Bij de NKWD?' Franke keek zijn baas medelijdend aan.

Aan het loket van Onkel Tom haalde Ben een kaartje voor twintig pfennig. Niets op het perron herinnerde nog aan het lijk van vorige week. Bedaard stonden de reizigers op de metro te wachten. Ben stapte in de achterste wagon en ging in het lege conducteurscompartiment zitten, links naast het bestuurdershokje. Op de terugweg zou dat de kop van het treinstel zijn en dus bemand. De rails glansden in de middagzon. Hier buiten in de voorsteden waren de metrorails in de open lucht in het Markse zand gegroefd. Ben dacht aan wat zijn vader had gezegd over Hajo en zijn hand en zwoer dat hij nooit zou vergeten. Zijn goede voornemen hield stand tot twee haltes verder, Thieleplein. Bij station Dahlem-dorp had hij de afgerukte hand al in een van zijn geheugenlaatjes gestopt. Ben had veel van die laatjes in zijn hoofd: eentje voor school, die hij zo min mogelijk aansprak; eentje voor Gerd Schlomm die hem had geleerd hoe je jezelf kon aftrekken, maar dat was voor hij Heidi kende; eentje voor Heidi's borsten waar hij van droomde en dan met een stijve wakker werd; eentje voor de nieuwe Amerikaanse jeugdclub waar vast iets te halen viel en eentje voor het maatpak waarmee hij Heidi wilde veroveren.

Het pak begeleidde Ben in zijn dromen. Het was glad, van een zachte stof, perfect op maat gemaakt, met scherpe vouwen en brede, licht afzakkende schouders. Het mooiste was het revers, dat Ben blind uit kon tekenen: elegant beginnend, met een zachte boog de welving op de borst volgend en eindigend in een harmonische hoek met de kraag. Na zorgvuldige afweging van de voors en tegens had hij besloten voor een sluiting ter hoogte van de taille en vier knoopjes aan de mouw. Ook de fluweelbruine suède schoenen met de dikke spekzolen stonden onwrikbaar vast.

Vanaf station Podbielskilaan werd de metro echt een ondergrondse en denderde door een spoortunnel. Verveeld bekeek Ben de reclame in de wagon die hij al kende sinds hij een klein jongetje was: de tapijtleggers in livrei van Lefèvre; de jager uit de Kurpfalz die daarvandaan moest komen omdat het anders niet rijmde op Bullrich Salz; de groene flessen van de mineraalwaterfabrikant Staatlich Fachingen. Vlak voor station Nürnbergerstraat viel plotseling zonlicht de wagon binnen. Er zat een bomkrater in het plafond van de tunnel.

Tussen de ruïnes rond het Potsdammerplein wemelde het van de mensen. Hier vond dagelijks Berlijns grootste zwarte markt plaats. Er was niets wat niet kon worden geruild of verkocht. Gouden trouwringen, bontjassen en origineel Meissner-servies vonden nieuwe eigenaren in ruil voor kousen, koffie en chocola. Amerikaanse sigaretten, in dozen van tien pakjes verpakt en 'sloffen' genoemd, werden voor duizenden marken verkocht. Een Leica kostte vijfentwintig sloffen. Losse pakjes brachten meer op, wist Ben. De meest geliefde valuta was de geallieerde mark, biljetten die de bezettingstroepen oorspronkelijk hadden uitgegeven aan hun troepen maar die hun weg onder de burgerbevolking al snel hadden gevonden. De oude Duitse Reichsmark was het papier waarop hij gedrukt stond niet meer waard.

Ben gunde zich de tijd. Het was belangrijk de juiste afnemer te vinden. Die man in dat groezelige uniformjasje bijvoorbeeld. Ben taxeerde de man: net uit de gevangenis, nog niet op de hoogte van de nieuwste trucs. Hij liep dicht langs de man heen en fluisterde: 'Yankee-sigaretten?'

Bij een kapotte lantaarnpaal bleef Ben staan wachten. De man was hem gevolgd. 'Heb jij die?'

'Lucky Strike. Driehonderd M.' Ben liet de man het pakje in zijn hand zien. De man greep ernaar maar Ben sloot zijn hand. 'Eerst het geld,' eiste hij. 'Allimark'.

De man greep Bens pols en trok het pakje naar zijn neus. Hij snoof eventjes en liet Bens hand vallen. 'Pelikaan-lijm. Die amandellucht krijg je niet zo gemakkelijk weg. Laat je niet in elkaar slaan, jongen.' Ben ontsnapte. De volgende keer nam hij UHU-lijm. De aceton vervluchtigde meteen.

'Heb jij yanks?' vroeg een jong meisje. Ondanks de hitte droeg ze een Russisch donzen jack over haar dunne zomerjurk en witte sokken aan haar naakte benen. Het meisje was hoogstens veertien, maar haar bleke gezicht onder het rode haar sprak boekdelen. Ben liet haar het pakje zien. 'Daarginds.' Het meisje ging hem voor naar een ruïne. Ben volgde haar, maar was op zijn hoede voor het geval haar vriend daar verstopt zou zijn.

Op het binnenplein van de ruïne woekerde onkruid. Een rat schoot snel weg tussen brokken puin. Het meisje bleef staan, draaide zich om en trok haar jurk omhoog. Haar venusdriehoek lichtte rood op in de zon. 'Wil je neuken? Of zal ik je zuigen? Voor vier yanks krijg je tien minuten.' Ben schudde zijn hoofd.

Voor de ruïne van warenhuis Wertheim wachtte een magere vrouw in een afgedragen, ooit elegant maatpakje. Ze droeg rouge op haar knokige wangen. Het pakje sigaretten bekeek ze met argusogen.

'Driehonderdvijftig Allimark,' begon Ben zijn onderhandelingen.

'Te duur,' wimpelde de vrouw af.

'Driehonderd.'

De vrouw opende haar handtasje en haalde er een paar biljetten uit. Haar nicotinegele vingers hielden Ben de biljetten voor de neus. 'Ik geef je tweehonderdvijftig.' Ze sprak beschaafd Hoogduits en vond de hele situatie duidelijk beneden haar stand.

'Oké, tweehonderdvijftig.' Ben greep het geld, gaf haar het pakje en snelde weg. Bij de trap van het metrostation keek hij om. De vrouw had het pakje opengemaakt. De inhoud fladderde op de grond. Teleurgesteld raapte ze een van de papiersnippers op en las de tekst van het Nieuwe Testament. Ze lachte stilletjes en kreeg onmiddellijk een enorme hoestbui.

Ben had op de zolder van zijn grootouders een oud *Herrenjournal* gevonden met daarin een gentleman met een Engelse snor, een markante kin en een onberispelijk geruit maatpak. Ben bewaarde de afbeelding achter een zolderbalk, samen met een zwart schriftje waarin hij de opbrengst van zijn vervalste pakjes sigaretten nauwkeurig bijhield. Het geld zelf bracht hij altijd meteen naar kleermaker Rödel aan de Ithweg. De tweehonderdvijftig mark van vandaag brachten hem een stap dichter bij een elegant bestaan. Helaas kon hij zich niet te vaak laten zien op het Potsdammerplein. Dat vertraagde de aanbetalingen. Naar de huidige koers, waren pak en schoenen niet onder de vijftienduizend mark te krijgen en dus moest Ben nieuwe plannen over verdere bronnen van inkomst bedenken.

Misschien kon hij iets doen met meneer Brubaker. Dat was een Amerikaan en alleen daarom al was hij naar Bens maatstaven stapelgek. Ben kende de man sinds hij hem, toen die ooit hopeloos verdwaald was, de weg terug naar het Harnackhuis had laten zien. Clarence P. Brubaker was wat ze een *nice guy* zouden noemen. Hij was niet bijzonder snugger, maar zijn vader was eigenaar van de *Hackensack Herald* en ondersteunde de democraten. Dat betekende concreet dat hij wel eens een quatre-mains op de piano pingelde met de nieuwe president, Harry S. Truman.

Brubaker senior had er via zijn connecties voor gezorgd dat zijn zoon en erfgenaam de gevaarlijke wapendienst bespaard bleef. In plaats daarvan werd Clarence oorlogsverslaggever, wat overigens in dit geval spannender klinkt dan het in werkelijkheid was geweest. Pappie had er namelijk ook voor gezorgd dat zijn spruit werd geplaatst op het hoofdkwartier van de geallieerden, dat – zoals dat in de moderne oorlogsvoering te doen gebruikelijk was – ver achter het front lag, zodat de generaals bij hun oorlogsvoering niet te veel zouden worden gestoord door het bloedvergieten.

Clarence P. Brubaker was samen met de Amerikaanse bezettingstroepen Berlijn binnengekomen, als zogeheten verslaggever van het naoorlogse front. Een neef van zijn moeders kant was een nogal hoge piet ergens in het militaire gouvernement. Deze goede man had maar met zijn vingers hoeven knippen en Brubaker had een villa achter het hoofdkwartier van de VS toegewezen gekregen, vlak buiten het Sperrbezirk. Objecten van een dergelijk kaliber waren eigenlijk voor veel hogere rangen bestemd.

Het huis was degelijk ingericht en het eigendom geweest van een zekere dr. Isaak, die Berlijnse society-vrouwen altijd discreet van ongewenste ballast had verlost. Hij had hier een dikke boterham mee verdiend. Een 'Arische' collega, dr. Krüger, had er na het aanbreken van de Hitlertijd voor gezorgd dat dr. Isaak op transport werd gezet en had diens villa en praktijk voor een schijntje overgenomen. Hij zette het werk van zijn voorganger dankbaar voort. Hij schotelde de echtgenotes van hoge naziofficieren even gepeperde rekeningen voor, totdat zijn zaak werd ontmanteld. Ook hij had vrouwen geaborteerd.

Beide artsen ontmoetten elkaar weer in concentratiekamp Buchenwald en overleefden de oorlog. Ze werden alle twee door de Amerikanen bevrijd. Isaak emigreerde naar Palestina en werd daar als actief lid van de ondergrondse beweging Hagannah door de Engelsen opgehangen. Krüger kreeg als slachtoffer van de nazi's een aanzienlijk smartengeld en werd een aangezien lid van de christelijke partij van dr. Adenauer.

Noch Ben, noch meneer Brubaker was van deze lotgevallen op de hoogte en het had hun waarschijnlijk ook weinig kunnen schelen. Ben wilde een pak, meneer Brubaker wilde nazi's.

'Nazi's,' zei Brubaker. 'Ik moet nazi's hebben. Ken jij nazi's?'

'Waar heb je ze voor nodig?' vroeg Ben voorzichtig.

'Ik wil ze er niet bijlappen. Ik wil alleen maar een goed verhaal van een echte getuige. Ik betaal ook goed.'

'Hoe goed?' vroeg Ben en nam een slokje van de cola die hij uit de koelkast van zijn gastheer had gepakt.

Brubaker antwoordde niet, omdat er iemand op de keukendeur klopte. Hij deed open: 'Hello Curt, come on in.'

Ben nam de bezoeker nieuwsgierig in zich op. Nog een Amerikaan waar hij misschien iets aan kon hebben. Natuurlijk moest je dat eerst maar afwachten. De man had dun blond haar, een rond, roze gezicht en waterblauwe ogen. Uit zijn uniform bleek dat hij een US Civilian was.

'This is Ben,' maakte Brubaker zijn tweede gast bekend. 'Ben, zeg eens dag tegen Meneer Chalford.'

'Hi.' Ben slurpte gulzig door.

Curtis Chalford was de buurman van Brubaker. 'Kan ik een beetje koffie van je lenen? Ik was te laat voor de PX.'

'Sure. Wil je ook wat drinken, Curt?' bood Brubaker beleefd aan.

'No thank you, Clarence. Dag jongen.' Met een paar zakjes oploskoffie ging Chalford weer weg.

'Wil jij ook een kopje koffie?' Ben schudde zijn hoofd. Hij was tevreden met zijn coke. 'Ik zal een sandwich voor je maken,' zei meneer Brubaker. De man was echt sympatiek.

'Oké,' stemde Ben grootmoedig in. 'Dus, wat betaalt u?'

'Een paar dozen sigaretten voor een echte nazi die ook iets te vertellen heeft.'

'Allright, ik zal mijn oren openhouden,' beloofde Ben die er al over aan het piekeren was hoe hij in deze tijden in godsnaam een nazi moest vinden, nu iedereen zo krampachtig probeerde te bewijzen er nooit eentje te zijn geweest.

Hajo König schoot Ben te hulp. Hij was inmiddels uit het ziekenhuis ontslagen met zijn invalide rechterarm in een stralend witte mitella. Hajo vond het het ergst dat hij niet mocht zwemmen, omdat de wond nog niet voldoende genezen was. 'Maar naar school, daar ben ik wel voldoende voor genezen,' klaagde hij tegen Ben.

Voor het ongeluk had Hajo op zolder een ontdekking gedaan: 'Een eredolk met adelaar en hakenkruis, een bruin uniform en een hoop andere spullen.' Het was de erfenis van de plaatselijke NS-leider Tietge, die zich het leven had genomen.

Ben hapte meteen toe. Die waardevolle buit moest hij hebben. 'Het is streng verboden,' zei hij bars tegen Hajo. 'Als ze die troep bij jullie vinden, worden jullie allemaal achter slot en grendel gezet.' Hij liet zijn woorden even inwerken voordat hij gul aanbood: 'Voor tien Amerikaanse sigaretten laat ik de hele boel verdwijnen.'

'En als ze je pakken?'

'Je weet toch dat mijn pa bij de recherche zit.'

Op een zondag in september gingen de ouders van Hajo op bezoek bij familie. Jutta Weber werkte zoals gewoonlijk en meneer Brandenburg was er ook niet. Het was een goede kans voor de jongens de nazispullen van de zolder te halen. 'Ik heb er nog maar zes,' verontschuldigde Hajo de peukjes op zijn vlakke hand. 'Je krijgt de rest volgende week.'

Achteloos stak Ben de sigaretten in zijn zak. 'Wacht op mij bij jou thuis.' Haastig liep hij naar huis en haalde een lege aardappelzak uit de tuin.

Hajo liet Ben binnen. 'Naar boven,' wees hij naar een luik in de badkamer.

Ze tilden de keukentafel de overloop over en zetten er een stoel op. Ben klom naar boven en moest op zijn buik verder tijgeren, omdat het maar een kleine kruipzolder was.

'Tjemig,' kreunde hij zachtjes toen hij de schatten zag liggen. 'Kun je de zak openhouden?' vroeg hij hardop. Hajo hield de zak open met zijn tanden en zijn ongeschonden linkerhand. Na elkaar vielen de dolk, delen van een uniform, medailles, een pet en een partijboekje met een laag lidnummer in de aardappelzak. 'Dat betekent twee jaar gevangenis, op zijn minst,' zei Ben dreigend.

'Alsjeblieft, neem het mee!' smeekte de kleine Hajo. 'Je krijgt de rest van de peukjes volgende week, ik zweer het je.'

Ben verstopte de zak met de buit op de bekende plek in de tuin, nadat hij er één hakenkruis met een gouden randje had uitgenomen. Dat bracht hij naar meneer Brubaker, die over zijn artikel gebogen zat.

'Dit is van een nazi. Voor een slof van jullie sigaretten wil hij het wel kwijt. Hij kan het kruis momenteel toch niet dragen, zegt hij.'

Brubaker pakte een doos met Camel-sigaretten uit de kast. 'Waar is die vent? Kan ik met hem spreken?'

'Hij wil niemand zien. Hij is bang dat ze hem opsluiten omdat hij de rechterhand van de Führer was.'

'Hitlers rechterhand?' Clarence P. Brubaker was in zijn nopjes.

'Ja, of de linker, zo precies weet ik het ook niet,' gaf Ben goedmoedig toe.

'Zeg tegen die man dat ik bereid ben hem in het geheim te ontmoeten. Ik zal het tegen niemand zeggen.'

'Ik zal zien wat ik kan doen,' beloofde Ben, stopte de slof sigaretten onder zijn overhemd en ging weg. Hij had plotseling erge haast.

Brubaker had intussen zijn draagbare Remington op tafel opengeklapt en begon gelukzalig met zijn verhaal: 'Hitlers rechterhand in Berlijnse ondergrondse...' De mensen thuis zouden elkaar de *Hackensack Herald* uit de hand rukken en zijn collega's bij andere kranten zouden groen worden van nijd. Maar dat was nog maar het begin. Hij was op weg naar een Pulitzerprijs. Pappa zou trots op hem zijn.

Onderweg naar huis schoot Ben het sprookje van de kip met de gouden eieren te binnen. Het dier nam meer en meer de gedaante van Clarence P. Brubaker aan.

Met gierende remmen stopte captain Ashburner voor het rijtjeshuis in de Riemeisterstraat en vouwde zijn lange benen uit de jeep. Hij passeerde de voortuin en drukte tevergeefs op de bel. Er was weer eens geen stroom. Hij bonsde op de deur die meteen werd geopend door Inge Dietrich.

'John Ashburner,' stelde hij zich voor.

'Uw naam is mij bekend. Ik ben Inge Dietrich.'

'Aangenaam mevrouw. Is de inspecteur thuis?'

'Hij is net aangekomen, komt u toch binnen captain.'

'Dank u wel mevrouw.' De captain nam zijn pet in zijn hand en klemde hem zoals het hoorde onder zijn linkerarm.

'Mijn man zit op de veranda, de woonkamer door en naar buiten.'

Klaus Dietrich had een korte broek en een poloshirtje aan. Ontspannen lag hij in zijn ligstoel. Hij had zijn lastige prothese afgedaan en zijn been omhoog gelegd. Hij keek verrast op van zijn krant. 'Captain Ashburner?'

Ashburner wierp een geschokte blik op het been waarvan het onderbeen geamputeerd was. 'Dat wist ik niet.'

'Gewoon niet op letten, dat probeer ik ook te doen.' Behendig trok de inspecteur zich aan het tafelblad overeind.

'Ik was bij u op het bureau, maar u was al weg. Het spijt mij dat ik u thuis stoor, maar dat is dan ook wel het enige waarvoor ik u mijn excuses aanbied.'

'Wat is er aan de hand?'

'Een telefoontje van het kantoor van de stadscommandant, dat is er aan de hand,' brieste Ashburner. 'Waarom ik u verhinder soldaat Dennis Morgan te verhoren, en waarom ik bewijsstukken achterhoud.'

'Doet u dat dan niet?'

Ashburner trok het vodje olijfgroene stof uit zijn zak en gaf het aan de inspecteur. 'Ik heb de stof laten onderzoeken. Het is zonder twijfel van de trenchcoat van een officier. Maar ik geef u te bedenken dat deze mantels ook op de zwarte markt verkrijgbaar zijn. Dus kan de drager van de jas waar dit stukje vanaf komt net zo goed een Duitser zijn. U kunt soldaat Morgan te allen tijde bij mij op kantoor komen verhoren. Bent u nu tevreden?'

'Ik ben pas tevreden als we de moordenaar hebben. Het spijt mij dat ik deze methode moest gebruiken, maar uw sergeant Donovan dwarsboomde al onze pogingen tot opheldering, en u was niet te bereiken. Captain, de zaak neemt mogelijk een onverwachte wending. Ik heb toestemming nodig voor een gesprek in de Brandenburg-gevangenis. De NKWD houdt daar een hoofdcommissaris van de recherche vast, Willem Schlüter, wegens massa-executies in Polen. Ik wil hem spreken over een moord op een vrouw hier in Berlijn, nog van voor de oorlog. Er zijn wellicht overeenkomsten.'

Ashburner maakte wat notities. Inge Dietrich kwam bij hen zitten. 'U bent van harte welkom met ons mee te eten, meneer Ashburner.'

'Aardappelsoep à la Onkel Tom,' klonk het sarcastisch achter hen. Het was dr. Hellbich. 'Je raspt een paar rauwe aardappelen in kokend water, doet er wat zout bij en – mits verkrijgbaar – nog wat kruiden. Een gegarandeerd volledig nieuwe culinaire ervaring voor onze overzeese gast. Hebt u misschien een sigaret?'

Dietrich voelde zich in verlegenheid gebracht. 'Mijn schoonvader – captain Ashburner,' stelde hij de twee aan elkaar voor.

'Aangenaam. Het spijt mij meneer, maar ik rook niet. Dank u voor uw uitnodiging mevrouw, maar ik heb al een afspraak voor het diner.' Ashburner wendde zich tot Dietrich: 'Met een kennis uit het sovjetcommando. Hij kan ons wellicht van dienst zijn.'

'Ik begeleid u naar uw auto.' Dietrich hinkte op één been naar de voordeur. Hij leek zich niet te schamen voor zijn invaliditeit. Ashburner bleef nog even voor een ingelijste foto op het dressoir staan. Er stond een lachende Klaus Dietrich op, met de schouderpailletten van een luitenant-kolonel. Het ridderkruis met eikenblad blonk glimmend vanaf het zwarte uniform van een pantsereenheid in de lens.

'En dat wist ik ook niet,' zei Ashburner onder de indruk, voordat hij zich weer in zijn jeep hees en wegreed.

Hij haalde snel de rapporten en foto's van de twee moorden uit zijn kantoor en legde ze in zijn auto. Majoor Berkov had hem verrassend genoeg opgebeld en gevraagd of hij de Möwe in de Luisenstraat kende. 'Door de Brandenburger Tor en dan links de Nieuwe Wilhelmstraat in, over de Spree.'

'Ken ik niet, maar vind ik wel,' verzekerde Ashburner zijn nieuwe kameraad. 'Zullen we afspreken om acht uur?'

'Acht uur.' Ashburner was blij verrast dat Berkov hem had gebeld. Hij mocht de gecultiveerde Rus graag, die heel anders leek te zijn dan hij had verwacht van de rode bondgenoten. Vanuit Onkel Tom reed hij door het Groenewoud naar Halensee naar de Kurfürstendam, die bij de Britse sector hoorde. De afgebrokkelde toren van de Kaiser-Wilhelm-Gedächtniskirche stak onheilspellend de hemel in. Ook in de Tauentzienstraat was niets anders dan puin en as te zien. Overal heerste bedrijvigheid. Vrouwen met grauwe gezichten onder grijze hoofddoeken klopten cementresten van bakstenen. Oudere mannen gaven de stenen door en laadden ze op een paardenkar of een vrachtwagen die met houtgas werd aangedreven. Het was verbazingwekkend wat die halfverhongerde Duitsers hier presteerden.

Hij dacht aan de inspecteur en zijn gezin. Ze hadden het vast zwaar. Aan de andere kant – hadden zij en al die andere Duitsers het niet aan zichzelf te danken? Wie was er begonnen met die waanzinnige oorlog en wie had hem verloren? Of waren de Dietrichs alleen maar slachtoffers? Zou het hem en Ethel en alle anderen in Rockdale niet ook zo zijn vergaan als Hitler de oorlog had gewonnen? De gedachte Ethel achter het fornuis rauwe aardappelen in kokend water te zien raspen vond hij amusant. Hij zou het haar bij gelegenheid een keer vertellen en kijken hoe ze erop reageerde. Plotseling moest hij bovenop de rem gaan staan om voorzichtig langs een met onkruid overwoekerde granaatinslag te laveren.

Hij reed langs de Hochbahn en daarna linksaf richting Potsdammerplein, waar het door de Sovjets bezette deel van de stad begon. Hij reed langs de drukke zwarte markt, langs de ruïnes van de Reichstag en door de Brandenburger Tor waar een rode vlag met hamer en sikkel bovenop wapperde. Er knersten stukjes kalk onder zijn banden toen hij in de Luisenstraat aankwam.

De Berlijnse kunstenaarsclub was ondergebracht in het voormalige Stadtpalais van de vorsten van Bülow. Sovjetofficieren van de afdeling cultuur hadden het Stadtpalais vernoemd naar Tjechovs *Meeuw*, die prijkte op het gordijn van het Moskouse kunsttheater. De kunstenaars van Berlijn kwamen hier echter niet vanwege de cultuur naartoe, maar vanwege het eten, dat door de kunstminnende Russen rijk werd opgedist zonder dat een miesmuizerige ober om levensmiddelenbonnetjes vroeg.

Maxim Petrovitch Berkov zat aan een half achter planten verborgen tafeltje op zijn gast te wachten. 'Goedenavond John, hoe is het?'

'Na mijn werk altijd prima.'

'En uw mooie vriendin?'

Ashburner meesmuilde: 'Ik weet niet waar ze meer van onder de indruk was: de witte BMW of de chauffeur.'

'Ik haal madame graag eens op voor een pleziertochtje.'

'Liever niet. Het glorierijke Rode Leger heeft al genoeg overwinningen behaald de laatste tijd. Maxim Petrovitch, kunnen we vrijelijk met elkaar spreken?'

De majoor greep in het laurierboompje achter zich en trok na even zoeken een microfoontje uit de plantenbak. Hij trok het fijne kabeltje met een ruk kapot.

'Een los contact. Wat slordig,' was zijn droge commentaar.

De ober bracht het menu. Berkov bestelde een fles Krimsekt. 'Tot uw dienst, majoor.' De ober sloeg zijn hakken tegen elkaar.

'Hij is nog niet helemaal omgeschoold,' merkte Berkov geamuseerd op. 'Maar voor de rest kunnen de Duitsers zich goed aanpassen. Neem het Russisch ei bijvoorbeeld. Ze hebben dit pikante voorgerechtje tot Sovjet-ei omgedoopt. Overigens erg aan te bevelen. En wat denkt u van reerug daarna? Een kleine bijdrage van mijn baas aan de Berlijnse kunst. Generaal Bersarin knettert niet alleen enthousiast op zijn buitgemaakte Harley Davidson door Berlijn, hij gaat ook op jacht in Görings voormalige jachtgebied. En hij bepaalt wanneer het jachttijd is. Herinnert u zich onze eerste ontmoeting nog?'

'U zocht naar het graf van die Kleist.'

'Ik heb inmiddels nog wat gelezen. Ze was zijn minnares niet. Henriette was een dwepend meisje dat een zelfmoordpact met de dichter sloot.'

Ashburner was blij dat de ober de sekt en het voorgerecht bracht. Dan hoefde hij niets te zeggen over dit voor hem onbegrijpelijke thema. 'Wat is uw sport?' probeerde hij het gesprek voorzichtig in een andere richting te sturen.

'Wij tennisten aan de militaire academie. Marshall Tuchatschevski wilde van zijn jonge officieren gentlemen naar westers voorbeeld maken. Stalin liet hem executeren. Een onvervangbaar verlies voor het Rode Leger.'

'U windt er geen doekjes om, Maxim Petrovitch.'

'De microfoon van de kameraden op het commissariaat is momenteel buiten gebruik.'

'Wat voor een commissariaat?'

'Het Narodnyj Kommissariat Wnutrennych Del, u beter bekend als NKWD, vermoed ik.'

'Dat brengt mij op mijn verzoek. Ik heb uw hulp nodig. Mijn Duitse collega, inspecteur Dietrich, onderzoekt twee moorden op vrouwen. Hij wil ze vergelijken met een soortgelijke moordzaak van voor de oorlog, en moet daarvoor ex-inspecteur en nu gevangene Willem Schlüter in de Brandenburg-gevangenis ondervragen. Daar heeft hij de toestemming voor het NKWD voor nodig.'

'Twee moorden?'

'Ja, op twee knappe jonge vrouwen.' Ashburner gaf Berkov de dossiers en de foto's van de doden. Berkov herkende Karin op slag. Zijn gezicht versteende.

'Is er iets niet in orde?' vroeg Ashburner. Zijn stem leek uit de verte te komen.

'Nee, nee, er is niets.' Berkov verschool zich achter het dossier dat hij niet las. Hij dacht aan de paar hartstochtelijke weken met Karin, hoorde haar warme stem: 'Kom hier, Maxim Petrovitch.' Hij voelde nog haar zachte lichaam en had haar geur nog in zijn neus. Hij zou het liefst hebben geschreeuwd van de pijn, maar hij zei slechts: 'Ik denk dat ik uw Duitse collega wel kan helpen. Ik schaak samen met overste Nekrasov van de NKWD. Ik zal de overste laten winnen. Dan is hij mij gunstig gestemd.'

Adjudant Washington Roberts wachtte achter de winkels, waar vanuit de Wilskistraat een smalle toegang voor aanleverende vrachtwagens liep. Hier stonden ook de grote zinken tonnen waarvan de deksels niet meer dicht konden, zo vol zaten ze met vuilnis en puin uit de in beslag genomen winkels en appartementen. Aangebroken plakken chocola, halflege blikjes bonen, vleeswaar en gecondenseerde melk. De Amerikanen gooiden dingen weg waar een hongerig gezin nog dagen op kon teren. Het kwam allemaal terecht op een Amerikaanse vuilnisbelt en werd op bevel van de hoogste militaire arts bedekt met gebluste kalk voordat het werd ingegraven door bulldozers. Er was geen rat die ernaar omkeek.

Gerti Krüger zwaaide naar haar vriend vanuit de achterdeur. Hij zwaaide terug met een brede grijns op zijn gezicht. Ze zouden gaan eten en dansen in het Fortyeight en later bij haar thuis met elkaar vrijen. De verhuurster deed voor een pakje Lucky Strike alsof ze het niet merkte.

Gerti had zin in haar vrije avond. Ze wilde hem niet laten verpesten door vuilnisman Ziesel. Die kwam kort voor sluitingstijd om de lege buikflessen van de stomerij op te halen. Sergeant Chang had ze al in een rijtje klaargezet.

'Schiet een beetje op, ik wil naar huis.'

'Mevrouw kan er niet op wachten door haar zwarte hengst te worden besprongen,' hoonde Ziesel.

'Mijn vent heeft een vrouw tenminste iets te bieden. In tegenstelling tot jouw slappe lul. Jij krijgt nog niet eens je pink omhoog.'

'Als wij het weer voor het zeggen hebben, ben jij het eerste yankeehoertje dat wordt kaalgeschoren.'

Gerti moest hard lachen. 'Jij bent dommer dan het achtereind van een varken. Zorg maar liever voor je vuilnisbakken. Ze zitten overvol.'

'Bezettingsslet,' mompelde Ziesel in het voorbijgaan. 'Good evening, sergeant,' groette hij Roberts vriendelijk.

Washington Roberts keek toe hoe Ziesel een paar lege vuilnisbakken van de vrachtwagen tilde en de volle oplaadde. Plotseling sperde de sergeant zijn ogen wijd open. Onder het deksel van een van de tonnen kwam een smalle witte hand tevoorschijn.

De zwarte Packard-limousine reed met zwaailicht door de toegangspoort van Onder de Eiken, met aan het stuur een korporaal van het *Women Army Corps*. De US-stadscommandant had haast. Hij zat met een grimmig gezicht achterin en probeerde het nieuws dat hem zo-even ter ore was gekomen te verwerken.

De wachtpost bij de ingang van het legerhospitaal salueerde. De limousine stopte bij het hoofdgebouw. Een captain van het *US Medical Corps* wachtte al op de generaal. 'Ik ga u voor, generaal.'

'Alstublieft, dokter.' Generaal Henry C. Abbot volgde de arts een smalle trap af. Het scherpe licht van de neonbuizen in het mortuarium flikkerde op.

Om een sectietafel op de achtergrond stonden meerdere geüniformeerde mannen geschaard. Kolonel Tucker maakte zich los uit de groep en zei: 'Ik hoop dat het een juiste beslissing was u te informeren, generaal.'

'Doe niet zo raar.'

'Dit is captain John Ashburner van de Military Police, meneer,' maakte Tucker bekend. Ashburner groette. Abbott reikte hem de hand. Tucker wees naar de leider van het German American Employment Office: 'Meneer Chalford kent u al.'

De generaal knikte. 'Hallo, Curtis.'

Curtis Chalford streek nerveus door zijn dunne blonde haar. Zijn gezicht stond zorgelijk. Hij wist niet precies wat hij moest zeggen. Hij schraapte zijn keel. 'Ik ben opgeroepen, omdat men in de korte tijd sinds de vondst alleen maar kon zeggen dat het ging om een Duitse army-werknemer. Ik wist natuurlijk meteen wie ze was. Het spijt me, generaal.'

De stadscommandant boog zich over de marmeren plaat heen. Iedereen zweeg. De dode was tot aan haar kin met een witte doek bedekt. Haar gelijkmatige, door blond haar omlijste gezichtstrekken stonden kalm en ernstig. Captain Ashburner doorbrak als eerste de stilte: 'Generaal Abbot, ik moet u formeel deze vraag stellen: kende u deze vrouw?'

Henry C. Abbot boog zijn hoofd, waarmee hij niet alleen antwoord gaf op de vraag maar de dode tevens een laatste keer respectvol groette.

Henriette

'Detta!' glinsterend zonlicht dringt door de takken van de oude bomen. Het legt een mantel over het blonde haar van het meisje in het gras. 'Deettaa!' Het meisje duikt nog dieper in de hoge halmen. 'Tijd om je om te kleden Detta!' Omkleden? Waarom? Een geruite blouse en een rijbroek zijn toch goed genoeg?

'Detta!' De stem komt vervaarlijk dichterbij. Het meisje grijpt naar een in het gras achtergebleven dennenappel en gooit hem met een hoge boog de bosjes in. Het geluid zal Adelheid op een vals spoor zetten. Detta wil zich niet omkleden. Omkleden. Dat betekent in bad, wat nog wel gaat. Maar dan moet het haar worden geborsteld, met snelle en harde streken en dan in die belachelijke jurk met ruches, waarin ze eruitziet als twaalf. En ze is al veertien. Nou ja, bijna dan. En bovendien, waarom zo'n gedoe? Alleen omdat er bezoek uit Potsdam komt? 'Hoog bezoek', zoals Adelheid het zegt met deftig getuite lippen.

Voorzichtig spiedt Detta boven het gras uit. Mejuffrouw staat met de rug naar haar toe. Een gunstig moment om met drie sprongen tussen de rododendrons te verdwijnen en naar de stal te rennen. Als ze Henry snel genoeg opzadelt, is ze weg voordat Adelheid het merkt.

Hè bah, Adelheid staat al bij de box, Henry te aaien. Daar is geen ontsnappen aan. Of toch? Plotseling verschijnt Hans-Georg ten tonele, raakt met de juffrouw in gesprek en voert haar mee, weg van de stal. De broer is zestien. Met zijn gladde, donkere haar in een scheiding, lijkt hij ouder. Wat ziet hij er goed uit. Hij draait zich even om, grijnst samenzweerderig en trekt Adelheid nog een stukje verder mee. Stilletjes opent Detta de box. Geen tijd om op te zadelen. Henry snel het trenshalster omdoen en op zijn rug klimmen. Door de poort je hoofd intrekken, buiten de poort de sporen geven en weg in galop. Nee, niet langs de kiezelweg want daar loopt Hans-Georg met Adelheid, maar rechtdoor tussen de bomen door.

Het hek aan het einde van het park is een kinderspel voor Henry. Ze zijn er samen al ontelbare keren overheen gesprongen, maar zonder zadel glijd je nogal gemakkelijk van je paard af, in het bijzonder als Henry in plaats van te springen abrupt remt. Detta vliegt zonder paard over het hek, rolt behendig door om de klap op te vangen en zit een beetje beduusd op de grond. Henry keert zich op zijn achterbenen om en draaft vlot richting stal. 'Snertbeest,' roept Detta hem na en gaat nog een beetje duizelig en met een winkelhaak in haar linkerbroekspijp op weg naar huis.

Achter het huis is een rood gestreept tentdak opgebouwd. Het wemelt er van de mensen. Detta wil ongemerkt langssluipen, maar Bensing ontgaat niets. Hij is vandaag niet zoals gewoonlijk gekleed in hemdsmouwen en een schort, maar draagt een donkerblauwe livrei met gouden knopen. Hij haalt diep adem, steekt zijn borst vooruit en trompettert: 'Henriette Sophie Charlotte, barones Von Aichborn.'

Plotseling staat haar vader naast haar. Terwijl Bensing de volgende gast aan-kondigt, duwt vader haar door de menigte naar een slanke heer in een tweedpak. 'Mag ik zijne keizerlijke hoogheid mijn dochter Henriette voorstellen?'

Detta maakt een halve revérence zoals Adelheid het haar heeft geleerd. Adelheid heeft haar ook geleerd dat je alleen voor de keizer een hele revéren-ce maakt en voor de kroonprins maar een halve, ook al is in het tiende jaar van de republiek van Weimar die kroonprins er eigenlijk geen meer en de kei-zer ook geen keizer.

'Mijn beste Aichborn, wat een prachtige jongedame.' Een keurende blik op het stevige stuk meisjesbeen onder de winkelhaak. Zijne keizerlijke hoogheid houdt van vers vlees.

'Een klein ruiterongeluk. Moge keizerlijke hoogheid ons excuseren.' Moeder dirigeert Detta de gevarenzone uit. 'Jij blijft een week op je kamer,' zegt ze streng. 'Hans-Georg brengt je je eten.'

'Ja moeder.' De dertienjarige Detta lacht in haar vuistje. De straf is de helft minder erg als Hans-Georg mag komen.

De gong voor het ontbijt gaat. Er worden *bacon and eggs, kidney's, grilled sausages* en *tomatoes and toast* geserveerd. Vanochtend gaat het Engels toe op slot Aichborn. Miss Imogen Thistlethwaite, de gouvernante uit Somerset, zet de twee jongere kinderen aan tafel. 'Fritz, sit still. Viktoria, put your hands on your lap and straighten your back.'

'Ah, worstjes,' zegt de baron verheugd.

'Speak English, darling,' zegt zijn vrouw vermanend.

'Gortepap, dat weet niemand van jullie in het Engels,' daagt Hans-Georg het gezelschap aan tafel uit. Detta kijkt haar grote broer zwijmelend aan. Hij is zo knap. De vaandrig is met verlof thuis. Nu Duitsland weer beschikt over een echt leger – niet zo'n lachwekkend honderdduizend-man-legioen bij gratie van de entente – ligt er een strak geplande carrière voor hem open. Uiteraard zal hij intreden in het traditionele Aichborn-regiment, Reiter 9 in Potsdam, dat in de volksmond 'Von Neun' wordt genoemd vanwege het vele blauwe bloed.

'Porridge,' klinkt het bliksemsnel uit Detta's mond. De twintigjarige jonge vrouw spreekt al vloeiend Engels sinds ze zes is.

'What are you going to do this morning,' wil vader weten.

'I want to show the girls how to shoot,' antwoordt Hans-Georg.

De meisjes, dat zijn Detta en het pagekapsel dat met broekrok en een twee knoopjes te ver openvallende overhemdblouse geeuwend de trap af komt. 'En dat midden in de nacht,' klaagt Miriam en werpt Hans-Georg een blik toe die Detta helemaal niet bevalt. Miriam Goldberg is erg chic en de erfgename van de bankier Goldberg & Cie. Ze kwam gisteren met haar sensationele BMW sportcabriolet aangesuisd. Hans-Georg heeft haar voor het weekend naar Aichborn uitgenodigd.

'Eigenlijk had ik naar Biarritz gemoeten. Grootvader heeft de villa van de Braganza's gehuurd. Hij onderhandelt daar met de Portugezen. Hij wil de bank naar Lissabon overplaatsen en de hele familie moet mee. Wat een mesjoche idee. Wat moet ik in Lissabon nu het Berlijnse seizoen met rasse schreden nadert? Lilian Harvey geeft een fenomenale cocktailparty op Pauweneiland en de Bülows plannen een bal in het Adlon, en dat moet een mens allemaal verzuimen omdat er een nieuwe Rijkskanselier is? De man kan niet eens fatsoenlijk Duits en "sexappeal" heeft hij ook niet,' laat ze nonchalant Berlijns nieuwste modewoord vallen terwijl ze aan haar thee nipt. Opnieuw een blik naar Hans-Georg die dat met een glimlach beantwoordt.

Wat ziet hij toch in die slang? denkt Detta boos. 'Let's go shooting' zegt ze hardop, alhoewel ze eigenlijk niets geeft om dat geschiet. Maar ze zou ook met haar broer gaan vissen, onkruid wieden, fietsen of vlinders vangen: als ze maar bij hem is.

Bensing hurkt achter de muur van de kwekerij en legt een kleiduif in de slinger. 'Pull!' roept Detta met heldere stem. De kleine schijf schiet de blauwe augustushemel in. Detta volgt zijn baan met haar geweer en haalt de trekker over. Een knal. Haar doel valt onbeschadigd neer op de wei. Het hagel valt in een fijne loden regen neer op het dak van de kwekerij. 'Shit.' Detta laat het geweer teleurgesteld zakken.

'Nou jij, Miriam.' Hans-Georg gaat achter haar staan. Miriam drukt zich dicht tegen hem aan. Als een kat tegen een kater, denkt Detta met verachting en ziet met vreugde hoe ook Miriam in het niets schiet. Ongeduldig rukt ze Miriam het geweer uit de hand.

'Je moet de kolf goed in je schouder drukken Detta,' zegt haar broer en kijkt verliefd naar Miriam. 'Recht over de loop kijken, de schijf volgen, in het vizier nemen, een stukje de loop van haar baan volgen en in die beweging schieten. Klaar, Bensing?'

Bensing is zover. Detta wacht gespannen. 'Pull!' Een elegante swing, een knal en de kleiduif verpulvert. Nog een keertje. 'Pull!', swing, knal, getroffen. Ze heeft het te pakken. Haar broer straalt.

Miriam pruilt koket: 'Kom Georgie, dat stomme geschiet, ik heb geen zin meer.'

'Georgie', hoe dat klinkt. Detta laadt door en gooit het geweer naar Miriam. 'Doe mij dat maar eens na.' Miriam deinst geschrokken achteruit. Het wapen valt op de grond. Hans-Georg raapt het op. 'Bensing, pull!' Hij schiet een doublette. Detta probeert het ook, maar treft maar een van de twee schijven. 'Je moet na het eerste schot het geweer even laten zakken en dan opnieuw aanleggen,' instrueert haar broer. Geweldig, wat hij allemaal weet. Maar ja, hij is dan ook soldaat. 'Pull!' nu raakt ook zij beide kleiduiven. Hans-Georg is tevreden over haar. Vanuit het huis klinkt de gong voor de lunch.

'Hoe ging het?' wil de baron weten.

'Saai.' Miriam doet een piepklein stukje kip en een halve stengel selderij op haar bord. Detta schept haar bord vol.

'Detta is een natuurtalent,' complimenteert Hans-Georg haar.

'Maria Inocencia komt overmorgen aan,' kondigt moeder aan. 'Ik hoop dat iedereen die het kan Spaans met haar praat, ook al gaat dat misschien niet zo vloeiend als het Engels.' Maria Inocencia is een nicht uit Madrid.

'Zou ze ook kunnen schieten?' denkt Detta hardop in het Spaans: 'Me pregunto si María Inocencia es buena tiradora.'

'No seas tonta. Una mujer española no tocaría nunca una arma,' antwoordt haar moeder haar in elegant Castilliaans. 'Een Spaanse vrouw raakt nooit een wapen aan.' De barones heette voor haar huwelijk Alvarez de Toledo.

Na het eten wordt er verder geschoten, nu met geweer en telescoopvizier. Hans-Georg heeft de schietschijf bij de koeienstal neergezet. De mesthoop erachter dient als kogelopvanger. 'Aanleggen, richten, uitademen, langzaam overhalen alsof je een spons uitwringt, anders schiet je voorbij.' Detta volgt zijn aanwijzingen op en richt met het vizier op de roos. Langzaam haalt ze de trekker over. De terugstoot doet zeer. Een drie. Geen goed begin. Als ze eindelijk de twaalf treft, doet haar schouder ontzettend pijn, maar ze laat het niet merken. Alleen al om Miriam, die verveeld toekijkt.

'Bravo Detta.' Hans-Georg is echt trots op zijn zusje. 'In de herfst gaan we op jacht.'

Detta straalt. 'Gaan we straks een stukje rijden? Miriam kan Senator nemen, die bokt niet zo.'

'Een andere keer liefje,' houdt Miriam af. 'Georgie, kom je?' Het paar verdwijnt het park in. Ze kunnen blijkbaar niet van elkaar afblijven, denkt Detta vinnig.

Ze wordt afgeleid door het geluid van een motor. Een vliegtuigje scheert dicht over de bomen en valt als een roofvogel op het gazon achter het huis. Een roekeloze landing. De piloot klimt uit de open machine en loopt naar Detta toe. Hij doet zijn vliegeniersmuts en de bril af. Een bruingebrand gezicht lacht haar tegemoet.

'Thomas Glaser,' stelt hij zich voor. 'En u moet Hans-Georg's zusje Detta zijn, heb ik dat goed geraden?' Detta heeft plotseling een wild kloppend hart en een vreemde kriebel in haar buik die eigenlijk best lekker aanvoelt. 'Waar heeft uw geachte broer zich verstopt?'

'Ergens in het park, met zijn vlam.' Gek hoor, opeens wordt ze niet meer geplaagd door wrok jegens Miriam. 'Neemt u altijd het vliegtuig als u ergens op visite gaat?'

Hij grijnst breed. 'Niet op de Kurfürstendam. Daar storen de stroommasten een beetje. Hebt u al eens gevlogen?'

'Nee, nog nooit.'

'Morgen vliegen we een rondje.' Hij vraagt niet eens of ze wel wil, deze ongelooflijke man. Hij beslist gewoon. De gedachte is angstig, maar dicht tegen hem aan door de lucht te zweven is weliswaar niet realistisch, daar de twee open zittingen in de Klemm 25 achter elkaar zijn gemonteerd. Toch is het een heerlijke gedachte die Detta afleidt van haar vergeefse hoop op een ritje te paard met haar broer.

Die avond kleedt iedereen zich om. De baron draagt graag een gestevend over-hemd met opstaande kraag bij zijn smoking. Hans-Georg ziet er fantastisch uit in zijn witte uniformjasje en Detta heeft alleen maar oog voor haar vliegenier. Die verschijnt hulpzoekend boven aan de trap en vraagt: 'Is er hier iemand die mijn strikje voor kan binden?'

'Kom toch naar beneden, meneer Glaser, ik zal het voor u doen,' roept Detta vrolijk.

'Als u nog eens meneer Glaser tegen mij zegt, dan noem ik u voortaan Henriette,' dreigt Thomas Glaser lachend. 'Mijn vrienden noemen mij Tom.'

De Harsteins van het buurlandgoed zijn op bezoek, evenals dominee Wunsig met echtgenote en de dierenarts en zijn vrouw. En een zekere meneer Fanselow. Fanselow is leider van de boerenbeweging uit de regio. 'Een soort landbouwvertegenwoordiger van zijn partij,' vermoedt de baron. 'Hij zou ons van dienst kunnen zijn bij de bouw van ons nieuwe dekstation. Dat is tenslot-te voor iedereen bedoeld. Dat is toch een goed initiatief voor het nationaal, of in dit geval lokaal, socialisme?' De baron vond dat hij met zijn tijd mee moest gaan.

Met laarzen bij het diner? Detta vindt de man maar een onaangenaam sujet.

Het blijkt dat Fanselow schoenverkoper is geweest bij Leiser in Berlijn. Hij heeft de lucratieve functionarispost op het platteland door de partij toege-speeld gekregen als 'verdienste voor een oud-strijder'. Hij weet niets van akker-bouw en veehouderij. In plaats daarvan strooit hij met termen als 'Blut und Boden', 'Reichsnährstand' en 'eherne Pflugscharen'. Detta vindt het nogal lachwekkend.

'Hebt u de plannen voor ons dekstation al gezien?' stuurt vader het gesprek direct in de gewenste richting. 'Het is een project dat alle boeren in de omgeving ten goede moet komen. Met de ondersteuning van uw partij kun-nen we het vast twee keer zo snel realiseren.'

Fanselow wuift de argumenten weg. 'Het is nog te vroeg, meneer de baron. Eerst moeten we het nieuwe Duitsland bevrijden van joodse bloedzuigers en nietsnutten. Kijk toch alleen al eens bij ons in de omgeving: twee joodse artsen, een joodse tandarts, een joodse notaris. En de architect van uw dekstation heet Grünspan. Die moeten eerst allemaal weg.'

'Onze vriendin moet dus weg? Of hebt u bij het kennismaken niet gehoord dat juffrouw Miriam de achternaam Goldberg draagt?' vraagt Hans-Georg scherp.

Bensing draagt een schotel kreeften binnen. 'We willen de laatste maand zonder "r" toch niet ongemerkt laten verstrijken,' wisselt de barones vriende-lijk lachend het thema. 'Mag ik u verzoeken ons in gebed voor te gaan, domi-nee?'

Wunsig spreekt het gebed luid en duidelijk. Iedereen behalve Fanselow buigt zijn hoofd. 'U als lokale socialist gelooft niet in God naar het mij schijnt?' vraagt Detta uitdagend.

'Nationaal-socialist,' verbetert Fanselow haar en verkondigt hoogdravend: 'Ik geloof in onze Duitse grond.'

'Om doorheen te zakken,' zegt Detta luchtig. Ze krijgt hiervoor als dank een geamuseerde blik van de vliegenier terwijl de man van de Reichsnährstand nogal geïrriteerd kijkt. Hij zit te wachten tot er eindelijk iemand een kreeft op zijn bord doet. Hij heeft er nog nooit eentje gegeten, schiet het door Detta's hoofd.

'Houdt u van kreeft, meneer Fanselow?' Detta schuift haar bord aan de kant en begint ijverig haar servet voor zich op tafel uit te vouwen. Met haar linkerhand houdt ze haar soeplepel vast. Met de andere hand prikt ze met haar vork in de weke delen van een kreeft op de schaal. Fanselow doet het haar na. Detta probeert het schaaldier omslachtig vanaf de schaal op haar lepel te laten balanceren. Fanselow doet hetzelfde. Nu legt Detta haar vork neer en neemt de kreeft van de lepel met behulp van de serveertang. Ze laat hem vanaf borst-hoogte met een smak op het servet vallen.

'Alstublieft, meneer Fanselow.' Beleefd geeft ze de man de tang.
De overige leden van het gezelschap kijken gespannen naar de voorstelling. Miriam grinnikt in haar servet. Behoedzaam vouwt Detta alle vier de hoeken van haar servet over de kreeft heen en slaat er een paar keer met haar vuist op. Fanselow doet het haar precies na. Detta vouwt het servet weer open. 'Heerlijk,' mompelt ze. Fanselow doet zijn servet ook open en kijkt een beetje sceptisch naar de verbrijzelde kreeft. Wat onbeholpen begint hij met zijn vork in de massa te prikken.

Detta gooit haar vermorzelde kreeft van het servet in de voor schaalresten klaargezette schaal en pakt met de tang een paar verse kreeften van de schotel die ze met haar vingers behendig uit elkaar haalt. 'Lekker?' vraagt ze haar buurman met een suikerzoet lachje.

'Dat was erg onfatsoenlijk,' berispt haar moeder haar na het diner, als de mannen zich met cognac en sigaren in de bibliotheek hebben teruggetrokken.

'De man is een proleet en een anti-semitist,' verhaspelt Detta.

'Hij is een anti-semiet, dat is waar,' verbetert haar moeder haar. 'God weet wat hij en zijn gezindte voor ons in petto hebben. Maar hij is en blijft onze gast.'

Miriam heeft een paar platen meegenomen uit Berlijn. Jack Hylton en zijn orkest. 'Ze spelen op het dakterras van het Eden. Gewoon te gek, zeg ik je.'

'Negermuziek,' moppert Fanselow. 'Zoiets "Artfremdes" moest verboden worden.'

Uitgelaten danst Miriam met Hans-Georg. Ze kennen de nieuwste shimmypasjes. Detta is niet meer jaloers. Ze heeft haar vliegenier. Overmoedig probeert ze met hem de wilde bewegingen. Het wordt echt leuk als ze bij de slow foxtrot in zijn armen ligt. Ze was nog nooit zo dicht bij een man, behalve Hans-Georg dan, maar dat is wat anders.

'Woensdag, 1 augustus 1934: sprookjesachtige vliegenier landt bij ons op het gazon. Hij is een vriend van Hans-Georg en heet Thomas Glaser, maar ik mag hem Tom noemen. 's Avonds een paar gasten, waaronder een meneer Fanselow, die niet weet hoe je kreeft eet. Als hij aardig was geweest, had ik hem laten zien hoe het moet, maar die akelige vent zei onaardige dingen over meneer Grünspan en dat alle joden weg moeten. Daar bedoelde hij ook Miriam mee. Hans-Georg heeft hem goed zijn mening gezegd. Ik heb hem bij het kreeft eten geblameerd. Zijn verdiende loon.'

'Donderdag, 2 augustus 1934: ik leen pappa's motormuts en zijn uilenbril. Iedereen staat op het gazon het vliegtuig te bewonderen, ook de boerenfamilies en onze knechten en het huispersoneel. Tom laat Hans-Georg zien hoe hij de propeller aan moet zwengelen. Ik klim op de linkervleugel en laat me op de voorste zitting zakken. Tom gaat achter mij zitten. Hopelijk heeft hij voldoende zicht van daar uit.

De motor blaft een paar keer droog. Maar dan komt hij tot bezinning en slaat aan. Wij hobbelen over het gras. De bomen komen eng snel naderbij. Een paar seconden heb ik een vreemd gevoel in mijn buik. Dan zijn de boomtoppen onder ons. We vliegen!

Aichborn wordt al snel kleiner. De mensen wuiven. Ik draai mij om. Tom lacht mij toe. Het leven is heerlijk. De motor huilt. Plotseling bevindt de aarde zich boven mijn hoofd. Mijn maag ook. "Looping" heet dat, hoor ik later.

Oef. Maag en aarde bevinden zich weer op hun oorspronkelijke plek. Ik adem diep door. Na een kwartier gaan we naar beneden als in een lift. Tom houdt zijn vliegtuig vlak voor de grond in bedwang en zet het veilig op het gras. Iedereen applaudisseert. Ik stap uit en wil elegant van de vleugel afspringen, maar mijn knieën zijn zo slap als rietjes. Gelukkig vangt Hans-Georg mij op.

Die middag nog een ander avontuur. Ik mag van Miriam achter het stuur van haar geweldige automobiel. Jeschke heeft mij een paar jaar geleden al geleerd hoe je een tractor rijdt. Geen noemenswaardig verschil, alleen is de roadster beduidend sneller en heeft hij goede remmen, wat wel nuttig blijkt te zijn als er een hooiwagen onverwacht de rijksweg oversteekt. Hier houdt geen mens rekening met blitse witte sportwagens, hoogstens met dr. Kluges oude Opeltje.'

De tekst in het dagboek dateerde van een jaar geleden, maar Detta las verder, zoals zo vaak: 'Of ik niet naar Berlijn kom, vraagt Thomas mij. Ik weet wel waarom. Hij kan niet meer zonder mij leven. Na de thee vliegt hij weg. Ik trek mij terug in mijn kamer. Ik voel me net een weduwe. Of nog erger.

Rijkspresident Hindenburg is vandaag gestorven. Pappie zegt dat Hitler de boeman zal gaan spelen nu Hindenburg er niet meer is. Het kan mij niet schelen. Politiek interesseert mij niet. Ik wil maar één ding: naar Berlijn, naar Tom! Aichborn is wel aardig, maar behalve het landleven, gebeurt er hier niets.

Pappie zegt dat ik Berlijn wel kan vergeten. Moeder wil dat ik wacht tot ik meerderjarig ben. Nog een heel jaar. Hoe houd ik het uit zonder Thomas...'

Detta klapte het dagboek dicht en schoof het in haar schoudertas. De koffers waren gepakt. Bensing wachtte beneden met de Maybach om haar naar het station te brengen. Liselotte, de dochter van de rentmeester, zou de paarden elke beweging geven. Detta's grootste zorg was ze daarmee kwijt.

Ze zou eerst bij Miriam gaan wonen. Dat had Hans-Georg georganiseerd. Berlijn, ik kom eraan!, dacht ze, maar ze bedoelde eigenlijk Tom Glaser. Ze kon bijna niet wachten hem eindelijk weer te zien. Ze had hem diverse malen geschreven, maar hij had haar brieven niet beantwoord. Hij was blijkbaar niet zo'n brievenschrijver. Bovendien deed hij net zijn examen tot verkeersvlieger. Natuurlijk had hij het daar hartstikke druk mee. Gezagvoerder Glaser klonk niet slecht, vond Detta en ze stelde zich zijn blij verraste gezicht voor als ze onverwacht voor zijn neus zou staan. Ze had hem niet verteld dat ze zou komen.

Miriam Goldberg woonde in het nieuwe Westend van Berlijn. De bankerfgename bezat de bovenste etage van een modern huis in de Gumbinnerlaan. Veel straten hier hadden een Oost-Pruisische naam. Detta geloofde haar ogen bijna niet toen ze de wijd openslaande deuren zag die op het dakterras uitkwamen waar zich een zwembad bevond. Dat was zelfs voor het mondaine Berlijn van 1935 een buitengewone luxe. 'Je kunt hier in je nakie zwemmen. Niemand kan je zien,' verzekerde haar gastvrouw haar. Detta werd rood. Zoiets kwam niet eens in haar op. 'Kom, ik laat je jouw kwartier zien. Het 'kwartier' bestond uit een moderne, kleine salon met aangrenzend slaapvertrek en een zwart betegelde badkamer. Onwillekeurig dacht Detta terug aan de zinken badkuip en de brullende badoven in Aichborn.

Miriam wees naar Detta's bescheiden koffertje: 'Je hebt blijkbaar niet veel meegenomen om aan te trekken. Geeft niets. Wij drinken een glas champagne en dan rijden we naar Horn. Die hebben de chicste plunje.'

'Dank je. Maar doe maar niet. Zo veel geld heb ik niet. Moeder heeft gezegd dat ik naar Brenninkmeyer moet gaan als ik iets nodig heb.'

'Bij Horn hebben wij geen geld nodig. Die sturen de rekening naar meneer Schott. Dat is grootvaders procuratiehouder. Die zanikt weliswaar de godganse tijd dat ik te veel uitgeef, maar hij heeft de strikte order alles te regelen en wel tot de poorten sluiten.' Miriam verdween. Detta zag zichzelf al in een elegante jurk. Wat zou Tom opkijken als hij zag wat er van het meisje van vorig jaar was geworden. Ze kon het bijna niet afwachten.

'Wat bedoel je met "tot de poorten sluiten",' riep ze door de open keukendeur.

'Grootvader verplaatst de bank definitief naar Portugal. De familie is al afgereisd. Ik volg binnenkort. Een meneer van het Ministerie van Economische Zaken neemt mijn woning over. En dan tabee, Horn, Braun en alle andere hemelse modesalons. God weet wat voor winkels ze in Lissabon hebben.' Een luide plop. Miriam kwam tevoorschijn met een geopende fles Taittinger en twee glazen.

Detta wees naar een foto in een zilveren lijst. Luitenant Hans-Georg van Aichborn te paard. 'Uitgerekend nu zit hij in Trakehnen,' klaagde ze.

'Volgende week is hij terug,' troostte Miriam haar.

'Hans-Georg en jij – zien jullie elkaar vaak?'

Miriam schonk in. 'Proost, schatje. Sinds hij per se met mij wil trouwen iets minder.'

'Ja, maar... wil je hem dan niet?'

'De adjudant van zijn regiment heeft mij onlangs opgezocht. Een majoor graaf Von Stuckwitz. Je broer zou moeten afdanken als hij met mij wil trouwen, verklaarde hij mij zonder er veel woorden aan vuil te maken.'

'Wat een onzin,' vond Detta hoofdschuddend. 'De kleine prins Ratibor is onlangs met een juffrouw Schulz getrouwd. Zijn kameraden vormden een erehaag voor de kerk met hun getrokken degens. Dat gedoe over rangen en standen is toch iets van gisteren.' Ze nam een slok. De champagne kietelde in haar neus.

Miriam glimlachte minzaam. 'Een juffrouw Schulz is nou eenmaal sinds kort acceptabeler dan een juffrouw Goldberg.'

'Hoezo? Je bent mooi, rijk, beschaafd en doodchic. Je steekt moeiteloos iedereen naar de kroon en dat niet alleen op het regimentsbal.'

'Dank je voor het compliment. Maar joden zijn bij de nieuwe Duitse Wehrmacht ook als echtgenote ongewenst. Doe niet zo geshockeerd, schatje, Georgie en ik hebben veel pret in bed. Hij verwart dat met liefde en denkt dat hij onze liaison moet wettigen voor het altaar. Aan de Tejo zou hij verlangen naar Potsdam en "Von Neun" en mij daar de schuld van geven. Bovendien ben ik nog lang niet van plan moeder en huisvrouw te gaan spelen. Proost.'

Miriam dronk haar glas in één teug leeg. 'Kom, we gaan Horn plunderen,' riep ze branieachtig. Detta voelde de pijn die erachter schuilging.

Ze scheerden de Heerstraat richting stad door in de open BMW. Een lange colonne vrachtwagens kwam hun tegemoet.

'Bouwmateriaal voor het Olympiastadion,' legde Miriam uit. 'De spelen volgend jaar moeten alles wat er tot nu toe ooit heeft plaatsgevonden nietig doen lijken. Georgie en zijn kameraad Stubbendorf trainen al als bezetenen met hun paarden om zich voor te bereiden op de military.'

Bij Horn heerste een stille bedrijvigheid. Elegante dames lieten zich blasé de nieuwste modellen tonen. Jonge verkoopsters spoedden zich geruisloos heen en weer. De directrice beval een gezette klant een soepel vallend ensemble aan. 'Parijs laat vloeiende lijnen zien, dit seizoen.'

'Het slobbert om je heen,' klaagde de vrouw.

'Ik laat u graag iets strakkers zien. Excuseert u mij een momentje mevrouw.' Glimlachend kwam de directrice op beide jonge klanten af. 'Juffrouw Goldberg, wat vriendelijk van u ons met uw komst te eren.'

'Mevrouw Mohr, mijn vriendin Henriette von Aichborn heeft dringend iets nodig om aan te trekken.'

'Maar natuurlijk dames. Wat had juffrouw in gedachten?'

'Iets chics voor 's middags, dat ook 's avonds nog kan,' flapte Detta eruit. Ze wilde beslagen ten ijs komen voor het geval haar vliegenier haar zou uitnodigen voor het souper.

'Nietwaar, het is soms niet mogelijk de tijd te vinden om je om te kleden,' begreep mevrouw Mohr meteen.

'Waar blijft mijn jurk?' De dikke klant keek giftig naar Miriam.

'Ongehoord, vanwege zo'n joodse schickse te moeten wachten.'

'Hoorde je dat?' siste Detta verontwaardigd.

De directrice haalde bijna onmerkbaar haar schouders op en zei zachtjes: 'Een nieuw type klant. Haar gemaal is een hoge partijbons.'

'Ik begrijp dat u ongeduldig word, waarde volksgenote,' antwoordde Miriam mierzoet. 'Maar vermoedelijk heeft de leerlinge moeite uw ongelooflijk grote maat te vinden.'

Mevrouw Mohr scheidde beide rivaliserende partijen discreet: 'Wellicht willen beide dames zich naar de kleine salon begeven. Giselle heeft het figuurtje van de hooggeboren juffrouw en zal u een collectie tonen.'

'Waarom heb je haar geen draai om haar oren verkocht?' brieste Detta. 'Ze had het verdiend.'

'Nooit laten provoceren, heeft grootvader ons op het hart gedrukt. Ah Giselle, daar ben je. Nee, geen gele stippen voor mijn vriendin. Laat maar iets effens zien. Wanneer zie je je vliegenier?'

'Als we hier klaar zijn. Hij weet niet dat ik kom. Ik wil hem verrassen. Hopelijk is hij thuis.'

'Zou het niet beter zijn je bezoek van tevoren aan te kondigen?'

'Waarom?'

Miriam antwoordde niet, maar riep: 'Ja, dat blauwe zijden ding is het helemaal. Giselle, helpt u juffrouw Von Aichborn er even in?'

Hoed, handtas en schoenen vervolmaakten het beeld van een elegante jongedame. Rosig verlieten de twee vrouwen het modehuis, nadat Miriam nog snel een ocelot had gepast. 'Niet goed voor de bloeddruk van meneer Schott en te warm voor Lissabon,' besloot ze. 'Waar woont je vliegenier?'

Detta raadpleegde een klein notitieboekje. 'In de Nestorstraat. Zet me alsjeblieft niet pal voor de deur af.'

'De verrassing, ik weet het.' Miriam gaf gas, de Kurfürstendam af tot aan de hoek van de Nestorstraat. 'Neem hem vanavond mee. We vieren een afscheidsfeestje.'

'Afscheid? Waarvan?'

Miriam maakte een geïrriteerde handbeweging die de hele Kurfürstendam met zijn elegante voetgangers en de luxe winkels omvatte. 'Veel geluk met je vliegenier, schatje.' De wagen stoof weg.

Detta stapte het huis binnen. Terwijl de lift haar naar boven bracht, controleerde ze in de spiegel of haar kousnaden recht zaten. Ze streek haar nieuwe jurk glad en gaf haar nieuwe hoed een klein zetje opzij. Hm, niet slecht. Maar als hij nou eens niet thuis was?

Hij was thuis en zag er nog beter uit dan een jaar geleden. Wat een man!, jubelde ze van binnen. Hij had even nodig voor hij haar herkende. 'Detta, wat alleraardigst. Ik wist niet dat je in Berlijn was. Kom toch binnen. Je bent erg volwassen geworden.' Hij deed de deur achter haar dicht.

De woonkamer was modern ingericht. Er hingen foto's van vliegtuigen aan de muur. Boven de keukendeur bungelde een propeller.

'Ga toch zitten. Ulli komt zo. Ze zal het leuk vinden.'

'Ulli?' een vreselijk vermoeden bekroop haar.

'Ulrike Spielhagen. Ze is de rechterhand van de directeur van de Lufthansa, mijn nieuwe baas. Volgende week trouwen we. Ik ga thee voor ons zetten.'

Detta voelde zich verlamd. 'Je móet naar onze bruiloft komen,' hoorde ze hem vanuit de keuken zeggen. 'Lust je Leibnitz-biscuitjes? Iets anders heb ik helaas niet. Ik ben namelijk bijna nooit thuis. Onze chef-piloot instrueert mij momenteel op de JU52. Dat is een driemotorig vliegtuig. Binnenkort vlieg ik als co op de lijn naar Tromsö.' Hij bracht een dienblad met theekan en kopjes binnen. '"Will you be mother", zoals de Engelsen zeggen?'

Ze schonk thee in. Ze had het ijskoud. Ze kon niet denken en was niet in staat te reageren. Apathisch en verdoofd hoorde ze hoe juffrouw Henriette von Aichborn luchtig converseerde. 'Lapsang Souchong, mijn lievelingsthee. Heerlijk, dat rokerige aroma.'

'Hoe gaat het met je ouders?'

'Prima, dank je. Ze hebben moeder voor het voorzitterschap van de plattelandsvrouwen voorgedragen. Maar dan moest ze wel lid worden van de partij en dat wil ze niet. Vader wordt geheel door het nieuwe dekstation in beslag genomen.'

'Heb je zin om met ons te eten? Bij Schlichter serveren ze verse mosselen.'

'Dank je, maar ik heb al een afspraak. Ik ben bang dat ik moet gaan. Doe je verloofde de groeten van mij, ook al kennen we elkaar niet. Mijn felicitaties voor jullie beiden.'

Ze rende naar de Kurfürstendam alsof ze achterna werd gezeten. Pas daar ontwaakte ze uit haar innerlijke verstarring. 'Taxi! Taxi!' Ze riep het zo hard, dat passanten verbaasd naar haar omkeken. Er stopte een taxi. 'Waar is de brand, juffie?' vroeg de besnorde chauffeur vriendelijk. 'Gumbinnerlaan.' Ze liet zich achterover tegen de rugleuning vallen en sloot haar ogen. Voorbij. Alles was voorbij. Tom Glaser hield niet van haar.

Terwijl de taxi door het drukke vooravondverkeer manoeuvreerde, wilde Detta maar één ding: sterven. Hopelijk kon ze bij Miriam een paar slaaptabletten vinden. Of kon ze beter het koord van haar ochtendmantel tot een lus knopen? Ze kon natuurlijk ook de deur van de auto openduwen en zich voor de eerstvolgende tram werpen. Ook een sprong van de zendmast waar ze net langsreden was een mogelijkheid. Polsen doorsnijden was een ander idee, maar dan wel in de badkuip in verband met de vijf en een halve liter bloed die het menselijk lichaam bevatte. Dat had ze ergens gelezen.

Kijkend in het achteruitkijkspiegeltje duwde ze haar hoed recht. Eigenlijk vond ze hem toch niet zo mooi. Ze zou hem morgen terugbrengen en een andere hoed uitkiezen. Misschien die kleine rode met sluier of de zwarte baret met de zilverkleurige veer. Toen ze de Gumbinnerlaan inreden was een van stro gevlochten Florentijn favoriet, vanwege de mysterieuze schaduw die zijn brede rand wierp. Als ze langzaam zou opkijken om een raadselachtige blik te werpen naar de tafel naast haar, dan zou die Ulrike aan Toms zijde vast vragen wie die geheimzinnige vrouw was. Detta bedacht allerlei details hoe dit af zou lopen en besloot dat in vergelijking met dit idee elke nog zo dramatische dood een schoonheidsfoutje had. Je kon dan niet meer genieten van de reactie van de mensen.

Miriam dobberde naakt in het water met een fles champagne op de rand van het zwembad. Ze wuifde. 'Pak een glas en kom erin.' Detta trok haar kleren uit. Tot een uur geleden zou ze zich nooit en te nimmer naakt hebben getoond. Ze sprong het bad in, goot haar glas vol, dronk het in één teug leeg en liet er nog een glas op volgen. 'Hij heeft een ander,' constateerde haar vriendin droog. 'Wat had je dan gedacht? Berlijn stikt van de mooie meisjes en je vliegenier is een begerenswaardig manspersoon. Gelukkig bestaan er meer van die exemplaren, zoals je vanavond snel zult zien. Ik zei al dat ik een paar mensen heb uitgenodigd. Mijn persoonlijke afscheidsvoorstelling.' Er lag een vreemde vastbesloten trek om haar mond. Detta was net bezig haar glas voor de derde keer te vullen toen Miriam het haar afpakte. 'Dat is genoeg. Rust een beetje uit zodat je straks fris bent. Neem mijn badjas maar, ik neem de handdoek.'

De deur naar het toilet stond open. Een loodgieter in een blauwe overall installeerde een nieuwe wc-pot. Blijkbaar begreep hij Detta's verschijnen verkeerd. 'Nog vijf minuten, dan kunt u weer als u moet,' troostte hij haar.

Op het bed, in het koele schemerlicht van haar kamer, snikte ze zachtjes. Ze dacht aan haar eerste ontmoeting met Thomas Glaser: zijn koene landing in Aichborn, de dans met hem na het diner, de vlucht de volgende morgen in zijn open machine. Ze stopte met huilen toen ze tot haar eigen verbazing besefte dat hij haar noch door wat hij ooit tegen haar had gezegd, noch door zijn doen en laten, reden tot hoop had gegeven. Ze had het zich allemaal ingebeeld.

Tegen zevenen bracht een bestelauto van Kempinski koude schotels en een paar dozijn flessen champagne dat in een zinken tobbe op ijs koel werd gehouden. Miriams Amerikaanse frigidaire was niet groot genoeg. Detta dacht aan de ijskelder in Aichborn. In de winter zaagden de mensen daar dikke blokken ijs uit de bevroren vijver. Verpakt in stro overleefden de blokken vele maanden in de kelder en koelden de drankjes voor het jaarlijkse zomerfeest. Vader stond erop dat deze oude traditie werd voortgezet.

'Verwacht je veel mensen?'

'Iedereen die goodbye wil zeggen. Maar eigenlijk interesseert me meer wie er niet zullen komen.'

'Moet je echt weg?'

Miriam lachte bitter. 'Welnee schatje, we gaan helemaal uit eigen vrije wil. Kom, haal iets langs en straks met een diepe rug uit de kast. Je nieuwe zijden japonnetje is toch meer iets voor de namiddag.'

Om acht uur arriveerden de eerste gasten. Miriam stelde Detta aan hen voor: 'Hella en Godfried Siebert. Wij spelen altijd gemengd dubbel op de club, als er een koene partner zich aan mijn zijde waagt tenminste.'

'Aangenaam.' Detta gaf het jonge paar een hand.

'Godfried is programmadirecteur bij Radio Berlijn,' vertelde Miriam haar vriendin.

'Programmaleider bij de Reichsrundfunk,' verbeterde Siebert haar. 'Er is nogal wat veranderd.'

'De pauzemuziek is nog steeds hetzelfde. "Wees altijd trouw en rechtschapen" nietwaar?' kaatste Miriam de bal terug met onverholen spot.

'Lach maar. Je kunt de nieuwe tijd niet stoppen.'

'De nieuwe tijd ons ook niet. Mijn familie is al weg. Ik ga over een paar uur.'

'Wie aan onze kant staat, heeft niets te vrezen,' zei Hella Siebert overtuigd.

Detta observeerde het koppel nieuwsgierig. Beide Sieberts kwamen overdreven gezond en sportief over. Ze waren eind twintig. Ze droegen het speldje van de partij en keken uitdagend om zich heen alsof ze zich de hele tijd moesten verdedigen. Toch leken ze vrij normaal. Detta begreep het niet.

'Hallo Rolf.' Miriam zwaaide naar een mollige dertiger. 'Rolf Lamprecht is een buikensnijder,' stelde ze hem voor. 'Hij heeft mij het kleinste litteken ter wereld beloofd als hij mijn blinde darm ooit zou moeten verwijderen. Rolf, darling, ik dacht dat je de Froweins mee zou nemen.'

'Paul en Marianne excuseren zich. Hooikoorts.'

'Ach gut, de arme zielen. Billie, Fritz, geef eens een pootje. Dit is mijn vriendin Henriette von Aichborn. Maar jullie mogen haar Detta noemen. Sybille en Friedrich von Coberg zijn een heus prinsenpaar moet je weten.'

'Alleen maar om indruk te maken op de clientèle. Wij runnen een kleine kunsthandel in Charlottenburg,' verontschuldigde Prins Coberg zich.

'Ah, madame et monsieur Montfort, quel plaisir. C'est ma amie mademoiselle Von Aichborn. Elle reste chez moi. Detta, de Montforts importeren de beste wijn uit de Bourgogne.'

'En dat is niet eenvoudig onder de nieuwe deviezenbeperkingen,' begon monsieur Montfort in accentloos Duits.

'Duitsers, drinkt Duitse wijn,' mengde een vlotte jonge man zich in het gesprek en strekte grinnikend zijn arm tot een Hitlergroet.'

'Egon, gedraag je,' berispte Miriam hem. 'Detta, dit is Egon Jeschke, razende reporter bij de *Berliner Zeitung*. Hij schrijft nog brutaler dan hij praat. Tout Berlijn geniet van zijn verhalen.'

Egon Jeschke trok een grimas. 'Met uitzondering van de nieuwe Reichspressechef, dr. Otto Dietrich. Ik heb in een artikel de vraag geformuleerd of hij net zulke mooie benen heeft als zijn beroemde nichtje in Hollywood. Men liet mij mededelen dat ik dergelijke joodse grapjes voortaan niet meer diende uit te halen. Ik denk dat ik maar beter in de sportredactie kan gaan zitten. Daar hoef ik niet bang te zijn dat ik humor tegenkom.'

Er kwamen nieuwe gasten binnen die door Miriam warm werden onthaald en van champagne voorzien. Detta slenterde wat rond, keek naar de mensen en ving flarden van gesprekken op. 'Die Hitler had niet Reichskanzler, maar minister van Verkeer en Waterstaat moeten worden. Hij interesseert zich voornamelijk voor de bouw van autowegen.' De spreker had donker haar en smalle kunstenaarshanden. Hij was in gesprek met de Cobergs. Detta ging bij hen staan.

'Dit is Detta von Aichborn,' zei de prins. 'En dit is dr. Gerhard.'

'Arts?'

'Doctor philosophiae, componist. Ik schrijf filmmuziek voor de UfA.'

'Zolang hij nog mag,' zei Friedrich von Coberg. 'Wie weet wat die nazi's tegen onze joodse vrienden hebben, mag het zeggen. Theater, film, cabaret: hoe kan dat zonder Reinhardt, Holländer, Spolianski, Lang, Weill en hoe ze allemaal heten?'

Dr. Gerhard lachte fijntjes. 'De laatste jood in onze familie heette Schmuel Gelbfisz en was mijn grootvader. Hij droeg een kaftan en had pijpekrullen aan zijn slapen. De kozakken van de tsaar vermoordden hem. Dus vluchtte mijn vader met ons naar Posen, naar het Duitse keizerrijk. Hij liet de hele familie dopen. Sindsdien heten wij Gerhard. Mijn vader klom tijdens de oorlog op tot hoofdman bij de artillerie en werd onderscheiden met het IJzeren Kruis. Ik heb in Breslau gestudeerd en ben in Berlijn gepromoveerd. Ik ben een goede Duitser. Ik betaal belasting en ik ben een goede vriend van Emmy Sonnemann, de actrice die met de Pruisische minister-president Göring verloofd is. Generaal Göring neemt actief deel aan het culturele leven. Emmy wil mij aan hem voorstellen.'

Dr. Gerhard pauzeerde even, voordat hij er voorzichtig aan toevoegde: 'Overigens is ook elders filmmuziek nodig. Ik heb mijn vriend Lubitsch in Amerika geschreven. Voor het geval dat...'

'Detta, schatje, je móet David Floyd-Orr leren kennen.' Miriam had een slungelachtige jonge man op sleeptouw. 'David, this is Detta von Aichborn.'

'How do you do, mister Floyd-Orr?' Detta gaf hem een hand.

'David is something at the British Embassy,' verried Miriam nog voor ze weer verder zweefde.

'How do you do, miss Von Aichborn? I am the Third Secretary, to be precise. Which leaves me with a lot of time to explore this marvellous town.' De Engelsman had weerbarstig roestkleurig haar en een paar zomersproeten onder zijn groengrijze ogen. Hij was nonchalant elegant gekleed: hij droeg een lichtgrijze pantalon en een dubbelknoopse blazer waarvan de sluiting in de taille een lichte vouw veroorzaakte. Een Duitse kleermaker zou die er zonder pardon hebben uitgestreken.

'Perhaps you could show me around?' stelde hij voor, en keek haar bewonderend aan.

'Graag. Maar ik ken Berlijn vermoedelijk nog slechter dan u. Ik kom linea recta van het platteland.'

'A country girl, how wonderful.'

'Een onnozel schaap eigenlijk meer.'

'Gaat u morgen met mij lunchen?'

'Nee, meneer Floyd-Orr, dat gaat me een beetje te snel. Ik ken u eigenlijk helemaal niet.'

'Als u mijn uitnodiging niet aanneemt, zult u mij ook niet leren kennen. Wat overigens jammer voor u zou zijn.'

'U lijdt blijkbaar niet aan zelfingenomenheid.'

'Absoluut niet. Maar ik ben overtuigd van mijn goede karaktereigenschappen – die tijdens een lunch in betoverend gezelschap overigens meestal zeer voordelig aan het daglicht plegen te komen. Dus, hoe lijkt het?'

'Het blijft bij nee deze keer.'

'En de volgende keer?'

Miriam onderbrak het gesprek: 'Meneer Karch, wat een eer!' Ze schoot op een man toe op wiens pak een klein zilveren speldje flonkerde. 'Kom, ik stel u voor. Laten we hier meteen met mijn vriendin beginnen: directeur-generaal Aribert Karch – barones Henriette von Aichborn.'

Een zacht klakken van de laarzen, een vochtige handkus waarbij Detta op een korte, kaarsrechte scheiding keek, en, nadat de man was opgestaan, in een paar grijze ogen achter montuurloze brillenglazen. Miriam knikte hun toe en verdween. De Engelsman was verdwenen. Oh jee, ik heb hem weggepest, dacht Detta. Ze wees op de twee kleine, zilveren bliksemschichten op Karchs revers. 'Bent u van het elektriciteitsbedrijf?'

'Ik behoor tot de vriendenkring van de Reichsführers SS,' corrigeerde hij haar ernstig.

'Een vriendenkring, wat enig. Dan doet u vast heel veel leuks samen. Gaat u er samen op uit? Of naar de bioscoop?' Karch zocht tevergeefs naar woorden. Detta verloste hem uit zijn lijden: 'Ach, zo precies wil ik het ook helemaal niet weten. Kom meneer Karch, we gaan iets te drinken halen. Houdt u van champagne? De gerookte rijnzalm moet ook overheerlijk zijn.'

'Na u, barones.' Karch volgde Detta naar het buffet. Hij wees naar een goed uitziende jongere man in een licht pak. 'Is dat niet Erik de Winter, de filmacteur?'

'Mogelijk. Hier bij Miriam ontmoet de hele wereld elkaar.'

'Maar gelukkig zijn de Goldbergs en hun soort niet in de meerderheid, barones, en zijn de meesten gewoon Duitsers zoals u en ik.' Karch schoof een rolletje zalm naar binnen en bette zijn lippen met een hagelwit zakdoekje dat hij uit zijn borstzak had getrokken en dat hij na gebruik in zijn linkermouw stopte. Hij deed dit met net iets te veel nonchalance, net zoals hij het voetje van zijn glas tussen duim en wijsvinger hield, in plaats van bij de steel.

'Ik zou het een grote eer vinden u binnen enkele weken hier weer te mogen begroeten.'

'Nu weet ik het. U bent degene van het Ministerie van Economische Zaken die Miriams appartement overneemt.'

'Ik geef een kleine receptie ter ere van mijn intrek hier.' Karch schraapte zijn keel. 'Uitsluitend voor Duitse gasten. Ik heb een strijkkwartet met Duits repertoire besteld en Duitse mousserende wijn en een paar exquise hapjes.'

'Duitse kaviaar, bijvoorbeeld,' kon Detta zich niet meer inhouden, waarop de directeur-generaal haar een wantrouwige blik toewierp. Ze keek bezorgd in de richting van Miriam, die het ene na het andere glas champagne naar binnen goot.

Hella Siebert kwam volledig ontzet van het toilet en begon opgewonden op haar man in te praten. Detta kon niet ontcijferen waar het over ging. Miriam klom wankelend op een stoel. 'Lieve vrienden!' riep ze hard. Iedereen keek naar haar op. 'Ik wil afscheid van jullie nemen, lieve vrienden, want ik vertrek namelijk over een uur. We hebben een fijne tijd met elkaar gehad. Sommigen van jullie moet ik in het bijzonder bedanken. De Sieberts bijvoorbeeld. Godfried en Hella, hartelijk dank dat jullie er de laatste tijd zo ijverig aan werken dat ik de tennisclub word uitgezet, omdat zo iemand als ik daar niet meer zou passen. Zonder mij zouden jullie kleine parvenu's er nooit lid hebben kunnen worden.' Godfried Siebert liep rood aan. Zijn vrouw begon te huilen.

Miriam werd bij elk woord nuchterder. 'Hartelijk dank ook aan Paul en Marianne Frowein die hier vanavond helaas niet kunnen zijn. De arme zielen hebben hooikoorts. Vreemd in deze tijd van het jaar, niet? Toen ik bij mijn grootvader een goed woordje voor ze moest doen, omdat ze een hypotheek voor hun huis nodig hadden, konden ze hier niet vaak genoeg langskomen.'

'Zo is het wel genoeg, Miriam,' waarschuwde Rolf Lamprecht.

'Nog niet. Eerst moet ik de heer Aribert Karch nog bedanken. Een verbazingwekkende persoon, deze meneer. Binnen een jaar tijd van grijze muis in de administratie tot directeur-generaal. Dat moet iemand hem maar eens nadoen. Onappetijtelijke haren als hij drijven sinds kort veel in de smerige nazisoep.' Karch werd bleek. 'Hij heeft het vertrek van de Goldbergs nauwkeurig gearrangeerd, onze heer directeur-generaal. En zo gul. Stel je voor, de familie mag een tiende van haar bezit meenemen! De overige negentig procent incasseren de naziparvenu's. Meneer de directeur-generaal noemt dat "vertrekbelasting". Anders zou men de familie in preventieve hechtenis moeten nemen. Uiteraard alleen maar om parasieten als wij te beschermen tegen de rechtvaardige toorn van het Duitse volk. Niet dat hij persoonlijk iets tegen ons heeft. Maar het is nu eenmaal een ideale gelegenheid zich mijn woning voor een habbekrats toe te eigenen, nietwaar meneer Karch?' Miriam smeet hem haar glas voor de voeten. Karch stormde woedend het huis uit.

Miriam sprong van haar stoel. 'Luister,' riep ze lachend. 'Een woord tot allen die nog niet op het toilet waren. Het klopt, Godfried, je vrouw heeft het goed gezien. Ik heb de wc bij wijze van afscheidsgroet kunstzinnig laten renoveren. Een begaafd porseleinschilder heeft het portret van de Führer levensecht in de wc-pot vereeuwigd, zodat iedereen die er zin in heeft op hem kan schijten. Een lolletje dat ik mezelf voor mijn vertrek niet wilde laten onthouden.'

Ongelovige stilte, onderdrukt gegrinnik, verontwaardigd gesis. Het palet aan reacties was rijk. Monsieur Montfort kon zijn lachen bijna niet inhouden. Dr. Gerhard staarde met onbewogen gezicht naar de grond. Egon Jeschke grijnsde en mompelde: 'Miriam, meid, je bent me d'r eentje.'

Miriam nam hem zijn glas af. 'Proost, Egon, mijn vriend. Proost, ware vrienden van me!' Ze dronk het glas in één slok leeg. 'En aan de rest van jullie, jullie kleine valse ratten die zich jarenlang op mijn kosten in mijn gezelschap hebben laten vieren: loop naar de hel!'

David Floyd-Orr stond als enige aan het buffet en koos geconcentreerd een paar lekkernijen die hij behoedzaam op zijn bordje legde. 'Hij kan als diplomaat geen partij kiezen en moet terughoudend zijn,' zei Friedrich von Coberg tegen Detta. Hij nam haar onopvallend terzijde. 'Karch heeft met de Gestapo gebeld. Onze vriendin moet subiet vertrekken.'

Miriam wilde net een nieuw glas champagne inschenken toen Detta haar de slaapkamer in duwde. 'Snel, kleed je om. We hebben geen tijd te verliezen. Karch heeft de Gestapo ingeseind.'

Zonder haast stapte Miriam uit haar cocktailjurkje. Het was alsof ze Detta's woorden niet had gehoord. Ze opende haar wandkast in haar zijden ondergoed en keek kritisch naar de inhoud. 'Het groene tweedkostuum uit Schotland wellicht? Het reisensemble van Chanel is ook schattig, vind je niet? Of liever het lichtgrijze flanelletje met die zwarte tulband? Past goed bij de witte auto, nietwaar?'

'Geef hier.' Detta nam de tulband, zette hem op haar hoofd en propte haar blonde haar eronder.

'Staat je geweldig. Krijg je van me. Ik neem het sportieve vilthoedje van madame Schiaparelli.'

'Je gaat naar mijn kamer, neemt mijn regenjas en mijn Baskische baret en houd je koest,' beval Detta. Buiten kon je banden horen piepen. 'Hopelijk kan de prins ze lang genoeg ophouden. Ik kom je opzoeken in Lissabon. Adieu, Miriam.'

De garagedeur vloog open. De witte open BMW huilde in de eerste versnelling van de oprit naar de straat en scheurde rakelings langs een zwarte limousine. De man aan het stuur volgde de auto verbluft met zijn ogen. Daarna drukte hij krachtig op de claxon. Drie leren jassen stormden het huis uit en sprongen de auto in. 'Erachteraan,' kuchte een van hen. De sportwagen vloog ver voor hen uit de bocht om, de Heerstraat in. 'Ze rijdt als de duivel,' foeterde de chauffeur van de limousine.

Detta schoof de tulband iets naar boven toen hij over haar ogen dreigde te zakken. Roekeloos duwde ze het gaspedaal helemaal in. De wagen schoot vooruit, de straat uit. Ze had geen idee waar ze naartoe reed, behalve dat ze de stad uitreed. Een bord: FRANKFURT/ODER 130 KM bracht opheldering. De rijksweg liep kaarsrecht. De Mercedes in de achteruitkijkspiegel was kleiner geworden. Nou dan laten we hem toch een tikje dichterbij komen, grinnikte ze. De chauffeur doet zo zijn best. De zwarte limousine achter haar werd groter tot Detta vond dat het welletjes was. Ze gaf gas en haar achtervolgers werden weer kleiner. Ze herhaalde dit spelletje een paar keer. Dit was leuk. Onverwacht zakte de hefboom van een spoorwegovergang in haar beeld. Met al haar kracht trapte Detta op de rem. De BMW kwam een paar centimeter voor de hefboom tot stilstand terwijl de Warschau-expres langs denderde.

Onmiddellijk daarna stonden er vier leren jassen om de auto heen. Detta keek hen stralend aan. 'Poeh, dat ging maar net goed.'

'Gestapo,' blafte de aanvoerder.

'Aangenaam, meneer Gestapo.' Detta strekte haar hand naar hem uit. 'Detta von Aichborn.'

'Geen grapjes. Geheime staatspolitie. Kunt u zich identificeren?'

'Toevallig heb ik mijn paspoort bij mij. Ik wil namelijk naar Polen. Kort bezoekje bij de Potockys. De vorst is mijn peetoom.' Ze trok de zwarte tulband van haar hoofd, zodat haar blonde haar zichtbaar werd.

'Vrijvrouw Von Aichborn, Henriette Sophie Charlotte,' las een van de mannen hardop voor uit het paspoort. 'Is dit uw voertuig?'

'Een vriendin van mij heeft mij haar auto geleend. Zij neemt liever de trein naar Wenen. De papieren zitten in het handschoenenvakje. Wilt u ze zien?

'Kom op, terug naar Berlijn. Misschien pakken we haar nog op het station,' riep de aanvoerder.

De zwarte limousine keerde en verdween in een stofwolk. Detta keek de auto na. 'Goede reis, sukkels,' zei ze tevreden en streek over het kleine gouden bordje met Miriams initialen op het dashboard.

Het telefoontje uit Kopenhagen kwam de middag erna. Het was Miriam: monter en fris alsof er niets gebeurd was. 'Hallo schatje: ik ben goed aangekomen.'

'Mijn God, Miriam, daar ben ik blij om.'

'Wat een goed idee van je, de meute met de auto af te leiden en naar Wenen te sturen. Mijn paspoort is in orde, dus was er aan de grens naar Denemarken geen probleem.'

'Beloof me dat je daar een paar dagen uitrust. Kopenhagen moet heel mooi zijn.'

'Heel mooi, en zeer burgerlijk saai. Ik mis Berlijn nu al. Ik neem het volgende schip naar Engeland en vlieg van Londen naar Parijs. Luister schatje, ik wil dat jij de auto houdt. Breng hem ergens veilig onder. Ik schrijf jullie notaris en dr. Rossitter stelt een schenkingsdocument op. Ga er lekker mee flaneren. En rijd niet meteen tegen de eerste de beste boom. Blijf in mijn appartement zolang het je geoorloofd wordt. Ik laat over een paar weken wat van me horen vanuit Lissabon. Daag.'

Detta bleef niet in Miriams appartement. Het zou verraad zijn geweest, vond ze. Ze bracht de roadster naar een garage in de Kantstraat en huurde een kamer in pension Wolke in de Winscheidstraat. De hele volgende dag en de hele volgende nacht bleef ze op haar kamer. Na alle gebeurtenissen wilde ze niemand zien. Zondag voelde ze zich beter.

'Arm ding. Je moet wel half verhongerd zijn,' begroette mevrouw Wolke haar aan tafel die middag. Detta leerde een paar vaste gasten kennen: de voornaam terughoudende meneer Köhler, senior partner bij een nabijgelegen advocatenkantoor, die met zijn monocle probeerde aristocratisch te lijken; de vriendelijke Vera Vogel, secretaresse van een verzekeringsdirecteur; de oude vrijster dr. Boermeester, docente aan het Franse gymnasium en Marlene Kaschke, een goedgebouwde jonge blonde met lange benen en iets te veel decolleté. Ze maakte een merkwaardig gehaaste indruk op Detta. Ze was op zoek naar een baan, zei ze.

Albert Wolke was in het gas van Ypern blind geworden en zat bij de radio. Er klonk marsmuziek, onderbroken door enthousiaste nieuwsberichten: Duitse troepen waren het Saarland binnengetrokken. 'De Saar is weer Duits!' jubelde de presentator triomfantelijk. 'En dan het Rijnland en dan de Elzas. Die Hitler kan er geen genoeg van krijgen en niemand doet iets om hem te dwarsbomen,' mopperde Wolke. 'Alsof we de vorige keer nog niet genoeg op onze donder hebben gekregen.' Niemand luisterde naar wat de oude man zei.

'Gaat u toch mee naar de bioscoop,' stelde Marlene Kaschke voor. 'Ik wil proberen een baantje te krijgen als ouvreuse en dan meteen de nieuwe film met Willy Fritsch gaan zien.'

'Dat is aardig van u, maar ik verwacht bezoek,' zei Detta. Ze had Hans-Georg een kaartje geschreven met haar adres en of hij haar kwam opzoeken die zondag. Ze trok zich terug in haar kamer en bladerde door de *Berliner Illustrierte*, maar de fotoreportages uit de hele wereld konden haar niet boeien. Ze moest steeds aan Tom Glasers lachende mannengezicht denken, en dat hij nooit meer zo dicht bij haar zou zijn als toen tijdens de slowfox in Aichborn. Daar zul je nog een tijdje op moeten teren, dacht ze op haar nuchtere, Pruisische manier.

Mevrouw Wolke verscheen rond de klok van vier. 'Herenbezoek voor u,' kondigde ze aan met samengeknepen lippen. 'Een jonge man in uniform. Ik verlang nadrukkelijk dat de deur open blijft.'

Hans-Georg stormde stralend binnen. 'Detta, eindelijk!'

'Ze omhelsde hem en gaf hem een dikke pakkerd op zijn wang. 'Mijn broer, luitenant Hans-Georg von Aichborn – mevrouw Wolke, mijn pension-houdster,' stelde ze voor.

Mevrouw Wolke smolt onder de handkus van Hans-Georg. 'Uiteraard kunt u de deur in dat geval sluiten. Ik breng u zo meteen koffie en zelfgebakken cake.' Ze stommelde weg.

'Kom, ga zitten. Hoe was het in Trakehnen?'

'Stubbendorf en ik hebben nogal wat veelbelovende jonge paarden uitge-

probeerd. Een vierjarige vosmerrie vond ik erg goed. Die had een gangen...'
Druk begon hij een relaas over het Oost-Pruisische stoeterijbedrijf en de uitstapjes in de omgeving, maar Detta zag de troosteloze blik in zijn ogen.

'Je mist haar erg, nietwaar?'

'Meer dan alles ter wereld,' barstte hij uit. 'Detta, wat moet ik doen?'

Het deed pijn, maar ze dwong zichzelf een harde toon aan te slaan. 'Je
hebt alleen maar voor soldaat geleerd. Je kunt geen woord Portugees. Dus wat
wil je in Lissabon? Door je vrouw worden onderhouden als prins-gemaal met
niets meer dan een von'etje voor je naam en een paar goede manieren?'

Hij probeerde te glimlachen. 'Je spreekt al aardig volwassen, zusjelief.'

'Ik ben de afgelopen dagen volwassen geworden, omdat ik heb begrepen
dat de dromen van kleine meisjes niets te maken hebben met de realiteit. De
realiteit is dat Tom Glaser volgende week trouwt. Ik, domme gans, heb me volledig vergaloppeerd. De realiteit is ook dat dikke klanten bij Horn je ongestraft
mogen beledigen en dat er hebberige directeur-generaals zijn die het nieuwe
regime omhoog heeft doen vallen.' Ze rapporteerde haar broer over haar belevenissen en sloot af met: 'Fantastisch, zoals Miriam ze op hun nummer heeft
gezet bij het afscheid.'

'Ik wacht op haar. Er zitten genoeg knappe koppen in de regering die de
extremen wel zullen beteugelen. De Reichskanzler kan niet de halve wereld
tegen zich in het harnas willen jagen nu hij de Duitse bevrijding van het
Verdrag van Versailles zo goed als voltooid heeft. Je zult het zien: Miriam en
haar familie kunnen binnenkort weer veilig terugkomen.

Hij gelooft het echt, dacht Detta verbaasd.

Mevrouw Wolke serveerde koffie en gemarmerde cake. 'Een heerlijke dag,'
probeerde ze een gesprek op gang te brengen, maar zus en broer reageerden zo
beleefd kort, dat ze zich al snel terugtrok.

'Wat ga je nu doen?' wilde Hans-Georg weten.

'Ik ga naar Thomas Glasers bruiloft. Als paardenmiddel tegen de kalverliefde, zullen we maar zeggen. En verder ga ik een baan en een appartement zoeken. Ik heb met vader gebeld. Hij kent iemand bij Buitenlandse Zaken. Ik ga
daar solliciteren. En wat mijn vrije tijd betreft: Potsdam is niet ver. Ik kom zo
vaak als je wilt.

'Stubbendorf leent je vast graag een paard. Dan kunnen we samen rijden.'

Ze trok zijn hand naar haar wang toe. 'Jij bent en blijft mijn lievelings-
man,' zei ze teder.

De 'iemand' bij het Ministerie van Buitenlandse Zaken was een oude corpsvriend van de baron en bovendien Reichsminister Buitenland. De heer Von Neurath had weliswaar een vriendelijke, vaderlijke manier van doen, maar hij had weinig tijd. 'Een extra jongedame bij ons op BZ kan voorwaar geen kwaad. U beheerst de Engelse taal perfect en uw Spaans is zeer goed, naar ik heb vernomen. Met uw achtergrond kunt u Arvid von Troll op de afdeling West-Europa assisteren. Mijn personeelsmedewerker regelt de formaliteiten. Komt u binnenkort toch bij ons eten. Mijn vrouw zal het leuk vinden.'

Een al wat oudere secretaresse bekeek Detta met een gereserveerde blik en gaf te kennen dat de heer Von Troll momenteel in Genève zat. 'U kunt volgende week bij hem solliciteren. Ofschoon we eigenlijk voldoende mensen hebben,' voegde ze er scherp aan toe.

'Perfect, dan heb ik nog genoeg tijd om een woning te zoeken,' reageerde Detta vrolijk. Ze was vastbesloten alles positief te benaderen.

In de Wilhelmstraat stond een man van de andere kant van de straat naar Detta te wuiven. Het was David Floyd-Orr. Met doodsverachting wierp hij zichzelf in het drukke verkeer en maaide met slungelachtige bewegingen over de rijbaan. Zijn roestrode hoofd straalde in de zon. 'Miss Von Aichborn, how nice to see you.'

'Likewise, mister Floyd-Orr. Bent u met diplomatieke zaken bezig?'

'Nou, meer met schoenenzaken, eerlijk gezegd. Ik ben op zoek naar een paar witte canvasschoenen en dat is in mijn maat vrijwel onmogelijk te vinden.'

Detta wierp een blik op zijn voeten. 'Bensing gaat eens in de twee jaar naar Wertheim. Vaker komt hij niet in Berlijn.'

'Bensing?'

'Is bij ons thuis het manusje van alles. Butler noemen jullie dat. Hij heeft een bijna verboden schoenmaat.' Geschrokken sloeg ze haar hand voor de mond. 'Pardon, excuseert u mij, dat was taktloos.'

Hij lachte. 'En waar bevindt zich deze schoenenzaak?'

'U bent langer in de stad dan ik, en u kent Wertheim niet?'

'Tot mijn genoegen niet mag ik wel zeggen, want nu ben ik op uw hulp aangewezen en een hulpeloze man heeft doorgaans de helft van de buit binnen. Dat zegt mijn vriend Jack tenminste en hij heeft veel ervaring met vrouwen. Hij is inmiddels bezig aan zijn derde huwelijk.'

'Poeh, een blauwbaard.'

'Nee, een Amerikaan.'

Er stonden mannen van de SA voor de deuren van warenhuis Wertheim aan het Potsdammerplein met omhangborden, waarop stond: 'Duitsers, koopt niet bij joden!' Maar niemand stoorde zich hieraan. De draaideuren waren voortdurend in beweging. De Berlijners lieten zich niet zo gemakkelijk de wet voorschrijven.

Binnen keken Detta en de Engelsman bewonderend omhoog naar de glazen koepel waaronder aan staalkabels een vliegtuig bungelde. 'Het is van een beroemde piloot die Udet heette geweest,' legde Detta haar protégé uit, en vroeg een verkoper naar de schoenenafdeling. Daar vonden ze de gewenste maat in een mum van tijd.

'Zin in koffie?'

'Ja, graag.' Ze lieten zich naar boven rollen, waar het in het café aangenaam rook naar chocola en slagroom en waar keurig geklede bediening met kanten mutsjes serveerde. 'U zeilt dus?' concludeerde Detta.

'Vanwege de schoenen? Nee. Mijn collega Nigel Hawksworth is onverwacht overgeplaatst naar Shanghai en heeft mij zijn motorboot geleend. Het ligt aan de Stößenseebrug en er zijn twee kooien op het voordek. Als u een vriendin meeneemt, kunt u mijn uitnodiging voor een weekendje op het water zonder zorgen aannemen. Ik houd van de frisse nachtlucht en slaap zelf het liefst aan dek.'

Detta bleef terughoudend. 'Ik zal Marion vragen of ze zin heeft om mee te komen. Kan ik u telefonisch bereiken, meneer Floyd-Orr?'

Hij gaf haar zijn kaartje. 'Mocht het u niet geheel ontrieven, David zou aanmerkelijk korter zijn.'

'Detta ook.'

Hij bracht haar naar het metrostation. Ze nam de lijn naar de Kaiserdam. Van daaruit was het niet ver meer naar pension Wolke. Haar hart maakte een sprongetje bij de gedachte aan een weekeinde op het water. Ze had maar één probleem: ze kende geen Marion.

Detta had haar huidige adres thuis doorgegeven, waar de notaris dr. Theodoor Rossitter het kreeg. Hij verzocht haar schriftelijk te zijner kantore in Unter den Linden te verschijnen. Ze kende de notaris van kindsbeen af. Bovendien kwam hij elk jaar voor de jacht naar Aichborn.

Detta reed met de bus tot aan de Brandenburger Tor. Bij de Neue Wache vond op dat moment met veel bombarie de wisseling van de wacht plaats. Een hoofdman te paard nam de melding van de pelotonscommandant – een strak uitziende jonge luitenant – in ontvangst. Detta ging tussen het publiek staan dat het kleurrijke spektakel aanschouwde.

'Dat is nog eens wat anders dan die gestroomlijnde SS-sukkels voor de Reichskanzlei,' zei iemand.

'Ach, laat die Adolf toch,' zei zijn buurman, 'Voor het Adlon hebben ze toch ook een portier staan.'

Detta liep de Linden af, langs café Kranzler. Het notariaat bevond zich in een oud gebouw, niet ver van de Friedrichstraat. Het zag er een beetje stoffig, maar wel gedegen uit. Al twee eeuwen werd Pruisens landadel hier bediend.

'Juffrouw Henriette,' begroette dr. Rossitter zijn cliënte op zijn ietwat oude opa-achtige, stijve manier. 'Ik heb in opdracht van juffrouw Miriam Goldberg de schenking van een gemotoriseerd voertuig aan u voorbereid. Zet u alstublieft uw handtekening hieronder. Mijn kantoorklerk zal zorgen voor de registratie en papieren op uw naam.'

'Ik dank u hartelijk, dr. Rossitter.'

Hij glimlachte weemoedig. 'Ik zou het fijn vinden als u mij oom Theo zou noemen, zoals vroeger.'

'Dank u, oom Theo.'

'Dat is de tweede reden waarom ik u heb gevraagd hier naartoe te komen. Uw vader heeft mij geschreven. Hij wil dat u van nu af aan eigenmachtig kunt beschikken over de erfenis van uw grootmoeder. Hij zei dat u nu meerderjarig bent en oud genoeg om met geld om te gaan.'

'Is het afschuwelijk veel?' vroeg Detta angstig.

'U ontvangt een precieze lijst. Het zijn hoofdzakelijk waardepapieren en onroerende goederen die voor u worden beheerd door de huisbank. Verder staat er een bankrekening te uwer vrije beschikking. Ewald overhandigt u een rekeninghoudersbewijs waarmee u in alle filialen van de bank geld kunt opnemen of kunt overmaken. Ik denk dan bijvoorbeeld aan uw nieuwe auto, die vast de nodige onkosten zal veroorzaken. En niet te vergeten de huur van een woning die u ongetwijfeld zult willen betrekken.'

'Ik ben aangenomen door BZ en krijg een heus salaris,' zei Detta trots.

'Gefeliciteerd. Een positie die een jongedame betaamt.' Dr. Rossitter begeleidde haar naar de deur. 'Als u raad of hulp nodig hebt, sta ik te allen tijde voor u klaar. Vergeet niet, Berlijn is net als elke grote stad gevaarlijk terrein.'

'Heel erg bedankt oom Theo, ik zal op mezelf passen.'

Op wolken daalde Detta de trappen af en ging onmiddellijk een boekwinkel naast het advocatenkantoor binnen om een kaart van Berlijn te kopen.

Daarna haalde ze de witte roadster uit de garage. Ze kon bijna niet wachten de hoofdstad aan het stuur te veroveren.

De jonge vrouw in de open sportwagen werd begeleid door bewonderende en jaloerse blikken. Vrouwen aan het stuur waren in het Berlijn van 1935 bijna net zo zeldzaam als de sportieve BMW 319. 'Wacht u ergens op, juffie?' vroeg de verkeerspolitieman die bij de Kaiser Wilhelm Gedächtniskirche het verkeer regelde. Detta stond bij het tweede handwissel nog steeds aan de kruising te wachten, omdat haar Marlene Kaschke plotseling te binnen schoot. Dat was precies de chaperonne die ze nodig had voor haar weekeinde met de sproetige Engelsman. Ze lachte verontschuldigend naar de politieman en gaf gas.

Op dinsdag ontmoette Detta haar nieuwe baas. Arvid von Troll had de nachtexpres uit Genève genomen. Hij was een man van midden dertig met een smalle, goedgevormde schedel en een jaap over zijn linkerwang die, vertelde hij Detta, niet uit de schermzaal kwam, maar van een motorongeluk. De diplomaat was een fervent cross-countryrijder.

'Doet u aan sport, juffrouw Von Aichborn?'

'Alleen als u paardrijden als een sport beschouwt. Elke dag een dozijn paarden berijden is niet niks. De dochter van onze rentmeester doet dat nu voor mij. Als ze voortdurend los in de weide lopen, krijgen de beesten al snel allerlei slechte gewoontes.'

Dit interesseerde de heer Von Troll allemaal niet echt. 'Wij zijn bezig met het voorbereiden van het werkbezoek van de baas naar Engeland. Het ambtelijke gedeelte is rond. Rest ons nog de uitnodiging voor het weekeinde op Chequers, het landgoed van de premier. Bedenkt u alstublieft een mooi gastgeschenk voor de heer des huizes en mevrouw Macdonald.'

'Wanneer hebt u mijn voorstel nodig?'

'Eergisteren.' Troll ontfermde zich over de stapel aktes op zijn bureau.

De secretaresse, mevrouw Wilhelmi, bracht Detta naar haar kleine kantoor aan de overkant van de gang. Het complete meubilair bestond uit een bureau, een stoel en een dossierkast. Twee etages daaronder lag de binnenplaats met de geparkeerde dienstauto's. De secretaresse wees op een zoemer boven de deur: 'Als die afgaat, onmiddellijk naar meneer Von Troll. Papier en potloden liggen daar in de kast.'

Ze wilde gaan, maar Detta hield haar tegen.

'Ik heb de nieuwste uitgave van *Who is Who*, de *Grote Muret-Sanders*, een schrijfmachine en vooral een telefoon nodig. Naslagwerken en schrijfmachine alstublieft nu meteen en de telefoon voor vanmiddag.'

'Beneden staat een telefooncel.'

Detta deed net of ze de oorlogsverklaring niet hoorde. Ze wees naar het kastje op de plint: 'Er is al aan aansluiting. De conciërge kan het apparaat na de lunch installeren. Hij heeft tijd genoeg de centrale te informeren. Hij kan dan ook meteen een schrijfmachinetafel en een stoel meenemen. Ik wil het bureaublad leeg houden voor mijn werk.' De secretaresse wilde haar protest beginnen, maar Detta liet haar niet aan het woord komen. Ze zei koeltjes: 'Dat is alles voor dit moment, dank u wel mevrouw Wilhelmi.' De secretaresse sloeg de ogen neer. Detta had gewonnen.

Die middag prijkte er een Olympia op het aan het raam neergezette schrijfmachinetafeltje. Carbonpapier lag er binnen handbereik naast. De lexica stonden in de dossierkast en de telefoonkabel kringelde tot aan het aansluitpunt.

Detta greep naar de hoorn. De huiscentrale meldde zich meteen. 'Hier apparaat 124. Verbindt u mij alstublieft met Aichborn in de Ueckermark. Het nummer luidt: Wrietzow nul drie.' Ze legde de hoorn op de haak.

Een paar minuten later rinkelde de telefoon. Bensing aan de andere kant van de lijn. 'Juffrouw Detta?' riep hij opgewonden toen hij haar stem had herkend. 'Hoe is het met u?'

'Prima, dank je wel. Luister, dit is een zakelijk gesprek. We moeten het kort houden. Ga alsjeblieft naar mijn kamer. Ik ben mijn rode adresboekje vergeten. Neem het mee naar de telefoon. Ik heb een nummer nodig. Ik leg nu op, maar bel zo meteen terug.' Vijf minuten later had ze het gewenste nummer. Ze ging ijverig aan het werk.

Om zes uur was ze vrij. Detta nam de metro naar huis. Ze had de BMW in de garage laten staan, omdat ze het ongepast vond als de kleine beginneling van BZ met een sportwagen aan kwam sjezen.

In pension Wolke was het na het avondeten zoals gebruikelijk saai. Meneer Köhler bekeek met zijn spiegelende monocle Gotha's *Adelgids*, Vera Vogel las in de *Dame*, juffrouw dr. Boermeester corrigeerde een proefwerk met rode pen en Marlene Kaschke was er niet. Detta klopte op haar kamerdeur. De jonge vrouw lag in haar ochtendjas op het bed en lakte haar teennagels. Dat had Detta nog nooit gezien. Ze viel met de deur in huis: 'Hebt u al plannen voor het weekeinde?'

Marlene Kaschke had geen plannen en was laaiend enthousiast. 'Met een motorboot op de Havel? Natuurlijk ga ik mee. Ik heb nota bene net een geweldige, hemelsblauwe Bleyle gekocht.' Dat was, leerde de onnozele Detta, een badpak in het nieuwste model, met een aangezet rokje en een diepe rug. 'Die kun je in alle kleuren bij Leineweber krijgen. U moet er ook eentje gaan halen,' raadde Marlene Kaschke haar aan. Ze had er niets op tegen een weekeinde lang Marion te heten en een oude vriendin te spelen.

'I shall be delighted to meet your friend Marion,' zei David Floyd-Orr verheugd aan de telefoon. 'Zaterdag om negen uur bij de Stößenseebrug. Gewoon de trappen af naar de steigers, u kunt me niet missen.'

Detta hing op. Ze wist niet hoe ze deze afspraak na moest komen. Bij BZ werd er op zaterdag tot één uur 's middags gewerkt.

Stipt om acht uur ging Detta de volgende dag naar haar baas. Arvid von Troll was bezig de inhoud van zijn kale aktekoffertje op zijn bureau te stapelen. 'Dit koffertje had ik al bij Geheimrat Holstein in gebruik. Welke cadeaus stelt u voor?'

'Voor mevrouw Macdonald adviseer ik een klassieke vaas van de staatsporseleinmanufactuur. Voor de premier zou een *netsuke* in aanmerking komen.'

'Pardon? Een wát?'

'Dat zijn duimgrote Japanse figuurtjes in uiteenlopende modellen, vaak uit exotisch hout gesneden. De Japanners gebruikten ze al in de vijftiende eeuw als draaghoutje om hun tabakszakje mee aan hun riem te bevestigen.'

'Premier Macdonald zal blij zijn dat hij zijn tabakszakje nu eindelijk kan ophangen,' antwoordde Arvid von Troll sarcastisch. 'Wat is dit voor onzin, juffrouw Von Aichborn?'

'Het is geen onzin, meneer Von Troll,' antwoordde Detta rustig. 'Ramsay Macdonald is een liefhebber van Japanse kunst. Zijn collectie houtsnijwerk is beroemd.'

'En waarom dan een Japanse duimelot?'

'Een netsuke ligt lekker in de hand en geeft een positief gevoel als je hem aanraakt. Het exotische hout verspreidt een bijzonder en inspirerend aroma.'

'En u denkt dat de ontvanger het ding enthousiast zal betasten en eraan zal ruiken?'

'De premier zal, omdat hij langzaam blind aan het worden is, zijn houtsnijwerken binnenkort niet meer kunnen zien. Tast- en reukzin blijven behouden. Hij zal overigens binnenkort aftreden.'

'Blind worden? Aftreden? Wat bazelt u nu?'

'Om een werkelijk persoonlijk geschenk te kunnen adviseren, moest ik te weten komen wat voor mens meneer Macdonald is.'

'En daarom hebt u bij het ontbijt koffiedik gekeken?'

'Welnee, ik heb gewoon getelefoneerd met de ambassadeur in Londen.'

'U hebt zonder toestemming onze ambassadeur gebeld?' riep Troll verbijsterd uit. 'Bent u nou helemaal gek geworden?'

'Niet onze ambassadeur, maar oom Juan. De broer van mijn moeder is Spaanse ambassadeur aan het hof van St. James,' stelde Detta hem gerust. 'Hij is meestal goed op de hoogte.'

Arvid von Troll schraapte zijn keel. 'Ik moet mij verontschuldigen voor de toon die ik heb aangeslagen, juffrouw Von Aichborn. Wij zullen uw advies volgen.' Hij twijfelde een moment. 'Oom Juan weet niet toevallig wie Ramsay Macdonalds opvolger wordt?'

'Daar heb ik hem ook naar gevraagd,' informeerde Detta hem bereidwillig. 'Stanley Baldwin,' zegt hij.

'Meneer Von Neurath zal onder de indruk zijn,' voorspelde Troll zichtbaar tevreden. 'Als beloning mag u een wens doen.'

'Mag ik zaterdag vrij?'

'Dat mag u,' stond Von Troll grootmoedig toe.

Detta stond op zaterdagochtend vroeg op om haar rieten mand met een toilettas, een handdoek, de nieuwe Bleyle en haar Agfa-box in te pakken. Verder een blouse, een felgekleurde wikkelrok, passende korte broek en sandalen. Detta was er klaar voor.

Om halfacht klopte ze op de deur van Marlene Kaschke. 'Op die deur kunt u kloppen tot u een ons weegt juffrouw Von Aichborn,' informeerde mevrouw Wolke haar. 'Ze is gisteren opgehaald door een kennis. Hij heeft zelfs haar huur betaald. Wilt u een ei bij het ontbijt?'

Detta antwoordde niet, omdat ze krampachtig aan het nadenken was over de oplossing van het probleem dat zo plotseling was opgedoken. Maar zonder chaperonne was er geen oplossing. Tabee, weekeinde op het water, dacht ze woedend.

Men was absoluut niet preuts thuis in Aichborn. Detta had al als zesjarig meisje merries bij de hengst gebracht, en haar moeder had haar met als voorbeeld de van een allang vertrokken seizoensarbeider zwangere keukenmeid Lina uitgelegd, dat je ook zonder te trouwen in verwachting kon raken. Wat wederom niet aan te bevelen was, omdat een kind een vader nodig had en een vrouw een echtgenoot. Het zat 'm in de volgorde, en dan was het verstandiger de man eerst voor het altaar te slepen en dan pas plezier met hem te hebben. Want dat was het, een genoegen, zette de barones haar relaas vrolijk voort, en met de echtgenoot had men het genoegen vaak meer en langer, want waar was Lina's seizoensarbeider nu?

De praktisch aangelegde Detta vond dit allemaal heel logisch, alleen had ze graag iets meer gehoord over het genoegen. Bij de eerstvolgende gelegenheid ondervroeg ze Lina hierover en die beschreef haar op fluistertoon hoe dat ging en waarom het zo'n genoegen was.

Detta bekeek de jongens in het dorp voortaan vanuit een volledig ander perspectief en het genoegen sloop haar hartstochtelijke dromen binnen. Opdat het bij dromen bleef, gaf moeder Adelheid als chaperonne mee, als Bensing Detta naar de dichtstbijzijnde stad reed voor dansles, of als een jongeheer van een van de buurlandgoederen haar naar het zomerbal begeleidde. Detta vond dit allemaal oké. Het was geen kwestie van moraal, maar van etiquette. Vis at je tenslotte ook niet met een vleesmes.

Ofschoon meerderjarig en zonder toezicht in de wereldstad Berlijn, waar alles mocht zolang het maar leuk bleef, was het nooit in haar opgekomen de etiquette uit het oog te verliezen. Maar dat was nu op slag anders. Dan maar vis met het vleesmes, dacht ze baldadig en haalde de BMW uit de garage.

Ze parkeerde de auto bij de brug en sprong overmoedig de vele, in de steile helling uitgehakte treden naar beneden. David Floyd-Orrs roestrode haar straalde haar al van verre tegemoet. Hij had een wit polohemd aan op een vlekkeloze witte linnen broek waaromheen hij in plaats van een riem een das in de schoolkleuren van Winchester geknoopt had.

'Good morning, Detta. How nice of you to come.'

'Hello David, thank you for asking me.' Zo, aan de Engelse hoffelijkheid was voldaan. 'Mijn vriendin Marion laat zich excuseren. Ze voelt zich niet lekker.' Ze staarde over de Stößensee, die eigenlijk geen meer was, maar een door oude bomen omzoomde bocht. Van alle kanten strekten zich steigers als houten vingers het water in. Zeilschepen, motorboten en roeiboten deinden op hun ligplaatsen. 'Echt prachtig hier.'

'Als het mooi weer is, woon ik praktisch hier buiten. Hierlangs, alsjeblieft.' Ze liepen over de door de zon warm geworden planken tot aan een motorboot. Op de achtersteven prijkte de naam BERTIE. De Union Jack stak prettig af tegen de vlaggetjes met hakenkruis van de andere schepen.

David hielp Detta aan boord. Overal waar je keek blonk messing en mahonie. 'Wel een hoop te poetsen,' merkte de praktisch aangelegde Detta op.

'Certainly not this weekend. Hier is de trap naar beneden.' Drie treden verder beneden lag de cabine die tot voor in de boeg liep. De banken langszij konden tot comfortabele bedden worden verbreed. De piepkleine kombuis met een spiritusbrander bevond zich in een kast langs de wand. David wees op de zinken koelbox. 'We wachten alleen nog op de ijsleverancier, zodat de drankjes koel blijven, en dan meren we af. Ik had gedacht dat we over Potsdam naar Brandenburg zouden kunnen varen en morgen nog een stuk verder het Havelland in. Dan zijn we 's avonds weer hier. Is dat een goed idee?'

Het was goed. De zweem van moeraslucht vanuit het water, een vleugje olie en benzine, het zachte deinen van de golven, het geschal van een koffergrammofoon van het buurschip: het was allemaal nieuw en fascinerend.

De ijsman leverde zijn vrachtje stommelend benedendeks af en wenste het paar een fijn weekeinde. David maakte de touwen los en stootte af. De motor begon te pruttelen en de boot voer gestaag onder de Stößenseebrug door. Voor hen lag de weidse Havel.

Detta ontdekte een witte matrozenpet met een ankertje erop in de kajuit en schoof hem stoer op haar linkeroor. Ze had haar wikkelrok uitgetrokken en zat in haar shorts met opgetrokken knieën op het kajuitdek. Ze staarde over het zilverkleurig glanzende wateroppervlak, waar witte zeilen op weerkaatsten en slanke kanoërs hun rimpels trokken. Bij tijd en wijle werden de roeiers door het kielzog van een motorboot opgetild. Detta voelde zich vrij en ongedwongen. Dit gevoel kende ze alleen maar vanaf de rug van een paard.

Geleidelijk aan kregen ze vaart. David zat aan het roer. Hij keek erg geconcentreerd, alsof hij Bertie langs een klip aan het laveren was. Het duurde even voordat Detta begreep dat hij krampachtig aan het proberen was niet naar haar blote benen te staren, wat hem tot haar plezier niet echt lukte.

'Als jij het roer even zou willen overnemen, kan ik me even met onze drankjes bezighouden. Gewoon recht zo die gaat, en als er een ijsberg opduikt: uitwijken!'

Detta moest lachen omdat hij het met een zeer ernstig gezicht zei. De laatste man die haar aan het lachen had gekregen was Tom Glaser geweest, destijds in Aichborn. Wat was het al lang geleden. Ze voelde een steek in haar zij die echter meteen weer wegtrok. David verdween benedendeks en bracht een paar minuten later beslagen glazen mee omhoog waarin het ijs tinkelde.

'Ik hoop dat je van Pimm's Cup Number One houdt?'

'Als je mij vertelt wat dat is?'

'Dat wist in het begin alleen meneer James Pimm maar, apotheker in

Londen rond 1840. Hij verzon dit drankje op basis van gin om zijn clientèle op te peppen. Het geheim van de kruiden en specerijen is nog steeds in handen van zijn erfgenamen. De limonade die erbij komt heeft Lady Phipps bedacht, de echtgenote van sir Eric, onze ambassadeur. Zij hoopte hiermee in het bijzonder de jongere leden van onze missie ver te houden van de duivel die alcohol heet. De schijfjes komkommer, alsmede het plakje citroen en sinaasappel heb ik er persoonlijk aan toegevoegd.'

'Smaakt goed,' vond Detta.

'Toch moet het maar blijven bij dit ene glas, vanwege de zon en de al genoemde duivel.'

Detta giebelde.

'Heb ik iets grappigs gezegd?'

'Nee. Alleen...' Detta probeerde zich te beheersen, maar flapte er toch uit: 'Bij jou heb ik helemaal geen chaperonne nodig.' David werd rood. Hij werd nog roder toen Detta meteen daarop in haar hemelsblauwe Bleyle aan dek verscheen.

Ze passeerden de Wannsee, Potsdam gleed voorbij en daarna Geltow. In een bocht bij Werder wierpen ze het anker uit. Detta betrad bevallig de boeg. Ze was zich bewust van haar lichaam als nooit tevoren. Hopelijk vindt hij mijn dijen niet te dun, dacht ze bezorgd. Thuis, tijdens de zwempartijen in de Aich met de jongens en meisjes uit het dorp, was ze nooit op zulke gedachten gekomen. Met een snelle duik in het water verdween ze voor de zekerheid maar uit zijn blikveld. David sprong haar achterna. Detta dook onder en kwam een stuk verderop weer boven water. Ze dook opnieuw onder om onverwacht weer achter hem op te duiken. Dit herhaalde ze een paar keer, omdat ze het leuk vond hem een beetje te pesten. Ze dook onder de boot door en verstopte zich dicht bij de boordwand.

'Detta? Detta!' zijn geroep werd indringender. Ze dacht aan Tom Glaser. Zou hij zich ook zorgen hebben gemaakt? 'Ach, hier ben je.' Ze werd omhelsd door een paar krachtige armen. Een paar seconden later voelde ze zijn krachtige lichaam. 'En ik dacht al...' verlegen liet hij haar los. 'Je hebt me mooi voor de gek gehouden.'

'Ik? Hoezo?' speelde Detta onschuldig en trok zich langszij omhoog. Ze ging op het dek in de zon liggen en sluimerde, dromend van Thomas Glaser. Hij hield haar hand vast. Onwillekeurig beantwoordde ze zijn zachte druk. Maar het was Davids hand, die hij haastig terugtrok toen zij haar ogen opende. Wat is hij toch schuchter, dacht ze verrukt.

Thomas Glasers bruiloft was een ware vliegeniersaangelegenheid. Het bruidspaar liep na de huwelijksvoltrekking door een triomfboog van gekruiste propellers en een collega van de nieuwbakken gezagvoerder suisde met een dubbeldekker in duikvlucht over de toren van de oude Dahlemer dorpskerk van pastoor Niemöller. De te verwachten boete had de directeur van de Lufthansa al van tevoren gul gestort. Ulrike Spielhagen – nu Ulrike Glaser – was een vriendelijke brunette van vijfentwintig. 'Goeie keus, Tom,' zei Detta overdreven stoer.

'Aardig dat u dat zegt,' bedankte Glaser.

'Op de goede vriendschap,' proostte Ulli aan tafel.

'Op de goede vriendschap.' Detta probeerde zich te beheersen. Niemand vermoedde hoe ze zich voelde. Behalve Hans-Georg, die haar te goed kende. 'Het heeft niet zo mogen zijn, maar de jouwe komt nog wel, daar moet je in geloven,' troostte hij haar. Het was precies de tranentrekker die ze niet had willen horen. 'Excuseer mij bij iedereen,' stootte ze uit.

Ze startte de BMW, schakelde krakend in de eerste versnelling en schoot weg. Bij de bocht de Kurfürstendam op gaf ze geen voorrang aan een bus en bij het metrostation Halensee reed ze bijna een fietser omver. Ze merkte er niets van. Ze zat niet aan het stuur van haar roadster, maar in Tom Glasers vliegmachine. De wind trok aan haar haar, terwijl hij de knuppel omhoog trok voor de looping. Haar maag protesteerde. Ze begon verschrikkelijk te kokhalzen. Met piepende remmen stopte ze de wagen en gaf over op de stoeprand. Gelukkig was er niemand in de buurt en was er rond deze tijd van de avond weinig verkeer.

Aan de overkant van de straat was een klein café. Ze bestelde een kop koffie en haastte zich naar het toilet. Ze gorgelde krachtig om de bijtende smaak van het maagzuur kwijt te raken. Ze hield haar gezicht onder het koude water. Gelukkig hing er een schone handdoek naast de wastafel. 'Contenance, ma petite,' dacht ze de stem van haar moeder te horen. Dat was toen de twaalfjarige Detta een dressuurproef had verknald en huilend haar paard Henry naar de stal had gebracht. Ze streek haar haar en haar jurk glad. Haar hoed was ze onderweg verloren. Toen ze terug het café inliep, was ze uiterlijk weer de koele, Pruisische aristocrate, vriendelijk maar gereserveerd, met niet te evenaren houding. Innerlijk, constateerde ze nuchter, was dat paardenmiddel van je dus niets, mijn kind. Je hebt een sterker medicijn nodig.

Vastbesloten nam ze plaats achter het stuur en gaf gas. Het schemerde al toen ze de treden van de Stößenseebrug afliep naar de steigers. Uit Bertie's kajuit straalde het warme licht van een petroleumlamp. David Floyd-Orr lag uitgestrekt op de rechterbank met een oubollige leesbril op zijn neus te lezen. Hij keek op. 'Ah, hallo,' zei hij zonder verrast te zijn.

'Ook hallo.' Detta dacht krampachtig na hoe een volledig onervaren meisje ten behoeve van het vergeten van een andere man, een andere kon verleiden zonder zich te blameren.

Ze werd wakker van het geschreeuw van een meerkoet. Door de patrijspoort drong het diffuse licht van de vroege ochtend naar binnen. De slapende man naast haar lag op zijn zij, zijn handen onder zijn wang gevouwen, en snurkte zachtjes. Dus dit was de man waarvan ze nooit en te nimmer als minnaar had kunnen dromen: een slungelachtige achtentwintigjarige Engelsman met roestrood haar en zomersproeten. Maar zoals altijd liep het ten eerste altijd anders en ten tweede dan je denkt. Dat was een lijfspreuk van Bensing. En het leek allemaal goed zoals het nu was.

Ze hadden veel gelachen. Vooral toen David haar bekende dat hij tot nu toe slechts één enkele relevante ervaring op dit gebied had gehad en wel met Ruth, zijn *nanny*, toen hij zestien was. Engelse kindermeisjes, leerde Detta, waren een ras apart. Ze begeleidden hun beschermelingen officieel weliswaar slechts tot die naar school gingen, maar vaak bleven ze ook daarna nog bij het gezin wonen, niet in de laatste plaats om de opgroeiende jonge mensen voor te lichten. Later pasten ze dan als nanny ook op diens nakomelingen. Een herhaling van de hiervoor genoemde voorlichting was daarbij niet uitgesloten.

Detta onderdrukte een lach toen ze aan zijn ernstige, geconcentreerde gezicht dacht, waarmee hij de even natuurlijke als moeilijke opgave van het binnendringen was aangegaan. Moeilijk, omdat hij minder werd gestuurd door passie dan door de zorg dat hij haar pijn zou kunnen doen. Zij was het ten slotte geweest die zich schrap had gezet en hem in zich had opgenomen. De pijn viel eigenlijk wel mee en werd al snel vervangen door een veelbelovende kriebel, die weliswaar niet tot een hoogtepunt leidde, maar wel naar een vermoeden van het genoegen waar moeder destijds over gesproken had en waar het keukenmeisje Lina giebelend mee had gedweept.

Ze stond zachtjes op en klom de drie treden naar het dek op. Er lag een waas van ochtendnevel over de slapende boten om hen heen. Geluidloos liet ze zich in het water zakken. Het water omhulde haar naakte lichaam. Ze zwom ver van de boot vandaan, keerde, dook de laatste meters naar de boot terug en trok zich aan de wand omhoog. David hield een handdoek voor haar in zijn hand terwijl hij de andere kant opkeek. Ze wikkelde zich in de handdoek. 'Goedemorgen, darling.' Ze gaf hem een natte kus.

Hij was de terughoudendheid zelf. 'I hope you slept well? Breakfast is almost ready.' Hij klom naar beneden. Daar rook het naar verse koffie en spiegelei. 'Het ontbijtspek is van Hefter. Ze hadden helaas geen Deense bacon,' verontschuldigde hij zich stijfjes. 'Ik dacht dat we misschien straks een klein uitstapje zouden kunnen maken naar het Tegelmeer. Het paviljoen daar biedt een goede lunch, heeft Nigel Hawksworth mij voordat hij vertrok laten weten. De arme ziel moet het nu met de Chinese keuken doen, ofschoon er in Shanghai een paar uitstekende Europese restaurants schijnen te zijn.' Hij sprak terwijl hij strak bleef kijken naar zijn spiritusbrander. Haastig, alsof hij bang was dat ze hem zou onderbreken. 'Houd u van... hou je van jus d'orange vooraf?'

Ze liet haar handdoek van zich af glijden. 'David, kijk me aan.' Hij draaide zich om. 'Je praat te veel, lieveling,' zei ze met een diepe, verleidelijke stem die ze van zichzelf niet kende. Zijn op en neer bewegende adamsappel verried dat hij zwaar slikte. Detta ging op de toppen van haar tenen staan en kuste hem. Ondertussen leidde ze zijn hand naar haar venusheuvel.

Het werd een voor hen beiden onvergetelijke ontmoeting. Als kinderen zo nieuwsgierig verkenden ze elkaars lichaam en gaven ze zich over aan het heerlijke spel. De geur van verbrand ontbijtspek zou Detta voortaan altijd herinneren aan haar eerste, zalige orgasme.

'You must forgive my foolish behaviour,' verontschuldigde David zich voor zijn klungelige gedrag van voorheen. 'We English are permanently embarrassed.'

Bij het dessert in het paviljoen zette hij zijn ernstige, geconcentreerde gezicht weer op. 'Zou je met me willen trouwen?' vroeg hij bij de rode bessengelei met vanillesaus.

'Dat weet ik niet,' zei ze naar waarheid. 'Maar ik zal erover nadenken.'

Barones Von Aichborn was voor de Olympische Spelen naar Berlijn gekomen. Ze had het jaar daarvoor aangeboden de vrouwen van de Spaanse delegatie te begeleiden, maar er was geen Spaans team. Op het Iberisch schiereiland woedde een burgeroorlog.

Luitenant Hans-Georg von Aichborn was er niet in geslaagd zich te kwalificeren voor de military. Moeder en dochter probeerden hun zoon en broer over diens teleurstelling heen te helpen. 'Ik mag ook al niet met het condorlegioen mee naar Spanje,' klaagde hij. 'Mijn commandant verbood het. Pruisische officieren zouden geen huursoldaten zijn.'

'Gelijk heeft hij,' riep Detta impulsief uit. 'Stel je voor dat je daar iets zou overkomen. Ik moet er niet aan denken,' voegde ze er zachtjes aan toe. Ze keek haar broer teder aan. 'En bovendien, wat hebben wij met die oorlog te maken?'

'Meer dan je denkt,' zei de barones ernstig. Ze observeerde haar dochter een tijdje en vatte haar conclusie samen in de laconieke vraag: 'Wanneer stel je hem aan ons voor?'

Detta was verbaasd. 'Hoe weet jij dat?'

De barones glimlachte. 'Ik ben je moeder.'

'Zo gauw hij uit Engeland terug is,' beloofde Detta.

'Heeft hij ook een naam?'

'David Floyd-Orr. Hij is de derde secretaris bij de Britse Ambassade.

Ze waren bijna een jaar samen en zagen elkaar bijna dagelijks bij hem in de Tiergartenstraat of in Detta's kleine appartement aan het Steubenplein, waar ze in januari was gaan wonen. Ze had haar kalverliefde voor Tom Glaser zonder naweeën overwonnen. Ze hield van David. Van zijn droge, Engelse aard, zijn sporadische *embarrassments* en zijn leptosome, jongensachtige verschijning waarachter hij zijn negenentwintig jaar verborg.

Ze ontdekten Berlijn samen. Ze tapten een blondje aan de 'Plumpe', zoals de autochtonen de geneeskrachtige bron noemden. Ze bezochten het museumeiland. Ze genoten van het jaarlijkse vuurwerk, Vlammend Treptow, en ze dronken een kleverige citroenlikeur bij 'Goldelse', die als blond meisje model had gestaan voor *Zille*. David liet zich er alleen niet toe verleiden de radiozendmast, de Berlijnse 'lange slungel', te beklimmen. 'Ik word al duizelig als ik op een keukentrapje sta,' biechtte hij op.

'Hij is de erfgenaam van de achtste Earl of Bexford en dus Viscount Floyd-Orr,' schreef de barones aan haar dochter. Ze had het nagekeken in *Debrett's Peerage*.

'Daar heeft hij mij nooit iets van verteld,' antwoordde Detta. 'Hij wil dat ik hem neem zoals hij is.'

'Nodig hem toch uit naar Aichborn,' schreef haar moeder. 'Als hij de shock van een ontmoeting met ons gezin overleeft, dan is hij wellicht zelfs tegen jou opgewassen.'

In de zomer van 1938 was Detta te gast in Bexford Hall en veroverde ze stormachtig de harten van Davids familie. 'A Prussian wife with an impeccable background,' prees lord Bexford. 'Je had niets beters kunnen vinden, jongen.'

Tijdens een feestje ter ere van Detta, uitte de graaf zijn bewondering: 'Geweldig, die Duitsers. In het bijzonder hun Reichskanzler. Hoe die man de zaken op orde brengt, geweldig!' De overige gasten, allemaal *upper class*, bleken ook onder de indruk van de heer Hitler. Alleen de Duchess of Newcastle had aanmerkingen: 'De man is niet getrouwd. Bovendien heb ik gehoord dat hij afschuwelijk Duits spreekt. Zegt Queen Mary in ieder geval, die hem op de radio heeft gehoord.'

In Berlijn had een wisseling van de wacht plaatsgevonden. Arvid von Troll stelde Detta de nieuwe baas van BZ voor. Joachim von Ribbentrop was tot nu toe ambassadeur in Londen geweest. 'Lage adel uit het Rijnland,' snoefde haar secretaresse binnenskamers. Detta lachte: 'Mevrouw Wilhelmi, u bent een snob.'

'Hij ziet er goed uit en heeft goede manieren,' zei Detta tijdens het avondeten tegen David. 'We hebben het even over paarden gehad. Hij is officier bij de huzaren geweest.' Ze aten aardappelsalade met gehaktballetjes die ze bij de slager kant en klaar kocht en zelf in de koekenpan braadde. Ze was geen bijzonder goede kokkin. David had een kan met blond Bötsovbier bij het café om de hoek gehaald.

'Mijn chef, Sir Nevile Henderson, vindt hem een parvenu,' zei David schouderophalend. 'Could I please have some more potato salad?' Hij hield van degelijk eten.

Detta schepte hem op. 'Meneer von Troll vindt dat we eindelijk een trouwdatum moeten vastleggen.' Ze wachtte gespannen op zijn reactie.

'Waarom?' pestte hij haar een beetje. 'Hoopt meneer Von Troll op een uitnodiging?'

'Hij heeft mij verteld dat ik als werkneemster bij BZ toestemming moet vragen om met een buitenlander te trouwen. En dat zou wel even kunnen duren.

David knikte. 'Bij ons is het net zo. Ik ben tenslotte diplomaat van Zijne Britse Majesteit en ik wil met een Duitse trouwen.'

'Jouw "king" is net zo Duits als ik. Ik ben er zeker van dat hij er niets op tegen heeft.'

Maar Detta moest wachten. 'Het Foreign Office wil eerst duidelijkheid over de toekomstige betrekkingen tussen Groot-Brittannië en het Duitse Rijk voor het toestemming wil verlenen voor onze verbintenis,' legde David haar geduldig uit. De normaliter zo nuchtere Detta was te verliefd om zich af te vragen wat haar echtelijke verbintenis te maken had met de wereldpolitiek waar ze overigens maar heel zelden iets over vernam, zoals in maart 1939.

'Mag dit allemaal zomaar?' riep ze verbaasd uit toen Duitse troepen Praag binnen marcheerden.

'Die vraag hebben wij de Duitse Rijksregering ook gesteld en wel met een protestbrief,' verklaarde David.

'En?'

'Jullie ambassadeur heeft de brief niet in ontvangst willen nemen, net als zijn collega in Parijs.'

Een week later, tijdens de bezetting van het land rond de Memel door de Duitse Wehrmacht, waren er niet eens meer protesten van de westerse machten te horen. De geschrokken Litouwse regering gaf het gebied zonder weerstand te bieden op. De Memel werd ondergebracht bij de provincie Oost-Pruisen.

'De Memel was en is Duits,' becommentarieerde luitenant Hans-Georg von Aichborn de gladde manoeuvre waar zijn regiment aan had deelgenomen. 'Nu pakken we West-Pruisen terug van de Polen en de Elzas van Frankrijk,' voegde hij er stoer aan toe. 'Daarna kunnen we het schandalige pact van Versailles als nietig beschouwen.'

'Als het maar zonder bloedvergieten gebeurt,' zei Detta zorgelijk.

'Die durven helemaal niets tegen ons.' Haar broer keek bloeddorstig. Maar waarschijnlijk had hij gelijk. De westerse machten hadden hun tanden allang verloren en wie ter wereld kon er belang bij hebben het eerste schot te lossen?

David was daar niet zo van overtuigd. 'Ik ben bang dat we onherroepelijk op een oorlog afstevenen,' zei hij toen Londen en Parijs hun garantieverklaringen voor Polen hadden afgegeven.

'Dan staan wij tegenover elkaar,' zei Detta bezorgd.

'Tot de capitulatie,' antwoordde David onbekommerd. 'Daarna trouw je met de winnaar.'

'Doe niet zo arrogant,' viel Detta hem aan. David verliet beledigd de woning.

De volgende ochtend stuurde hij bloemen en probeerde hij meermaals haar te bereiken. Maar de trots van de Aichborns woog zwaarder. Ze was een week lang niet bereikbaar voor hem. Toen ze op woensdag probeerde hem thuis te bellen was er geen antwoord. 'Meneer Floyd-Orr is op korte termijn naar Londen teruggeroepen,' hoorde ze op donderdagochtend bij de Britse ambassade, waar men aan het inpakken was.

Op vrijdag 1 september marcheerden de Duitse troepen Polen binnen. Twee dagen later verklaarden Groot-Brittannië en Frankrijk het Duitse Rijk de oorlog. Op deze zondag was er veel te doen bij BZ. In de wandelgangen gonsde het van de geruchten.

'De Führer heeft de hertog van Windsor een terugkeer op de Engelse troon aangeboden. Edward VIII sluit dan meteen vrede met ons en zorgt voor teruggaaf van de koloniën,' wist mevrouw Wilhelmi te vertellen.

'En mevrouw Göring drinkt daarna thee met koningin Wallis,' maakte Arvid von Troll het absurde verhaal compleet. Maar Detta kon er niet om lachen. Bleek en in zichzelf gekeerd deed ze haar werk. Ze dacht aan David. Zou ze hem ooit weerzien?

De viermotorige Focke-Wulf trok op zesduizend meter hoogte rustig zijn baan. Detta keek uit het raampje op de met sneeuw bedekte toppen van de Pyreneeën. Ze waren een paar uur geleden van Berlijn-Tempelhof vertrokken en zouden Barcelona tegen acht uur die avond bereiken. De oorlog was een jaar oud. Frankrijk was overwonnen. Op alle fronten klonken de fanfares die de extra bulletins aankondigden. Eerste luitenant Hans-Georg von Aichborn stond met zijn regiment in Saumur en deed dressuuroefeningen met de Moorse paarden van de Franse Cavalerieschool. 'Ik zou liever aan het front worden ingezet, maar er wordt nergens geschoten, behalve dan het geknal door een paar Franse partizanen als die niet net hun pastis aan het drinken zijn,' had hij tot Detta's opluchting geschreven. 'Met de kerst zijn we weer thuis,' sloot hij zijn brief optimistisch af.

Haar baas bij BZ was een andere mening toegedaan. 'We moeten ons voorbereiden op een langer conflict en mogen onze neutrale vrienden daarbij niet verwaarlozen. Wie weet, wanneer en waarvoor we ze nog nodig hebben,' had Arvid von Troll Detta uitgelegd. 'U spreekt uitstekend Spaans en hebt daar van uw moeders kant familie wonen. Wij willen dat u als vice-consul naar onze vertegenwoordiging in Barcelona gaat. Onze consul, dr. Kessler, verwacht u daar reeds.'

Weg uit Berlijn en de herinneringen aan de heerlijke tijd met David. Een ander land, een andere taal, nieuwe vrienden... Misschien hielp het om het verleden te verwerken. Detta stemde toe.

Boven de bergen werden ze door turbulentie heen en weer geschud en zakten ze een paar keer flink naar beneden. Sommige gezichten werden groen. Detta merkte er niets van. Ze droomde ervan in Davids armen te liggen. Een weldadig gevoel ging door haar lichaam en verdrong de gedachte aan de realiteit: dat deze onzinnige oorlog hun uit elkaar had gedreven voor God wist hoelang. En dat David nu de 'vijand' was. Absurd gewoon.

Ze voelde een hand op haar schouder en schrok op.

'Welkom aan boord.' Het was Thomas Glaser.

'Tom, wat een rustgevend gevoel dat u ons vliegt.'

'Momenteel doet mijn eerste officier dat. Detta, hoe is het?'

'Uitstekend. Ik kijk vol verwachting uit naar mijn nieuwe baan in Barcelona. Het uniform staat u goed, meneer de gezagvoerder. Hoe is het met Ulli?'

'Ze is druk bezig met de tweeling en met ons huis in Mahlow.'

'En u vliegt ondertussen een beetje rond?'

'Ten gevolge van de situatie in de wereld helaas vrij beperkt. Vele bestemmingen worden ons verboden. De Amerikanen bijvoorbeeld weigeren Lufthansa onder slappe voorwendselen toestemming om te landen.'

'Wilde u naar Amerika vliegen dan?' vroeg Detta ongelovig.

'We hebben het al gedaan, zonder te landen. Alleen maar om het de yankees eens even lekker onder de neus te wrijven,' zei hij trots. 'Non-stop Berlijn-New York-Berlijn. Dertienduizend kilometer binnen 44 uur en 31 minuten. Ze waren stomverbaasd. Het lukt hun Panamerican Airline net om met de wind in de rug de Azoren te bereiken. Excuseer, ik moet weer naar voren. Zullen we een dezer dagen samen gaan eten? Ik ben twee keer per week in Barcelona.'

'Graag, Tom. Bel me maar bij het consulaat.'

Ter bevestiging zwaaide hij haar na de landing vanuit de cockpit toe. Ze zwaaide terug, blij dat ze in dit vreemde land ten minste twee keer per week een vriend zou hebben.

Consul generaal dr. Heinrich Keller was een gecultiveerde man van in de zestig, die het Duitse Rijk al tijdens de laatste Spaanse koning op consulair niveau had vertegenwoordigd. 'Alfonso XIII, dat was een ware gentleman, intelligent en met een bijtende humor als hem iets niet beviel,' roemde hij.

'Oom Rex,' zei Detta schijnbaar uit het niets.

Haar nieuwe baas was geïrriteerd. 'Wablief?'

'Wij noemden hem oom Rex, omdat niemand mocht weten wie hij was als hij met oom Juan voor de jacht naar Aichborn kwam,' herinnerde Detta zich. 'Hij was een slechte verliezer bij het mens-erger-je-nieten. Mijn broer Hans-Georg en ik speelden soms vals om hem te plagen. Dan vloekte hij in het Spaans als een *vaquero*, wat heerlijk komisch klonk.'

'Arvid von Troll heeft niet te veel gezegd toen hij u aankondigde. U zou altijd een verrassing in petto hebben, schreef hij mij. Wat uw onderkomen betreft: uw voorganger Jagold is per koerier opgeroepen. Hij komt volgende week onder de wapenen. U kunt zijn woning overnemen.'

'Dat is wel zo gemakkelijk. Wanneer begin ik met mijn werk, dr. Kessler?'

'Over een of twee dagen, dat is vroeg genoeg. Op de paspoortafdeling, waar u als vice-consul voor verantwoordelijk bent, ligt niets dringends te wachten. Wie vraagt er immers vandaag de dag een visum voor Duitsland aan? Ach, Jagold, daar bent u.'

Er was een jongere man binnengekomen. Hij had donkerblond haar dat bij zijn slapen en in zijn nek krulde. Detta vond hem een beetje een dandy vanwege zijn wit met bruine schoenen, zijn crèmekleurige linnen pak en zijn donkerblauwe overhemd. Hij droeg er een citroengele, op de anjer in zijn revers afgestemde das bij.

'Axel Jagold – Henriette von Aichborn,' stelde de consul generaal de twee aan elkaar voor.

'Mijn charmante collega en opvolgster, nietwaar?' De vice-consul kuste haar hand. 'Als de baas er niets op tegen heeft, zou ik u mijn appartement willen laten zien. Daarna gebruiken we samen de lunch. En dan breng ik u voor een siësta naar het hotel. Vanmiddag kunt u dan de rest van de groep hier leren kennen.'

'Doet u dat, Jagold,' bekrachtigde Kessler het voorstel. Hij wendde zich tot Detta: 'Mijn vrouw en ik zouden het leuk vinden als u vanavond bij ons zou willen dineren. Om acht uur stuur ik u Pedro met de auto.'

'Dat is heel aardig van u beiden. Hartelijk dank, dr. Kessler.' Ze volgde Jagold naar buiten. Op straat werden ze bevangen door de enorme hitte. De vaartwind door het open raampje van de taxi hielp ook niet veel.

Jagolds appartement aan de Ronda Sant Antoni had een aangenamere temperatuur. 'Barcelona's architecten hebben hun Jugendstilhuizen met ongelooflijk dikke muren uitgerust,' legde haar gastheer uit. 'Mag ik u ijsthee aanbieden?' Hij haalde een glazen kan uit de koelkast en vulde twee hoge glazen. Hij garneerde hun drankje met een takje verse munt.

Detta keek om zich heen. De woonkamer was in Moorse stijl ingericht. Op het dressoir stond een foto van een atletische, blonde jonge man met ontbloot bovenlijf. Detta zag half ingepakte koffers staan door de geopende slaapkamerdeur.

Jagold ving haar blik op. 'Ik heb een passage geboekt naar Spaans

Marokko. Mijn vriend is al voorgegaan.' Hij wees op de foto. 'Gunnar is een Zweed. We willen door naar Angola om in Sao Paolo de Loanda een restaurant op te zetten. De Portugezen interesseren zich niet zo erg voor je afkomst en wie je bent, zolang je maar de goede mensen omkoopt.'

'Dr. Kessler zei dat u was opgeroepen en naar huis moest.'

'Om ten strijde te trekken? Ik ben toch niet gek. Stel je voor zeg, de vijand zou op me kunnen schieten!' Hij lachte een beetje te hoog en te hard naar Detta's smaak.

Ze begreep nu wat er aan de hand was, en haar hele Pruisische ziel verzette zich hiertegen. 'Mijn vader is te oud voor de dienst onder de wapenen en dat vindt hij heel erg,' zei ze koeltjes. 'Mijn broer staat met zijn regiment in Frankrijk. Twee ooms en drie van mijn neven zijn op de eerste dag opgeroepen. Eentje is er in Polen gevallen. In mijn familie zitten geen lafaards en – en dat is maar goed ook in uw geval, meneer Jagold – ook geen verraders.'

'Bevalt het appartement? U kunt de inrichting heel goedkoop overnemen,' probeerde hij te sussen. 'De huur is niet hoog en de huiseigenaar een schappelijke kerel. U zult zich hier vast thuis voelen, lieve collega.'

'Jonkvrouwe Von Aichborn nog altijd voor u,' wees ze hem terecht en vertrok.

Buiten haalde ze diep adem en ging ze ondanks de hitte energiek op pad.

Het straatbeeld werd bepaald door militair machtsvertoon. Overal stonden politieposten. De burgeroorlog was sinds een jaar voorbij. Generaal Franco hield hetgeen hij overwonnen had in een ijzeren greep. De mensen in Barcelona ignoreerden hem. De dictator was een Spanjaard. Zij waren trotse Catalanen.

Op de Plaça de Catalunya had Detta weer greep op zichzelf. Een taxi reed haar naar het hotel bij de kathedraal. Ze douchte en kleedde zich om. Voor de lunch koos ze een tafeltje in een kleine nis, achter een paar palmen, waar ze zich ongestoord voelde. Ze bestudeerde de menukaart bij een glas ijskoude rosé.

'De gegrilde gamba's met verse vijgen schijnen aanbevelenswaardig te zijn.' David Floyd-Orr stond lachend voor haar. Ze wilde opspringen en hem om de hals vallen. 'Alsjeblieft niet,' zei hij zachtjes.

'David...' meer kon Detta niet uitbrengen.

Hij ging zitten. 'We zijn niet meer dan goede bekenden. Dus bestaat er geen reden voor openlijke emotionele uitbarstingen die opzien zouden baren. De voltallige buitenlandse kolonie verkeert in dit hotel. Het front loopt dwars door het restaurant. Links de asmogendheden, rechts de vertegenwoordigers van de entente. De neutralen lopen over en weer, al naar gelang hun sympathie. Men observeert alles en iedereen. Vergeet niet dat we aan verschillende kanten staan.'

'Niet wij, darling, onze landen.' Ze had wel kunnen schreeuwen van geluk, maar ze beheerste zich en zei terloops: 'Gegrilde gamba's met verse vijgen zijn een première voor mij. Zoiets krijgen we bij mij thuis nog niet eens tijdens de grootste vrede. David, hoe kom je hier?'

'Dat vertel ik je later.'

In zijn suite vielen ze over elkaar heen als twee uitgehongerde beesten. Toen ze vredig en uitgeput in elkaars armen lagen, terwijl de jaloezieën de schitterende namiddag buiten hielden, praatten ze.

'Ik ben op mijn uitdrukkelijke wens hier naartoe gestuurd. Het alternatief was Rio, maar ik wilde natuurlijk naar jou. Ik ben vice-consul, net als jij, en ik leid de persafdeling.' Ze had zich moeten afvragen hoe hij wist dat zij vice-consul van het Duitse Rijk in Barcelona was. Maar de nasmaak van hun stormachtige ontmoeting voelde als een aangename roes en vertroebelde haar denkvermogen. Ze keek op zijn horloge. 'Lieve hemel, ik had allang op het consulaat moeten zijn.'

'Je bent niet de enige. Zien wij elkaar vanavond?'

'Ik weet het niet, David. Je zei zelf dat we voorzichtig moeten zijn.'

'We vinden wel een oplossing, ver weg van deze verdomde oorlog,' beloofde hij.

De oplossing was een romantische schildersstudio die ze tijdens een van hun zwerftochten in de oude vissershaven ontdekten. De bewoner van de studio, een opstandige jonge kunstenaar, had deelgenomen aan verboden republikeinse bijeenkomsten en met zijn tekenpen de nieuwe fascistische machthebbers belachelijk gemaakt. Hij was alleen maar ontkomen aan de galg, omdat zijn zus de maîtresse van de militaire bevelhebber van Barcelona was. De steengroeve kon ze hem niet besparen, dus werd het atelier te huur aangeboden. De twee tortelduifjes hadden het bord op de huisdeur gezien.

Detta was verrukt over het uitzicht op de pittoreske vissershaven en liep meteen naar beneden om verse goudbrasem te kopen van een van de zojuist binnengelopen vissersboten. Een koele, rode rioja uit het havencafé rondde het eenvoudige maal af. Als dessert was er de liefde. Ze hadden elkaar een lang jaar niet gezien.

'Hoe is het met je ouders?' vroeg hij terwijl zij het atelier met bloemen decoreerde.

'Och, wel aardig, dank je. Moeder maakt pakketjes met worst en sigaretten voor alle familie en vrienden in uniform.'

'En de luitenant-generaal?'

Opnieuw had Detta haar oren moeten spitsen. David kende haar vader alleen maar als landheer. Hoe kon hij dus weten dat ze vader hadden gereactiveerd en bevorderd? De baron had de grote oorlog in 1918 als overste en commandeur beëindigd. Maar Detta was te verliefd om dergelijke nuances waar te nemen.

'Vader doet het ene vruchteloze verzoek na het andere om van het OKH naar de troepen te worden overgeplaatst,' zei ze achteloos en ging door met het verzetten van de meubelen. De smalle brits van de jonge kunstenaar had ze vervangen door een groot tweepersoons bed. 'Onze eerste eigen woning,' straalde ze blij.

'Jouw woning, darling. Niemand mag iets van mijn bestaan afweten,' waarschuwde David haar. 'Vergeet niet dat we in staat van oorlog zijn.'

'We laten de oorlog buiten de deur,' besloot Detta en dacht gnuivend aan de Spaanse minnaar Carlos, die via kletsmajoor Pedro al snel bekend was in het consulaat. Toen Pedro namelijk dringende documenten bij haar was komen afhalen, riep ze naar de kamer ernaast: 'Carlos, lieveling, zet de wijn maar koud!' Een paar gefingeerde telefoongesprekken met Carlos die ze onderbrak als iemand haar kantoor binnenkwam, maakten het verhaal nog geloofwaardiger. Binnen de kortste tijd kende iedereen binnen het consulaat 'Don Carlos' en het liefdesnest in de haven.

David meesmuilde: 'Mijn liefje heet Conchita. Een vurig schepsel met zwarte ogen, waardoor ik geen tijd meer heb voor de club en het cricket. De meesten trappen erin. Alleen de kleine Jenny uit de codeerafdeling blijft maar met haar oogwimpers knipperen als onze wegen kruisen – en dat gebeurt verbazingwekkend vaak.'

Detta lachte: 'Maak me maar niet jaloers.'

Voor de zekerheid ging ze in de tegenaanval. Op een van de volgende avonden ontving ze David in prachtig zondige Parijse lingerie die ze bij madame Solange op de Ramblas gekocht had. Maar David merkte haar verlokkelijke uitdossing helemaal niet op.

'Wat is er, David?'

Hij fronste zijn voorhoofd. 'Jullie Luftwaffe bombardeert Londen dag en nacht. Ze zeggen dat het een veeg teken is voor de op handen zijnde landing. Detta, je moet me helpen. Wanneer start operatie Seelöwe?'

'Seelöwe?'

'Dat is de codenaam voor de Duitse invasie van de Britse eilanden. Nanny Sara is van joodse afkomst. Mijn ouders willen haar op tijd naar Canada sturen, mochten de geruchten waar zijn. Jij vliegt toch volgende week naar huis? Vraag het je vader maar.'

'Naar een militair geheim? Dat meen je toch niet serieus, David.'

'Ach onzin,' zei David luchtigjes. 'In Berlijn schreeuwen ze het waarschijnlijk al van de daken. Hoe dan ook, vergeet het.' Hij trok haar naar zich toe. Zijn lippen streken over haar wangen. Zijn tong drong vochtig haar oor binnen, zodat duizend volt door haar lichaam schoot en haar knieën week werden. Ze schreeuwde het uit toen hij haar op het grote rieten kleed onder het grote raam liefhad.

Een zekere meneer Gleim zocht Detta op in haar kantoor. Ze had hem al een paar keer in het consulaat gezien, maar hij hoorde niet bij het personeel. Zijn panamahoed en een wandelstok van bamboe gaven hem de flair van een Cubaanse tabaksplanter. Hij kwam zonder omhaal ter zake: 'Juffrouw Von Aichborn, wij weten dat u aan de Engelsman David Floyd-Orr gelieerd bent. Wij weten bovendien dat het hier gaat om een privé-liaison die al stamt van voor de oorlog en die niemand u kwalijk wil nemen.'

Detta liet niet merken dat ze verrast was. 'Hoe moet ik dat begrijpen?'

'Uw vriend is niet toevallig in Barcelona, zoals hij u wijsmaakt. Zijn ontmoeting met u is nog minder toevallig. Captain Floyd-Orr is lid van de British Intelligence Service.'

Detta voelde hoe de kamer begon te draaien. Dat David wist van haar baan als vice-consul, dat hij op de hoogte was van pappie's militaire rang: opeens leek het allemaal heel logisch. Hij was op haar afgestuurd en zij, dom schaap, had van louter verliefdheid niets gemerkt.

Ze beheerste zich. 'Dank u voor uw informatie, meneer Gleim.'

'Luitenant-kolonel Gleim, contra-inlichtingendienst, met permissie. Hebt u met uw vriend een bepaald thema besproken dat voor de andere kant van belang zou kunnen zijn? In alle onschuld, dat spreekt.'

'Nee. Maar captain Floyd-Orr interesseerde zich met een onbeduidend voorwendsel voor de datum van operatie Seelöwe. Hij zei dat ik mijn vader er volgende week in Berlijn naar moest vragen.'

De majoor knikte tevreden. 'Uitstekend. U brengt uw vriend de gewenste informatie over.'

'Ik ben geen verraadster. Zelfs niet voor de schijn. U kunt niet op mij rekenen.'

De bezoeker stond op. 'Jammer dat u ons niet wilt helpen. Maar ik begrijp uw beweegredenen. Ik vraag u maar om één ding, en dat is uw zwijgzaamheid.'

Detta gedroeg zich als de koele Pruisische. 'Ik zei al dat ik geen verraadster ben. Goedendag, meneer Gleim.' De luitenant-kolonel verliet het kantoor. Toen de deur achter hem was dichtgevallen zakte ze huilend in elkaar.

'Ik ben bang dat Carlos toch geen verzinsel is,' zei ze die avond tegen David.

'Conchita ook niet.'

'Goodbye, David.'

'This damned war will destroy us all,' zei hij toonloos en ging.

Detta dwong zichzelf voortaan niet meer aan hem te denken en begroef zich in haar werk. Ze begon de hele registratie van haar paspoortafdeling op de kop te zetten en opnieuw te ordenen: een even overbodige als langdurige operatie. In haar vrije tijd waagde ze zich aan een vertaling van Calderóns *Dame Kobold* en frequenteerde ze de bridgeronde van de vrouw van de consul. Tom Glaser meldde zich regelmatig als hij in Barcelona was. Dan gingen ze samen eten en praatten ze over koetjes en kalfjes. Ze reed naar Madrid naar oom Juan en de overige Alvarez de Toledo's, die haar aan een Spaanse grootheid wilden koppelen. De jonge man biechtte haar in tranen zijn liefde voor de tuinman van zijn paleis op. Lady Chatterley, maar dan andersom, dacht Detta.

Miriam kwam op bliksembezoek uit Lissabon. Ze was een beetje molliger geworden. Ze was met een Amerikaanse bankier getrouwd en ze hadden twee kinderen. 'Volgende week vliegen we naar huis. Kom toch mee naar Amerika. Bill kan het voor je regelen. Hij heeft goede connecties met het State Department.'

'Geen heimwee meer naar de Kurfürstendam?' flapte Detta eruit.

'You must be joking,' retourneerde Miriam.

Detta bracht haar vakantie thuis door, zoals gewoonlijk. Op Aichborn was er nogal wat veranderd. Alle mannen die in staat waren hun militaire dienst te vervullen, vochten aan de zich terugtrekkende fronten. Hun vrouwen deden thuis al het werk. Stedelingen die voor de bommen waren gevlucht bevolkten het landgoed. Hooggehakte dames trippelden door de stront en oogstten spot en verachting. Barones Von Aichborn kon de vrede maar moeilijk bewaren. Bovendien was het zaak de loonarbeiders te beschermen tegen de lokale aanvoerder van de boeren, de heer Fanselow. Hij treiterde met voorliefde Polen als hij in Aichborn was.

Vandaag moest de Poolse paardenknecht het bezuren. Jurek spande net Loschek voor. Jurek had het oude werkpaard dat de mestkar trok deze koosnaam gegeven. 'Maak voort, verdomde Polak.' Fanselow griste de zweep van de bok.

Detta kwam tussenbeiden en hield Fanselow de mand met vers geraapte eieren onder de neus. 'Ach meneer Fanselow, zou u deze hier alstublieft naar de keuken, naar mijn moeder willen brengen? Dank u wel, dat is heel vriendelijk van u.' Fanselow legde verbluft zijn zweep weg en nam de mand. Jurek keek Detta dankbaar aan met zijn trouwe bruine ogen.

De baron was neerslachtig en zwijgzaam toen hij op die februaridag in 1943 terugkwam van zijn kantoor in de commandocentrale van de troepen. De waarheid over de zogenaamd zo heldhaftige nederlaag van het Duitse leger in Stalingrad sijpelde langzaam door. 'Die wagen trekt niemand meer uit de stront,' was een van zijn weinige, grimmige uitingen.

Hans-Georg, met verlof terug uit Parijs, was veel loslippiger. 'Hitler moet weg, dat is een feit,' legde hij zijn zus uit tijdens een ritje door het besneeuwde park. 'Alleen een regering van onze beste nationaal-conservatieve krachten kan voor een vrede in ere zorgen. De geallieerden hebben al beloofd dat ze een scheiding binnen Duitsland niet militair zullen misbruiken.'

'Die man gaat nooit vrijwillig weg,' voorspelde Detta.

'Een kogel van heel dichtbij zal dit probleem oplossen,' zei de nieuwbakken ritmeester overtuigd. 'Gelukkig staan een paar kameraden in contact met hem en zij zijn bereid alles te riskeren. Ach Dettalief, ik wilde dat ik tot de uitverkorenen behoorde.'

Ze hoorde het enthousiasme en de vastbeslotenheid in zijn stem en was blij dat hij niet tot de uitverkorenen behoorde. Gelukkig zit hij in Parijs niet in de vuurlinie, dacht ze tevreden en gaf haar paard de sporen.

Detta kreeg de boodschap in april 1945. Iemand had het briefje onder haar deur in de haven doorgeschoven. Captain David Floyd-Orr was drie jaar geleden met zijn speciale eenheid bij de rotskust van Normandië neergestort en omgekomen. Ze rekende het na. Hij moest zich onmiddellijk na beëindiging van hun relatie hebben gemeld voor dit hemelvaartscommando. 'Ik word al duizelig als ik op een keukentrapje sta,' galmde het na in haar hoofd.

Jij nar, dacht ze. Jij lieve, lieve nar. Een gevoel van tederheid overweldigde haar.

Haar baas had werk voor haar die morgen. Dat leidde af. De consul-generaal wees op een elegante handkoffer van krokodillenleer, waarop de initialen 'F.M.' stonden. 'BZ heeft ons deze koffer gestuurd. De eigenaar is een paar dagen gelegen bij een luchtaanval in Berlijn om het leven gekomen. Fernando Mendez, een Spaanse diplomaat. De koffer en het lichaam zijn geborgen uit een ingestort woonhuis aan de oever van de Lietzensee, waar hij bij een vriendin had overnacht. Tussen zijn spullen zat een brief uit Barcelona, met als afzender zijn ouders. Overhandig dit alles aan meneer en mevrouw Mendez en condoleert u hen in naam van de Duitse Rijksregering,' zei dr. Kessler tegen zijn vice-consul.

En nu stond de koffer open op Detta's bureau en begon ze een lijst te maken van de inhoud ervan. Volgens de voorschriften moest alles worden afgetekend. Een blauw-wit gestreepte zijden pyjama, scheer- en toiletspullen, de diplomatieke pas van de overledene, een halfvolle reisflacon cognac, de brief van de ouders en een aangebroken plak Sarotti bittere chocolade. Een pakje condooms liet Detta discreet verdwijnen. Ze greep naar de telefoon om haar bezoek aan te kondigen. De schoonmaakster nam op. Meneer en mevrouw Mendez waren bij hun dochter op het platteland.

Detta deed de koffer in de dossierkast en dook in de papieren. Hoofd-schuddend las ze het verzoek van een zekere Federico Vargas om een visum naar Duitsland. De drukke, kleine importeur was al enige malen persoonlijk bij haar langsgekomen. Hij wilde per se naar Keulen, zo snel mogelijk zakelijke relaties opbouwen voor de toekomst. 'De eau de cologne was voor de oorlog al een succes bij ons,' verzekerde hij haar opgewonden.

'Afgekeurd!' schreef Detta diagonaal over het verzoek heen en voegde er in een vlaag van sarcasme aan toe: 'Wij adviseren de verzoeker zich tot het Britse consulaat te wenden, dat sinds kort verantwoordelijk is voor Keulen en omgeving.' Er speelde onwillekeurig een lachje om haar lippen. Dat had David wel kunnen waarderen. Haar verdriet nam weer de overhand.

Ze was dankbaar dat Tom Glaser haar op die avond uitnodigde voor het eten. De gezagvoerder was twee dagen in Barcelona. Hij wachtte op een vervangend onderdeel voor zijn machine, dat uit Madrid moest komen. 'Erg?' vroeg hij medelevend. Ze huilde stil. Hij probeerde niet om haar te troosten. Hij had een nog erger bericht. 'Krijg ik een kop koffie?' vroeg hij voor haar huisdeur.

'Een ander keertje graag, Tom. Ik ben heel moe.'

'Ik heb nieuws over Hans-Georg,' zei hij zachtjes.

Detta stond stijf van schrik. Ze liet Tom binnen. Maandenlang had ze niets van haar broer vernomen. De ritmeester was sinds de mislukte aanslag op Hitler spoorloos verdwenen. 'Een speciaal geheim commando aan het oost-front,' was de mededeling, die de familie tegen beter weten in verspreidde.

'Hij heeft deelgenomen aan een succesvolle putsch van de Wehrmacht tegen de SS in Parijs en kon na beëindiging van de actie met behulp van de Résistance voorlopig onderduiken,' vertelde Tom. 'Ik weet dit van een collega van Air France die bij de Franse weerstand is. Maar algauw dreigde hij ontdekt te worden. Het lukte hem echter met een gewondentransport naar Duitsland te komen, en zelfs op de een of andere manier naar huis te komen. Zelfs de Gestapo geloofde niet dat hij dom genoeg zou zijn zich uitgerekend op Aichborn te verstoppen. Hij had geluk, tot nu toe. Maar ze hebben op Aichborn al twee keer naar hem gevraagd. Detta, we moeten elkaar niets wijs-maken, zijn situatie is hopeloos. Het is slechts een kwestie van tijd tot ze hem vinden en doden.'

'Kunt u hem een boodschap overbrengen?'

'Ik kan vanuit Berlijn met uw ouders telefoneren. Zij zullen ook mijn geco-deerde boodschap begrijpen. Wat moet ik zeggen?'

'Dat ik Hans-Georg daar uit haal.'

'U bent gek,' flapte de gezagvoerder eruit.

Detta had een vastberaden trek om haar mond. 'Mogelijk.'

Dr. Kessler had haar nog nooit met haar voornaam aangesproken, en hij was ook nog nooit zo open tegen haar geweest. 'Henriette, u kunt niet weg. Duitsland ligt in puin en as. Het einde is maar een kwestie van weken. Mijn vrouw en ik blijven hier. Vrienden in de regering hebben beloofd dat men ons ook na verlies van de consulaire privileges niet zal uitwijzen. Voor u is het alle-maal veel gemakkelijker. Uw familie in Madrid heeft veel invloed en zal u beschermen. U bent jong en hebt veel tijd. Ooit zal het thuis allemaal weer normaal worden.'

'Ik verzoek u hiermee om een kort verlof, consul-generaal,' zei Detta pertinent. 'Ik moet naar Berlijn. Over een paar dagen ben ik terug,' voegde ze er optimistisch aan toe.

De Mercedes met het vaantje van het Duitse Rijk en het CC-nummerbord van het *Corps Consulaire*, bracht vice-consul Henriette von Aichborn naar de luchthaven Prat de Llobregat aan de rand van Barcelona. De chauffeur droeg haar reistas tot de controlepost. 'U komt toch echt weer, doña Henrietta?'

'Natuurlijk Pedro. Het is maar een kleine zakenreis.' Ze nam de tas van hem over en liet bij de controle haar diplomatenpas zien. De ambtenaar deed galant de hefboom voor haar open.

De viermotorige Junkers 290 met het kenteken D-AITR stond al klaar op de rolbaan. Detta keek omhoog naar de cockpit. Tom Glaser was bezig met de voorbereidingen voor de start. Sinds haar vorige vlucht was er nogal wat veranderd. De cabine was niet schoongemaakt, de zittingen waren doorgezeten en de hoezen versleten. In plaats van een steward, werd ze door een slechtgehumeurde man met stoppelhaar ontvangen. Het bleek de boordwerktuigkundige Bichler te zijn. Hij deelde parachutes uit aan de passagiers. 'De gebruiksaanwijzing ligt op uw plaats. Een goede vlucht.' Wat hij zei klonk als hoon.

Detta ging aan het raampje links vooraan zitten. Thomas had haar uitgelegd dat je daar het minst last had van de turbulentie. De ene motor na de andere begon te brullen. De zware verkeersmachine begon langzaam te rollen en nam zijn startpositie in. Detta's lijf begon te trillen onder het motorgeweld van duizend paardenkrachten. De vier grote propellers kliefden door de lucht en dreven de reuzenvogel vooruit. Snel accelererend schoot hij over de startbaan en drukte de passagiers in hun stoel. Het vliegveld verzonk onder hen. DLH vlucht nummer K22 nam koers op Berlijn.

Een jaar geleden was de machine nog goed bezet geweest. Men had champagne geserveerd. Nu was er geen service meer aan boord, hoogstens een slokje water. Detta telde zes medepassagiers. Ze vernam gedurende de loop van de vlucht dat het een Zweeds echtpaar was dat vanuit Berlijn door wilde vliegen naar Stockholm, een vertegenwoordiger van Siemens die naar huis vloog, een majoor van de Spaanse blauwe divisie die naar het front wilde en een ouder Duits echtpaar uit Valencia, waarvan de dochter in Frankfurt aan de Oder haar eerste kind verwachtte. 'Naar Frankfurt aan de Oder? Als dat nog maar lukt, voordat de Russen aankomen,' grapte de Siemens-vertegenwoordiger. Hij knoopte er nog een lange beoordeling van de situatie aan vast die niemand interesseerde.

Detta sloot haar ogen, omdat de zwetsende vertegenwoordiger aanstalten maakte naast haar te gaan zitten. Ze moest nadenken en haar plan op zwakke punten controleren. Het leven van haar broer en haarzelf hing ervan af. Natuurlijk was het plan pure waanzin. Maar tegelijkertijd leek het waanzinnig eenvoudig. Zo gemakkelijk, dat er eigenlijk niets mis kon gaan.

Ze zou van Berlijn naar Aichborn rijden. Daar zou ze het gezicht van Hans-Georg in het verband wikkelen en hem als de bij een luchtaanval gewond geraakte secretaris van de Spaanse ambassade Fernando Mendez naar huis in Barcelona begeleiden met Lufthansa. Ze had zichzelf hiertoe opdracht gegeven met een zelfgeschreven en officieel gestempeld dienstbevel op het briefpapier van het consulaat. Ze had het diplomatieke paspoort van de dode Mendez bij zich. Het zou zelfs standhouden bij de nauwlettendste controle.

Door zijn verwondingen was de zogenaamde secretaris van de ambassade niet in staat te praten. Op die manier kon het Duitse accent van haar broer geen argwaan wekken bij eventuele Spaanse medereizigers. Nee, eigenlijk kon er niets misgaan. Als ze maar rustig bleven. God, zorg ervoor dat ze hem niet vinden voordat ik er ben, smeekte ze in een stilzwijgend gebed. Want daar lag het enige risico: dat de Gestapo Aichborn op zijn kop zou zetten, of dat een verrader Hans-Georg zou verraden.

'Chocolade?' Tom Glaser haalde haar uit haar overpeinzingen. Hij droeg zoals altijd zijn vlekkeloze Lufthansa-uniform.

'Ah, hallo Tom. Ja, graag. Ik bewaar het, als noodrantsoen. Hoe lijkt het?'

Hij was de dag ervoor in Berlijn geweest. 'Troosteloos. De stad is aan zijn einde. Alles is platgebombardeerd of brandt. Geen mens weet precies hoe ver de Russen nog weg zijn. Sommigen hopen dat de Amerikanen er het eerst komen.' Hij ging zachter praten. 'Ik heb gisteren kunnen bellen. Er is haast geboden.'

'Wanneer vliegt u weer naar Barcelona?'

'Over twee dagen.'

'Dat moet genoeg zijn om mijn consulaire aangelegenheid te regelen. Ik heb twee plaatsen geboekt voor de terugreis.' De gezagvoerder knikte bijna onzichtbaar met zijn hoofd. Hij had het begrepen.

'Vijand nadert, captain!' riep de kortgeschoren Beier opgewonden vanuit de cockpit. Glaser haastte zich naar voren. In de cabine ontstond verwarring en angst.

'Nou, welterusten dan maar,' verkondigde de vertegenwoordiger en trok zijn parachute aan.

Aan de blauwe hemel was een puntje te zien dat snel groter werd. Detta herkende een slanke, tweemotorige machine met Engelse kokardes die recht op hen afkwam. Uit de draagvlakken schoten bliksemschichten: het vuren van de boordmitrailleurs. De aanvaller dook onder hen door en begon na een bocht opnieuw met de aanval. Maar captain Glaser wachtte daar niet op. In een duikvlucht schoten ze bijna verticaal naar beneden. De passagiers en de stukken bagage vlogen door de cabine.

Detta probeerde zich aan haar stoel vast te klampen. Haar maag keerde zich om terwijl ze loodrecht op de aarde af stortten. Maar een paar meter boven de grond controleerde de piloot de machine. Nu vlogen ze pijlsnel in een diepe vlucht niet over, maar langs bomen, muurtjes en boerderijen. Detta kon de achtervolger niet zien, alleen maar vermoeden. Doodsangst greep haar bij de keel. Een rotsachtige heuvelrug kwam razendsnel dichterbij. Dit is het einde, dacht ze. Maar de JU290 trok aan en zette schuin de bocht in. Onder hen steeg een zwarte rookwolk op. De piloot van de vijand bleek in zijn duik-vlucht minder behendig dan Tom Glaser.

'Een Mosquito van de Royal Air Force,' wist de vertegenwoordiger te ver-tellen. Hij had zijn tong al snel weer gevonden. 'Het unieke geval dat een onbewapende verkeersmachine een luchtgevecht wint. Een sterk staaltje van onze gezagvoerder. Die man moest een medaille krijgen.'

Vier uur later zagen ze de dorpen en steden onder hen branden. De radi-ografist kon zich alleen maar vaag oriënteren op de zendmast van de Rijkszender Berlijn. Bij gebrek aan een beter navigatiesysteem had hij de machine langs de stervende stad tot achter de Russische linies geloodst, waar men hen gelukkig niet opmerkte. Ze maakten rechtsomkeert en vlogen zonder verdere ongelukken de vernielde luchthaven Tempelhof aan vanuit het oos-ten. De machine kwam krakend en piepend neer en hobbelde over de gebar-sten landingsbaan.

Het was 20 april 1945. In de bunker onder de Rijkskanzlei vierde de zaai-er van dood en verderf zijn laatste verjaardag.

'Welkom thuis!' riep de vertegenwoordiger en lachte schel.

Op station Stettinger wemelde het van de soldaten. Leden van de marechaus-see met blanke borststukken controleerden de papieren van elke soldaat, gewoon of officier. Ze voerden een huilende jonge korporaal af. 'Die wilde de plaat poetsen,' hoorde Detta in het voorbijgaan van een passant. 'Nou wordt ie opgehangen.'

De trein stond aan het eind van het station, waar het perron niet overdekt was. Hij zat tjokvol. De mensen zaten en stonden tot in de toiletten. Detta vond een plekje op de gang. De rit duurde eindeloos lang, omdat de trein meermaals op een zijspoor werd gezet in verband met passerende troepen. In Wrietzow wachtte Jurek al met de paardenwagen. 'Welkom, jonge juffrouw.' De Pool hielp haar op de bok met een vreugdevolle, bewonderende blik.

Detta's moeder was met Lina koolrapen aan het schrappen in de keuken. 'Je had in Spanje moeten blijven,' zei ze bezorgd.

'Je weet dat ik moest komen.' Detta omhelsde haar. 'Hoe is het met je, mama?'

'Met aardappels, majoraan en spek maken we een heel acceptabel eenpansgerecht voor iedereen,' ontweek de barones de vraag. 'Je vader zit in de bibliotheek.'

De baron zat bij de haard. Hij was oud geworden. 'Sinds ze mij vanwege mijn hart met pensioen hebben gestuurd, is het niets meer met mij. Dettakindje, wat fijn dat je er bent. Daar zal je moeder vrolijker van worden. Ze verschanst zich achter haar plichten, of wat ze daar voor door laat gaan. Ze laat het niet merken, maar ze lijdt er erg onder dat onze twee kleintjes weg zijn. De 'kleintjes' waren Fritz en Viktoria, die in München studeerden.

Detta luisterde bijna niet. 'Waar is hij?' vroeg ze ongeduldig.

De deur vloog open en haar broer stormde binnen. Hij zwaaide haar in het rond en was buiten zichzelf van vreugde. 'Zuslief, eindelijk!' Hij was bleek en had ettelijke ponden aan gewicht verloren. Zijn rijbroek en de dikke trui waren te wijd geworden. Maar hij was zo levendig en enthousiast als altijd.

'Dit is een goede gelegenheid voor mijn laatste druppel Armagnac.' Vader toverde een fles achter Detlev von Liliencrons werken vandaan en schonk in.

'Proost, vader, Detta: op onze toekomst!' riep Hans-Georg vol vertrouwen.

'Op jullie toekomst,' verbeterde baron Von Aichborn hem mat. 'Mijn tijd is voorbij. Er is niets voor mij over. De oude waarden bestaan niet meer.'

'Er zullen nieuwe waarden zijn en een nieuw, vrij rijk: vredig en door de hele wereld geacht,' kwam Hans-Georg op gang.

'Eerst moet je weg uit het oude,' onderbrak Detta hem nuchter. Ze trok aan de bel naast de haard. Bensing verscheen. Hij had ter ere van de feestelijke dag zijn zwarte lustrelivrei aangetrokken, dat niet zo goed paste bij de rubberen laarzen. 'De Maybach, Bensing?'

'Staat samen met uw BMW achter in de oude schuur onder stro en rotzooi verborgen. Beide rijtuigen zijn volgetankt. Ik onderhoud ze regelmatig.'

'Demonteer het D-nummerbord van mijn roadster en verf er een "C" bij op. Schroef de platen op de Maybach. "CD" staat voor "corps diplomatique". Als vaantje bevestigt u op de koeler het kleedje met moeders familiewapen, dat ik ooit voor haar heb geborduurd in de Spaanse kleuren. Het kleedje dat over de bank ligt. Wrijf de auto met hoogglans. Strijk uw chauffeursuniform. We vertrekken woensdagochtend vroeg. Mijn broer is een Spaans diplomaat. Ons vliegtuig naar Barcelona vertrekt om twee uur 's middags vanaf Tempelhof.'

'Ik begin meteen, juffrouw Detta.' Bensing verwijderde zich met gepaste tred.

'Barcelona?' vroeg haar broer ongelovig.

'Tom Glaser vliegt ons hier weg.' Detta legde haar broer haar plan uit.

'Als dat maar goed gaat,' mompelde de baron hoofdschuddend.

Ergens vanuit de hoogte klonk een jachthoorn. 'We hebben een uitkijk op de toren.' Hans-Georg had plotseling haast. Door de hoge ramen zag ze hoe hij over de binnenplaats sprintte en door het luik naar de aardappelkelder verdween. Bensing kwam met de tractor aan tuffen en schoof een portie mest over de ingang.

Het was Fanselow, die in zijn bruine partij-uniform uit zijn DKW stapte en op het slotportaal toe banjerde. De baron haalde zijn neus op. 'Hij komt vaak op vriendenbezoek, zoals hij het noemt, en vraagt naar mijn welzijn. Ik geloof dat hij rugdekking wil.'

'Ik ga naar de paarden.' Detta had geen zin de man te ontmoeten.

Tom Glasers telefoontje kwam tijdens het middageten. Een brandbom had de nacht ervoor zijn voor de terugvlucht reeds volgetankte JU290 in as gelegd. 'Er is geen vervangende machine. De Duitse Lufthansa vliegt niet meer.'

In één klap lag haar koene plan aan duigen. Maar Detta was niet voor één gat te vangen. 'Nou ja, en wat dan nog,' zei ze vlotjes. 'Een paar dagen meer bij de aardappelen doen je ook geen kwaad. De BBC meldt dat de Russen de Oder bij Frankfurt al over zijn. Dan is het nog maar tachtig kilometer tot hier.'

De jachthoorn op de toren klonk vroeg in de ochtend. Hans-Georg verdween naar zijn schuilplaats. Bensing schoof de mest over het luik. Voor kasteel Aichborn stopten twee jeeps, waar acht mannen van het Rode Leger uit sprongen. Ze zwaaiden vervaarlijk met hun Kalasjnikovs in het rond. Er stopte een gesloten limousine op de oprijlaan. Een officier stapte uit, gevolgd door Fanselow die een proletarische pet op had en een rode band om de mouw van zijn jekker.

Statig verscheen de kasteelheer in het portaal. 'Daar heb je hem, de fascistengeneraal!' gilde Fanselow.

'Generaal ja, fascist nee,' viel de baron hem scherp in de rede. Detta kwam naast hem staan.

'Daar heb je de dochter! Nog zo'n fascistenzeug!' Fanselows stem sloeg over van opwinding.

Detta liep kalm op hem af. 'Geen kreeft vandaag Fanselow, maar aardappelsoep. Die kun je van een lepel slurpen. Dat is denk ik veel meer uw stijl.' Fanselow liep rood aan. Detta wendde zich tot de Rus. Ze sprak Frans: 'Je suis Henriette von Aichborn. Wat gebeurt er met mijn vader? Hij is oud en ziek.'

'Majoor Rubatsjov, NKWD,' stelde de officier zich voor in uitstekend Duits. 'Ik heb het bevel luitenant-generaal Heinrich von Aichborn als oorlogsmisdadiger te arresteren.'

Aichborn wees op zijn vest. 'Mag ik me eerst omkleden?' Hij wachtte het antwoord niet af.

'...'m smeren, hè?' Fanselow greep de baron bij zijn mouw.

'Laat dat,' beval de Russische officier en keek naar de galerie van familieportretten in de hal.

'Ik ben ook een oorlogsmisdadigster.' De barones verscheen met hoed en mantel bovenaan de trap.

De majoor haalde zijn schouders op. 'Zoals u wilt.' De baron kwam naast haar staan. De generaalsbiezen langs zijn rijbroek straalden krachtig rood. Aan zijn kraag glansde het blauwe email van de Pruisische orde 'Pour le merit'. Hij kust zijn vrouw een beetje ouderwets de hand en reikte haar zijn arm. Ongeëvenaard waardig schreed het paar de trap af. Bensing hielp zijn baas in diens mantel. De majoor hield het portier van de auto open. Heinrich en Maria von Aichborn stapten in en de limousine startte.

'Wij komen terug,' siste Fanselow en sprong in de jeep. Bensing zwaaide hem met gebalde vuisten na. Tranen van woede stonden in zijn ogen.

'Ze zijn er vast gauw weer.' Detta legde troostend de arm om Bensings schouders. Opeens besefte ze iets. 'De oorlog is voorbij, Bensing. Wij zijn vrij,' zei ze verbaasd.

'Ja, juffrouw Detta.' Bensing liep weg met het lood in zijn schoenen.

'Hans-Georg, wij zijn vrij!' Ze rende over de binnenplaats en greep naar de mestvork. 'Vrij... vrij... vrij!!!' jubelde ze bij elke volle schep. De mest vloog aan de kant en het luik klapte open. Als een feniks rees haar broer op uit het gat. De ochtendzon kleurde zijn smalle gezicht goud. Detta viel hem om de hals, danste uitgelaten met hem over de binnenplaats en werd weer kalm. 'Geen Gestapo meer, geen angst.' Ze kuste hem op de mond. Toen was de euforie vervlogen. 'De Russen hebben vader opgehaald,' zei ze bedrukt. 'Fanselow moet hem hebben verraden. Moeder is meegegaan.'

'Vader heeft niets gedaan waar hij voor bestraft zou moeten worden. Het zou me niet verbazen als ze hem binnenkort wel vrijlaten,' kalmeerde Hans-Georg zijn zusje.

Er vloog een jeep de binnenplaats op, gevolgd door twee motoren met zijspan. Zes SS'ers met lange rubberen jassen richtten hun mitrailleurs op de aanwezigen.

Er stapte een luitenant van de SS uit de jeep. 'Sturmführer Keil, speciale eenheid.' Hij wierp een ijzige blik op Hans-Georgs rijbroek. 'Wie bent u? Papieren!' blafte hij.

'Vijf minuten geleden ritmeester baron Von Aichborn. Nu alleen nog maar boer. De Russen zijn hier al geweest. De oorlog is voorbij, ook voor u, meneer Keil.'

'Wanneer de oorlog voorbij is, bepalen wij. De verrader ophangen,' beval de Sturmführer.

Twee man pakten Hans-Georg beet. Een derde trok een stukje touw uit zijn zak en snoerde de handen van Hans-Georg op diens rug. De chauffeur van de jeep haalde een melkkrukje en een kalverstrik uit de koestal. Ze sleepten de tevergeefs tegenstribbelende Hans-Georg onder een lantaarnpaal bij de remise. Het gebeurde allemaal met afgrijselijke routine.

'Wacht u, alstublieft,' hoorde Detta zichzelf zeggen. 'Ik haal zijn papieren.'

'Ik geef u één minuut,' riep de SS-beul haar na. Detta liep als een slaapwandelaarster over de binnenplaats.

Aan het raam van de jachtkamer komt ze bij. Ze ziet hoe Hans-Georg op het krukje wordt getild en hoe ze hem de strik om zijn hals leggen. Een van de SS-mannen trekt zijn knie aan om het krukje om te duwen. Ze voelt de gladde schacht van de buks aan haar wang. Ze heeft het voorhoofd van haar broer in het vizier van de telescoop. 'Uitademen, langzaam overhalen, ongeveer zoals je een spons uitwringt, anders schiet je voorbij,' galmt zijn stem na in haar hoofd. Ik houd van je, denkt ze. Haar verstikte schreeuw wordt door het schot overstemd.

Een Russische laagvlieger verjoeg het SS-commando. Er hing een serene rust in de lucht. De lentezon verwarmde de zwijgende mensenmenigte. De Poolse arbeiders namen hun pet van het hoofd en sloegen een kruis. De vrouwen keken huilend naar de gehangene.

Ze droegen hem het huis in en legden hem op de grote essenhouten tafel, waar tijdens de jachttijd het wild werd verwerkt. Detta waste het naakte lichaam van haar broer liefdevol. Lina hielp haar bij het aantrekken van zijn uniform. Ze moesten de rijlaarzen aan de achterkant opensnijden. Daarna baarden ze hem op in de kapel op een bed van klimop. Bensing zou die avond de kist afgetimmerd hebben.

De graven achter de kapel werden verlicht door het vuur van de fakkels. Al vierhonderd jaar vonden de Aichborns die niet op verre slachtvelden waren omgekomen hier hun laatste rustplaats. De nacht was koud en helder. Pastoor Wunsig sprak over de vrede in het land die de overledene nu niet meer mocht meemaken, en over de eeuwige vrede die hij nu had gevonden. Zijn zus stond zwaar versluierd aan zijn graf. Zo was de traditie. In de keuken deed Detta de sluier af. Ze bood de pastoor een grog aan om op te warmen en vertelde hem een vrolijk verhaaltje uit de kinderjaren van Hans-Georg en haar. Aichborns vrouwen gaven nooit hun gevoelens prijs. Detta had geen gevoel meer. Alles was leeg in haar.

Ze registreerde wat er gedurende de volgende uren om haar heen gebeurde. De aankomst van de rode hordes met aan het hoofd een klein dik mannetje dat instemmend toekeek op de gruweldaden van zijn soldaten. Zij lieten de jongste meisjes aanvoeren. Het geschreeuw van de misbruikte vrouwen en mishandelde mannen. Het zinloze afslachten van paarden en vee. Detta registreerde het, maar ze nam het niet werkelijk waar. Samen met Lina kookte ze grote pannen soep voor de veroveraars. Dat was voor het ogenblik de beste manier om het ergste lot te voorkomen. Maar ze maakte zichzelf geen illusies. Toen ze een soeppan naar buiten droeg naar het kampvuur, pakte Jurek de Pool haar beet. Hij had met de soldaten zitten drinken. 'Komen hier, jij Duitse hoer,' lalde hij en trok Detta weg van het vuur het donker in. Zijn adem rook naar wodka. Achter de paardenstallen liet hij haar los. 'Jij moeten gillen heel hard, dan iedereen denken ik maken jou kapot,' fluisterde hij haar toe.

Detta schreeuwde tot haar keel er pijn van deed.

'Hebben Loschek gezadeld. Snel weg, ja?'

Hij had een deken op de rug van het oude werkpaard gegespt en hielp haar bij het opstijgen. De nacht was weer koud en helder. Detta oriënteerde zich op de Grote Beer. Berlijn: ik kom eraan! schoot het door haar hoofd. Je valt in herhaling, dacht ze bitter.

De Amerikaanse stadscommandant keek op van zijn bureau. 'Good morning, Curt.'

'Good morning, sir.' Curtis S. Chalford wees naar zijn begeleidster. 'Sir, this is Henriette von Aichborn.'

De generaal gaf Detta een hand. 'Glad to meet you, miss Von Aichborn. I am Henry Abbot. We are all here to find out whether you would like to become my German liaison.' Abbot was een slanke man met grijs haar en een verweerd gezicht. Hij had de korte droge uitspraak die typisch was voor aristocratie van New England. Detta mocht hem meteen, wat wederzijds leek te zijn.

'This is entirely up to you, General Abbot. But why don't we give it a try?' stelde ze voor.

'Een proeftijd, uitstekend,' zei Chalford goedkeurend. Detta had bij het German American Employment Office bij hem gesolliciteerd. Hij had haar voor het baantje voorgedragen. De sollicitante sprak vloeiend Engels, was een echte lady en had een zeker iets wat je niet kon leren, maar wat aangeboren moest zijn.

Detta zou elk baantje hebben aangenomen. Ze wilde maar een ding: zich onder het werk laten bedelven en alles vergeten: haar avontuurlijke vlucht uit Aichborn, eerst te paard en daarna verder te voet, nadat hongerige daklozen het paard hadden geslacht. Het overdag verstoppen achter struiken of in schuren, voor de plunderende bevrijders, de nachtelijke tochten over veld- en boswegen. De weken erna, het schuilen bij de Glasers in Mahlow, aan de rand van Berlijn, waar een ingekwartierde majoor van het Rode Leger het ergste af kon weren. Het nieuws, door de trouwe Bensing via omwegen overgebracht, dat haar moeder was vrijgelaten en dat haar vader in NKWD-kamp Buchenwald zat.

Na binnenkomst van de geallieerden in de hoofdstad, waagde Detta zich naar het Steubenplein, dat in de Britse sector lag. Haar appartement was bezet. Het was toegewezen aan een gezin dat een trektocht vanuit Oost-Pruisen had overleefd. Ze kon een paar dingen uit haar kleerkast redden. Waar ze ermee heen moest, haarzelf incluis, dat wist ze niet.

Op het bureau huisvesting, tijdens het urenlange in de rij staan, sprak iemand haar aan: 'Juffrouw Von Aichborn, nietwaar?' De vrouw droeg een een mantel die ooit mooi moest zijn geweest en een hoofddoek. 'Elisabeth Mohr. U hebt ons ooit bezocht samen met juffrouw Goldberg. Modehuis Horn aan de Kurfürstendam. Dat moet 1935 geweest zijn, of daaromtrent.'

'Mevrouw Mohr, ja, ik herinner het me.'

Mevrouw Mohr moest een kamer in haar appartement afgeven. 'Dan zoek ik mijn onderhuurder liever zelf uit, in plaats van er eentje toegewezen te krijgen.'

Zo kwam Detta met haar paar bezittingen terecht in de Waltraudstraat aan het Fischtalpark en kreeg meteen een goede raad van mevrouw Mohr: 'Als u een beetje Engels kunt, moet u het als u werk wilt eens bij de yankees proberen. Ze betalen in geallieerde marken en bovenal krijg je bij hen iets te eten.'

En nu stond ze op het punt een van de belangrijkste functies aan te nemen die een Duitser momenteel kon bekleden: die van adviseur van de Amerikaanse stadscommandant. Ze moest tussen hem en de Berlijners bemiddelen. Maar ze voelde geen vreugde of genoegdoening. Ze voelde leegte en eenzaamheid.

De aankomst van haar moeder vormde een onverwacht lichtpuntje. Haar moeder had te voet en op de daken van overvolle goederentreinen naar Berlijn weten te komen. In Aichborn woedden Fanselow en zijn communistische kornuiten. Ze hadden het kasteel geplunderd en de landerijen onteigend.

De barones glimlachte zuur. 'Bensing heeft als "knecht van een jonkheer" zichzelf moeten bekritiseren. Maar hij moest en zou blijven. Er moest toch iemand in Aichborn zijn als vader naar huis zou komen, vond hij. Ach Detta, ik heb weinig hoop. Onder de nieuwe heerschappij moet de situatie in kamp Buchenwald nog veel erger zijn dan ervoor.'

Moeder en dochter deelden voortaan het bed. Mevrouw Von Aichborn was geen vluchtelinge en had geen woonrecht in Berlijn. Ze was als een schaduw die men nauwelijks opmerkte. Ze bracht haar dagen door met lezen en het maken van lange wandelingen in het Fischtal. 'Een mooi park,' merkte ze op. 'Overigens heeft de naam niets met vissen te maken, wist je dat? De Zehlendorfer boeren noemden de weides daar "Viehstall". Dat heb ik van een wandelaar gehoord.'

Ze leefde op toen ze op de heropende volkshogeschool een cursus Spaans mocht geven. Men wees haar ook een kamer toe, in het souterrain van een villa in de Katharinenstraat, vlakbij Detta. Op een foto op het ladenkastje stond de baron: met rubberen laarzen aan een fokstier inspecterend. De baron en de stier zagen er gelukkig uit.

Het was niet ver naar haar werk. Over de Waltraudbrug naar de Argentiniëlaan en dan rechts tot metrostation Oskar Helene Heim. Daar schuin tegenover was het terrein met de gebouwen van het voormalige *Luftgaukommando*. De

Amerikanen hadden er hun Berlijnse hoofdkwartier ingericht en noemden dat, blijk gevend van hun voorliefde voor absurde afkortingen, 'OMGUS': Office of the Military Government of the United States. De zandstenen gevel uit het Derde Rijk was onbeschadigd. De geur van Nescafé en sigaretten van het merk Virginia in de met boenwas gewreven gangen was nieuw.

Detta liep deze route elke dag en kwam dagelijks een blinde jongeman tegen die een donkere bril en een witte stok droeg. Hij droeg een op meerdere plekken opgelapt uniform. Op zijn borst was nog de omtrek van de verwijderde adelaar van de Luftwaffe te herkennen. Hij woonde hier blijkbaar ergens in de buurt.

Ze vond hem zielig. Daar ze echter geen zin had in kennismaking, zou het hierbij zijn gebleven als hij niet op een ochtend bijna voor een auto was gelopen. Ze greep hem nog net op tijd aan zijn mouw vast. Hij schrok, begreep wat er bijna gebeurd was en bedankte haar. 'Ik ken u. Ik herken uw voetstappen. Wij komen elkaar elke ochtend tegen, nietwaar? Ik doe mijn dagelijkse ronde, om niet volledig te verstoffen.'

'Kom.' Detta nam zijn arm en hielp hem de straat over. 'Goedemorgen nog,' wenste ze hem aan de overkant. De blinde man liep met zekere tred weg. Blijkbaar kende hij elke steen.

Haar nieuwe dagelijkse routine begon met het laten zien van haar identiteitsbewijs bij de wachtpost bij de ingang. Luitenant Anny Randolph, de persoonlijke assistente van de stadscommandant, ontving haar in het secretariaat met zwarte koffie. Daar had Detta eerst aan moeten wennen. De Amerikanen kookten het zwarte brouwsel, in plaats van het op te gieten.

'Hi Detta, how are you this morning?'

'Thanks Anny, swell.' Detta kopieerde de toon van de vrolijke New Yorkse. 'What's on?'

'De baas wil u zien. Die lui van de krantenvergunning komen om elf uur.'

Een normale werkdag begon. Colonel Tucker, de adjudant van de stadscommandant, keek even om de deur, maar er was niets voor hem binnengekomen. Meneer Gold, de schimmige vertegenwoordiger van het State Department die zogenaamd geen Duits kon, hoewel hij uit Frankfurt am Main kwam, bracht een envelop langs waar 'confidential' op gestempeld stond. Hij liet hem door Anny Randolph aftekenen. De heer Bongartz kwam langs met zijn flesjes en penseeltjes. Hij desinfecteerde elke week alle vierhonderd telefoons van de OMGUS. De Amerikanen waren nog banger voor bacillen dan voor het communisme. Henry Abbot stond beleefd op toen Detta zijn werkkamer betrad en wees uitnodigend op een van de fauteuils.

'Henriette, alsjeblieft.'

'Dank u, meneer. Het gaat om de licentie voor de uitgave van een nieuwe Berlijnse krant, niet?'

'Mijn persofficier majoor Landon heeft de aanvrager gescreend. Hij heeft geen bezwaar, maar ik wil dat u die twee even ziet. Ik heb veel vertrouwen in uw mensenkennis.'

'Alleen maar een beetje common sense, General,' wimpelde Detta het compliment af.

De Duitse bezoekers kwamen op tijd. Detta stelde ze voor aan de generaal. Hermann Lüttge was drukker en beschikte over de nodige machines. Hij zei niet veel. Zijn partner zei echter des te meer: 'Ik ga me toeleggen op het uitgeversaspect. Ik heb jarenlang organisatorische ervaring opgedaan bij het Ministerie van Economische Zaken, ver van de politiek, zoals u in mijn dossier kunt lezen. Mijn schoolvriend Leo Wolf stelt als chef-redacteur de redactie samen. Hij zat in een concentratiekamp,' eindigde hij zijn relaas triomfantelijk.

Detta vertaalde. Abbot luisterde goed. 'Maakt een concentratiekamp automatisch geschikt voor een baan als chef-redacteur?'

'Maar meneer de stadscommandant toch. De man is natuurlijk een jood en dat zijn de slimsten. Ik neem de gelegenheid te baat om op te merken dat ik vele joodse medeburgers heb geholpen. Dat kan ik documenteren.'

De Goldbergs bijvoorbeeld, dacht Detta. Ze had de voormalige directeur-generaal Aribert Karch meteen herkend. Hij wist duidelijk niet waar hij haar moest plaatsen. 'Eventjes dacht ik dat wij elkaar al eens hebben ontmoet,' zei hij toen ze weer in het secretariaat waren.

'Dat hebt u goed gedacht, meneer Karch. Op Miriam Goldbergs afscheidsfeestje aan de Gumbinnerlaan. U hielp haar familie en haar destijds zo vriendelijk het land uit. Ik zal haar schrijven in Amerika. Ze zal uw licentie-aanvraag vast ondersteunen. Behoort u overigens nog steeds tot de vriendenkring van de Reichsführer?'

Karch keek als een boer met kiespijn. 'Wij moesten allemaal met de tijd meegaan.'

'En sommigen gingen verder mee dan anderen.'

'Ik begrijp hier geen woord van,' zei de drukker.

'Dat siert u, meneer Lüttge. Goedemorgen heren.'

'De heer Karch heeft zijn licentie-aanvraag ingetrokken,' berichtte ze de generaal.

'Had hij dat niet eerder kunnen bedenken?' bromde Henry Abbot boos.
'Hij had een zetje in de rug nodig.'

De blinde man kwam vanonder de lantaarnpaal vandaan op de hoek van de Waltraudstraat en liep met Detta op. 'Ik heb u al van verre gehoord. Hoe voelen wij ons vandaag? Ik heb de hele nacht aan u gedacht. U bent mooi. Een echte dame. Ik hoor het aan uw stem. Vroeger kende ik vele mooie dames. Nu ziet niemand mij meer staan. Maar u bent anders.'

Detta voelde hoe haar nekharen overeind gingen staan. Dat zij hem gisteren had gered, gaf hem nog niet het recht vertrouwelijk te worden. 'Excuseert u mij, ik heb haast.'

Ze versnelde haar pas, maar hij liet zich niet afschudden. Zijn stok sloeg de maat van hun passen. Het klonk best bedreigend. 'U werkt voor de Amerikanen, niet? U wilt daar de Duitse "Pünktlichkeit" laten zien. Dat geldt voor mij allemaal niet meer. Ik ben uitgerangeerd. Of ik te laat kom of niet, wie kan het schelen?'

De wachtpost zou hem tegenhouden. Ze was echt niet in de stemming voor dit gezwets. Hij interpreteerde haar zwijgzaamheid als instemming. 'Het is nog niet eens zo lang geleden. Toen was het anders. Toen wachtte het grondteam na elke overwinning in de lucht met champagne op me. Na de vijfentwintigste kreeg ik het ridderkruis.'

De wachtpost, godzijdank. 'Verder kunt u niet mee. Goedendag.'

'Brandenburg, hoofdman Jürgen Brandenburg, jachtpeloton Richthofen,' riep hij haar na.

De stadscommandant was die ochtend erg opgewonden. 'Stel je voor, Henriette. Ik heb op de werf aan de Wannsee een volledig intact zeezeiljacht ontdekt. Helemaal van mahonie en teak. Een prachtboot. De oude botenbouwer zegt dat hij een maand nodig heeft om de ASTRA uit elkaar te halen. Hij doet het voor een paar dozen sigaretten. Kolonel Hastings van het Transport Command brengt de boot voor mij naar Bremerhaven, van waaruit we haar naar huis inschepen. Stel je voor: zes weken bij ons op de shipyard en ze is weer als nieuw.'

'En de eigenaar?'

'Een of andere Duitser.'

Detta was verbolgen. 'Ik ben ook "een of andere Duitser", generaal Abbot. Helaas bezit ik niets wat u van mij zou kunnen afpakken en naar huis in schepen. Wilt u mij excuseren...'

'One moment, Henriette.'

Hij gaat me ontslaan, dacht ze.

'De eigenaar van het yacht heet Erpenborg, een postzegelhandelaar. Een aardige, oude man die niet meer zeilt. Wij zijn overeengekomen dat ik hem de geschatte waarde in dollars op de bankrekening van zijn zuster in Rio overmaak. Zij zal het daar beleggen voor zijn kinderen.'

'Neemt u mijn excuses aan?'

'Alleen als u vanavond komt eten. Wij hebben een verrassing voor u. Lucy mag u graag. Ik overigens ook.' Hij keek even verlegen naar de grond, maar was meteen weer de energieke Westpoint-officier. 'En nu aan het werk. Wat hebben we vandaag?'

De evangelische bisschop van Berlijn had een kwestie die moest worden geregeld. Curtis Chalford stak zijn rozige gezicht om de deur. Hij kwam met een voorstel met betrekking tot de werktijdenregeling voor Duitse legerwerknemers. De stadscommandant ontving een groep stadsdeelafgezanten uit Schöneberg. Daarna was het lunchtijd.

Detta had in het Harnackhuis kunnen gaan lunchen. Zij had als enige Duitse een speciale vergunning. Maar het druiste tegen haar Pruisische aard in de door de overwinnaar vergunde voorrechten te benutten. Ze wist dat hier een dilemma lag: aan de ene kant begroette ze de bevrijder die haar van het juk van de dictator had bevrijd, en aan de andere kant zag ze die bevrijder nog steeds als tegenstander.

Achter Truman Hall lag een stuk bos. De dennen waren nog jong en daarom nog niet door illegale houthakkers geveld. Binnenkort zouden de dennen worden omgehakt ten behoeve van een woonwijk. Die was al voor de oorlog voor de gestaag groeiende Berlijnse bevolking gepland geweest, maar zou nu uit de grond worden gestampt voor de Amerikanen. Ze ging op de warme, met dennennaalden bezaaide grond zitten en deed haar ogen dicht. Sinds Henry Abbot over het jacht had verteld, dacht ze aan David en aan Bertie, de motorboot. Het was pas tien jaar geleden. Ze dacht aan zijn sproetige gezicht boven haar, ernstig en geconcentreerd, terwijl ze voor het eerst met elkaar hadden gevreeën. Hoe bezorgd hij was geweest haar pijn te doen, meer dan dat hij door passie was overmand. Ze moest lachen en het deed haar goed.

'Madame is goedgehumeurd,' onderbrak een stem haar dagdromerij. De blinde man stond voor haar. 'Ik mag toch, nietwaar?' Hij ging dicht naast haar zitten. 'Hoofdman Jürgen Brandenburg, ik zei het geloof ik al. Achtentwintig overwinningen in de lucht, tot ik werd geraakt door de boordschutter van een

B17. Een klap op mijn kop. Plotseling alles wazig om me heen. Geen idee hoe ik de machine aan de grond heb gekregen. Daarna alleen nog maar donkerte. Tot op de dag van vandaag.'

Walging steeg in haar op. Ze wilde met deze man niets te maken hebben. 'Het spijt mij zeer allemaal, maar ik kan u niet helpen.'

'Een jaar geleden nog, had ik u uitgenodigd met mij naar Horcher te gaan of naar het Adlon. Daar maakten de obers een buiging en alle mooie dames konden niet snel genoeg ja zeggen.'

Detta ging staan. 'Doet u alstublieft geen toenaderingspogingen meer.' Ze dwong zichzelf niet weg te rennen, maar rustig te lopen. Er was geen reden tot paniek. De ingang van de OMGUS was nog geen honderd meter van haar verwijderd. Toch bleef ze er een nare smaak aan overhouden, ook nadat ze de wachtpost was gepasseerd.

Mevrouw Mohr bekeek Detta's eenvoudige zwarte jurk en het tot een knoet samengebonden blonde haar met een kritische blik. Er was geen kapper. Ze wees op de schoenen. 'Uw degelijke stappers kunnen echt niet. Probeert u mijn zwarte pumps eens.' De rookkleurige nylons waren een cadeautje van Anny Randolph en brachten Detta's lange, slanke benen voortreffelijk tot hun recht. 'De heren zullen naar u omkijken,' verheugde de huisbazin zich.

'Dank u, mevrouw Mohr.' Detta deed de pumps in een schoenentas en trok haar oude stappers weer aan. Ze had een halfuur te voet voor zich, maar dat stoorde haar niet. De avond was warm en droog.

De Amerikaanse stadscommandant resideerde in een degelijke oude villa in de Pacellilaan. Het huis was ooit van de Rothschilds geweest. Twee gedraaide trappen brachten de bezoekers links en rechts naar het portaal. Een meisje met een kapje op en een gestevend schortje voor liet Detta binnen. Er verscheen een ordonnans in een wit jacket die de gast naar de grote salon voorging. Lucy Abbot kwam haar in ruisende blauwe organza tegemoet. 'Henriette, kindje, hoe is het met je? We hebben elkaar bijna een maand niet gezien. Dat mag niet weer voorkomen. Beloofd? Harry, stel onze gaste voor aan de rest.

Generaal Henry C. Abbot droeg een bordeauxrood dinerjacket en zag er geweldig uit. Hij stelde voor: 'Brigadier en mevrouw Anthony Thompson – barones Henriette von Aichborn.' Daarna volgden een Franse luchtmachtofficier met vrouw en dochter, een Russisch echtpaar, beiden in majoorsuniform, een Duitse dirigent met vrouw, een paar hooggeplaatste medewerkers met hun dames en een meneer in een grijs pak. 'Dit is Andrew Hurst, je tafelheer.

Wij hebben hem speciaal voor je in laten vliegen uit Washington,' grapte de generaal.

'Bent u de verrassing, meneer Hurst?'

'Ja, zo u wilt.'

De ordonnans bood een blad met drankjes aan. Detta nam een glas witte wijn. 'En u komt dus rechtstreeks uit Washington?'

'Ik ben door het Ministerie van Justitie gestuurd om de processen tegen een serie Duitse oorlogsmisdadigers voor te bereiden. Ze zullen in Nürnberg worden berecht.'

Detta wilde net iets zeggen, maar meneer Hurst hief glimlachend zijn hand. 'Ik ken de problematiek van een dergelijke operatie, die door velen wordt beschouwd als overwinningsjustitie. Maar Stalin blijft erbij en als geallieerden kunnen wij er dus niet onderuit. Ik zou dit thema hier vanavond helemaal niet aansnijden als het niet met een blijde boodschap voor u verbonden was geweest. Wij hebben luitenant-generaal Heinrich, baron Von Aichborn, ooit afdelingshoofd bij het opperste commando van het leger, als getuige benoemd om het geallieerde tribunaal te ondersteunen. Onze sovjetvrienden moesten hem daarop uit het kamp ontslaan en hem aan ons uitleveren. Hij is een vrij man en tot het einde van de processen onze gast.'

Detta was de man bijna om zijn hals gevlogen, maar ze beheerste zich. 'Ik dank u meneer Hurst. Dit is het heerlijkste nieuws sinds lange tijd. Ik moet het onmiddellijk mijn moeder vertellen.'

'Na het eten, mijn kind,' mengde Lucy Abbot zich in het gesprek. 'Vertel haar maar dat mijn man een vlucht voor haar naar Nürnberg geregeld heeft. Uw ouders wonen samen met andere getuigen in een comfortabel gastenverblijf.'

Op het menu stonden wildbouillon en gevogeltefricassee, kaas en dessert. Er werden witte en rode wijnen geschonken. Andrew Hurst was een onderhoudende prater met een droog, Angelsaksisch gevoel voor humor. Detta dwong zichzelf een goede gesprekspartner te zijn en niet ongeduldig te lijken. Maar na het eten hield ze het niet meer uit.

'Ga maar, mijn kind. En doe de groeten aan je moeder.' Om het feestje niet te storen, bracht Lucy Abbot Detta discreet naar de deur.

De nacht was ietsje koeler geworden. Vanuit de tuin kwam Detta de geur van bloemen tegemoet. Ze merkte het niet. Ze rende tot aan het Thielplein en verder door de Ihnestraat. De heggen echoden haar haastige stappen.

Nog geen tien minuten en dan zou moeder het heerlijke nieuws horen.

Op de hoek van de Garystraat wilden haar voeten niet meer. De pumps deden pijn. Ze had haar gemakkelijke stappers in haar tas helemaal vergeten. Ze steunde op een vuilnisbak op de rand van het trottoir om de schoenen te wisselen.

Ze merkte haar achtervolger pas op toen ze zijn adem in haar nek voelde. 'Wat moet dat?' zei ze geërgerd en wilde zich omdraaien. Er werd een ketting om haar hals gelegd. Kuchend trok de aanvaller aan haar jurk. Ze weerde zich met handen en voeten, maar het metaal sneed steeds dieper in haar keel, tot ze alleen nog maar hulpeloos met haar armen kon maaien. Een stekende pijn schoot door haar onderlijf. Ze kokhalsde, hapte naar adem, had geen kracht meer om te vechten en wist dat het haar einde was.

Wat banaal, was haar laatste gedachte.

VIJFDE HOOFDSTUK

Vroeg in de avond remde er een jeep in de Riemeisterstraat. Verwonderd deed Inge Dietrich de deur open. Een korporaal van de MP haalde een grote doos van de achterbank van zijn jeep en droeg hem langs Inge de woonkamer in. Hij zette de doos op tafel. 'From captain Ashburner, with his best regards.' De korporaal groette informeel en stoof weer weg met zijn jeep. Inge deed de doos open. Sprakeloos staarde ze naar de schatten die uit de doos puilden.

'Tjemig, kijk nou eens.' Ralf pikte er een van de olijfgroene blikjes uit. 'Pineapple in Syrup,' las hij op het etiket. 'Oké, "apple" is "appel",' dacht hij hardop. '"Syrup" is ook duidelijk, maar "pine"?'

Zijn moeder haalde een oud woordenboek van haar vader uit de kast. '"Pine" – "den, pijnboom",' las ze voor. 'Dennenappel?'

Er gleed een zweem van herkenning over Ralfs gezicht. 'Natuurlijk. Dennenappels op siroop. Gek, dat de yankees zoiets eten.'

Dr. Hellbich verscheen en trok verheugd een slof Camel uit de wonderdoos. Even later hing er een scherpe wolk Virginia-tabakslucht in de woonkamer. 'SPAM' las zijn vrouw intussen vertwijfeld op het etiket van een rechthoekig blik. 'Zou dat iets eetbaars zijn? Wat denk jij, vader?' Dr. Hellbich inhaleerde gelukzalig zijn sigarettenrook en was niet aanspreekbaar.

'Ik haal de blikopener,' bood Ralf zijn grootmoeder aan in een vlaag van zeldzame behulpzaamheid.

'Hoeft niet.' Ben was zojuist thuisgekomen. Hij brak het kleine gesoldeerde sleuteltje van het deksel van het conservenblikje. Behendig deed hij het aan de zijkant van het blikje bevestigde lipje in het gleufje van het minigereedschap en begon te draaien. Voor de verwonderde ogen van de aanwezigen trok hij een dunne ring blik rondom los. Ben rolde het om het sleuteltje tot het deksel loszat. Er kwam een rozige vleesmassa tevoorschijn. 'SPAM,' doceerde hij stoer. 'Afkorting van "spiced ham", wat zoveel betekent als gekruide ham.' Dat had hij van meneer Brubaker gehoord. Die had een sandwich met deze lekkernij voor Ben klaargemaakt, met er bovenop de lichtgele Heinz salad sauce, die bij elke hap links en rechts van zijn sandwich was gedropen.

Ralf stak zijn vinger in het blik. Zijn moeder gaf hem een tik op zijn vingers. 'Iedereen krijgt een stuk bij het avondeten.' Ze pakte haar vader de open slof met negen pakjes Camel af. 'Daar krijg ik vijftien liter olie en twee plakken spek voor. Misschien zelfs nog wel een paar eieren.' Vader keek boos.

De anderen keken intussen nieuwsgierig naar een blik pindakaas. Dr. Hellbich vertaalde 'pea' en 'nut' letterlijk en bromde verbaasd: 'God weet hoe ze van erwten en noten boter maken. Het is vast net zo'n surrogaat als onze kastanjekoffie.'

'Papa komt. Man, wat zal hij opkijken,' zei Ralf opgetogen. Zijn vader zette zijn fiets op de veranda neer en trok de klemmen van zijn broek. Inge straalde.

'Kijk eens schat, wat meneer Ashburner ons voor heerlijks heeft gestuurd!'

'Dennenappels op siroop, boter van erwten en noten,' mopperde Hellbich. 'Die Amerikanen zijn echt barbaren.'

Klaus Dietrich liep zonder een woord te zeggen langs hen heen en liep met loodzware benen de trap op. Inge keek hem bezorgd na. 'Ik wil niet dat er iemand een blik openmaakt. We moeten deze voedzame dingen eerlijk delen,' waarschuwde ze iedereen voordat ze haar man volgde.

De inspecteur lag op bed en staarde naar het plafond. Inge ging bij hem zitten en pakte zijn hand. 'Wat is er, Klaus? Wil je erover praten?'

'Het houdt maar niet op,' klaagde hij zacht.

Ze wist meteen wat hij bedoelde. 'Nog een moord? Mijn God, de arme vrouw.'

'Welke arme vrouw?' stoof Dietrich op. 'De dochter die hij vermoordde, of de moeder die ik mocht gaan vertellen dat haar dochter op beestachtige wijze werd gedood en in een vuilnisvat gestopt?'

'Je hebt het haar vast zo voorzichtig mogelijk verteld.'

Hij lachte bitter. 'Stel je voor, het mens was bezorgd om mij. Of ik er niet te veel door zou worden belast.'

'Het belast je zeer, lieveling. Ik zie het aan je. Probeer een beetje te slapen.

Ik breng straks iets te eten naar boven. Ik heb tussen meneer Ashburners delicatessen een fles moezelwijn ontdekt. Die maken we open bij het eten.'

'Ik moet hem pakken, voordat hij verder moordt,' mompelde Dietrich voordat hij uitgeput in slaap viel.

Meneer Rödels kleermakersatelier bevond zich op de veranda van zijn vrijstaande huis aan de Ithweg. Rödel, zijn vrouw en zijn dochter Heidi, moesten het huis delen met twee andere gezinnen. Van het glas hadden vier ruitjes de drukgolven van de bominslagen, granaatsplinterregens en de machinegeweersalvo's van het Rode Leger overleefd. De overige zesenvijftig raampjes waren dichtgeplakt met karton of waren van celluloid gemaakt. Eigenlijk was dit celluloid bedoeld voor de ramen van de jeeps van de Wehrmacht, maar Rödel had het materiaal kunnen bemachtigen door het tegen een paar rollen naaizijde te ruilen. Hij had veel licht nodig bij zijn werk.

'Hoe het in de winter moet gaan, is mij geheel onduidelijk. Je kunt dit hok niet verwarmen. Of moet ik soms een hete kachelpijp door het karton steken?'

'Bij ons in de tuin ligt een stuk blik. Dat mag u wel hebben,' bood Ben gul aan. 'Als u daar een gat in snijdt, kunt u de kachelpijp er zo doorheen schuiven.' Ben kwam wel vaker langs bij de Rödels. Zijn bezoekjes gaven hem het gevoel dichter bij zijn maatpak te zijn. Geïnteresseerd keek hij toe hoe Rödel een versleten herenjas uit elkaar haalde die een klant hem had gebracht om te keren.

'Je wast de delen koud, zodat ze niet krimpen. Je strijkt ze droog en naait ze weer binnenstebuiten aan elkaar. Voilà, een gloednieuwe jas. Gelukkig heb ik nog paardenhaar en watten voor de voering.'

'Voor mijn dubbelknoopse pak hopelijk ook.' Ben zag zich al helemaal voor zich in zijn strakke ruitjespak, met vijf centimeter hoge omslagen aan de broekspijpen die net zijn suèdeschoenen zouden raken. Zo zou er maar een heel lichte vouw ontstaan. Vol trots streek hij over de coupon op de plank. De stof was van eerste klas vooroorlogse wol, stevig en zacht, het klassieke grijsbruine patroon met een rood krijtstreepje. 'De Engelsen noemen het de "Prince of Wales-ruit". Dat heb ik in het *Herrenjournal* gelezen.'

'Afblijven, jongeman. Eerst onze zakelijke overeenkomst.'

Ben trok meneer Brubakers slof Camel onder zijn hemd vandaan en legde die op de kleermakerstafel. 'Dit is goed voor drieduizend M., oké?'

'Tweeënhalf.' Rödel noteerde het met een krijtje op de kostuumstof, waar al meerdere deelbetalingen stonden genoteerd. 'Er ontbreekt nog een hele hoop. Haast je, mijn jongen. Meneer Kraschinski van hiernaast overweegt of hij zijn horloge niet zal verkopen om zijn zoon voor diens bruiloft een pak cadeau te doen.'

Ben was verontwaardigd. 'Dat kunt u toch niet maken, meneer Rödel. Ik heb al zevenduizend negenhonderd mark aanbetaald.'

De kleermaker knipperde met zijn ogen boven zijn brilletje uit. 'Ik wil graag een bovenstebest pak voor je maken, maar ik kan niet zo lang meer wachten. Mijn vrouw heeft schoenen nodig. Ze heeft ook een adresje gevonden voor gevogelte en winteraardappelen. Dat kost geld. En een beetje echte bonenkoffie met de kerst moet er ook nog bij.'

'Kerst is in december. Het is pas augustus,' herinnerde Ben de kleermaker. 'U krijgt de rest echt binnenkort. Ik beloof het u.'

Tussen de belofte en het nakomen ervan lag echter nog een weg die niet over rozen ging. Alhoewel er in de Broeckstraat vorderingen waren. Waar yankees waren, viel gewoonlijk ook iets te halen.

De GYA-club Zehlendorf was ondergebracht in een grote villa. De kolonel van het Signal Corps had een sergeant die een beetje Duits kon de leiding over de club gegeven. Sergeant Allen was een enthousiaste, jonge sportleraar uit Philadelphia die meteen een honkbalteam opstelde. Ben hing rond op de club en hield zijn ogen open. Je moest geduld hebben.

Een paar dagen later werd zijn geduld al beloond, toen een legertruck meerdere dozen langsbracht. Ben las de etiketten met groeiende belangstelling. '250 Marsrepen' stond er op één doos, in een andere doos zaten volgens het etiket 300 marshmallows van het merk Sunshine, en een derde 500 plakken Hershey's hazelnootchocola.

De zegen kwam van de katholieke garnizoensaalmoezenier majoor Baker, die beschikte over gulle gaven van thuis. Baker was regelmatig te gast op de club. 'Hij zegt dat hij vanaf volgende week steeds iets wil uitdelen uit de dozen,' zei een clublid. 'Natuurlijk pas na zijn bijbeluurtje.' De aalmoezenier was pragmatisch ingesteld.

Onder leiding van sergeant Allen laadde meneer Appel de dozen van de truck. Meneer Appel had grijs haar en uitpuilende ogen. Hij was verantwoordelijk voor de boodschappen. Net als alle Duitse medewerkers van de Amerikanen droeg hij het geverfde legeruniform. Hij was conciërge geweest op een jongensschool, tot een Russische raketwerper het gebouw aan stukken had geblazen. Appel kon geen woord Engels, maar dat viel niet op omdat hij nauwelijks sprak.

Alleen als het om zijn volkstuintje ging werd hij spraakzaam. Hij was voorzitter van de volkstuinvereniging Zuidwest.

Ben hielp meneer Appel de dozen naar buiten dragen. Sergeant Allen deed ze in de voormalige voorraadkelder achter slot en grendel. Ben kon er dus op dat moment niet meer bij. Toch mocht deze schat niet verloren gaan. Straks ging father Baker de zoetigheid echt uitdelen aan zijn schaapjes. Ben begon het hele gebeuren grondig te onderzoeken. De koers voor chocola ging omhoog op de zwarte markt.

'Franz heet het canaille!' kon je op een van de volgende namiddagen horen in de ruime kelders van het clubhuis. De theatergroep oefende Schillers *Räuber*. Ben zat op een bankje en gaapte. Hij had liever een spannende western gehad. Heidi Rödel hield een draaiboek in haar hand. Ze kende de rol van Amalia nog niet goed. De door de regie niet geplande hoofdbeweging, waarbij ze het haar met een perfect gevoel voor drama om haar hoofd liet zwaaien, kon ze echter des te beter. Maar het effect bleef uit. Bens blikken waren niet op het zijdeachtige meisjeshaar, maar op de deur van de voorraadkelder gericht. Daarachter lokte de grote buit.

Het probleem was: hoe de buit te vergaren? De sleutel lag in het pennenbakje op het bureau van het kantoortje en daar zat óf sergeant Allen, óf diens vertegenwoordiger korporaal Kameha, een kleine Hawaïaan met een glanzende kale knikker. Tijdens de derde en vierde akte dacht Ben geconcentreerd na. Maar er scheen geen oplossing nabij.

'Die man kan worden geholpen,' beëindigde regisseur Gerd Schlomm – waarschijnlijk de eerste Karl Moor-speler in Lederhosen – de instudeersessie. Zijn woorden klonken als een omen.

Heidi kwam naar de rand van het toneel. 'En, hoe was ik?' Ze trok haar jurk tot aan haar bruine dijen omhoog en sprong van het geïmproviseerde toneel. Ze zwikte vlak voor Bens neus zogenaamd haar linkervoet en zocht met een gilletje steun aan Bens schouders. Haar lichaam was warm en zacht en rook sterk.

'Je was wel aardig.' Hij hielp haar op de bank.

Ze wreef over haar enkel. 'Ik moet naar huis. Gerd, breng je mij? Ik kan nauwelijks lopen.'

'Ik ben bezig. Ben brengt je wel,' riep de wereldacteur vanaf het toneel.

Ben keek vol afschuw naar de behaarde bovenbenen van de zeventienjarige. Wat ze eraan vindt, dacht hij minzaam. 'Zit jij niet ook in de knutselgroep?' vroeg hij.

Heidi wreef nog steeds over haar enkel. 'Maar natuurlijk. Wij bouwen samen met korporaal Kameha een poppenhuis voor de peuterspeelzaal hier in de buurt. Doe je ook mee?'

'Nee, dank je. Dat is niets voor mij. Kunnen jullie dat geknutsel aan het poppenhuis niet even onderbreken?'

'Waarom?'

'Voor een sleutelkastje met een paar haakjes. Ik zal het er met de tekengroep over hebben. Die schilderen er een paar bloemetjes op en lakken het helemaal. Sergeant Allen is volgende week jarig. Het zou een mooi cadeau zijn voor zijn kantoor. We zouden het als verrassing aan zijn deur kunnen monteren.'

'Dat is wel te regelen.' Heidi strompelde een paar stappen. 'Jij brengt me dus naar huis?'

Het was dé gelegenheid met haar alleen te zijn. Maar omdat zijn grote concurrent er zowel toestemming voor als opdracht toe had gegeven, kon er voor Ben natuurlijk geen sprake van zijn. 'Geen tijd,' zei hij kort.

'Dan niet,' antwoordde Heidi snibbig en hield op met strompelen.

Sergeant Allen bedankte iedereen voor het mooie cadeau. Korporaal Kameha gromde goedkeurend en hing alle sleutels op aan de haakjes. Ook die van de voorraadkelder, zoals Ben tevreden vaststelde.

De deur van het kantoor ging naar buiten open. Als je de deur maar ver genoeg opendeed, kon degene die aan het bureau zat de hele binnenkant van de deur, het sleutelkastje incluis, niet zien. Ben had de oplossing van zijn probleem gevonden. Hij moest alleen nog het juiste moment zien te vinden.

Dat kwam toen sergeant Allen met de honkbalspelers in de tuin aan het trainen was en korporaal Kameha zat te bellen in het kantoor. Ben rukte de deur ver open en greep snel naar de sleutels, terwijl de Hawaïaan met een landgenoot koeterwaals aan het spreken was. Hij keek dromerig, alsof hij de Pacific al over was.

'I'll come back later.' Ben gooide de deur dicht en vloog naar beneden. Er was niemand in de kelder. De theatergroep oefende pas later. Hij deed de deur van de voorraadkelder open, greep naar een doos Marsrepen en verstopte die onder het toneel. Hij sloot de deur weer af en rende naar boven.

Korporaal Kameha beëindigde net zijn gesprek toen Ben de kantoordeur voor de tweede keer opengooide en de sleutels in het kastje terugtoverde. 'Okay, what do you want?' Of hij de *Saturday Evening Post* mocht hebben, vroeg Ben en ging dankbaar weg met het tijdschrift. Hij ging in de hal zitten en bladerde er wat doorheen voordat hij terug naar beneden sloop.

Hij haalde de doos onder het toneel vandaan, nam hem op zijn schouders en keek door het raampje van de kelderdeur. De honkballers waren klaar met hun training. Gedekt door struiken en bosjes, klom Ben over de schuttingen van de tuinen in de buurt en kwam uiteindelijk via een gat in een heg uit op straat. Niemand zag hem. Iedereen droeg in die dagen iets ergens naartoe: naar huis, of naar een plek om het door te verkopen. Ben wilde zijn waren bij mevrouw Molch slijten.

De doos was nogal zwaar. Tweehonderdvijftig Marsrepen wogen behoorlijk wat. Maar ze waren hun gewicht in goud waard. Het gewenste maatpak, symbool van elegante mannelijkheid en de sleutel tot zijn aanbedene, kwam dichterbij. Terwijl hij de doos op zijn andere schouder nam, speelde Ben al met de gedachte nog zo'n buit binnen te halen. Het leven, in het bijzonder maatkleding voor een man van de wereld, was nu eenmaal duur.

Mevrouw Molch was een energieke kleine vrouw die in de winter een kraampje bij de rodelbaan had. Maar het was zomer en er was niets te verkopen. Ze was met haar zwarte handel begonnen toen ze de garderobe van haar gesneuvelde man was gaan ruilen tegen andere dingen. Algauw leek haar appartement aan de Escherhauserweg op een pakhuis.

Zakken met gele erwten, tot piramides gestapelde blikjes met gecondenseerde melk, dames-, heren- en kinderschoenen, sigaretten, Zwitserse horloges: er was bijna niets wat ze niet had aan gewilde artikelen. Ze was een instituut in de Onkel Tombuurt. Wie een worst en een kop koffie belangrijker vond dan een trouwring of een camera en geen zin had in de lange weg naar het Potsdammerplein, ging naar mevrouw Molch.

Ben liet de doos van zijn schouder af op de vloer van de woonkamer vallen. Hij kwam neer tussen een lading koekjes en een verrekijker. 'Tweehonderdvijftig repen chocola, merk Mars,' zei hij zakelijk. 'Drieduizend Allimark, oké?'

'Meer dan achttienhonderd zit er niet in,' vond mevrouw Molch.

'Tien mark per stuk. Komen we op tweeënhalf,' handelde Ben.

'Tweeduizend,' bood mevrouw Molch. Ze zou de repen voor het drievoudige verkopen. 'Maak eens open.'

De doos was slordig dichtgeplakt met een stuk plakband. Dat was Ben tot nu toe niet opgevallen. Hij trok het plakband van de doos en klapte de vier flappen open. En daar lagen zeshonderd potloden, keurig per dozijn samengebonden, voor hun neus. Father Baker had de lege doos gebruikt om zijn goede gaven in te bewaren. 'Zodat de kinderen iets hebben om mee te schrijven,' had de geestelijke de clubsergeant vroom lachend meegedeeld. De doos met marshmallows bevatte daarom dus gummetjes en onder het etiket van de hazelnootchocolade lagen stapels hagelwitte notitieblokken verborgen.

Mevrouw Molch lachte kwaadaardig. 'Dacht je soms dat ik van gisteren was?'

Ben was met stomheid geslagen. 'Dat wist ik niet, echt niet,' stamelde hij. Maar zijn zakelijk instinct won het van de schrik. Zaken waren zaken. 'Wat dacht u van tweehonderd mark? Potloden zijn overal nodig, vooral van die mooie gele.'

'Vijftig, en nou oprotten.'

Ben stak de vijftig Allimark – die leken op het dollarbiljet – in zijn zak en droop af. 'Rotclub,' mopperde hij en bedoelde daarmee het Amerikaanse leger in het algemeen en hun jeugdclubs, waar je met gele potloden werd bedot, in het bijzonder.

Klaus Dietrich had een onrustige nacht gehad. De fles wijn die hij met Inge soldaat had gemaakt, had daar ook toe bijgedragen. Ze waren het niet meer gewend. Maar het waren vooral de verontrustende gedachten aan de dode vrouwen en hun moordenaar die hem in zijn dromen, maar ook als hij wakker was, achtervolgden. Het bange vermoeden dat er meer misdaden zouden volgen, begeleidde hem op weg naar zijn werk en maakte hem bewust van zijn machteloosheid. Hij was nog geen steek verder gekomen.

'Wij weten inmiddels wat meer over die vuilnisman,' zei Franke tegen de inspecteur toen die binnenkwam. 'Otto Ziesel heeft een pathologische hekel aan Duitse yankeeliefjes.'

Dietrich was er niet van overtuigd. 'Zo pathologisch dat hij drie vrouwen beestachtig vermoordt en zich dan bij het wegmoffelen van de laatste laat pakken?'

'Het zou niet de eerste keer zijn in de misdaadgeschiedenis dat een moordenaar zijn slachtoffer zogenaamd toevallig vindt.'

'Een beetje vergezocht vind je niet, Franke?'

'De verdachte is een bekende van ons, meneer de inspecteur. Zijn dossiers hebben de ineenstorting van het regime overleefd. Tijdens de oorlog liep er een onderzoek tegen hem. Een verkrachting. Het onderzoek werd opgeschort. De vrouw was een joodse en daarom niet geloofwaardig, stond er in de verklaring. Ziesel was chauffeur van zo'n hoge nazi. Reden te meer om de zaak in de doofpot te stoppen.'

'Waar is de man?'

'Ik heb hem om tien uur opgeroepen voor verhoor. Chef, er is een aspect dat in deze derde zaak bijzonder opvalt: de moordenaar werkt voor de yankees.' Er klonk cynisme in Franke's stem. 'De Duitse doorsneeburger heeft namelijk geen pasje om in het Sperrbezirk te gaan moorden en zijn slachtoffers in een Amerikaanse vuilnisbak te deponeren.'

Buiten stopte een auto. Sergeant Donovan denderde als een woeste stier door de open deur en stoomde meteen door naar inspecteur Dietrichs kantoor. 'My captain wants you,' blafte hij. 'Let's go.'

'Good morning, Sergeant. Sorry, I am busy. Ik heb een verhoor om tien uur. Zeg maar tegen uw captain, dat ik aan het eind van de middag graag langskom.'

'I said, let's go!' schreeuwde Donovan. Dreigend legde hij zijn hand om de kolf van zijn pistool. Had die stomme Duitser nou nog steeds niet begrepen wie er hier gewonnen had?

'Stop this nonsense, Sergeant,' zei Dietrich rustig. 'Ik kom zo gauw ik kan.'

De sergeant werd rood. Hij trok zijn wapen en richtte het op de Duitser. 'Come on, you goddamn Kraut.'

Klaus Dietrich deed een stap naar voren. Een razendsnelle beweging met de zijkant van zijn hand tegen Donovans onderarm. De Magnum kletterde op de grond. Dietrich raapte hem op, trok het magazijn eruit en ontlaadde het met zijn duim. De patronen rinkelden over de vloer. Hij gaf Donovan diens wapen terug. Die sprong op hem af, maar Dietrich ontweek. 'Ik heb voor de oorlog op een judoclub gezeten. Ik ben weliswaar niet meer in vorm, maar voor onbeleefde mensen is mijn kennis nog voldoende.'

Kokend van woede stak Donovan het wapen in de holster. Rechercheur Franke verborg zijn grijns achter een dossiermap. 'Kom sergeant. Wij zullen uw captain niet laten wachten,' zei Dietrich plotseling poeslief. 'Franke, je houdt die Ziesel vast tot ik terug ben.'

Maar Otto Ziesel zat al in captain Ashburners kantoor en keek Dietrich met een uitdagende blik aan. Ashburner nam zijn voeten van zijn bureau. 'Hello, Inspector. Ik wil graag dat u aan het verhoor deelneemt, zodat ik niet weer het verwijt te horen krijg dat ik het onderzoek blokkeer. Donovan, breng ons koffie en ga zitten.' Donovan schonk twee kopjes in vanuit een thermoskan en zette ze voor de captain en zichzelf neer. 'Koffie voor iedereen,

Sergeant,' beval Ashburner. Donovan gehoorzaamde met tegenzin.

'U hebt de dode dus gevonden, meneer Ziesel?' Ashburner was overdreven vriendelijk.

'Niet direct, captain. Het was eigenlijk meer die zwarte sergeant die de arm uit het vuilnisvat zag hangen.'

'Dat u even daarvoor had ingeladen achter de winkelstraat,' mengde Dietrich zich in het gesprek.

Ziesel schudde zijn hoofd. 'Niet achter de winkelstraat. De vuilnisbak stond op de hoek van de Ihne- en Garystraat. Daar wonen een hoop yanks. Was verdomd zwaar toen ik hem op mijn wagen tilde. Nou weet ik ook waarom.'

Dietrich wendde zich tot Ashburner. 'De moord vond dus niet in het Sperrgebiet van Onkel Tom plaats.'

'Dan kan praktisch elke Kraut het hebben gedaan,' triomfeerde Donovan.

'En elke yank!' barstte Ziesel uit.

'Niet zo brutaal hè?!' maande Dietrich hem. 'Daar hebt u helemaal geen reden toe. Wij hebben hier getuigenissen voor ons liggen die niet in uw voordeel zijn. Uw hatelijke opmerkingen jegens Duitse meisjes die bevriend zijn met Amerikaanse soldaten, bijvoorbeeld, belasten u zeer.'

'Yankeehoeren, nogal wiedes. Natuurlijk heb ik dat gezegd. Nou en? Daarom pak ik er nog geen aan.'

'Net als toen met Lea Finkelstein? Hebt u die ook niet aangepakt? We hebben hier een onderzoeksrapport uit 1944 voor ons, meneer Ziesel. Het ziet er niet goed voor u uit.' Klaus Dietrich legde aan Ashburner uit waar het om ging.

'Okay. We sluiten hem vooralsnog maar even op. Donovan, take him downstairs.' De sergeant draaide Ziesel de arm op diens rug en duwde hem voor zich uit naar de keldertrap. 'Tevreden, inspecteur?'

'Met de voorlopige hechtenis wel ja. Met Donovans agressieve gedrag niet. U moest hem maar weer eens even op zijn plek wijzen.'

'We hebben wel te maken met een seriemoordenaar.'

'Dat is nog niet bewezen. Maar ik zal erover nadenken.'

'Daar hebt u in de trein tijd genoeg voor.' Ashburner gaf de inspecteur een rood formulier waar meerdere officieel uitziende stempels op stonden. 'De toestemming om de Brandenburg-gevangenis te bezoeken. Mijn vriend Maxim Petrovitsch Berkov heeft een NKWD-overste laten winnen bij het schaken. Good luck.'

'Dank u wel, captain. En dank u voor uw gulle gaven. U hebt zes hongerige Duitsers een blik laten werpen in het paradijs waarvan ze dachten dat het allang verloren was.'

'Een eenvoudig bedankje was ook wel voldoende geweest,' zei Ashburner geërgerd. Hij moest opeens aan Jutta denken en zijn gezicht werd vriendelijker. Ze zouden elkaar die avond zien.

Jutta wachtte om zeven uur bij de poort van het Sperrgebiet. John Ashburner sprong uit zijn jeep en gedroeg zich als een galante chauffeur die voor haar het ingebeelde portier openhield. 'Waar naartoe, madame?' vroeg hij met een accent dat hij zelf erg Engels vond.

'Naar de Ritz, John,' speelde Jutta het spelletje mee. De rit ging door de poort en daarna meteen rechts de hoek om de Wilskistraat in. Hij deed de deur van het appartement open en liet haar voorgaan.

Plotseling draaide ze zich om en stond met halfgeopende lippen vlak voor hem. Ze legde haar armen om zijn hals, trok hem naar zich toe en kuste hem, intenser dan hij ooit eerder door een vrouw was gezoend. De spontane fysieke reactie bleef niet uit en hij schaamde zich hiervoor. Jutta voelde hoe hij groeide door haar dunne jurkje en raakte ook opgewonden. Later, dacht ze en de bewuste keuze daarvoor verhoogde de lust. 'Een whisky?' probeerde hij zijn schaamte te verdoezelen. 'Is mij te sterk. Liever een wijntje. Heb je er iets bij? Ik val om van de honger.'

'Een paar crackers. En pinda's. Hij zette de verpakkingen op tafel en opende een fles witte wijn. Hij schonk voor zichzelf een whisky in. 'How wonderful to relax with a glass of Bourbon,' zuchtte hij tevreden en strekte zijn benen uit. Ze vond het leuk dat hij zich in haar gezelschap zo kon ontspannen. Het gaf een vertrouwd gevoel, zoals bij verliefde paartjes of oudere echtparen. 'Zullen we naar de bioscoop gaan?' stelde hij voor.

'Ja, leuk. Wat draait er?'

'Geen idee.'

Bioscoop Onkel Tom was naast de deur. Hij was ondergebracht in een in beslag genomen gedeelte van het station. Duitsers mochten er alleen in begeleiding van een Amerikaanse soldaat naar binnen. Er hing een lucht van Pepsi en Wrigley's Spearmint.

De ouvreuse liep voor hen uit door het middenpad. Ze had een rare paarse strik in het haar. Ze wees de plaatsen aan, waarop Ashburner haar vriendelijk toelachte. Jutta zag het en er ontstond een stil duel tussen beide vrouwen.

'Je vindt hem wel leuk, niet? Maar hij is van mij, is dat duidelijk?' – 'Al goed, ik pik hem niet van je.' – 'Haal je maar niets in je hoofd.'

Er draaide een film met Gary Cooper, Rita Hayworth en een postkoets. Gary Cooper zei 'Yep' en 'Is that so, ma'am?' Rita Hayworth liet zoveel van haar mooie benen zien als de Amerikaanse filmcensuur toestond en vanuit de postkoets werd geschoten. Overal kon je popcornzakken horen ritselen.

Terwijl de vurige Rita de trage Gary iets met castagnettes voorklepperde, tastte John Ashburner moedig naar Jutta's hand. Maar zijn vingers landden per ongeluk op haar dijbeen. Geschrokken wilde hij zijn hand terugtrekken. Maar Jutta hield zijn hand zachtjes vast. Ze voelde dat zijn aanrakingen een voorbode waren van wat er zou gaan komen. Ze kon het einde van de film bijna niet afwachten.

Eindelijk slenterde de grootmoedige onthouder de zonsondergang achter de kraal in. Het gordijn ging dicht en de verlichting aan. Iedereen stroomde naar buiten. Jutta haakte in bij John.

'Heb je zin in een etentje in het Harnackhuis?' stelde hij voor.

'Nee, dank je John. Ik heb veel te veel popcorn gegeten. Ik heb frisse lucht nodig.'

'Is that so, ma'am?'

'Zullen we naar het meer rijden?' Ze slaakte opgewonden gilletjes toen ze dwars door het bos hobbelden. John slaagde erin een granaattrechter op een haar na te raken, voordat het met zo'n vaart de steile helling van de door de maan verlichte Krumme Lanke naar beneden ging, dat de adem je in je keel stokte. Voor de op vele oorlogsterreinen ingezette jeep was het een peulenschil.

'Dat was leuk, zeg.' Ze viel hem om zijn hals. 'Kom, het water in!' Ze sprong uit de auto en trok haar kleren uit. Hij doofde discreet de koplampen. Langzaam waadde ze tot haar knieën het water in. Ze draaide zich om. Ze wilde dat hij haar zag.

Het maanlicht speelde met haar lichaam. Ze boog zich voorover en liet water over haar borsten lopen. Het stroomde naar beneden over haar buik en bleef als een glinsterend net op haar venusheuvel hangen. Haar lijf zinderde van opwinding.

Weifelend trok hij zijn uniform uit en volgde haar het water in. Ze omarmden elkaar, kusten en verzonken in het lauwwarme water dat het zonlicht van de afgelopen dagen had vastgehouden. Ze vonden elkaar zonder te twijfelen. Onder Johns intensieve bewegingen jubelde Jutta een onophoudelijk hoogtepunt tegemoet. Ze werden meegezogen in hun passie en als Ashburner in staat was geweest te denken, had hij dit vurige gebeuren verbaasd vergeleken met de lauwe oefeningen in zijn huwelijk.

Ze hielden elkaar stevig vast tot het ze opnieuw overkwam. Jutta rolde John om, zodat ze op hem kwam te zitten. Verrukt genoot hij van haar sensuele rit die werd begeleid door opgewonden gekreun. Aan de nabijgelegen oever was ook een ander paar lawaaiig aan het vrijen. Het stoorde ze niet, maar vuurde ze aan. Partners in de liefde.

Hij bracht haar thuis en kuste haar teder. 'Tot morgen.' Ze werd vervuld van een allang ongekend geluksgevoel.

De melding kwam via de mobilofoon toen Ashburner zijn jeep thuis voor de deur parkeerde. 'Shit,' was zijn eerste reactie. Daarna brulde hij door de microfoon: 'I'm coming!'

Het gele huurhuis met nummer 198 was de enige ruïne in de Argentiniëlaan. Een verdwaalde Engelse bom had het huis van boven naar beneden opengereten. Het tafereel werd spookachtig verlicht door de maan. De koplampen van de jeep van sergeant Donovan deden de rest.

Ashburner wrong zich tussen de omwonenden door, die zich ondanks de Sperrstunde toch op straat hadden gewaagd. Aan het ijzeren vlechtwerk van het gebarsten beton, dat bizar verbogen van de derde verdieping boven de afgrond de lucht in stak, hing een vrouw. Ze bungelde aan de ceintuur van haar badjas als een pop op en neer.

Drie Duitse politiemannen en twee mannen van de MP kropen op handen en voeten tot aan de rand. Ze trokken een lus van een touw onder haar armen door. Eén van de mannen ging plat op zijn buik liggen en sneed de ceintuur los. Voorzichtig lieten ze het levenloze lichaam zakken. Hij kwam voor Ashburners voeten neer. De badjas viel open en gaf zijn afschuwelijke geheim prijs: de blauwzwarte striem om de nek en het met bloed besmeurde kruis.

'Beestachtig misbruikt en met een ketting gewurgd, net als de anderen,' zei Donovan met zijn kaken op elkaar. 'Wat denkt u, captain?'

'Dat die Otto Ziesel als dader niet meer in aanmerking komt. Laat hem maar lopen, sergeant.'

Ashburner wierp nog één keer een blik op de dode. Haar lange, blonde haar kleefde in plukjes aan de bleke wangen. Een paar uur geleden in de bioscoop was het mooi gekapt en met een belachelijke paarse strik versierd geweest.

De achterzijde van de tuin grensde aan een door houtzoekers geplunderd stuk bos dat de stadsplanning Sprungschanzenweg had genoemd, hoewel de oude springschans allang was afgebroken. Hij was omgebouwd tot een rodelbaan, Onkel Toms Hütte genoemd, en de kinderen suisden er in de winter op hun sleetjes vanaf.

In deze tijd van het jaar was de grond bedekt met dorre dennennaalden, zodat de bandensporen van de motor niet meer zichtbaar waren. De motorrijder kende ook in het donker elke stap. Hij schoof zijn machine door de smalle deur naar achter in de garage. Oude matrassen en kapotte meubels versperden de weg naar voren. Zelfs de plunderende soldaten van het Rode Leger waren daar tijdens de eerste dagen na de oorlog niet doorheen gekomen.

'Ben jij het, jongen?' vroeg een stem aan de andere kant van de rommel.

'Ja, moeder.'

'Was ze weer blond?'

Hij antwoordde niet. Hij had de bevrediging gevonden die hij op geen andere manier kon bereiken. Nu was hij rustig en tevreden en hij wilde er niet over praten. Zwijgend verstopte hij de handschoenen, de stofbril en de leren helm.

'Deze keer vinden ze je.'

Hij trok de versleten lappendeken over de machine. 'Ze zullen mij niet vinden, want ik besta niet. Welterusten, moeder.'

Hij verliet de garage zoals hij was binnengekomen. In de Argentiniëlaan ging hij bij de pottenkijkers voor nummer 198 staan. Twee verplegers droegen de brancard met de dode langs hem heen. Iemand had haar ogen gesloten. Haar gezicht leek zo vredig. Het beviel hem niet. Hij dacht aan het van pijn vertrokken gezicht en het gerochel dat hem naar zijn hoogtepunt had gebracht.

'I have haar gevonden, meneer de captain,' zei een man met een teckel aan de lijn, naast hem. 'Her name is Marlene Kaschke.'

ZESDE HOOFDSTUK

De trein bewoog zich traag door het Markse zomerlandschap, waarvan de lelijke oorlogswonden waren overwoekerd door het groen van de weides en het geel van rijpend graan. Een uitgebrand spoorwachtershuisje bij Krielow herinnerde de reizenden aan de recente geschiedenis. Dat deed ook de stank in de veewagons, die kort geleden nog gevangenen naar de kampen hadden getransporteerd en sindsdien slechts oppervlakkig waren schoongemaakt. Wie binnen geen plekje vond, stond buiten op de treeplanken. Uit de enige personenwagon helemaal vooraan klonk accordeonmuziek en gezang. Een groep soldaten van het Rode Leger was op weg naar haar eenheid in Rathenow.

Klaus Dietrich had een plekje op het dak veroverd, naast een oudere met een rugzak en een aktetas bepakte man, die nadrukkelijk van hem wegschoof. 'Ben ik te dichtbij gekomen?' kon de inspecteur niet nalaten te vragen.

'Niet bij mij, maar bij mijn eieren. Het zou een tragisch verlies zijn als er eentje beschadigd zou raken.'

Het bleek dat Dietrichs reisgenoot het vogelhuis van de Berlijnse dierentuin beheerde. 'Twee papegaaieneieren en diverse andere kostbaarheden uit het Amazonegebied, breuk- en schokbestendig in boterhamdoosjes van mijn zoon verpakt. Ik hoop ze met behulp van een collega in de dierentuin van Leipzig te kunnen behouden. Bij ons is immers alles kapot. En u? Op hamsterjacht?'

'Een dienstreis.' Dietrich sloot zijn ogen en hield zijn gezicht in de zon. Hij had geen zin in een langer gesprek.

Voor station Brandenburg staken de verbogen rangeersporen als stalen slangen de lucht in. Overal tussen het kiezel glinsterden glasscherven. De trein stopte een stuk buiten het station. De reizigers moesten over het spoor naar het perron lopen. Men hielp elkaar het perron op. Het poortje aan het eind van het perron was gerepareerd. Een spoorambtenaar in een stoffig blauw uniform verzamelde kaartjes. Twee mannen, ondanks de warmte gekleed in een leren mantel en met een hoed op, observeerden de aangekomen reizigers met tot spleetjes getrokken ogen en controleerden de papieren van de mannen.

Ook Dietrich ontkwam hier niet aan. 'Hebben identiteit.' Het was geen vraag, maar een bevel. De inspecteur liet zijn dienstbewijs en het bestempelde rode formulier zien. De man wenkte zijn collega. Ze pakten Dietrich bij zijn arm en voerden hem af, het station uit. Hij werd nagekeken met medelijdende blikken. De meesten deden net of ze niets zagen. Met mannen in leren jassen en met een hoed op wilde men niets te maken hebben. Dat was nu zo, en dat was al heel lang zo geweest.

Buiten het station wachtte een zwarte Tatra-limousine. De mannen gingen links en rechts van Dietrich op de achterbank zitten. Ze stonken naar Machorka en wodka. Aan het stuur zat een derde man met een ballonpet op. Na een rit van twintig minuten passeerden ze meerdere Russische wachtposten en prikkeldraadversperringen. Er ging een hoge poort open. De wagen rolde door de poort en stopte. Ze waren op de binnenplaats van de Brandenburg-gevangenis. Dreunend viel de poort achter hen weer in het slot. Kom ik hier ooit weer uit?, dacht Dietrich met gemengde gevoelens.

Het was een rood bakstenen gebouw. Nog een wachtpost met een machinegeweer. Binnen gingen ze een trap af, een betonnen gang door. Een van zijn begeleiders opende een ijzeren deur. De andere schoof hem een kale ruimte binnen die door een schel licht verlicht werd. Achter een tafel zat een dikke Russische vrouw in onderofficiersuniform.

'Naam?' blafte ze hem tegemoet.

'Klaus Dietrich, inspecteur recherche Berlijn. Ik heb toestemming voor een bezoek.' Hij gaf haar het rode formulier.

Ze legde het voor zich neer op tafel. 'Uitkleden,' beval ze. Dietrich verstarde. 'Niet verstaan?' Zijn twee bewakers stonden met hun armen over elkaar bij de deur geposteerd, blijkbaar bereid eventueel te helpen. Dietrich wist dat hij geen keus had. Hij had zich vrijwillig in het hol van de leeuw begeven en nu mocht hij de leeuw niet te veel tergen. Nadrukkelijk nonchalant begon hij zich uit te kleden. De prothese met kous en schoen hield hij aan. Het was zijn enige houvast. Er stond niets, waaraan hij zich vast zou kunnen houden.

De Russin stond op en waggelde naar hem toe. Langzaam liep ze om hem heen en bekeek hem van top tot teen. Net zo langzaam waggelde ze weer terug naar haar tafel. Ze drukte een stempel op het rode papier en gaf het aan hem. 'Aankleden,' beval ze, zonder nog maar een keer naar hem te kijken. En plotseling begreep Dietrich begreep het. Dit was allemaal routine. Iedereen die hier binnenkwam moest dit ritueel ondergaan.

Hij deed zijn bovenste broekknoop dicht en zei ironisch: 'Leuk u te hebben ontmoet.' Haar ontging de ironie en er verscheen een brede glimlach op haar ronde gezicht.

In een groot kantoor op de eerste verdieping werd hij verwacht door een officier met de kraagspiegels van de NKWD. 'Overste Korsakov,' stelde hij zich voor. 'Inspecteur Dietrich, nietwaar?' Hij sprak goed Duits. 'Wodka?'

'Zeer vriendelijk van u, kameraad overste.' Na de ontvangst in de kelder was deze begroeting erg rustgevend.

Korsakov vulde twee glazen, die ze staand achteroversloegen. 'Gaat u alstublieft zitten. Vertel. Hoe is het met hem?'

'Dan moet u mij alstublieft eerst vertellen wie u bedoelt.'

'Gennat, natuurlijk. Rechercheur Ernst Gennat. Dikke Gennat, zo noemden jullie hem toch? Een grote speurhond. Uitvinder van de mobiele criminele recherche. Dat idee hebben wij met veel succes overgenomen.' Het bleek dat Korsakov van beroep eigenlijk commissaris van de Moskouse recherche was. Hij bewonderde de Berlijnse recherche.

'Hij is allang met pensioen. Ergens in het Rijnland, geloof ik,' improviseerde Dietrich. 'Meer weet ik helaas ook niet.'

'Doet u hem van mij de groeten, mocht hij naar Berlijn komen. Nog een wodka?'

'Nee, dank u. U weet waarom ik hier ben. Daar heb ik een helder hoofd bij nodig.'

'Commissaris Schlüter, ook een Berlijns rechercheur. Zonde van die man. Hij wacht hiernaast.'

Korsakov deed de deur naar de kamer ernaast open. 'U kunt naar binnen. Klop maar op de deur als u klaar bent.'

De kamer was leeg op een tafel na, waar een grove houten stoel voor stond. De riemen aan de armleuningen en poten lieten geen twijfel bestaan over de gebruikelijke verhoormethoden. De man aan het getraliede raam droeg een versteld werkpak, dat dezelfde vuilgrijze kleur had als zijn magere gezicht.

'Ik ben Wilhelm Schlüter. Ik neem niet aan dat u mij de hand wilt geven.'

'Klaus Dietrich. Commissaris van de recherche Zehlendorf. Ik ben uw rechter niet.' De inspecteur strekte zijn hand uit.

Schlüter greep hem dankbaar. 'Mijn opvolger dus. Wat wilt u van mij, inspecteur?'

'Uw hulp. Een vrouwenmoord in 1936. U hebt destijds het onderzoek geleid. De dossiers zijn weg. Ik zou graag alle details willen weten.'

'Waarom?'

'Bij ons zijn onlangs drie vrouwen misbruikt en gedood.'

'Met een scherp voorwerp vaginaal mishandeld en met een ketting gewurgd. Ze hebben allemaal blond haar en blauwe ogen.'

Klaus Dietrich slikte. 'Hoe weet u dat?'

Schlüter ijsbeerde op en neer. Ten slotte bleef hij dicht voor Dietrich staan. 'Het was er niet een, maar het waren er zes, tussen 1936 en 1939.'

'Zes?' Dietrich was ontsteld.

'Bij de FBI noemen ze dat een seriemoordenaar. Ik heb destijds alles over vergelijkbare gevallen uit Amerika gelezen om ervan te leren. De moorden in Milwaukee, bijvoorbeeld. De dader bond zijn slachtoffers aan een boom en wurgde ze met zijn handen, voordat hij zich aan hen vergreep. Achttien rood-harige vrouwen en meisjes.'

'Zes moorden in Onkel Toms Hütte, en allemaal volgens hetzelfde schema?'

'Alleen de eerste werd openbaar. Bij de tweede werd duidelijk dat het ging om een en dezelfde dader die gefixeerd was op een bepaald type vrouw.' De volgende gevallen bevestigden dit. Himmler eigende zich de dossiers toe en zette zijn eigen mensen in. Hij beval geheimhouding. Een manische sexkiller paste niet in het plaatje van het gezonde Duitse volk. Hij verbood ons verder te rechercheren.'

'En u volgde zijn bevel op?'

'Ik werkte door op eigen houtje. Het was een uitdaging voor elke echte cri-minalist en die Beierse marionetten van de Gestapo vonden sowieso niks.'

'De gevallen leken haarfijn op elkaar?'

'Vooral met betrekking tot het feit dat de dader kat en muis met mij speel-de. Hij wist dat ik achter hem aan zat en hij nam de uitdaging aan.' Schlüter lachte stil. 'Geval numero drie. Gerlinde Unger. Jonge onderwijzeres aan de Zinnowaldschool. Dat was winter 1938. Hij begroef haar bij metrostation Onkel Tom in een bak strooizand en wel zo, dat haar gezicht vrij bleef. Ze zag eruit als een madonna. Ik ontdekte haar, nadat hij vrolijk voor mij als spoor een zak zand in een wagon had achtergelaten. Het strooizand werd destijds vermengd met rood zout, zodat ik wist waar ik moest zoeken.'

'Maar u kreeg hem toch niet te pakken.'

'Ik zat hem op de hielen. Ik hoopte dat het moordwapen mij zou helpen. Met het uitbreken van de oorlog, brak de serie plotseling af.'

'Omdat de moordenaar werd opgeroepen,' riep Dietrich opgewonden uit. 'Hij was de hele oorlog weg. Nu is hij terug en doodt weer.'

Schlüter onderbrak zijn geijsbeer en wees naar de lompe stoel met de leren riemen. 'Ze folteren mij niet meer. Ze hebben alles uit me geperst.'

'Wat raadt u mij aan, meneer Schlüter?'

'Verdergaan waar ik moest stoppen. Het moordwapen. Ik zei het al.'

'De ketting?'

Schlüter antwoordde niet. Zijn blik stond op oneindig. 'Ze schieten me binnenkort dood. Een nekschot. Dat gaat heel snel. Mijn mannen en ik hebben dat in de Oekraïne zo vaak gedaan. Vaarwel, collega. Ik wens u en ons land een betere toekomst dan die, voor welke wij dachten te moeten moorden.'

Klaus Dietrich klopte op de deur. Overste Korsakov liet hem uit. 'Een seriemoordenaar, wat interessant. Ik zou willen dat ik bij u in Berlijn mee mocht doen.' Het hele gesprek was afgeluisterd.

Zes uur op een dood spoor bij Potsdam vanwege eindeloze militaire transporten en twee steekproefcontroles door Saksisch sprekende Duitse spoorwegpolitiemannen, maakten ook de terugreis tot een kwelling. Ze reden in een slakkengangetje door station Zehlendorf-West, zodat Klaus Dietrich de sprong op het perron waagde en ongedeerd landde. Het was maar een paar minuten naar kantoor.

'Opnieuw een vrouwenmoord, inspecteur,' ontving Franke hem teneergeslagen. 'En we zijn nog geen stap verder.'

Dietrichs reactie was zakelijk en professioneel. 'Wat weten we?'

'Het gebeurde gisteravond tegen tien uur aan de Argentiniëlaan 198. Het slachtoffer woonde daar. Een zekere Marlene Kaschke. Hetzelfde type. Blond, blauwe ogen, werkte voor de Amerikanen. Ouvreuse in de Onkel Tom-bioscoop. Met een ketting gewurgd, net als de anderen. Ook het resultaat van de sectie is als bij de vorige slachtoffers.'

'Ik wil naar de plek waar het gebeurd is. Is onze auto warm? We gaan over vijf minuten.' Klaus Dietrich ging naar het toilet. Hij trok zijn broekspijp tot hoog boven zijn knie. Kreunend maakte hij zijn prothese los. Daarna hupte hij naar de wastafel, liet hem vollopen met water en dompelde zijn rode stomp erin onder. Het koude water was een ongelooflijke weldaad. Hij droogde het litteken af met een zakdoek en strooide talkpoeder in de holte van het kunstonderbeen. Hij had altijd een kleine poederdoos bij zich.

De wagen stond klaar. Franke gaf gas. De Opel beantwoordde dit met een beledigd gehoest. 'De knevelketting,' dacht Dietrich hardop. 'Wat zegt ons die?'

'Vrij weinig,' zei Franke schouderophalend. 'Die dingen vind je in elke dierenwinkel, als er tenminste alweer eentje open is. Een zogenaamde wurghalsband voor grotere honden. Als Bello te erg trekt, wordt het strak om de nek. Nee, chef, in die richting komen we niet verder.'

Tien minuten later stonden ze voor de opengebarsten gevel van huisnummer 198. 'Ze hing daarboven op de derde verdieping,' informeerde de rechercheur zijn chef. 'Ze is ontdekt door een medebewoner. Voor zover we het kunnen reconstrueren, heeft de moordenaar het lijk over de rand geduwd. De ceintuur van haar badjas bleef hangen in het verbogen ijzerwerk. Dat brak haar val.'

'Of de moordenaar wilde haar met opzet tentoonstellen,' bedacht de inspecteur. 'Hij heeft een macabere inslag. Denk maar aan het lijk in de rol prikkeldraad en aan haar lotgenote in de vuilnisbak.'

De mannen klommen in het intacte gedeelte van het huis naar de derde verdieping. 'De collega's hier uit de buurt hebben het appartement verzegeld.' Franke trok het politieplakband, waarop de rijksadelaar nog een hakenkruis droeg, kapot.

Op de tafel in de slaapkamer stond een pot met geraniums. Er stonden ook gebruikte glazen, borden en een lege champagnefles op. Drie afgebrande kaarsen herinnerden aan de uitschakeling van de stroom de avond ervoor. Hoofdschuddend bekeek Klaus Dietrich het schilderij van een burlend hert boven het dressoir. Onder het schilderij lag een militaire orde. 'Het kruis van het Franse erelegioen. Op welke rommelmarkt ze dat heeft gevonden?'

Franke at de laatste pruim in een spekrolletje van het bord en gooide er een paar pinda's achteraan. 'Ze had bezoek.' Hij wees op het rommelige bed.

'Haar moordenaar?' De inspecteur deed de deur naar de voormalige woonkamer open. Hij was amper twee stappen van de afgrond verwijderd. 'Eens even kijken of de medebewoners iets weten.'

Franke bonsde op de tweede etage op de deur van het appartement met het naambordje 'Mühlberger'. Een man in een kamerjas deed de deur open.

Tussen zijn geruite pantoffels kefte een zwart teckeltje.

'Recherche. Rechercheur Franke. Dit is inspecteur Dietrich.'

'U hebt geluk dat u mij hier aantreft. Ik zit namelijk ziek thuis. Normaal werk ik voor de yankees.'

'Wij hebben een paar vragen, meneer Mühlberger.'

'Dat snap ik. Tenslotte heb ik haar ontdekt.'

'Kunt u ons zeggen wanneer dat is geweest?'

'Kwart over tien ongeveer. Dan ga ik met Lehmann uit. Niet meer dan een klein ommetje om het huis vanwege die rottige Sperrstunde. Lehmann doet zijn behoefte graag op het zandstuk waar de tweede rijbaan ooit zou moeten komen. Van daaruit zag ik dat er ter hoogte van de derde verdieping iets lichts bungelde.'

Franke was wantrouwig. 'Ondanks de donkerte?'

'Ik heb een sterke zaklantaarn en een paar batterijen weten te redden. Ik was tijdens de oorlog als bewaker in dienst bij Leuna. Ik ben pas sinds een paar weken terug.'

'En u hoorde in de buurt een motorfiets starten?' vroeg Dietrich terloops.

'Ja en die ging er knap snel vandoor. Een 300cc NSU. Dat pruttelende geluid herken ik blind. Ik heb zelf ooit zo'n raket gehad. Maar, zeg eens, hoe weet u dat inspecteur?'

'Slechts een vermoeden. Vertel verder, meneer Mühlberger.'

'Ik richtte mijn zaklantaarn dus naar boven en daar hing ze. Treurig verhaal natuurlijk, maar geen groot verlies. Goedkope slet.'

Er kwam een vrouw met een hoofddoek om en een schort voor de trap op. 'Dat zegt ie omdat hij d'r niet aan mocht komen. Bräuer, eerste verdieping,' stelde de vrouw zich voor. 'Ze was echt in orde en ze wilde maar één ding: met rust worden gelaten. Wie weet wat ze allemaal had doorgemaakt.'

'Kwam er vaak mannelijk bezoek?' wilde Franke weten.

Mevrouw Bauer schudde haar hoofd. 'Nooit.'

'Behalve de vent die haar de nek heeft omgedraaid,' corrigeerde Mühlberger. 'Eentje met een kuiltje in zijn kin.'

Inspecteur Dietrich was onmiddellijk alert. 'U hebt hem gezien?'

'Nou en of. Het was even voor tienen. Kom binnen, mijne heren. Nee, mevrouw Bräuer, u niet.'

Mevrouw Bräuer aanvaardde beledigd de terugtocht, terwijl de dienders Mühlberger in diens woning volgden. Teckel Lehmann gromde vijandig. 'Waar was ik ook weer gebleven? Oh ja, even voor tienen hoor ik dus iemand van de derde verdieping naar beneden komen. Ik doe de deur open. Tenslotte wil je wel weten wie er in deze onzekere tijden in je huis ronddwaalt. Hij had een kaars in zijn hand. Die had ie blijkbaar gepikt boven om niet van de trap te vallen. Je kon het kuiltje in zijn kin duidelijk zien.'

De rechercheur was niet tevreden: 'Kunt u hem nader omschrijven?'

'Hij droeg een geverfd uniformjasje.'

'Een Duits jasje?'

'Nee, Duits was het niet.'

Franke haalde een ingelijste foto van het dressoir. Er was een iets jongere Mühlberger op te zien die achterstevoren op een motorfiets zat, met zijn laarzen links en rechts van de motor in het zand. Hij droeg kaphandschoenen. De stofbril zat over de leren helm geschoven, net als bij zijn buurman. Beide gezichten waren zwart van het stof.

'Mijn kameraad Kalkfurth en ik,' zei Mühlberger trots. 'Na een cross-country in Groenewoud, voor de oorlog. Wij zaten namelijk bij het NSKK, het nationaal-socialistische gemotoriseerde korps. Toffe ritten dwars door de rimboe hebben we daar gemaakt. Was niet slecht – toentertijd.'

De rechercheur zette de foto op zijn plaats terug. 'Wat is er van uw kameraad geworden?'

'Kurt is meteen bij de Poolse inval gesneuveld.'

'Die man met zijn geverfde uniformjasje, met het kuiltje in zijn kin – zou u hem herkennen?' keerde Dietrich terug naar het onderwerp.

'Ik denk het wel.'

'Dank u wel, meneer Mühlberger. Wij geven aan u door wanneer u zich bij ons moet melden om uw getuigenverklaring te ondertekenen.'

'In orde, meneer de inspecteur. U krijgt hem vast gauw.'

'Vast,' zei Franke en keek hem scherp aan.

'Commissaris Schlüter vertelde mij over zes verdere moorden van vóór de oorlog die haarfijn op elkaar leken,' berichtte Dietrich toen ze weer in de auto zaten.

'Dan is Marlene Kaschke dus de tiende?' vroeg de rechercheur verbijsterd.

'Daar lijkt het op, Franke. Volgens Schlüter stopte de serie aan het begin van de oorlog.'

'En zette zich voort na het einde ervan. Het lijkt erop dat het om een teruggekeerde soldaat gaat, inspecteur.'

'Ja hè? Iemand die al voor de oorlog hier woonde en die de weg goed kent in en om Onkel Toms Hütte.'

'Mühlberger. Hij was tijdens de oorlog weg en is sinds een paar weken terug. Hij zou zijn motor ergens verstopt kunnen hebben. En een baan bij de yanks heeft hij ook.'

Dietrich schudde het hoofd. 'Dat maakt hem nog niet meteen een vrouwenmoordenaar. Maar hij is onze enige getuige. Ik weet van Ashburner dat er een kaartenbak met foto's bestaat van alle bij de yankees werkende Duitsers. Daar gaan we met Mühlberger doorheen lopen. Misschien zit de man met het kuiltje in zijn kin erbij.'

In de tuin achter het rijtjeshuis smeulde een ondefinieerbaar hoopje dingen. Ben zag aan met een groeiend gevoel van onrust.

'Iemand wist blijkbaar niet waar hij met zijn nazispullen heen moest en heeft ze bij ons in de schuur gedumpt,' bevestigde grootvader Bens bange vermoeden. 'Een volledig uniform met alles erop en eraan. Jongen, neem de pook en zorg ervoor dat die troep blijft fikken.' Dr. Hellbich ging terug het huis in.

Teneergeslagen prikte Ben tussen de resten. Behalve de eredolk was er niets meer te redden. Hij smokkelde de dolk onder zijn hemd mee naar boven. Met Sidol en schoensmeer poetste hij de stalen kling en de leren schede weer op. Het hakenkruis op de greep polijstte hij met een oude sok.

De naïeve Clarence P. Brubaker was helemaal opgetogen: 'Een waarachtig historisch stuk.'

'Hij kreeg het van de Führer persoonlijk uitgereikt,' verzon Ben.

'Ik móet hem leren kennen,' drong de hoopvolle toekomstige Pulitzerprijswinnaar aan.

'De Führer?'

'De man met de dolk. Hitlers rechterhand, nietwaar?' Wanneer kan ik hem ontmoeten?'

'Hij wil vijf dozen Chesterfield voor zijn dolk.'

Meneer Brubaker ging meteen akkoord. 'Vijf dozen Chesterfield, okay. Jij brengt ze hem en je zegt hem dat hij er nog tien van mij persoonlijk krijgt. Hij bepaalt waar en wanneer. Is toch een goeie deal, of niet?'

'Ik zeg het hem, maar ik kan niets beloven. Hij is heel voorzichtig.'

Meneer Brubaker haalde een legergroene canvastas tevoorschijn, waar gemakkelijk vijf sloffen sigaretten in konden, samen met een pakje van honderd kauwgummetjes als beloning voor Ben. Dat was de sterreporter uit Hackensack dit sensationele ondergrondse verhaal wel waard. 'De tas mag je houden,' zei hij gul.

'Hebt u misschien een lege aardappelzak?'

'Ik geloof het niet. Ga maar in de kelder kijken als je wilt.' Brubaker keek allang niet meer op van de vreemde verzoeken van die Duitsers.

In de kelder bevond zich weliswaar geen aardappelzak, maar wel een berg schimmelende vuile was. Een horde soldaten van het Rode Leger had de wasvrouw des huizes zo van haar ketel weg de tuin in gesleept. Dertig mannen waren over haar heen gegaan voordat de eenendertigste haar had doodgeslagen. Dat was nu vier maanden geleden. Ben trok een groot kussensloop uit de berg en nam het mee naar boven. Alleen een idioot zou met een legergroene tas de straat op gegaan die al van heinde en verre als eigendom van het Amerikaanse leger te herkennen was.

'Vergeet niet de tien sloffen Chesterfields te noemen,' maande Brubaker Ben.

'Vijftien zou beter zijn,' pokerde Ben gedurfd.

'Vijftien, voor mijn part.'

Tevreden viste Ben een flesje cola uit de koelkast, nam de zak op zijn schouders en marcheerde linea recta naar kleermaker Rödel. Die liet zijn krijtje over de kostuumstof glijden als vergoeding voor vijf sloffen Chesterfields, een tas, kauwgum en een kussensloop.

Op weg naar de club rekende Ben het na. Als hij Brubaker in plaats van vijftien, twintig sloffen kon aftroggelen, waren het pak en de schoenen zekergesteld. Maar de razende reporter zou pas betalen als hij Hitlers rechterhand diens hand ook had mogen schudden en dat was zelfs voor de spitsvondige Ben een moeilijk probleem. 'Komt tijd, komt raad,' troostte de late profiteur van het Derde Rijk zichzelf.

De theatergroep was aan het repeteren. *'Wij leiden een vrij leven...'* lalden Schillers rovers door de kelder. *'...een leven vol weldaad...'* terwijl meneer Appel achter het toneel een muis uit de val haalde en in de prullenbak gooide. Ben keek geïnteresseerd toe hoe Appel een stukje kauwgum uit zijn mond haalde en als lokaas op het plankje plakte, voordat hij het beugeltje opnieuw aanspande.

Heidi Rödel kwam naast hem zitten. 'Hoe vind je het lied?'

'Niet veel anders dan bij de HJ.' Een paar maanden geleden nog had hij in het koor met de andere broeders van zijn eenheid 'Flamme empor' gezongen. 'Liedje van de jeugdige nazibrandstichtertjes' had grootvader Hellbich het stiekem genoemd. Daarmee was zijn verzet tegen het regime dan ook wel uitgeput.

Heidi ging zo dicht bij Ben zitten dat hun knieën elkaar raakten. 'Als het donker wordt, gaan we naakt zwemmen. Kom je ook?'

Tijdens weekenduitstapjes met de nazibroeders hadden ze in hun blootje wedstrijdjes gezwommen. Ze hadden in de zon hun eigen afmeting vergeleken met die van de buurman, zonder daar veel bij te denken. 's Nachts met Heidi in het water was van een volledig ander kaliber. Ben had plotseling een gevoel als tijdens het gymmen aan de wandrekken. Verward ging hij naar boven. Hij plofte neer in een fauteuil en greep naar het nieuwste nummer van het Amerikaanse soldatentijdschrift *Stars and Stripes*.

Meneer Appel klom steunend de trap op. Hij peuterde een nieuw stukje kauwgum uit een zilverpapiertje en legde het op zijn uitgestoken tong. Met zijn treurige bolle ogen deed hij Ben denken aan een kameleon die hij in het reptielenhuis in het dierenpark ooit had gezien. Alleen trok meneer Appel zijn tong met de buit iets langzamer naar binnen.

'*Wij leiden een vrij leven, een leven vol weldaad...*' klonk het voor de zoveelste keer vanuit de kelder.

'Echt goed, die Goethe,' smakte Appel goedkeurend.

Ben bespaarde zich de correctie. Hij nam het tijdschrift op en las de slagzin: 'Werewolves getting active'. Een overijverige correspondent berichtte over een zogenaamde samenzwering van de Hitlerjugend, die een geheim bondgenootschap 'De Weerwolven' zou hebben opgericht tegen de bezettingsmacht. In Bens hoofd tekende zich, zij het nog in onduidelijke omtrekken, de oplossing van zijn probleem af.

Inspecteur Dietrich zat in het secretariaat van het German American Employment Office te wachten. De Duitse secretaresse lakte haar nagels. 'Wilt u koffie, inspecteur? En een sandwich misschien? Ik kan er eentje uit de kantine laten komen. Er is hier genoeg.'

'Dat is heel vriendelijk van u, maar ik wil uw chef niet ontmoeten met mijn mond vol.'

'Ik pak er eentje voor u in,' zei de secretaresse zwoel op samenzweerderige toon. 'Ik heet Gertrud Olsen.'

'U bent heel vriendelijk, mevrouw Olsen.'

'Ik zoek een man. Dan moet je alles proberen. Zelfs sandwiches. Bent u getrouwd, meneer de inspecteur?'

'Al vijftien jaar. Wij hebben twee zoons.'

'Wij waren net een jaar getrouwd, Horst en ik. Hij was legerpiloot, artillerieverkenner. Hij is neergeschoten bij Smolensk. Ik verloor mijn baby toen ze het me vertelden. Niet dat ik hem ooit zal vergeten. Alleen word je soms helemaal gek van eenzaamheid. Kom toch eens langs. Irmgardstraat 12a.'

'Dat is bij mij in de buurt. Wij wonen bij mijn schoonouders in de Riemeisterstraat. Maar zoals gezegd, ik ben getrouwd.'

'Dat zijn de aardige mannen altijd.' Ze haalde een spiegeltje uit haar handtas en zette haar lippen aan. Dietrich vond het rood ietsje te flets. 'Cadeautje van de baas. Hij vindt het mooi,' zei ze verontschuldigend.

'Hoe is hij, uw baas?'

'Meneer Chalford? Hij mag de Duitsers niet, geloof ik. Verder is hij in orde. Soms misschien een beetje ongeduldig. Aan de andere kant neemt hij vaak iets voor me mee uit de PX.'

Chalford kwam binnen rond vijf uur die middag. Hij had een vergadering gehad bij de stadscommandant. 'Come into my office, Inspector. Captain Ashburner has announced you. Let's see what we can do for you.'

Nieuwsgierig bekeek Dietrich de Amerikaan. Chalford was rond en goed doorvoed, getuigend van een wereld die goed was. 'Terrible, all these murders.' Het gladde, roze gezicht met de waterblauwe ogen stond zorgelijk. 'Okay, Inspector. Laten we ter zake komen.'

'Wat weet u over de dode?'

'Eigenlijk geven wij geen informatie aan Duitsers. Maar captain Ashburner heeft mij gevraagd behulpzaam te zijn. Ik wil geen uitzondering zijn.'

'Wat aardig van u.'

Curtis S. Chalford streek onzeker over zijn dunne, blonde haar. Dreef deze Duitser de spot met hem? 'What would you like to know, Inspector?' vroeg hij terughoudend.

'Wie was ze?'

Chalford nam een dossierkaart ter hand. 'Marlene Kaschke, drieëndertig. Geen geslachtsziektes. Ik heb haar drie weken geleden als ouvreuse voor de bioscoop in dienst genomen. Ze woonde aan de Argentiniëlaan 198.'

'Het huis waar ze vermoord werd,' bevestigde Dietrich. 'Weet men iets over haar verleden?'

'Ze gaf aan in de landbouw tewerkgesteld te zijn geweest.'

'Weet u daar meer over?'

'Nee. Hebt u al een spoor?'

'De dader is vermoedelijk een Duitse werknemer van het Amerikaanse leger en weet goed de weg in Onkel Toms Hütte. Waarschijnlijk hebt u hem zelf in dienst genomen.'

'The Aankel Taam killer,' herhaalde Chalford in zwaar dialect. 'Why the hell does he kill in Aankel Taam?'

'Wij vermoeden dat hij er ergens is ondergedoken.' Dietrich kwam op zijn verzoek. 'Captain Ashburner zegt dat er hier een fotokaartenbak is. Wij hebben een getuige die beweert de moordenaar te hebben gezien. Ik zou u dankbaar zijn als u hem zou toestaan de foto's van alle bij het Amerikaanse leger werkende Duitsers te bekijken.'

Chalford trok zijn gezicht in een grimas. Het hele gebeuren stond hem niet aan. Het bracht de routine in zijn kantoor in de war. 'Het zou echt een grote hulp voor ons zijn, meneer,' probeerde de inspecteur nog een keer beleefd, maar met nadruk.

Chalford speelde ongeduldig met een potlood.

'Wij passen ons uiteraard aan uw agenda aan.'

Chalford legde het potlood neer. 'Allright, Inspector. Kom morgen maar. Gertrud zal u dan de kaartenbak laten zien. Gertrud, time to go home!'

'Yes, mister Chalford!' klonk het ernaast.

Franke wachtte beneden met de Opel. 'Hoe ging het, chef?'

'Een opgeblazen mannetje, die Chalford. Thuis is ie waarschijnlijk een tweede klas ambtenaartje, maar hier kan hij de grote baas spelen. Enfin, dat is niet van belang voor ons. Als we zijn kaartenbak maar mogen inzien. Stel getuige Mühlberger hierover in kennis.'

Zoals elke avond nam Chalford de legerbus vanuit zijn kantoor in Lichterfelde naar het OMGUS-hoofdkwartier. Van daaruit was het nog maar een paar minuten te voet. Hij woonde dankzij zijn positie in een in beslag genomen villa in de Gelfertstraat.

Hij verheugde zich op zijn vrije avond. De reden was een mollige vrouw met donkere krullen, een knap, vol gezicht en aanleg voor een dubbele kin. Renate Schlegel was achtentwintig en een moederlijk type. Ze had bij Chalford naar een baan gesolliciteerd. Ze sprak nauwelijks Engels. Chalford nodigde haar uit voor een etentje. Bij de kip met rijst deed hij haar een aanbod: als huishoudster bij hem wonen en voor hem zorgen. Buiten haar officiële salaris bood hij haar drie sloffen sigaretten maandelijks en natuurlijk goede verzorging aan. Bovendien zou hij voor haar de dingetjes uit de PX meebrengen die een vrouw nodig had.

Renate Schlegel was alleen. Haar man was meteen aan het begin van de oorlog in Narvik gesneuveld. Daarna had ze twee verhoudingen gehad: een met de filiaalhouder van de *Sparkasse* die te oud was geweest voor de oorlog en die tijdens een bomaanval in de schuilkelder was gestorven aan een hartaanval, de andere met een Zwitserse zakenman die naar huis was gevlucht toen de Russen kwamen. De Amerikaan maakte een rustige, niet veeleisende indruk. Renate stemde toe.

Chalford belde aan. Hij had een sleutel, maar hij vond het leuk als zij opendeed, keurig in een gebloemd keukenschort, met een pollepel in haar hand en de kom tegen haar grote, zachte boezem gedrukt. 'Ik maak eierkoek als toetje,' verraadde ze stralend en keerde terug naar de keuken.

Op de begane grond van de villa, bevonden zich de eetkamer, de grote salon en de werkkamer van de heer des huizes. Hier werkte Chalford elke avond nog een halfuurtje. Hij zat dan aan zijn bureau voor de kast waar hij zijn papieren in bewaarde over schriftjes gebogen. Daar maakte hij notities in. 'Een schriftelijke opleiding boekhouding. Mijn baan in Duitsland is voor bepaalde tijd. Ik moet aan de toekomst denken.' Renate bewonderde zijn ambitie.

Ook vanavond trok hij zich een halfuur terug, voordat hij de kast dichtdeed en naar boven naar de badkamer ging. Tien minuten later verscheen hij in een behaaglijke kamerjas. 'Wat eten we voor lekkers?' vroeg hij gemoedelijk.

'Gepaneerde varkenskoteletjes met worteltjes en gebakken aardappeltjes.' Ze bracht hem een biertje.

Hij bekeek haar tevreden en daarmee hield zijn interesse in haar op. Hij wilde alleen maar het gemak. Zij vroeg zich af of hij een gezin had. De foto met een jongere brunette met twee kleine meisjes sprak eigenlijk boekdelen, maar hij had het nooit over ze. Ze hoopte dat hij lang zou blijven. De overeenkomst beviel haar wel.

'Weten ze al iets over die nieuwe moord? Het is de vierde dode, nietwaar?'

Hij nam een slok uit de fles. 'Ze noemen hem Onkel Tom-killer. Ik weet het van een Duitse inspecteur die vandaag bij mij was. Een concreet spoor hebben ze nog niet.'

'Hopelijk krijgen ze dat beest gauw te pakken.' Ze liep weg om de koteletjes in de pan te doen. Uit de keuken stegen algauw veelbelovende geuren op.

Verborgen achter de struiken wachtte hij iedere ochtend achter de struiken bij Club 48. Hij moest haar gewoon zien, moest keer op keer uittekenen hoe hij haar zou bezitten zogauw de gelegenheid zich voordeed. De officierstrenchcoat met de grote winkelhaak boven de linkerzak had hij hoog tot onder zijn kin dichtgeknoopt en de kraag opgezet, omdat het regende. Op die afstand kon je hem net zo goed voor een Amerikaan houden als voor een Duitser. Behalve dan dat de Amerikaan de trenchcoat vanwege de winkelhaak allang weggegooid of aan een Duitser gegeven zou hebben.

Ze was elke ochtend precies op tijd. Ze stapte van haar fiets, waarbij haar jas en haar jurk naar boven schoven en haar knie en een stuk bovenbeen ontblootten. Ze maakte haar hoofddoek los en schudde haar lange, blonde haar los. Hij slikte opgewonden.

Het hield op met regenen. De zon brak door en het beloofde een warme dag te worden. Hij liep als door een wesp gestoken weg, alsof hij kon vluchten voor zijn gedachten. Maar zijn gedachten lieten hem niet los. Ook het werk leidde hem niet af. Toen het donker werd, haalde hij zijn motor uit de bergplaats. Rusteloos reed hij door de nacht, dezelfde route de hele tijd. Maar ze was vandaag blijkbaar vroeger naar huis gegaan. Vrouwen waren zo vreselijk onbetrouwbaar. Teleurgesteld bracht hij zijn motor terug naar de garage.

John Ashburner deed de deur open, nadat Jutta had aangebeld. 'Je bent vroeg!' stelde hij vrolijk vast.

'Sergeant Vardy maakt op wens van iedereen een echte Szegedijnse goulash. Mijn kookkunsten waren dus niet nodig en ik mocht gaan.'

Hij had zijn basketbalkloffie nog aan. Ze hadden een leger- en een OMGUS-team samengesteld en de gymzaal van een school in Dahlem tot basketbal-arena omgetoverd. Vanwege zijn lengte, was de captain een welkome teamgenoot.

Ze omhelsden elkaar en zoenden, en even leek het erop alsof ze meteen het bed in zouden duiken. Hij wendde zich af en schonk een bourbon in.

'John, wat is er?'

'Niets. Om precies te zijn: niets dan ergernis. Kolonel Tucker was vandaag bij mij op kantoor en drukte nogal direct het misprijzen van de stadcommandant uit. De generaal verlangt dat we nauwer samenwerken met de Duitsers om verdere moorden op vrouwen te verhinderen. De bevolking wordt onrustig. Aan de andere kant is direct ingrijpen van de MP niet gewenst als het om Duitse belangen gaat. Ik moet me dus beperken tot een adviserende rol.'

'Mijn arme lieveling: je zit tussen de wal en het schip.'

'Zo zou je het kunnen zeggen.' Ashburner nipte aan zijn whisky. 'Sorry, wil jij er ook eentje?'

'Ik ga koffie zetten.' Ze stak de stekker van de waterkoker in het stopcontact. 'Overigens heb ik twee brieven naar Rockdale geschreven. Eentje aan Tony Mancetti, die zijn spaghettizaak wil verkopen. Met mijn ontslagpremie en een krediet van de High Street Bank red ik het wel. De roodgeruite kleedjes op de tafeltjes kunnen blijven, als je wilt. De andere brief was voor Ethel. Ik heb een scheiding voorgesteld. Ze kan houden wat we de afgelopen tien jaar hebben verzameld: het huis, de levensverzekering, de Ford, enzovoorts. Wat vind je?'

Ze legde haar armen om zijn nek. 'Dat je er goed over moet nadenken. Mij raak je namelijk nooit meer kwijt.'

'Als je wilt, ga ik vragen of we in Berlijn mogen trouwen. Dan kunnen we je familie uitnodigen en een paar vrienden. Klaus Dietrich en zijn vrouw, bijvoorbeeld.'

'En die knappe Rus met zijn witte sportwagen?' plaagde ze hem een beetje.

'Maxim Petrovitsch? Waarom niet? Hoe zit het met je ouders? Je moet me aan hen voorstellen.'

'Pappie zal het geweldig vinden. Mammie zal in tranen uitbarsten en wel om dezelfde reden: omdat ik naar Amerika ga. Ik zal vragen of we volgende week langs kunnen komen.'

Hij trok haar naar zich toe. 'Blijf je, of zal ik je thuisbrengen?'

'Breng me thuis. Ik moet het eerst allemaal een beetje verwerken.' Ze greep naar haar schoudertas. 'Die moordenaar... zullen jullie hem gauw oppakken?'

'Hij is heel slim. Misschien lacht hij ons zelfs uit. Zijn laatste slachtoffer is niet toevallig aan het ijzeren vlechtwerk van de derde etage blijven hangen, denkt inspecteur Dietrich.'

'Wie was ze?'

'Marlene Kaschke, een van de ouvreuses in de bioscoop. Weet je nog wel, die meisjes daar met die rare haarlinten? Blijkbaar kende ze haar moordenaar. Hij zocht haar na de Sperrstunde thuis op.'

'Arm ding,' zei Jutta medelijdend.

Marlene

Op vrijdag kreeg hij zijn weekloon. Lene kon aan de dranklucht die om haar vader heen hing als hij thuiskwam, ruiken of hij op de terugweg meer dan de helft ervan had verzopen. Meer dan de helft betekende dat ze in het voorhuis naar meneer Pohl moest. Die had een kaalgeschoren schedel, rook sterk naar eau de cologne en keek onverschillig toe terwijl het veertienjarige meisje haar kleren uittrok. Soms vingerde hij haar eerst en soms zette hij haar meteen op zijn schoot, op zijn gelukkig niet al te grote lid. Dan snoof meneer Pohl en drukte hij haar stevig tegen zich aan.

Niet dat het pijn deed. De pijn had Lene al sinds ze acht was niet meer. Toen hadden ze voor het eerst tegen haar gezegd: 'En nou ga je naar meneer Pohl om te vragen of we de huur later kunnen betalen. En stel je niet zo aan.' Nee, het deed allang geen pijn meer. Maar het was altijd zo koud en vochtig in de woning van meneer Pohl in het souterrain. Of het nou winter of zomer was. Lene huiverde tot het moment dat de conciërge eindelijk klaar was en ze zich weer mocht aankleden.

'Zeg tegen je vader dat hij volgende week moet betalen. Anders vliegen jullie eruit,' zei meneer Pohl toen hij het meisje liet gaan.

'Eruit vliegen,' dit verschrikkelijke woord hing dreigend boven de achterbuurten van Berlijn-Moabit, net als de zwarte rook die uit de schoorstenen van AEG en Borsig kwam. De Kaschkes: vader, moeder, Marlene en haar twee kleine broertjes, kenden het troosteloze beeld van een gezin dat met hun paar bezittingen op de stoep stond en niet wist waar het heen moest.

Egon Kaschke had een wit voetje gehaald bij zijn ploegbaas en kreeg soms een paar overuren om wat extra geld te verdienen. Dat voorkwam erger, meestal op het laatste moment.

Lena klom het daglicht tegemoet dat nauwelijks doordrong tot de vier binnenplaatsen van de vijf verdiepingen hoge huurflats aan de Rübenstraat nummer 17. De binnenplaatsen waren stinkende speelplaatsen voor kinderen met rachitis en voor vette ratten. Op de tweede binnenplaats hadden ze een voetbaldoel getekend. Daar joeg Marlene als zesjarige al achter de ballen aan alsof ze een jongetje was. De meeste schoten op doel hield ze tegen.

Elke binnenplaats was achtentwintig vierkante meter groot, wat volgens de bouwvoorschriften uit 1874 de minimale grootte moest zijn om een met paarden getrokken blusvoertuig de mogelijkheid te geven te wenden. Nu, in 1926, was de Berlijnse brandweer allang gemotoriseerd en was men in Britz en in Zehlendorf begonnen met de bouw van vriendelijker ogende arbeidersbuurtjes. Maar daar kwamen de Kaschkes niet voor in aanmerking.

Alfred Neubert stond bij de poort tussen de derde en vierde binnenplaats tegen de muur aan geleund. Hij droeg een das, een overhemd en een pak: in deze erbarmelijke situatie erg uitdagend. Hij knikte haar toe: 'Hoi Lene. En, hoe is het?'

'Ben je er weer?' Ze had Freddie lang niet gezien, maar ze herkende hem ondanks zijn vlotte baardje meteen. Freddie was negentien en een knap, donker type. Hij had al op zijn dertiende begrepen dat er voor hem maar één uitweg uit de Rübenstraat was. Zijn loopbaan was in de pissoirs aan het Alexanderplein begonnen. In Tiergarten had hij zijn carrière voortgezet, hij dook er met fijne heren de bosjes in. De tweede portier van het 'Bristol' nam hem ten slotte in dienst als page. Hij verhuurde de voor hem werkende jongens aan mannelijke hotelgasten.

Op een dag viel hij bij een rijke Engelsman in de smaak. Twee jaar lang nam deze hem mee op zijn reizen over de hele wereld, totdat hij hem in Mogador zonder een cent op zak in de steek liet voor een mooie Marokkaanse knaap. Freddie volgde het paar te voet, dag en nacht lopend, naar Marrakesh. Daar sloeg hij de pedofiel koelbloedig in elkaar en stal diens reisgeld: meer dan tweehonderd Engelse ponden. Lord Trevellyan liet liever nieuw geld uit Londen telegraferen dan dat hij de instanties inschakelde.

De buit van meer dan vierduizend rijksmark stortte de rover na zijn terugkeer naar huis op meerdere spaarrekeningen. Behalve het geld beschikte hij nu over kennis van het Engels en het Frans, goede manieren en een diepgewortelde haat jegens mannen als lord Trevellyan.

'Ik ben even langsgekomen om naar moeder te zien.' Freddie was zijn moerstaal vergeten en sprak het Pruisisch getinte Duits van de hogere klasses. 'En jij? Ben je Pohl nog steeds gewillig?'

'Had je wat?'

'Dat je zo'n sufferd bent!' Freddie liet duim en wijsvinger in zijn vestzak verdwijnen en toverde een zilveren markstuk tevoorschijn. Een vermogen voor Lene. 'Hier, reiskostenvergoeding. Je neemt de omnibus van de Turmstraat naar de Kantstraat. Daar stap je uit en sla je rechtsaf. De eerste hoek is de Weimarstraat. Rechterkant, nummer 28. Achterhuis, derde etage links bij Wilke. Drie keer bellen en ik doe open. Begrepen?'

'Ik ben toch niet dom.'

'Kom op dinsdagmiddag.'

Lene vroeg niet wat hij van haar wilde. Ze was helemaal overdonderd door deze uitnodiging naar een andere wereld.

Ze gebruikte de mark niet. Ook al was de verleiding groot voor het eerst in haar leven met de omnibus te rijden. Het liefst op het bovendek. Alleen al de open wenteltrap achterin te beklimmen zou een belevenis zijn geweest. Maar ze bleef sterk. Op dinsdag om twee uur begon ze te lopen. Ze had haar witte, kanten sjaal omgedaan die grootmoeder Mine haar had geërfd. Het was het kostbaarste dat ze bezat.

Ze zou de lange weg sneller hebben afgelegd als de etalages niet bij elke stap richting westen mooier waren geworden. Een hoedenmaakster toonde haar extravagante creaties. In de Rübenstraat zouden die woedende reacties hebben uitgelokt. In de etalage daarnaast telde Marlene dertig verschillende modellen damesschoenen. Ze vergeleek elk model somber met haar platgelopen ouderwetse knooplaarsjes. Die waren nog van de zus van moeder geweest. Tante Rosa was gecrepeerd aan de tering.

Van de etalage van de slagerij kon ze zich nauwelijks losweken. Op een zilveren schotel, gegarneerd met uienringen, prijkte een grote berg rundertartaar: rood met wit vet doorspekt, met gemalen peper en korrelig zout en dikke kappertjes. Een rond roggebrood en een fles donkerbruin Bötzowbier maakten het Breugheliaanse tafereel af. 'Portie, 30 pfennig,' lokte de zwarte tekst op een in het gehakt gestoken celluloid bordje. Lene omsloot het markstuk stevig in haar hand.

In de etalage van Hefter pronkte een heerlijke schotel met worst, omringd door lekkernijen uit blik. Ernaast lag een diepgele bol versgekarnde boter. Je kon het zien aan het patroon van de lepel. Lene kende alleen maar de smerig ruikende margarine uit de winkel op de hoek waar waterig blauwe magere melk uit de kraan drupte. Die gaf moeder aan de broertjes. Haar borst was bij Lene al uitgedroogd geweest.

Voor de bioscoop op de hoek van een straat lokten kleurrijke posters en glanzende foto's uit de film. De film heette *De Sjeik* en was met Rudolph Valentino die er onbeschrijflijk knap uitzag. Er stonden twee ouvreuses bij de deur. Lene keek bewonderend naar de rode uniformen met de gouden biezen. Zij wilde ook ouvreuse worden. Dan kun je altijd gratis naar de film, dacht ze.

Om vier uur bereikte ze de Kantstraat en ging ze rechtsaf de Weimarstraat in. Nummer 28 was een gebouw met vier verdiepingen en een rijk geornamenteerde gevel. In de hoge ramen stonden planten in de vensterbank. De hal was van marmer en kristal en het messing van het schuifhek van de lift glansde. Het achterhuis was weliswaar eenvoudiger, maar in vergelijking met de Rübenstraat 17 nog steeds een droom.

De bel voor de derde etage naast het naambordje 'Wilke' rinkelde drie keer. Fredi deed open. Hij droeg een lange, zijden huismantel en rookte een Atikah uit een bijna net zo lange koker. 'Man, je bent echt het heertje, hoor,' flapte Lene eruit.

'Kom binnen.' Zijn kamer bevond zich helemaal achter in het huis. 'Hier, ga zitten.' Hij schoof een stoel voor haar bij. Op de tafel stond een met chocolade overgoten Schwarzwälder taart. Er stond een berg slagroom in een bakje naast.

'Bedien jezelf.' Freddie schonk zoete wijn in kleine glaasjes. Lene verslikte zich omdat ze veel te snel dronk.

Hij keek geamuseerd toe hoe Lene grote happen taart en overvolle lepels slagroom naar binnen werkte. Na de derde portie schoof hij haar bord weg. 'Anders kots je mijn bed nog onder,' zei hij nuchter. 'Je krijgt straks meer. Kleed je uit en ga je wassen.' In de nis achter het gordijn was een wastafel met daarnaast een ovaal bekken. 'Wat is dat?'

Freddie goot er met een kruik warm water in. 'Dat is voor je onderlijf,' leerde hij haar. 'Maar doe er niet te lang over.'

Vijf minuten later kroop ze bij hem in bed. Ze vond het prima in orde zo. Hij had haar tenslotte ontzettend veel taart, slagroom én wijn gegeven. Bovendien was er de belofte dat er nog meer zou volgen. Van meneer Pohl kreeg ze alleen maar opschorting van de huur.

Freddie trok de deken weg en bekeek haar van top tot teen. 'Je bent knap,' stelde hij tevreden vast, terwijl zijn vingers over haar huid gleden. Zijn lippen versterkten het weldadige gevoel dat ze kreeg. Zijn tong liet haar kleine knopje opbloeien. Ze steunde met zachte kreuntjes die hun climax bereikten in een verrukte gil.

Die middag beleefde de jonge vrouw, waar de meeste vrouwen nog niet eens van konden dromen. 'Tjemig, dat was lekker,' kreunde ze helemaal buiten adem voordat ze weer aanviel op de taart met slagroom.

Voor het eerst in al die jaren werd Lene opstandig toen ze tegen haar zeiden: 'Ga naar meneer Pohl.'

'Ga toch zelf,' bitste ze haar moeder toe en rende naar beneden om tegen de vuilnisbakken te trappen. Alles was opeens anders. Tot nu toe had de dagelijkse routine de ellende versluierd. Nu zag Lene zijn honende gezicht. Ze begreep dat ze hier weg moest voordat het te laat was.

Toen haar moeder die middag met de kleintjes naar de sociale dienst was om te jammeren om een extra brood, knoopte Lene haar schamele bezittingen in een doek. De doos met grootmoeder Mines witte kanten sjaal hield ze onder haar arm geklemd. deze keer marcheerde ze langs alle etalages zonder te kijken. Weg hier, was haar enige gedachte.

Het duurde even voor Freddie de deur opendeed. Hij was ongeschoren en hij zag er slaperig uit. 'Wat mot je?' Hij gaapte. 'Kom nou maar binnen.' Zijn kamer was niet opgeruimd en naast een met eigeel besmeurd bord lag een aangevreten stuk brood. Lene bekeek Freddie kritisch. 'Je ziet er niet echt tof uit.'

'Ik lag pas laat in bed,' beweerde hij, wat overigens niet klopte. Hij was eigenlijk best vroeg het bed in gedoken en wel met weduwe Deister in Neukölln. Freddie was gespecialiseerd in chique dames die hij oppikte in het Resi. Daar vereenvoudigden buizenpost en tafeltelefoons de kennismaking. De dames nodigden hem normaliter uit bij hun thuis en beloonden hem voor zijn diensten. Het legertje dankbare klanten groeide gestaag. 'Nou, wat mot je?' vroeg hij ongeduldig.

'Ik ben weggelopen,' zei Lene nuchter.

Hij wees op haar buideltje spullen. 'Dat is te zien, en nu?'

'Word ik ouvreuse in de bioscoop.'

Freddie draaide zich om zonder iets te zeggen en kwam met een waskruik vol warm water terug uit de keuken.

'Ik heb tegen mevrouw Wilke gezegd dat je mijn zus bent. Je mag blijven.' Hij verdween achter het gordijn. Lene hoorde water ruisen en gorgelen. Hij verscheen weer met vochtig gekamd haar. Hij veegde de laatste restjes scheerschuim uit zijn gezicht. Voor de spiegel van de kleerkast deed hij zijn kraag om en knoopte zorgvuldig zijn das. Daarna waren het vest, zijn jasje en de lichte vilten hoed aan de beurt.

'Nou ben je mooi, en nu?'

'Gaan we kleren kopen.'

Ze reden met de tram naar Tauentzien. Freddie haalde geld van zijn spaarboekje. In het Kaufhaus des Westens paste Lene opgetogen een dozijn confectiejurkjes en koos voor een gebloemd gevalletje. Daarbij kwamen nog matte kunstzijden kousen en halfhoge gespschoenen. De mondaine klokhoed mocht ze pas opzetten nadat de warenhuiskapster haar blonde haar volgens de nieuwste mode had gekapt en haar had geholpen bij het opbrengen van de make-up.

'Onherkenbaar,' zei Freddie tevreden. 'Je ouwelui zullen wel opkijken.'

'Daar krijg je mij niet weer naartoe,' verzette Lene zich.

'Jij houdt je mond en doet wat ik zeg. Ik weet wat goed voor je is, begrepen?'

'Begrepen,' gaf Lene met tegenzin toe.

Egon en Anna Kaschke waren met stomheid geslagen toen ze hun dochter zagen. Freddie maakte daar misbruik van. 'Ik heb voor jullie dochter een baantje als kindermeisje bij meneer en mevrouw dr. Schlüter geregeld. Daar krijgt ze tien mark loon.' Hij haalde een munt van vijf mark uit zijn vestzakje en gooide die rinkelend op tafel. 'Dit is een aanbetaling. Marlene geeft elke week zoveel af omdat ze nu niet meer naar Pohl kan. Ik breng de vijf mark elke vrijdag langs.'

Lene was helemaal in de wolken. Niemand had haar ooit Marlene genoemd. Ze wilde iets zeggen, wilde vader en moeder beloven dat ze thuis langs zou komen als ze vrij had, maar Freddie had haast. 'Hup meiske, meneer en mevrouw wachten op je.'

'Ik dacht dat je me naar mijn nieuwe meneer en mevrouw zou brengen,' zei Lene verwonderd toen ze weer bij Freddie thuis waren.

'Wilke verlangt vijf mark meer per week omdat jij nu bij mij woont. En dan nog vijf voor je ouwelui per week zodat ze hun mond houden...'

'Da's tien fop per week. Dan blijft er niks over,' rekende Lene na.

'Je leert snel. Luister, schat. Een kennis van mij is nogal eenzaam en hij verlangt naar een lief meisje. Hij is al tevreden met een uurtje en hij zegt dat hij niet zuinig is. Ik breng je erheen, jij bent een beetje aardig voor hem, ik haal je op en we zijn dertig mark rijker.'

Lene was niet dom. 'Ik moet het bed in met iemand die ik niet ken? Mij niet gezien!'

'Trek dan je ouwe kleren maar weer aan en verdwijn!' Hij gooide haar spullen voor haar voeten. 'Bij Pohl stel je je toch ook niet zo aan!'

'Ik ben toch geen hoer,' verzette ze zich nog een laatste keer.

Hij trok haar naar zich toe. 'Dat zegt toch ook niemand,' fluisterde hij in haar oor. 'Je bent een echt lekker ding.' Zijn lippen streelden over haar hals. Zijn hand dwaalde af richting haar dijen.

Ze schoof hem van zich af om haar jurk uit te trekken. 'Zodat ie niet kreukelt.' Ze was een praktisch ingesteld meisje.

Ze gilde vol wellust onder zijn stoten en beleefde opnieuw een vuurwerk van hemelse orgasmen. Ze zou er algauw als een junkie naar verlangen. Maar daar wist ze nog niets van toen haar opwinding langzaam wegebde en ze dicht tegen hem aan ging liggen. 'Met jou is het altijd fijn,' mompelde ze slaapdronken.

'Ja hè, lieveling, en jij helpt me een beetje, zodat het met de duiten ook klopt,' bromde hij haar in het oor.

Ze antwoordde niet maar schoof een stuk van hem weg. Ze kneep haar ogen tot spleetjes, dacht een minuut geconcentreerd na en ging met een ruk rechtovereind zitten.

'Oké. Waar woont die kennis?'

'Meneer Hildebrand – juffrouw Kaschke,' zei Freddie vlug en ging ervan tussen. Meneer Hildebrand was kolenhandelaar. 'Een grote,' benadrukte hij. Vanuit het pakhuis onder het spoor van de stadtrein, leverden zijn mensen overal in het westen van de hoofdstad. De centrale verwarmingen van de huurhuizen met hun chique grote appartementen verslonden de cokes met tonnen tegelijk.

Hildebrand was veertig, ordentelijk gekleed en had dun haar. Hij verborg zijn schuchterheid achter een keurig stijf baardje en overdreven hoffelijk gedrag.

'Zeer aangenaam, juffrouw Kaschke. Alstublieft, komt u toch verder.' Hildebrand nodigde haar uit naar de salon waar ze op harde stoelen gingen zitten. Ze zwegen.

'Mag ik u misschien een verfrissing aanbieden?' durfde hij ten slotte.

'Dat mag u,' stond Lene toe en kreeg een flesje mineraalwater met citroen dat ze luidruchtig door haar rietje naar binnen zoog.

'Een mooie dag,' probeerde Hildebrand een conversatie op gang te brengen. Lene beantwoordde de opmerking met een knikje, terwijl ze aandachtig verder zoog op haar rietje en met spanning wachtte hoe hij ter zake zou komen. 'Eigenlijk heerlijk om te zonnen,' ging Hildebrandt verder. 'Wilt u eens komen kijken?'

'Naar de zon?' Lene was verbluft.

'Het balkon.' Hildebrandt deed de glazen dubbele deuren open. 'Alstublieft juffrouw Kaschke, helemaal op het zuiden. En geen inkijk.'

Lene stapte naar buiten. Een half neergelaten markies, een net zo roodgestreepte ligstoel. Ligstoel... Langzaam snapte ze het. Meneer Hildebrand wilde het buiten doen. 'Dan zal ik me maar eens uitkleden om te zonnen,' zei ze en voegde de daad bij het woord.

Meneer Hildebrand volgde haar bewegingen met een gelukzalig gezicht. 'Als u zich ook uitkleedt, dan kunnen we samen zonnen,' moedigde ze hem aan.

Meneer Hildebrand trok zich terug en kwam weer tevoorschijn in een badjas. Lene barstte in proesten uit. Hij had zijn Willem-II-baardje in verband met eventuele gepassioneerde uitbarstingen met een brede knevelbinder in veiligheid gebracht. 'Kom maar eens even hier,' lokte ze hem vanaf de ligstoel naar zich toe en spreidde haar benen.

Meneer Hildebrand kwam met weloverwogen bewegingen tot zijn doel. Lene vond het hele gebeuren niet onaangenaam, maar wel erg saai. Hij bond zijn badjas weer om zijn klok-en-hamerspel en ging zich snel aankleden. Ook Lene poederde haar neus.

'Met uw welnemen, een klein geschenk, juffrouw Kaschke, in de hoop u gauw weer te zien.' Hildebrand wees naar de salontafel. Naast het lege limonadeglas lagen vier briefjes van tien mark die ze in haar buideltje stopte. Een ervan zo diep dat hij niet weer tevoorschijn zou komen, ook niet toen ze met Freddie, die beneden op haar wachtte, afrekende.

'Dertig mark. Dat is geen slecht begin.' Freddie was tevreden. 'Een joet voor jou, een joet voor mij en de rest voor onze betalingsverplichtingen. Wat ga jij met jouw geld doen?'

Lene was een snelle rekenaar. 'Negen mark zeventig sparen. En voor drie duppies ga ik rundertartaar eten.'

'Nog een beetje beluga, kindje?' Eulenfels dompelde de zilveren lepel onder in de kristallen schaal en schepte de grijs glanzende kaviaar op Marlenes bordje.

'Dank je, Ferdinand.' De fijne blonde haartjes op haar blote armen glansden verleidelijk in het kaarslicht. De achttienjarige straalde. Ze was zich bewust van wat ze teweegbracht.

'Ze zijn dr. Manns boek aan het verfilmen, met geluid en al. Een interessante vraag wat betreft de auteursrechten, daar de film op een boek berust. Ik moet dat met onze juristen bespreken. De acteurs zullen spreken en zingen, net als op het toneel. De hoofdactrice heet overigens ook Marlene.'

Ferdinand Eulenfels hield graag kleine monologen over thema's die hem als uitgever bezighielden. Hij was eigenaar van de meest vooraanstaande Berlijnse kranten en tijdschriften. Maar zijn grote liefde was het boek. Hij had een paar grote namen en vele kleine in portefeuille. Eulenfels had het 'boek voor een mark' uitgevonden en verkocht met veel succes lichte kost.

Marlene keek uit het raam. Maanlicht glinsterde op de met sneeuw bedekte bomen. Het jachthuis van de uitgever lag een uur ten oosten van Berlijn. Eulenfels gebruikte het voor discrete ontmoetingen. Ze was hem tijdens het persbal in het Esplanade letterlijk in de armen gevallen en had een beetje champagne op zijn gestevende borst gegoten. Freddie had dit handig in scène gezet.

De rijpe weduwes behoorden tot het verleden. Freddie concentreerde zich nu volledig op de promotie van zijn beschermelinge. Hij had haar geleerd met mes en vork te eten en hoe ze netjes Duits moest spreken. Marlene was een ijverige scholiere. Alleen als ze opgewonden was of spontaan reageerde, verviel ze onherroepelijk terug in het dialect van de Rübenstraat. Frans en Engels stonden ook op het programma. Haar jonge, knappe uiterlijk deed de rest.

Ze begreep snel wat de klanten van haar verlangden. Rijke mannen in hun beste jaren betaalden grif voor de vervulling van hun bescheiden wensen. Hiermee financierde Freddie het appartement aan het nieuwe Westend en de garderobe voor hen beiden. 'Zonder smoking kom je nergens binnen,' had hij goed ingezien.

'Ze spreken en zingen dan echt op het witte doek?' zei Lene verbaasd.

'Inderdaad. Ofschoon ik niet begrijp waar dat goed voor is.' Eulenfels schonk nog meer champagne in.

'Die drinken we hiernaast.' Ze nam haar glas en ging de slaapkamer binnen. Toen hij naar haar toe kwam, had ze zich van haar jurk ontdaan en stond ze voor hem in flinterdunne dessous.

'Betoverend.' Hij kuste haar hand. Ze maakte het glas met één slok leeg en gooide het overmoedig in de flakkerende vlammen van de haard. Hij kuste

haar op haar schouder. Ze begon zwaar te ademen. Ze wist van de eerste ontmoeting dat hij daar opgewonden van werd. De rest was routine. Ze liet hem
gaan en gaf de zestigjarige met snikjes en gilletjes het gevoel een overweldi-
gende minnaar te zijn. Na tien minuten was alles voorbij.

Ten afscheid gaf hij haar een rood ingebonden pocketboek. 'Vicki Baums
nieuwe roman. Zeg me wat je ervan vindt.'

Hij bracht haar door de sneeuw naar de hoge, kastanjebruine Mercedes.
De bestuurdersplek van de ouderwetse wagen was open. De chauffeur sloot
het portier en ging aan het stuur zitten. Behaaglijk achterin, zag Marlene door
de separatieruit de zware mantelstof, de opgeslagen kraag, de handschoenen
en de oorwarmers onder de pet, terwijl ze door de winternacht terugreden
naar Berlijn. Onderweg sloeg ze het boek open. Er viel een briefje van honderd
mark uit.

'U moet helemaal bevroren zijn. Kom mee naar boven om even warm te
worden,' nodigde ze hem uit toen ze waren aangekomen.

'Dat is heel vriendelijk van u, juffrouw, maar het is al laat.'

'Ach, kom nou.' Ze knipte het licht aan. Freddie was in de een of andere
herenclub op zoek naar potentiële klanten. Hij had altijd een paar foto's van
zijn zogenaamde ex-verloofde bij zich.

Ze liet haar bontmantel vallen. Freddie had hem bij een bontjassenjood
op de Spittelmarkt gehuurd. 'Trek uw jas uit. Ik maak een grog voor u.' Toen
ze met dampende glazen terugkwam, wachtte hij blootshoofds in zijn grijze
chauffeursuniform met zwarte leren beenkappen op haar. Hij had een gemid-
delde lengte, een vriendelijk rond jongensgezicht met een kuiltje in zijn kin
en zorgvuldig gekamd notenbruin haar. Hij was achtentwintig, hoorde ze
later.

Hij nam weifelend plaats en blies voorzichtig in het hete drankje. 'U bent
heel aardig voor me. Sommigen van jullie zijn nogal hautain.' Hij werd rood.
'Neem me niet kwalijk. Zo bedoelde ik het niet.'

'Ach, onzin. Is toch geen geheim wat ik doe. Hoe heet u eigenlijk?'

Hij heette Franz Giese en kwam uit Breslau. Hij grijnsde. 'Net als de meeste echte Berlijners.'

'Eigenlijk wilde ik ouvreuse worden,' verontschuldigde Marlene zich.
'Maar, zoals het zo vaak gaat...' Giese knikte begrijpend.

Er knarsten sleutels in het slot. Freddie was in smoking, met de onvermijdelijke sigarettenkoker tussen zijn tanden. Hij had het tafereel in één oogop-
slag door. 'Mag ik vragen wat deze idylle te betekenen heeft?'

'Ik heb hem even mee naar boven genomen om op te warmen.'

'Eruit.' Freddie wees met de duim naar de deur. Franz Giese nam zwijgend zijn pet en zijn mantel.

'Je had hem rustig zijn grog kunnen laten opdrinken,' mopperde Marlene. Freddie ging dicht voor haar staan. Met onbewogen gezicht ramde hij zijn vuist in haar buik. Lene hapte naar lucht. Ze sloeg dubbel en vluchtte naar een stoel, waar ze stil begon te huilen. Het was niet de pijn. Die verdween snel. Het was het gevoel van eindeloze eenzaamheid dat haar deed huilen.

Met zijn gekromde wijsvinger hief hij haar kin. 'Ik zoek jouw gasten uit. Begrepen? Hoe zit het met de afrekening?' Ze gaf hem Eulenfels' honderd mark. Hij haalde een notitieboekje uit zijn zak en noteerde: 'dertig voor de onkosten, vijfendertig voor mij, vijfendertig voor jou.' Hij hield de boekhouding precies bij. Haar geld zag ze nooit. 'Dat beheer ik voor jou,' was zijn antwoord als ze hem er bij tijd en wijle naar vroeg.

'Morgen komt er een zekere meneer Von Malsen op de thee. Ik heb laten vallen dat je verarmde hoge adel bent en zeer kritisch. We kunnen op tweehonderd mark rekenen.'

Lene had maar een wens. Ze wilde zich verstoppen en alles vergeten: Freddie, de mannen, het hele leven in het mondaine Westend dat ook niet beter was dan de ellende in de Rübenstraat, alleen werd er meer verloochend. Die Franz Giese is anders, schoot haar opeens door het hoofd.

Freddie grijnsde scheef. Daarna sleepte hij haar naar de bank. Ze maakte geen schijn van kans tegen hem. Ze probeerde aan iets smerigs te denken. Maar het orgasme kwam onverbiddelijk. Freddie keek verachtelijk en liet haar alleen.

Meneer Von Malsen was de tanige bezitter van een heuse ridderburcht uit Voor-Pommeren die haar beleefd verzocht haar kousen aan te houden. Meneer Nussbaum was een astmatische likeurfabrikant uit Köpenick. Hij wenste te worden uitgescholden. Dr. Bernheimer was een advocaat uit Potsdam die Sonja genoemd wilde worden terwijl hij werd ingesnoerd in een korset. Lene vervulde al deze kleine wensen en werd hiervoor gul beloond.

Er bevond zich ook een buitenlander onder haar klanten. Ze had hem bij het theedrinken in het Adlon ontmoet. De truc was al een paar keer gelukt en ging als volgt. Freddie bracht haar naar de foyer van het hotel, liet zich door een page oproepen en spoedde zich weg. Marlene genoot van de sfeer in het Adlon. Goed geklede mannen en vrouwen. Engelse gesprekken op de achtergrond. Vlagen Frans. Een Duitse heer die de ober om de *Times* vroeg. Een Zweedse die om sigaretten riep. Twee Spanjaarden die elkaar enthousiast begroetten. Echt internationaal, dacht Lene op haar Rübenstraatmanier.

'Mijn broer moest onverwacht weg voor zaken, en ik heb geen geld bij me,' verklaarde ze de ober zo luidruchtig dat de alleenstaande heer aan het tafeltje ernaast het goed kon horen. De alleenstaande heer was Amerikaan en bood meteen aan de bescheiden rekening te betalen. Marlene lachte verlegen.

'Hoe kan ik het weer goedmaken, meneer?'

'Door een glaasje met mij te drinken.'

Daarna nodigde hij haar uit voor het diner en een fles champagne in zijn suite. 'U blijft toch vast ook graag nog ietsje langer?' Hij schoof een briefje van honderd dollar onder haar glas.

Lene lachte. 'Hoe weet u wat ik hier doe?'

'Ik heb toevallig gemerkt dat uw partner naar een van de telefooncabines verdween en onmiddellijk daarna werd opgeroepen. De rest was niet moeilijk te raden en komt overeen met mijn wensen. Ik ben nieuw in Berlijn, en het enige vrouwelijke wezen dat ik tot nu toe ken is de schoonmaakster van mijn kantoor.'

De man heette Frank Saunders. Hij was correspondent van de *New York Herald Tribune* en sprak goed Duits. 'Waardoor ik niet in de laatste plaats deze baan heb gekregen. Verdomd interessante stad, Berlijn. Vooral onder de huidige omstandigheden. Denkt u dat die meneer Hitler de verkiezingen zal winnen?'

'Kunt u mij niet iets eenvoudigers vragen?'

'U interesseert zich niet voor politiek?'

'Geen biet. En u?'

'Alleen beroepsmatig. Privé houd ik van mooie vrouwen en de paardenrennen, zoals de meeste mannen uit Kentucky. Ik wed graag. Zou u zin hebben met mij naar Hoppegarten te gaan?'

'Misschien...'

Hij was dertig en had een boksneus. 'Ik heb tijdens de universiteitskampioenschappen in Yale een secondelang mijn dekking verwaarloosd. Dit was de prijs.'

Frank Saunders was sportief, goedgebouwd en hij rook lekker. In bed was hij niet preuts en hij deed erg zijn best. 'Met jou is het echt leuk,' prees hij haar. 'Volgende week betrek ik mijn nieuwe appartement. Kom je me opzoeken?' Hij schreef zijn adres op.

Van nu af aan ontmoetten ze elkaar regelmatig. Marlene hield van de ongecompliceerde Amerikaan en Freddie hield van de dollars die binnenstroomden. Ze mocht zelfs van hem met Saunders naar de paardenrennen gaan. Lene kocht een elegante cocktailjurk en een extravagante hoed en was verrukt over alle mooie mensen om haar heen en van de knappe man in grijs flanel aan haar zijde.

Ze speelden een spelletje waar ze beiden erg opgewonden van werden. 'Die man daar met het bolhoedje op, dat is ook een klant van mij. Weet je wat hij met mij doet?' Ze fluisterde hem een erotische fantasie in het oor.

Een andere keer was het een knokige gravin met speciale wensen. Daarna waren twee vlotte jonge luitenants te paard aan de beurt. 'Stel je voor wat die van mij verlangden...?'

Na de wedstrijden, in zijn appartement, ontlaadde de opgebouwde spanning zich als een lente-onweer. Hij was de eerste klant bij wie ze iets voelde en de eerste man met wie ze erna graag kletste.

Dan was er nog dr. Friedhelm Noack. Steevast in een zwart jasje, met duifgrijs vest en gestreepte pantalon. Hij had een zorgvuldig getrokken scheiding in zijn haar en een zilveren dasspeld. Noack was een hoge ambtenaar bij het Ministerie van Binnenlandse Zaken, maar hij stond erop te worden aangesproken met 'majoor'. 'Hij is er tijdens de oorlog maar net in geslaagd betaalmeester te worden, dus van majoor is geen sprake, maar goed, we laten de man in de waan.' Freddie wist altijd precies hoe hij met mensen om moest gaan.

Dr. Noack kwam elke donderdag. Hij viel zuchtend in een fauteuil, Lene knielde voor hem neer en knoopte zijn broek los. Het was elke keer een aardige klus. Uiteindelijk kwam hij dan altijd en vertrok weer tevreden. Op zich was het de reinste routine geweest, als ze hem op aanwijzing van Freddie niet gratis zou moeten bedienen. 'We kloppen geen geld uit de jas van een partijvriend,' vond Freddie. Marlene had er geen flauw idee van welke vriend van welke partij dr. Noack was.

Freddie sloeg haar niet meer, omdat hij had begrepen hoeveel macht hij over haar bezat. Hij regelde de afspraken en zij gehoorzaamde. Haar rekening groeide, tenminste op papier. In een gulle bui stemde hij erin toe dat haar ouders meer geld kregen. Ze stuurde het hun per bode toe.

Op een zondag tegen drie uur 's ochtends draaide de werkloze Wilhelm Kuhle in zijn woonkeuken in de Rübenstraat de gaskraan open, omdat conciërge Pohl en twee sterke helpers hem binnen enkele uren op straat zouden zetten. Hij stierf zoals gepland. Niet gepland was de dood van Marlenes ouders en haar twee kleine broers, die graag nog verder hadden geleefd. De gaswolken waren door de gescheurde scheidingswand gedrongen naar de woning naast die van Kuhle.

Op de laatste maandag van januari van het jaar 1933 vond de begrafenis plaats. Freddie had voorspeld dat de kranten wegens de mediagenieke tragedie hun journalisten erop af zouden sturen en had daarom voor Marlene bij de lommerd een paar oude vodden geritseld. Ze viel zo dus niet op en hoefde ook geen vragen te beantwoorden. 's Avonds droeg ze weer haar zijden kousen en de nerts. Meneer Eulenfels had haar uitgenodigd naar zijn jachthuis.

Franz Giese haalde haar thuis op. Hij wachtte met zijn pet in de hand aan het portier van de nieuwe Pullman-limousine. Zijn leren beenkappen glansden.

Marlene gaf hem een hand. 'Hallo. Hoe staat het ermee?'

'Och, ik mag niet klagen, dank u wel.' Hij nam plaats achter het stuur.

Ze schoof de scheidingsruit aan de kant. 'Zo, nu zit u tenminste niet meer in de open lucht.' Hij slikte alsof hij iets wilde zeggen.

'Is er iets?' moedigde ze hem aan.

'Weet ik niet.' Hij drukte op het gaspedaal.

'Kom op. We kennen elkaar al zo lang.'

'U mag niet boos worden.'

'Ik kan helemaal niet boos op u worden, meneer Giese.'

Hij deed net of hij zich op de weg concentreerde. Opeens gooide hij het eruit: 'Ik heb een appartement in Schöneberg. Heel schoon allemaal. Komt u daar misschien ook eens bij mij langs? Ik betaal. Net als meneer Eulenfels.'

'Da's duur hoor. Onder de honderdvijftig M. geen zaken,' probeerde ze hem af te wimpelen.

Hij liet de limousine naar de kant van de weg rollen en stopte. Met een ernstig gezicht telde hij zestien briefjes uit zijn portemonnee. Hij reikte de briefjes naar achteren. 'Honderdvijftig mark. En een tientje extra voor de taxi. Zou zondagavond gaan? Hier is mijn adres.' Hij gaf haar een papiertje. Zondags kwam Freddie nooit voor één uur 's nachts thuis. 'Kameraadschapsavond' liet hij wel eens vallen. Marlene kon zich daar niets bij voorstellen.

'Zondagavond. Ja, dat is in orde.' Ze stopte het geld en het papiertje in haar handtas.

Op het Nollendorffplein draaide hij zich om. 'De rit duurt vandaag ietsje langer. Ze hebben de Linden en het regeringsblok afgesloten wegens de fakkelmars voor de nieuwe rijkskanselier.'

Marlene interesseerde zich niet voor nieuwe kanseliers. Ze keek naar Gieses rug, de stijve witte kraag, de grijze stof van de chauffeurslivrei waar de voorbij glijdende lichtreclame bonte vlekken op aftekende. Ze zag zijn gezicht in de spiegel. Ook niet anders dan de rest, dacht ze schouderophalend.

Na middernacht was ze tweehonderd mark rijker. Ze had een beetje te veel van Eulenfels' Ruinart Père & Fils uit 1926 gedronken en zong tijdens de rit naar huis een selectie liedjes van de Comedian Harmonists. Ze gaf daarbij duidelijk de voorkeur aan de zinsnede *Veronika, der Spargel wächst*, uit een van de liedjes.

Freddie doorzocht zoals gewoonlijk haar handtas. 'Driehonderdzestig M.? Heb je meneer Eulenfels een bijzonder nummertje geboden?' Lene was te tipsy om te antwoorden.

De volgende ochtend om negen uur liep ze naar beneden om broodjes te halen. Bij de bakker was een levendige discussie gaande. 'Die man is goed. Hij laat zich niet door het buitenland koeioneren. U zult zien hoe snel hij het schandalige Verdrag van Versailles zal breken.' Een buurman, de gepensioneerde docent Korff, keek triomfantelijk in de rondte.

'En u zult zien hoe snel die meneer Hitler iedereen opsluit wiens neus hem niet bevalt. De mijne bijvoorbeeld,' diende zijn buurman Louis Silberstein hem van repliek. Hij was fluitist bij de filharmonie. 'Dat kunt u in die afschuwelijke pil *Mein Kampf* nalezen. Ik ga naar Weingartner bij de Weense opera. Een halfje wit, alstublieft.'

'Hij wil Hindenburg zijn welverdiende pensioen in sturen en de keizer terughalen,' wist de bakkersvrouw te vertellen. 'Dan komen eindelijk de juiste mensen weer terug aan de top.'

'U bedoelt die achterlijke "von-und-zu's", die in plaats van een hersenstam een stamboom hebben?' spotte beeldhouwster Anita Kolbe van de Westendlaan.

'Vier witte broodjes, alstublieft,' onderbrak Marlene de kunstenares.

Terug in het appartement werd ze opgewacht door een jongere en een oudere man in een mantel met hoed. 'Commissaris Eggebrecht en agent Meiser,' stelde de oudere van de twee zich voor.

'De heren zijn van de zedenpolitie,' zei Freddie geringschattend. Hij had een badjas aan en een kapmantel om en leek eerder brutaal dan bezorgd. Er kon dus geen direct gevaar dreigen.

De commissaris schraapte zijn keel. 'U bent de eigenaresse van de woning, Marlene Kaschke?'

'En u bent een vlegel,' antwoordde Marlene. 'Doe uw hoed eens even af. Wat wilt u hier?'

Eggebrecht nam daadwerkelijk zijn hoed in de hand. 'Een medebewoner heeft u aangegeven wegens onzedelijke levenswandel.'

'En zulke onzin gelooft u? Ik ga eerst maar eens ontbijt maken. Wilt u een kop koffie?'

Ze wilde de keuken in lopen, maar Meiser pakte haar grof bij de pols. 'Jij blijft hier en beantwoordt onze vragen.'

Marlene ging met haar hak op de linkervoet van de man staan en draaide hem langzaam op en neer. Meiser schreeuwde het uit. 'Gedraagt u zich een beetje zeg, hebt u geen manieren?' vroeg Marlene onverschrokken. De agent hief woedend zijn hand.

'Laat dat, Meiser,' beval de commissaris hem.

'En wie ben jij?' Meiser duwde Freddie bij elk woord twee vingers tussen de ribben.

'Alfred Neubert, de verloofde van juffrouw Kaschke. U hebt het recht niet hier zomaar binnen te dringen. Of hebt u een huiszoekingsbevel?'

'Niet brutaal worden, ventje!' Meiser duwde zijn vingers opnieuw tussen Freddies ribben.

De commissaris bleef beleefd. 'Juffrouw Kaschke, getuigen hebben beweerd dikwijls herenbezoek bij u te hebben waargenomen.'

'Zo? En wat voor getuigen zijn dat dan wel?' vroeg Marlene uitdagend.

'Een zekere Ebel van de derde etage,' zei Meiser. 'Boekhouder met de beste referenties. Een man in zijn positie heeft geen reden zo'n verhaal uit zijn duim te zuigen.'

'Bovendien wordt u vaak met luxe auto's, respectievelijk door taxi's opgehaald,' zette de commissaris zijn argumentatie voort. 'Om klanten te bezoeken, neem ik aan.'

'Dat hebt u goed gezien,' zei Freddie gelaten. 'Als correspondente vreemde talen werkt mijn verloofde vanzelfsprekend ook buitenshuis.'

'Die pooier denkt dat wij dom zijn!' riep Meiser boos.

'Ik kan u gaarne verbinden met het Pruisische Ministerie van Binnenlandse Zaken,' zei Freddie koeltjes. 'Dr. Noack is een hooggeplaatst ambtenaar daar en hij hoeft een kleine diender als u uiteraard geen informatie te verschaffen. Maar hij zal meneer de commissaris hier graag bevestigen dat het ministerie juffrouw Kaschke vertalingsopdrachten geeft en haar ook internationale klanten aanbeveelt die juffrouw Kaschke hier komen opzoeken, respectievelijk haar naar hun kantoor of hotel laten brengen.' Freddie greep naar de telefoon.

De commissaris wuifde het gebaar weg. 'Niet nodig, meneer Neubert. Onze excuses, juffrouw Kaschke. Kom, Meiser.' De dienders verdwenen.

Marlene viel Freddie om zijn nek. 'Man, dat was keigoed! Hoe je dat hebt geflikt. Maar wat doen we als ze terugkomen?'

'Laat dat maar aan mij over.' Freddie draaide een nummer. 'Neubert hier. Ik wil graag doorverbonden worden met dr. Noack. Hallo? Goedemorgen, meneer majoor. Een grote overwinning voor ons allemaal, nietwaar? En nu gaat de bezem erdoor. Bijvoorbeeld bij zulke types als een zekere agent Meiser van de zede. Hij durfde eraan te twijfelen dat u mijn verloofde, juffrouw Kaschke, als correspondente voor vreemde talen aanbeveelt. De man is soci-aal-democraat of nog erger. Het is mogelijk dat zijn baas, commissaris Eggebrecht bij u navraagt. U zou hem eens eventjes de oren moeten wassen over zijn ondergeschikte. Heil Hitler, meneer majoor!' Tevreden legde Freddie de hoorn op de haak.

Marlene giebelde. 'Heil wat?'

Freddie grijnsde. 'Heil Hitler. Zo wil de nieuwe kanselier gegroet worden. De man is een Oostenrijker en hij is een beetje gek. Ik ben voor de zekerheid lid geworden van zijn clubje. Noack zit daar overigens al langer bij. Je moet op het goede paard wedden.'

Ze drukte zich tegen hem aan. 'Ik heb echt zin in je vandaag.'

'Nou, kom dan maar even,' zei hij grootmoedig.

Op woensdag werd boekhouder Ebel, een zure alleenstaande man, op weg naar huis door een troep bruinhemden overvallen en in elkaar geslagen. Hij stierf op weg naar het ziekenhuis. Marlene hoorde niets van dit voorval.

In het trappenhuis rook het sterk naar groene zeep. Uit een appartement op de begane grond klonken kinderstemmen. Marlene klom de rappen op. 'Giese,' las ze de krullende letters op een ovalen wit emaillen bordje op de tweede etage. Ze drukte op de bel ernaast.

Franz Giese deed meteen open. Hij droeg een donker pak met een licht-grijze das. Dat had hij blijkbaar van meneer Eulenfels afgekeken. 'U ziet er puik uit.' Hij keek verlegen naar de grond. 'Wilt u binnenkomen?' Op de ronde tafel in de woonkamer stond een bos tulpen te stralen, een luxe voor deze tijd van het jaar. De stoelen rond de tafel waren van rood fluweel. Op het dressoir van notenhout stond een fles wijn. Daarboven hing een burlend hert in een herfstig bos, met een gouden rand omlijst. Op de pluchen bank lagen gehaakte kleedjes. Aan het raam prijkte een kamerlinde. Alles was schoon en netjes. De woonkamer wordt nooit gebruikt, dacht Lene.

Franz Giese ontkurkte de fles. 'Een glas Piesporter ter verwelkoming? Het is echt aardig dat u gekomen bent.'

Daar heb je dan ook grof voor betaald, hield ze zich nog net in. 'Leuk hebt u het hier, echt gezellig.' Ze probeerde zich zijn slaapkamer voor te stellen. Donker eikenhout, vast en zeker, met muffig ruikende kussens. Nou ja. Ze zou de kamer wel zien binnen niet al te lange tijd. Daar had hij haar tenslotte voor uitgenodigd. Ze was nieuwsgierig wanneer hij terzake zou komen. Sommige klanten waren heel doelgericht en anderen hadden een langere aanloop nodig. In hopeloze gevallen nam ze zelf het initiatief.

Ze gingen zitten. 'Proost.' Hij hief zijn glas en zette het weer neer zonder te hebben gedronken. Hij draaide met zijn glas. Het zag ernaar uit dat het moeizaam zou worden.

'Op uw gezondheid, meneer Giese. Zo, zo, u komt dus uit Breslau?' deed ze haar openingszet.

'Met een kleine omweg via Frankrijk. Ik heb daar het einde van de ondergang meegemaakt. Van daaruit commandeerden ze het regiment direct naar Berlijn. We moesten tegen de opstandelingen vechten.' Hij sprak rustig en bedachtzaam. 'De meesten van ons weigerden op landgenoten te schieten. De commandant was des duivels. Hij schreeuwde iets van dienstweigering en schold ons uit voor deserteurs. 'Wat de majesteit kan, kan ik ook,' heb ik hem recht in zijn gezicht gezegd. Voordat hij weer adem kon halen, was ik al weg. Ik ben toen maar in Berlijn gebleven. Ik werkte als monteur in een werkplaats voor vrachtwagens. Dat had ik bij Preußens geleerd. Toen werd ik chauffeur op een bestelwagen van Tiets, en nu ben ik de chauffeur van meneer Eulenfels. Ik heb die baan gekregen door mijn plaatselijke vereniging. Ik ben namelijk een socialist, moet u weten.'

'Een echte rooie rakker?'

'Niet direct. Wij hervormingssocialisten willen niemand iets afpakken, alleen omdat hij meer heeft. Wij willen dat het met mensen als wij beter gaat, zonder dat de anderen iets moeten missen.' Hij haalde borden, bestek en papieren servetten uit het dressoir. 'Ik hoop dat u varkenskoteletjes lekker vindt.' Marlene was verbluft. Op eten had ze niet gerekend.

'We eten er doperwtjes bij. Die kun je in blik krijgen. Ik ben geen goede kok. Ik ben zo terug. Drinkt u intussen maar zoveel u wilt. Ik heb nog een reservefles.' Hij verdween. Vanuit de keuken hoorde ze het gerinkel van potten en pannen en het braden van vlees.

De gekookte aardappels waren in blokjes gesneden. Marlene giechelde. 'Aardappelen schillen is blijkbaar niet uw hobby.'

'Hier moet nodig een huisvrouw aan de bak.'

Voor het dessert bracht hij een taart binnen waarop de banketbakker in witte suikerletters 'Marlene' geschreven had. Hij wachtte met spanning op haar reactie.

'Ik ben pas in juni jarig,' weerde ze af.

'Geeft niks. Een kopje koffie erbij en een likeurtje van Mampe?'

Ze wierp een verstolen blik op de klok. Er moest nu nodig iets gebeuren, anders kwam ze niet op tijd thuis.

'Dank u, geen koffie. En de likeur drinken we in de slaapkamer.'

Franz Giese had even nodig voor het tot hem doordrong. 'U dacht dat ik u had uitgenodigd om...'

Marlene verviel in haar oude dialect. 'Voor honderdvijftig ballen en een joet aan taxigeld geen vreemde gedachte, wel?'

'Maar aan zoiets heb ik helemaal niet gedacht. Ik wilde u gewoon zien. Ik vind u namelijk heel aardig. Ik hoop dat u, als u mij beter kent... Juffrouw Marlene, ik heb het beste met u voor, als u snapt wat ik bedoel.'

'Ach, noem me toch gewoon Lene.' Ze was ontroerd. Ze slikte een paar keer, omdat ze het moeilijk vond hem teleur te stellen. 'Ik ben toch al vergeven, meneer Giese.'

Hij concentreerde zich met een ernstig gezicht op zijn stuk taart. 'Ik had gedacht aan een klein transportbedrijf. In het begin met een driewieler. Die heeft een enorm grote laadruimte. Later vergroten we dan met een drieassige vrachtwagen en we nemen een chauffeur in dienst. Geen schitterende toekomst, maar een redelijk leven.'

'Ik kom uit de Rübenstraat. Kent u die?'

'Moabit. Slechte buurt.'

'Nog slechter dan je denkt. Daar komen de snotneuzen al met rubberen botten op de wereld omdat er geen groenvoer wordt gevreten. Als je daar niet maakt dat je wegkomt, verlep je sneller dan je denkt.' Ze ging over in net Duits: 'Freddie heeft mij uit het slop gehaald. Wij hebben samen al veel meegemaakt, maar de toekomst lijkt goed. Freddie kent de juiste mensen. Hij gaat carrière maken en ik wil erbij zijn.'

'Trouwt hij ook met u?'

'Trouwen. Is dat nou zo belangrijk?' Ze wist precies hoe belangrijk het voor haar was.

'Ik wil dat u mijn vrouw wordt.'

Lene huilde even. Daarna moest ze lachen omdat hij de zakdoek niet uit zijn borstzakje kreeg. Hij had de zakdoek gevouwen en met een veiligheidsspeld vastgeprikt. Ze snoot krachtig in haar papieren servet.

'Ik blijf erbij,' zei hij vastberaden. 'Ik wil met u trouwen.'

'... verklaar ik u hierbij tot man en vrouw en mag u als eerste van harte gelukwensen.' De ambtenaar van de Burgerlijke Stand gaf de twee zojuist getrouwden een hand. Door de hoge ramen van de met houten panelen beslagen ruimte straalde een heerlijke junizon die weerkaatste in grootmoeder Mines kanten sjaal. Marlene had de sjaal over haar blonde haar heen gelegd. Ze begroef haar gezicht in het lekker ruikende bruidsboeket en greep naar de hand van haar bruidegom.

Ze kon het nog steeds niet bevatten. Zijn bijna terloopse aanzoek drie weken geleden. Haar weifelende antwoord, de verloving. Alles zou nu anders worden, nee, veel beter, ach wat: echt goed!

Freddie zag er geweldig uit in zijn lichte zomerpak. Hij was de laatste tijd anders dan vroeger. Echt aardig en galant. Hij bracht de laatste tijd bloemen en cadeautjes voor haar mee en nam haar mee uit.

'Als ik u dan mag verzoeken uw handtekening te zetten?' De ambtenaar van Burgerlijke Stand wachtte aan de katheder onder de foto van de staatspresident. Freddie zette zijn handtekening met bravoure. Lene schreef langzaam in haar schoolse handschrift 'Marlene Neubert-Kaschke'. Het was net een droom, maar dan nog mooier.

De twee getuigen waren aan de beurt: de binnen een paar maanden van ambtenaar tot referendaris opgeklommen dr. Friedhelm Noack en mevrouw Hermine Anders, zijn secretaresse. Noack droeg ter gelegenheid van de feestelijke gebeurtenis een anjer in zijn knoopsgat en gedroeg zich erg joviaal. Hij kuste Marlene op haar wang. 'Ik hoop dat de bruid mij welgezind blijft.' Ze wist wat hij bedoelde. Hij had hun bruiloftsontbijt bij Horcher in de Lutherstraat betaald. Marlene vroeg zich af waarom. 'Op jullie gezondheid, kinderen,' proostte hij hun toe.

'Mijn nederige dank, Obersturmbannführer!' Freddie sprak zijn mentor met diens nieuwe dienstgraad aan, die overeenkwam met die van een luitenant-kolonel.

'Er ligt een hoop werk in het verschiet. De Führer heeft iedereen nodig op zijn of haar plek. Ook u, lieve mevrouw Marlene.' De schildpaddensoep werd onherroepelijk koud terwijl Noack opging in uitvoerige uiteenzettingen over het nieuwe Duitsland. Wat een onzin allemaal, dacht Marlene.

Dr. Noack was mede-oprichter van de nieuwe geheime staatspolitie. Hij had Freddie opgenomen in zijn kader en hem de afdeling bijzondere zaken toebedeeld. Dat betekende salarisgroep IIIc, die met de rang van een SS-Hauptsturmführer overeenkwam en dat stond weer gelijk aan een overste. Marlene was niet onder de indruk: 'Als de pecunia's maar binnenkomen.'

Dat gebeurde blijkbaar, want hoe hadden ze zich anders het nieuwe huis kunnen permitteren: een huis aan de Kleine Wannsee, met een grote keuken en een betegelde badkamer en een tuin die tot aan het water reikte. Ze had verrukt in haar handen geklapt. 'Dat zoiets bestaat! Wat voor gelukkige mensen woonden hier voor ons?'

'Joodse kooplui. Maar die zijn nu weg, net als jouw Eulenfels.' Ze hadden Eulenfels gedwongen zijn uitgeverij-imperium voor een fractie van de waarde te verkopen. Met de rest was hij naar Londen geëmigreerd.

'Een gecultiveerd man, meneer Eulenfels. Hij was heel aardig voor me,' nam ze haar voormalige klant in bescherming.

Marlene liet zich voorzichtig vanaf de steiger in het water zakken. Het water kwam tot aan haar schouders als ze op de onderste sport van de ladder durfde te staan. Ze kon niet zwemmen. Maar ze genoot desalniettemin van de warmte van de Kleine Wannsee. Ze slaakte een gilletje toen de hekgolf van een langs scheurende motorboot haar optilde.

Ze klom de steiger weer op. Het was tijd om het middageten te koken. Freddie kwam op zaterdagavond vroeger naar huis. Ze voelde zich gelukkig en vrij in haar nieuwe omgeving, lichtjaren weg van de ellende van de Rübenstraat en de wensen van betalende klanten. Ze was er alleen nog maar voor haar man en haar huis. Ze dacht zelfs aan een kind. Ze zou er met Freddie over praten.

Om één uur stopte er een open zilvergrijze Horch met het SS-kenteken voor de deur: de dienstwagen van Obersturmbannführer dr. Noack, die vandaag een zwart uniform droeg. Freddie gaf de voorkeur aan een ruwzijden wit pak. Wegens zijn bijzondere zaken had hij de vrijheid om te kiezen wat hij droeg.

'Betoverend.' Noacks blik zoog zich vast aan Marlenes figuurtje. Ze had geen bezoek verwacht en alleen maar een schort over het badpak aangetrokken. In de slaapkamer trok ze haar badpak uit om in een licht zomerjurkje te schieten. Ze dekte een derde bord met bestek bij op tafel. Er werd in de tuin onder de oude berk gegeten. Gevulde paprika's met rijst en een lichte moezelwijn. Marlene had leren koken. Ze nam haar plicht als huisvrouw zeer serieus.

Dr. Noack kwam terzake bij de koffie. 'Zoals u waarschijnlijk wel al gedacht zult hebben, ben ik niet voor het eten gekomen, waarvoor ik mij overigens zeer moet bedanken. Het was heerlijk. Uw man heeft mij gevraagd u uit te leggen, wat wij van u verwachten.'

Lene kreeg argwaan.

Noack nam twee lepels suiker en roerde rustig in zijn kopje. 'Het gaat om Eddie Talberg, kopstuk van de communisten. Een gevaarlijke vijand van het Duitse volk, tegen wie we een opsporingsbevel hebben lopen. Hij heeft hier lucht van gekregen en is ondergedoken. Er is één man die zonder twijfel weet waar Talberg zich verstopt heeft: zijn vriend, de auteur dr. Erwin Kastner. Dat is een van die met het jodendom geïnfecteerde intellectuelen en nestbevuilers die we tot nu toe nog hebben laten gaan. Kastner zit elke middag in het Romaanse café. U zult hem daar ontmoeten en hem Talbergs verblijfplaats ontfutselen. De carrière van uw man hangt nauw samen met de mate van succes van uw operatie. Hij zal u ook van de details op de hoogte brengen.' Noack stond op en ging het huis binnen.

'Freddie, wat heeft dit te betekenen?'

'Het is toch niet zo moeilijk voor je om Kastner in het café te ontmoeten?'

'Oké. Ik leer die dr. Kastner dus toevallig kennen. En dan? Moet ik hem vragen: "Och, zeg eens even waar je vriend Talberg verstopt zit, alsjeblieft"?'

'In bed praten ze allemaal.'

Ze had een paar seconden nodig, voordat ze begreep wat er van haar gevraagd werd. 'Daar doe ik niet aan mee,' zei ze vastberaden.

'Jij doet wat ik wil.' Hij duwde haar tegen de stam van de oude berk. Noack bekeek het tafereel vanachter het raam van de werkkamer. Freddie trok haar jurkje omhoog tot aan haar heupen. Ze was naakt onder haar jurk. Hij nam haar linkerknie in zijn hand en nam haar tegen de boom aan. Ze schreeuwde als een dier. Toen hij met haar klaar was, draaide hij haar arm grof op haar rug en duwde haar het huis in. Noack zat op de bank. Freddie dwong haar voor hem op haar knieën en siste: 'Hup, schiet op.'

Na die tijd liep ze de badkamer in om te gorgelen. Ze douchte. Freddie gaf haar een handdoek. 'Is toch allemaal niet zo erg, meissie.' Hij tikte haar ver-goelijkend op haar billen. 'Noack kan ons grenzeloos van dienst zijn als je meespeelt, dus stel je niet zo aan.'

'Waarom ben je met me getrouwd?' vroeg ze triest.

'Een eeuwige verloofde met wisselende mannencontacten komt niet over-een met het gezonde Duitse volksgevoel. Bij de nieuwe souteneurs wil men het naar buiten toe graag netjes houden.'

Ze trok een licht truitje aan, een wijde grijze flanellen broek en sandalen. Ze keek in de spiegel en zag een knappe, jonge, modieus geklede echtgenote van een ambitieuze man met een woning in de beste buurt. 'En toch niet beter dan een vuile hoer,' spuugde ze zichzelf in het gezicht.

Freddie las een advertentieblaadje in een ligstoel op het terras. 'Prachtig,' riep hij. 'Er rijden al anderhalf miljoen auto's bij ons. Elke tweeënveertigste Duitser heeft er eentje. Wat denk je van een DKW cabriolet?'

'Wat denk je van de stadstrein?' bracht ze hem weer met beide benen op de grond. 'Daar rij je de stad mee in en haal je een paar boeken van die Erwin Kastner voor me. Ik behoor namelijk vanaf nu tot zijn enthousiaste lezeres-sen.'

'Verbluffend, welke wonderen een paar gymnastiekoefeningen tegen een berkenboom kunnen doen,' spotte Freddie.

'Op een dag vermoord ik je, Freddie,' antwoordde Lene rustig.

Ze las veel de laatste tijd. Ze verslond alles wat Stefan Zweig, Hedwig Courths-Mahler, Theodor Fontane, Thea von Harbou en vele anderen hadden geschre-ven. De voormalige huiseigenaren hadden hun bibliotheek achtergelaten. Over Erwin Kastners *Verwandtenbesuch*, zijn *Guckkasten* en het *Brevier einer Giraffe* deed ze twee dagen en een halve nacht. Het waren scherpe commenta-ren op de actuele gebeurtenissen. Marlene begreep niet alles maar vermoedde dat hier iemand scheurtjes maakte in de pompeuze façade.

Dinsdags reed ze de stad in. Ze was een chique Berlijnse, lang en slank, met modieuze blonde watergolven. Ze oogstte bewonderende mannenblikken en pareerde ad rem een paar versiertrucs. Ze kocht een paar schoenen bij Stiller en kunstzijden kousen bij Wertheim. Bij Aschinger verwende ze zichzelf met een paar worstjes. Die namiddag betrad ze het Romaanse café bij de Keizer Wilhelm Gedächtniskirche.

De auteur stond op de omslag van zijn boeken afgebeeld. Ze herkende hem meteen. Erwin Kastner was een keurige, kleine meneer met krullend grijs haar. Hij had helemaal niets bohémiens, maar leek in zijn keurig gestreken pak meer op een vriendelijke gymnasiumdocent. Hij zat aan een marmeren tafeltje achter een dozijn scherp geslepen potloden en een gelinieerd schrijfblok dat hij met een sierlijk handschrift volschreef. Marlene observeerde hem van het tafeltje ernaast. Af en toe tuurde de auteur in de verte, alsof hij daar de voortzetting van zijn verhaal kon zien.

Marlene wenkte de ober en gaf hem een boek. 'Geeft u dit alstublieft aan dr. Kastner.' De ober deed wat er van hem werd verlangd en legde *Verwandtenbesuch* met een paar woorden neer bij de ontvanger. Discreet wees hij naar Marlene. Ze had een papiertje in het boek gelegd. 'Ik heet Marlene Neubert. De figuur van Arnold Wagenfeldt vind ik heel erg goed. Mag ik u vragen een boodschap in dit exemplaar te schrijven?'

Kastner schreef een paar woorden in het boek en gaf het aan de ober. 'Voor Marlene Neubert, van Arnold Wagenfeldt, die in dit boek niet voorkomt' las ze. Ze had Kastners *Verwandtenbesuch* met zijn *Brevier einer Giraffe* verwisseld.

deze keer beantwoordde hij haar blik. Er speelde een geamuseerd lachje om zijn lippen. Ze haalde verontschuldigend haar schouders op en betaalde. Een man met platgekamd blond haar legde een krantenhouder neer en volgde haar. Hij was haar al opgevallen toen ze de stad in was gereden met de stadstrein.

'Ik heb contact gelegd met Kastner in het Romaanse café,' meldde ze Freddie die avond. 'Maar ach, dat weet je natuurlijk allang.'

'Voor Marlene Neubert, mijn betoverende jonge lezeres, Erwin Kastner, september 1933' stond er te lezen in de *Brevier einer Giraffe*, dat de ober Marlene de volgende middag naar haar tafel bracht. Hij voegde eraan toe: 'Meneer Kastner laat vragen of hij u mag uitnodigen voor een kopje thee.'

De auteur stond hoffelijk op. Hij kwam Marlene tot aan haar schouders. 'Dat is heel vriendelijk van u. Neemt u toch plaats, alstublieft. Komt u hier vaker?'

'Gisteren voor het eerst. Ik wilde u ontmoeten.'

'Wat u prima gelukt is. Een Chinese thee?'

'Liever koffie.'

'Waarom wilde u mij ontmoeten?'

'Laten we zeggen dat ik van rijpere mannen houd.'

'Niet meer dan dat?'

'Ik leg het u morgen uit als u mij uitnodigt. Hier hebben de muren oren.'

'Is mijn verzameling eerste drukken een legitiem excuus? Ik woon aan het Beierse Plein. Schikt vier uur u?' Hij gaf haar zijn kaartje.

Die avond gaf Marlene Freddie het kaartje. 'Hij heeft mij morgen uitgenodigd.'

'Doe maar alsof je een vurige communiste bent die haar idool Talberg wil helpen.'

'Kastner is niet gek.'

'Je zult hem wel zover krijgen met je toverkunsten in bed.'

'Vind je het eigenlijk helemaal niet erg dat ik met andere mannen naar bed ga?'

'Nee, hoezo?' was zijn verbaasde antwoord.

Erwin Kastner maakte koffie in een dubbel ballonglas boven een spiritusvlammetje. Gefascineerd zag Marlene hoe het water opsteeg en als donkerbruin brouwsel weer naar beneden stroomde. 'Als alleenstaande man heb je huishoudhulpjes als deze nodig,' zei haar gastheer verontschuldigend.

Marlene wees op de boekenkasten om hen heen. 'Hebt u die allemaal gelezen?'

'De meeste. Gebruikt u suiker?'

'Ja, alstublieft. En hoeveel ervan hebt u geschreven?'

'Een stuk of tien.'

'Is het leuk om te schrijven?'

'Het is een hels karwei, waar ik me voor probeer te drukken wanneer er maar een goed excuus is. Punten slijpen bijvoorbeeld. Daar kan ik een hele ochtend mee bezig zijn zonder ook maar een regel op papier te zetten. Heerlijk gewoon.'

Ze probeerde hem in te schatten. Ze wist niet precies of hij het serieus meende. 'Wat schrijft u momenteel?'

'Een kinderboek. Men heeft mij verboden voor volwassenen te schrijven. Ik zou naar Oostenrijk kunnen uitwijken. In Wenen moeten prachtige koffiehuizen zijn. Maar ik houd nu eenmaal van het Romaanse Café en mijn appartement hier.'

'Een echt kinderboek?'

'Het heet Die Schlange Lucie en gaat over een Anaconda die uit de dierentuin is ontsnapt. Een klas schoolkinderen beschermt haar voor de zoektroepen van de oppassers.'

'Net als u uw vriend.'

'Wat voor vriend?' vroeg hij ongerust.

'Eddie Talberg, het hoofd van de communisten. De geheime staatspolitie wil weten waar hij ondergedoken is.'

'U bent óf heel slim, óf heel dom, beste vrouw.'

'Geen van beide. Ik wil alleen niemand verraden en al helemaal mezelf niet.'

'U kunt uw opdrachtgevers zeggen dat Talberg al sinds een week in Warschau is, op weg naar Moskou.'

'Spelbreker,' klaagde ze lachend.

'Hoezo?'

'Ik had u deze informatie niet bij een kop koffie, maar in bed moeten ontlokken.'

Hij kuste haar hand. 'Op deze manier blijft u een teleurstelling bespaard en mij een charmante bewonderaarster behouden. Mag ik vragen waarom u de nieuwe machthebbers ondersteunt?'

'Nee, dat mag u niet,' zei ze heftig. 'En bovendien moet ik nu gaan.'

'Goed werk, ook al is Talberg ontsnapt,' prees dr. Noack, die was komen dineren. 'Daar moet u uw vrouw voor belonen, Hauptsturmführer.'

Freddie verkrachtte Marlene op het tapijt. Daarna dwong hij haar tussen Noacks knieën. Ze deed apathisch wat er van haar werd verlangd.

Freddie was zich op die ochtend in juni aan het aankleden. Een lichtgrijze kamgaren broek, wit overhemd, blauwe katoenen das. Marlene reikte hem het lichte, crèmekleurige linnen jasje aan. Geen mens vermoedde dat deze elegante midden twintiger lid was van de geheime staatspolitie.

'Wil je roerei of spiegelei?'

'Roerei, alsjeblieft. En een broodje met boter.'

'De koffie is klaar. Het roerei komt eraan. Ik haal de kranten even binnen.' De wereld was in orde. Het perceel aan het water, de mooie ruime woning, het ontbijt met de echtgenoot. Beelden als deze spiegelden haar een gevoel geluk en tevredenheid voor. De kranten puilden uit de brievenbus aan het tuinhek: de *Völkische Beobachter*, officieel en onsympathiek partij-orgaan, en de *Morgenpost*, die afgezien van een paar politieke plichtmatigheden zijn burgerlijke gezelligheid had behouden.

Freddie telefoneerde. 'Jawohl, Obersturmbannführer. Hotel Bristol, kamer 221. Ik garandeer een snelle afwikkeling zonder problemen. Voltooiingsrapport aan u persoonlijk. Over en uit.'

'Wil je in de tuin ontbijten?'

'Mijn uniform. Schiet op.' Hij liet zijn jasje vallen, griste de stropdas van zijn nek en trok zijn broek uit. Ze hielp hem in de zwarte kniebroek van Benedict en duwde de haakjes in de lussen van de mooie rijlaarzen van Mahlmeister, zodat hij ze over zijn kuiten kon trekken. Freddie verafschuwde het uniform. Maar omdat het bij tijd en wijle onontkoombaar was, moest het ten minste op maat gemaakt zijn.

'Freddie, wat is er?'

Hij legde de koppel- en schouderriem om en nam de 7.65 Mauser uit de la van zijn bureau. Hij deed hem in de koker. 'Trek het zwarte jurkje met het witte schortje aan,' beval hij. 'Vergeet het kanten mutsje niet. Schiet op!'

Lene had het kostuum de laatste keer voor een klant gedragen die ervan hield te worden gekieteld met een plumeau door een dienstmeisje. Wilde Freddie haar naar een klant met een soortgelijke voorliefde brengen? Maar waarom dan het uniform en het pistool? Een bang vermoeden dat ze niet kon verklaren, bekroop haar.

Terwijl zij de naden van de kousen rechttrok, reed hij de Ford uit de garage. De auto was een erfenis van een communistische rijksdagparlementariër die ze in 'preventieve hechtenis' dood hadden geslagen.

Ze kwamen het Bristol binnen door een zij-ingang. Freddie holde naar de brandtrap. Hij kende elke vierkante centimeter hier sinds zijn dagen als hotelboy. Op de tweede etage rolde een kamerober een dienwagen langs. Freddie hield hem tegen. 'Dat neem ik over.!'

'Dit is het ontbijt voor 230.'

'Nu is het het ontbijt voor 221.'

'U kunt toch niet zomaar...'

Freddie trok het pistool en laadde het. 'Uw etagesleutel.'

Bleek haalde de man de sleutel van de ketting. 'Verdwijn!'

De man rende hals over kop weg.

Freddie rolde de dienwagen naar Marlene toe. Hij zei met lage stem: 'Je klopt op deur 221, maakt het slot open en zegt hardop: "Het kamermeisje met het ontbijt."' Hij gaf haar de sleutel. 'Je rijdt het wagentje naar binnen, en maakt dat je wegkomt. Maak voort!'

Ze gehoorzaamde, hoewel ze wel zeker wist nu dat er iets verschrikkelijks te gebeuren stond.

'Het kamermeisje met het ontbijt,' hoorde ze zichzelf mechanisch zeggen. Ze schoof de serveerboy de kamer in. Op de vloer lagen overal bruine uniformdelen verspreid. In bed lagen twee mannen: een knappe jonge blonde en een oudere met donker haar. De oudere zette zijn bril op: 'Ben je de jus d'orange niet vergeten, kindje?'

Plotseling stond Freddie aan het voeteneind. 'Het bed uit!' schreeuwde hij tegen de jongen. Die gehoorzaamde, bibberend van angst. Freddie richtte zijn pistool op de man. Hij zag het door angst vertrokken gezicht van de man in bed. Voor Freddie was het het gladde, zelfvoldane gezicht van Trevellyan. De schoten deden Marlene pijn aan haar oren.

De man bewoog heen en weer op het bed terwijl Freddie koelbloedig het magazijn op hem leegschoot. Ten slotte bleef hij doodstil liggen. Het bed kleurde rood.

De naakte jongen stond huilend in de hoek. 'Kleed je aan en verdwijn,' zei Freddie onverwacht zacht. 'Kom, Lene.'

'SA-stafchef Röhm persoonlijk door de Führer gearresteerd. Zeven andere SA-Führer wegens verraad tijdens perverse gelagen in Bad Wiessee en Berlijn gearresteerd en standrechtelijk geëxecuteerd' stond er in de avondeditie. Freddie liet de krant op de vloer vallen en greep goedgehumeurd naar de fles met cognac. 'Ze zullen Noack bevorderen. Hij zal zich hiervoor erkentelijk tonen.'

Standartenführer dr. Noack liet op zich wachten. Hij had veel nieuwe opdrachten. Freddie pakte dan zijn Mauser in zijn toilettas en bleef vaak dagenlang weg. Marlene stelde geen vragen. Ze wilde het antwoord niet horen.

In plaats daarvan vluchtte ze in haar droom. Ze zweefde gewichtloos door een prachtige bioscoop en wees de bezoekers hun plaats. Ze droeg een scharlakenrood uniform met gouden tressen. Voor haar zweefde een verkoopplateau vol vanille-ijs op stokjes. Ze mocht er zoveel van eten als ze wilde. Om haar heen waren alleen maar aardige mensen.

Toen ze wakker werd, lag ze weer in het koude licht van de realiteit. De realiteit, met vreemde mensen aan wie ze door Freddie werd uitgeleverd als het hem en zijn chefs goed uitkwam. De werkelijkheid waren ook Freddies aanrandingen. Haar lichaam verlangde ernaar, terwijl haar verstand ze verachtte. Haar enige hoop waren de zorgeloze uren met Frank Saunders. Maar ook hij herinnerde haar soms aan de waarheid als hij haar het honorarium gedachteloos in de hand duwde, in plaats van het discreet in haar handtas te stoppen.

Frank Saunders woonde in de Tiergartenstraat. Op weg naar hem toe moest Marlene ook op deze dinsdag een stuk door het park. Achter de bosjes hoorde ze gejuich en gelach. Aan een boom vastgebonden stond een ongeveer tienjarige jongen te huilen. Een horde snotneuzen danste om hem heen. Ze hadden de jongen zijn broek en onderbroek uitgetrokken. 'Jood, jood!' zongen ze in het ritme van hun dans. Ze spuugden op zijn besneden lid.

Bij Neuen See was ze een agent voorbijgelopen die net zijn ronde maakte. Marlene zette het op een lopen om hem te halen. De agent had geen haast. 'Doet u toch wat!' riep ze tegen de agent. Het tafereel was afschuwelijk om aan te zien.

'Hij deed niets,' wond Marlene zich bij Saunders op. 'Gelukkig kwam er een jonge parkwachter voorbij. Die greep de aanvoerder bij zijn lurven en schudde hem krachtig door elkaar. En weet je wat die bengel toen riep? "Jodenvrienden krijgen wij nog wel!" Ik heb het joch losgemaakt en heb hem getroost zo goed als ik kon. Schrijf dat maar eens in die Amerikaanse krant van je. In onze kranten mag dat niet.'

Saunders was niet erg onder de indruk. 'Daar interesseert zich bij ons geen mens voor. Bovendien willen wij de goede betrekkingen met onze Duitse gastheren niet met een artikel over zo'n kwajongensstreek belasten.'

'Hoeveel moet er eigenlijk nog gebeuren voor jullie daar buiten eens wakker worden?' vroeg Marlene verwonderd.

'De wereld is klaarwakker. Ze bewondert jullie ongekende opbloei. Antisemitisme is overal en is altijd al overal geweest. De nazi's komen er tenminste eerlijk voor uit.' Hij trok haar naar zich toe. 'Bovendien heb ik nu iets veel leukers om over te praten.'

'Daar betaal je dan ook voor,' antwoordde ze droog.

'Ton Français n'est pas mal,' constateerde Freddie op een avond. Hij was laat teruggekomen van een bespreking op kantoor.

'Weet je nog hoe je met mij hebt zitten stampen? Ik zou het eigenlijk een beetje moeten opfrissen, wat denk jij?'

'Daar zul je binnenkort de kans toe hebben. Hij heet André Favarel en hij spreekt nauwelijks Duits. Hij begint hier volgende maand als Frans militair attaché. Dr. Noack vindt dat we hem op tijd gunstig moeten stemmen.'

'Ik moet met hem naar bed.'

'Niet direct. Je zult Favarel ontmoeten bij het Five O'Clock in Eden. Hij houdt van jonge, blonde vrouwen met een zekere "touch".'

'Wat voor touch?'

'Volgens onze informatie geeft kolonel Favarel de voorkeur aan een strenge behandeling. Wij hebben de Blue Salon bij Kitty gehuurd. Die is van verborgen camera's voorzien. Bedenk maar iets.'

'Jullie willen hem met foto's chanteren.'

'De Reichsführer wil graag dat wij de informatiedienst van de Wehrmacht net iets voor zijn.'

'En ik mag de juffrouw met de zweep spelen in Kitty Schmidts bordeel.'

'Je hebt het door.'

Ze voelde zich gekwetst en vernederd. Ze raapte haar laatste beetje trots bijeen. 'Daar leen ik mij niet voor, begrepen? Dat kun je ook tegen je meneer Noack zeggen.'

Hij knoopte zijn gulp open. 'Dan zullen we mevrouw eens even een beetje gewillig maken.' Ze verdedigde zich niet. Het zou niets hebben uitgemaakt. Hij verkrachtte haar even brutaal als altijd. De gehate lichamelijke reactie bleef niet uit. Ze lag hijgend op de vloer, een slachtoffer van haar verslaving. Freddie knoopte rustig zijn broek dicht. 'En, schatje? Zijn we al van mening veranderd?'

Ze verzamelde alle kracht die ze in zich had. 'Al ga je op je kop staan. Aan zoiets doe ik niet mee.'

Hij sloeg haar, ijskoud en systematisch, tot ze nog maar een huilend hoopje ellende was. Ze kroop de badkamer in. Een gezwollen, bloederige tronie keek terug vanuit de spiegel. 'Als Favarel komt, ben je weer als nieuw,' troostte hij spottend.

De zwellingen namen af, de wonden genazen. Het bloeddoorlopen oog was het hardnekkigst. Daardoor had ze bedenktijd. Al had ze die niet meer nodig. Haar door haar achtergrond goed ontwikkelde overlevingsdrang vertelde haar dat het tijd was om te gaan. Weg hier, dacht ze, net als toen ze uit Moabit was gevlucht.

Ze pakte op een maandag. Haar kostbaarste bezit, grootmoeder Mines witte kanten sjaal, vouwde ze als laatste boven op haar spullen in de koffer. Freddie zou niet voor zeven uur thuiskomen. Ze had dus de nodige voorsprong. Ze had een dienstregeling van de trein gehaald. Daar kruiste ze een vals spoor van Berlijn naar Hannover en verder naar Essen op aan, voor alle zekerheid. Hoewel Freddie vermoedelijk geen traan om haar zou laten. Hij zou wel een ander meisje dresseren. Aan de andere kant moest ze Freddies bezitterigheid niet onderschatten. Hij had een hoop in haar geïnvesteerd en dat zou hij zich niet zo eenvoudig laten afnemen.

Lene had haar oude paspoort bewaard, waarin ze nog stond vermeld als Marlene Kaschke. Het was een aandenken aan een korte trip naar Oostenrijk. Freddie had in Baden bij Wenen een sullige aartshertog opgeduikeld die goed betaalde. Ze had zich als schoolmeisje moeten verkleden en bij zijne hooggeboren hoogheid op schoot moeten klimmen.

Waar Freddie de cash bewaarde, wist ze allang: in de spoelbak van het toilet, waterdicht verpakt in oliepapier. Ze nam veel minder dan haar aanzienlijke aandeel dat haar na al die jaren toebehoorde.

Ze stond heel even op het punt Frank Saunders om hulp te vragen, maar verwierp dit idee al snel. Frank was een betalende klant. Betalende klanten, zo aardig als ze ook mochten zijn, wilden een probleemloze stoeipoes op tijdelijke basis, geen weggelopen echtgenote.

Uit haar paspoort piepte een papiertje. Ze trok het eruit en las het gelijkmatige, houterige handschrift. Franz Giese had zijn adres ooit voor haar opgeschreven. Ze was het helemaal vergeten.

Het was als een teken van het lot. Giese zou haar helpen. Ze was net bezig het adres weer in haar tas te stoppen toen de telefoon ging. Het was Anita, een vluchtige kennis. Of ze meeging naar de bioscoop. 'Vandaag kan ik helaas niet. Dag.' Marlene legde de hoorn op de haak en deed de pas in haar handtas. Het papiertje fladderde op de grond.

Ze reed met de stadstrein naar Schöneberg. Het was niet ver vanaf het station. Het rook in het trappenhuis nog steeds naar groene zeep, net als toen. Ze drukte op het belletje op de tweede etage. Het duurde even voor hij opendeed. 'Juffrouw Lene?' vroeg hij ongelovig. 'Kom toch binnen.' Hij droeg bretels en een gestreept wollen hemd zonder kraag. Zijn vriendelijke jongensgezicht was smaller geworden, maar hij straalde nog steeds dezelfde rust en kalmte uit als toen. Echt een vent om tegenaan te leunen, dacht Marlene.

Hij sprak langzaam en bedachtzaam, ook dat was niet veranderd. 'Stom toeval dat u mij hier aantreft. Ik ben bezig de papieren voor het volgende ritje voor te bereiden. Ze controleren me vaak. Daar zorgt mijn concurrent Meier voor. Hij is een stramme partijgenoot en gunt zo'n voormalige socialist als ik het licht in de ogen niet. Ach, vergeet het. Met politiek wil ik niets meer te maken hebben. Hoe is het met u, juffrouw Lene?'

'Mevrouw Marlene Neubert. Ik ben met Freddie getrouwd. Hij stuurt me nog steeds naar andere mannen en hij slaat me. Meneer Giese, ik moet daar weg.'

'Franz voor u, juffrouw Lene. Ik ga eerst maar eens koffie zetten. De rit kan wachten.'

In de woonkamer zag het er nog net zo uit als bij haar eerste bezoek. De ronde eettafel, de stoelen van donkerrood fluweel, het burlende hert in de gouden lijst, de kanten kleedjes op het pluche, de kamerlinde aan het raam.

Hij had een das en een kraag om gedaan en balanceerde met een blad met een koffiekan, kopjes en een koekjestrommel naar de tafel. 'U bent dus daadwerkelijk een transportbedrijf begonnen?'

'Met een Tempo-driewieler. Voor meer ontbreekt momenteel de wind eronder, zo alleen. U wilt van hem weg?'

'Kan ik hier blijven? Ik bedoel, voorlopig, tot ik ergens onderdak vind. We kunnen het vast met elkaar vinden. En bovendien hebt u nog honderdvijftig M. van mij tegoed,' voegde ze er speels aan toe.

Hij keek naar de grond. 'Ik wil niet dat u zo praat. Ik wil ook niet dat u blijft. Niet zoals u dat bedoelt. Tussen ons moet het allemaal gaan zoals het moet, zoals het hoort. Als u mij wilt natuurlijk. En tot dan wil ik wachten, als u het niet erg vindt.'

'U bent de fatsoenlijkste man die ik ken.'

Hij schraapte verlegen zijn keel. 'Een kennis van mij heeft een pension in Charlottenburg. Ik zet een paar regels voor u op papier. Wat wilt u doen?'

'Het liefste ouvreuse.' Ze lachte. 'Ik wilde namelijk altijd al bij de film.'

Pension Wolke bevond zich op de eerste verdieping van een woonhuis in de Windscheidstraat en zag er netjes uit. Het was ook de ideale uitvalsbasis voor een baantje in een van de bioscopen in het westen van Berlijn.

Mevrouw Wolke stelde Marlene de andere pensiongasten voor. Eerst aan haar kamerbuurvrouw die bijna net zo oud en ook blond was. Verder waren ze zo verschillend als het maar kon. Henriette von Aichborn was eenvoudig en praktisch gekleed, droeg geen spoortje make-up en had een vriendelijke, hoffelijk gedistancieerde manier van omgang met mensen.

'Helemaal niet zo'n typische "von".' Marlene stond al snel met haar op vertrouwelijke voet. 'Kom toch mee. Ik wil in het UfA-Palast solliciteren naar een baantje als ouvreuse en tegelijkertijd de nieuwe film met Willy Fritsch kijken.'

'Heel aardig van u, maar ik verwacht bezoek.'

'Als u met mij genoegen wilt nemen...' Meneer Köhler zette zijn monocle recht. Hij had de kamer schuin tegenover. Zijn gedrag beviel Marlene niet. Ze kende mannen door en door.

'Nee, dank u,' wimpelde ze af.

Op maandag solliciteerde ze bij het Marmorhaus en bij de Filmbühne Wien. Op dinsdag in het Astor en in de Kurbel. Nergens had men een ouvreuse nodig.

In de voortuin van café Schilling overdacht ze bij een kop koffie haar situatie. Misschien was het beter uit Berlijn weg te gaan. Zelfs als Freddie niet naar haar zocht kon ze hem onverwacht tegenkomen. Onwillekeurig draaide ze zich om. Achter haar zat alleen maar een oudere heer de krant te lezen.

Ze schoof de beslissing voor zich uit. Berlijn was nu eenmaal Berlijn: de rest was maar provincie. Maar de echte reden om te blijven heette Franz Giese. Liever een bescheiden toekomst dan helemaal geen toekomst, dacht ze realistisch. Mevrouw Giese klinkt helemaal niet zo slecht. Dat ze Freddie onder ogen moest komen om de scheiding van hem te eisen, verdrong ze. 'Het zal allemaal wel goed komen,' troostte ze zichzelf.

Ze had in de etalage van Salamander een paar witte sandalen ontdekt die ze niet kon weerstaan. Die avond lag ze op bed haar teennagels te lakken. Ze had watjes tussen haar tenen geklemd. 'Kom maar binnen,' riep ze vrolijk toen er op de deur werd geklopt. Het was juffrouw Von Aichborn.

'Ik hoop niet dat ik stoor.' Geïnteresseerd bekeek ze Marlenes lakwerk. Ze had zoiets klaarblijkelijk nog nooit gezien.

'Ziet er geweldig uit als je geen kousen draagt. Vuurrood past prima bij blond. Wilt u het proberen?'

'Een ander keertje graag.' Haar kamerbuurvrouw kwam terzake. 'Een kennis heeft mij voor het weekeinde op zijn motorboot uitgenodigd. De boot ligt aan de Havel. Ik wil een vriendin als chaperonne meenemen. Zou u zin hebben om mee te komen?'

Marlene was enthousiast. 'Met een motorboot op de Havel? Natuurlijk kom ik dan mee. Ik heb net een doodchique hemelblauwe Bleyle gekocht. Nieuwste model, met opgezet rokje en een diep uitgesneden rug. Die kun je bij Leineweber in alle kleuren krijgen.'

'U heet Marion en u bent een oude vriendin. U moet mij Detta noemen en "je" zeggen.'

'Als dat alles is.'

'Tot zaterdag. Ik haal om zeven uur de cabrio uit de garage en klop om halfacht bij u aan.'

'Wij met z'n tweetjes in een open auto? Mens, het wordt met de seconde beter.' Marlene lakte ijverig door.

Op vrijdag probeerde ze het in de buitenwijken. In Steglitz en Zehlendorf waren een paar bioscopen. De Onkel Tom-bioscoop bij het gelijknamige metrostation stond als laatste op haar lijstje. 'Een van onze meisjes is getrouwd. We zoeken vervanging,' hoorde ze van de directeur. 'Deze dingen worden echter geregeld door meneer Star, de eigenaar. Kom maandag maar terug.' Ze mocht gratis naar de cultuurfilm, het weeknieuws en een film met Hans Albers. Op de terugweg kocht ze wat fruit en nam ze een paar tijdschriften mee naar haar kamer. Rond negen uur klopte de pensionhoudster op haar deur. 'Juffrouw Kaschke, bezoek.'

Het was Freddie. 'Ik help je bij het pakken,' bood hij haar hoffelijk aan. 'Dank u wel, mevrouw Wolke.' Hij trok de deur dicht.

Marlene herwon haar kalmte. 'Hoe kom jij hier?'

'Ik vond het papiertje met daarop het adres van je meneer Giese onder tafel. Nogal onvoorzichtig, lieve schat. In het begin was meneer Giese terughoudend en wilde mij niet vertellen waar ik je kon vinden. Maar in de kletskelder werd hij mededeelzamer. Haast je, alsjeblieft.'

'Ik kom niet mee, al sla je me dood.'

'Maar dat willen we toch niet? Ik heb een levende echtgenote nodig die haar rol zowel graag als met volle overgave speelt. Mijn carrière hangt ervan af.'

'Jouw carrière kan me geen biet schelen.'

'Je meneer Giese ook niet?'

'Wat is er met Franz?'

'Binnenkort niets meer als jij niet meedoet. Wij hebben hem meegenomen. Ik zei daarnet al eventjes dat hij ons uiteindelijk toch de nodige informatie verschafte.'

'Waar is hij?'

'In de Prins Albrechtstraat. Wil je hem zien?' Marlene knikte zwijgend. Freddie knipte haar koffer dicht. Beneden wachtte een zwarte limousine met een SS'er aan het stuur en een kerel met een leren jas ernaast. Freddie hielp haar de auto in en deed de koffer in de kofferbak.

Ze kon Franz Giese door een spleet in de kelderdeur zien. Haar hart kromp ineen. Ze hadden hem aan een paal vastgebonden. Zijn hemd was aan flarden gescheurd. Zijn gezicht was gewelddadig verwoest. De SS'er voor hem hield een rokende gasbrander omhoog.

'Franz...' Haar stem klonk toonloos.

'Die rooie rakker zou zelfs toegeven dat hij Stalins schoonvader is. In de kletskelder praten ze allemaal. Dus, wat doen we?'

'Laat hem gaan. Ik blijf bij je.'

'Heel verstandig, schat.' Freddie deed de deur op een kier open en riep: 'Breng hem maar thuis, alles is geregeld.' De SS'er maakte Giese los en hielp hem in zijn jas. Onderweg was Freddie de vriendelijkheid zelve. 'De champagne staat koud. Een paar lekkere hapjes erbij van Rollenhagen. Ik ben blij dat je bij me terugkomt.' Het was pure hoon.

'Wat vieren we dan?' vroeg ze luchtig.

'Dat verraad ik je pas thuis.'

Drie kwartier later waren ze bij de Kleine Wannsee. De mannen groetten: 'Goedenavond, mevrouw, Heil Hitler, Obersturmbannführer.'

'Moet ik je alweer feliciteren met een promotie?'

Freddie schonk langzaam champagne in. 'Dat ook, proost.' Goedgehumeurd hief hij het glas. 'Ze hebben Noack benoemd tot chef van de Berlijnse Gestapo. Niet in de laatste plaats in verband met een paar gevallen die ik voor hem kon regelen. Hij heeft zich daarbij zeer dankbaar getoond. Ik word commandant van Blumenau. Bevel van de top: de commandant moet gelukkig getrouwd zijn.'

'Gelukkig getrouwd,' herhaalde Lene en dacht aan Franz Gieses onbeholpen liefdesverklaringen. Ze zou niet proberen hem terug te zien, zodat ze hem met rust lieten. Zijn geschonden gezicht zou genezen. Ooit zou het lachen naar een andere vrouw. Het transportbedrijf zou groeien en er zouden kinderen komen. 'Alles blijft bij het oude,' zei ze verdrietig.

'Hoe bedoel je?'

Marlene beheerste zich. 'Dat ik het spelletje meespeel. Je zult tevreden zijn. Mocht Franz Giese ook maar een haar worden gekrenkt, zorg ik voor en zo ongelooflijk schandaal dat je carrière naar de vaantjes is.'

'Weet je – ik geloof ieder woord dat je zegt.'

Marlene nipte aan haar glas. 'Blumenau zeg je? Nooit van gehoord.'

De Mercedes rolde door de hoge poort. In het smeedijzeren hekwerk waren bronzen hakenkruizen gegoten. Kaarsrecht aangelegde bloembedden met begonia's omzoomden de oprijlaan. Ze stopten op het witte kiezel voor het huis. Het had een rood dubbel dak en uitnodigende luiken. Boven de deur stond met margrieten geschreven: WELKOM IN BLUMENAU.

Freddie hielp Marlene de auto uit. Hij droeg zijn nieuwe, duifgrijze uniform met het insigne van zijn nieuwe rang van Obersturmbannführer van de SS-veiligheidsdienst. Er wachtte een meisje in een gestreept jurkje en dito schortje op de trap. Ze hield een bos tulpen voor haar borst. Ze had een zwart bebopkapsel en keek deemoedig naar de grond.

'Dit is Jana, je huismeisje,' stelde Freddie voor. 'Als je meer personeel nodig hebt, zeg je het maar. Ik wil niet dat het huishouden je boven de pet gaat.'

Hij gedroeg zich erg geciviliseerd de afgelopen dagen. Dat moest met zijn nieuwe positie te maken hebben. Als het maar zo blijft, dacht ze hoopvol. Jana hield de bloemen onder haar neus. 'Dank u wel. Dat is erg aardig.' Ze nam het boeket over. 'U weet vast wel waar we een vaas vinden.'

'Jana is negentien en ze is het gewend dat men je tegen haar zegt,' corrigeerde haar man haar. 'Ik moet naar een vergadering in de dienstbarak. Die is daarginds.' Hij wees op de ondoordringbaar hoge taxusheg waar een grijs golfplaten dak bovenuit stak. 'Jana zal je het huis laten zien. We verwachten een paar mensen van mijn staf voor het diner. Maak je geen zorgen, het meisje kan koken.' Hij liep snel weg over het knarsende grint.

'Zullen we naar binnen gaan?' De chauffeur had de bagage in de geel betegelde hal gezet. 'Laat me eerst de keuken maar eens zien.'

'Jawohl, Frau Obersturmbannführer.'

'Dat wil ik niet meer horen,' zei Marlene pertinent. 'Ik heet mevrouw Neubert, oké?'

'Jawohl, Frau Ober... Mevrouw Neubert.'

'Goed. En dan nu de keuken.'

'Jawohl, mevrouw Neubert.'

Blauwwitte tegels op de vloer en aan de wand, een gietijzeren zwart kolenfornuis met glanzend messingbeslag, een grote koelkast van witgelakt hout die van binnen was bekleed met zink en van voren een vernikkeld kraantje had om het smeltwater af te kunnen laten lopen. De voorraadkamer naast de keldertrap.

In de eetkamer naast de keuken en in de woonkamer stonden de vertrouwde lichte meubels uit het huis aan de Kleine Wannsee. Boven bevonden zich drie slaapkamers en twee badkamers. Van hieruit keek je op oude fruitbomen en een aangeharkt gazon. Een met rozen begroeide muur scheidde de tuin van de straat: het was een ruim en idyllisch landgoed.

'Ik denk dat ik me hier wel thuis zal voelen. Ben jij hier al langer, Jana?'

'Een jaar en vijf maanden.'

'En daarvoor?'

'Overal.' Meer was er niet uit Jana te krijgen.

Marlenes tafelheer was een slanke man van midden dertig met donker haar en je kon – ondanks dat hij zorgvuldig geschoren was – de aftekening van zijn baard zien. 'Onze medicijnman, dr. Alwin Engel,' had Freddie hem voorgesteld. Marlene vond hem interessant, omdat hij knap over literatuur kon praten. Hij had Erwin Kastner gelezen. Dat gaf Marlene de gelegenheid met haar kennis te pronken: 'Zijn kinderboeken zijn kleine meesterwerken. Eigenlijk meer iets voor volwassenen, vindt u niet ook?'

Engel leek haar niet te hebben gehoord. Hij observeerde Jana die het voorgerecht binnendroeg. Bokking op groene salade met geraspte mierikswortel. Hij draaide haar kin naar zich toe toen ze hem opdiende. 'Je hebt mooie zwarte ogen,' zei hij glimlachend. Jana week uit naar de keuken. 'Beroepsmatige interesse,' verontschuldigde hij zich.

Marlene toonde zich begripvol. 'Jana is een knap meisje. Helaas niet al te mededeelzaam. Ik heb haar gevraagd waar ze voorheen was. Behalve "overal" krijg ik niet al te veel uit haar.'

Engel lachte fijntjes: 'Natuurlijk was Jana overal. Van hot naar her met haar mensen in woonwagens. Zeer vereerde mevrouw, het meisje is zigeuner. Wist u dat niet?'

Jana bracht het hoofdgerecht binnen. Engel nam met zijn vork een stuk vlees van de schaal en bekeek het schijnbaar kritisch van alle kanten. 'Hopelijk heb je ons geen gebraden egel in de maag gesplitst.' Iedereen lachte.

'Nee, Sturmbannführer.'

'Dit is gebraden eend uit ons landbouwbedrijf. Net als de groente en de room in de saus. Wij zijn geheel zelfverzorgend, dr. Engel,' zei een grote veertigjarige vrouw met doordringende blauwe ogen en een zware blonde knot in het haar. Ze was de enige die niet had gelachen.

Marlene had de namen van de gasten op haar servet genoteerd. Zo wist ze dat de vrouw die tegenover haar zat Gertrud Werner heette. Ze had hoge jukbeenderen en gelijkmatige trekken en voldeed helemaal aan het nieuwe, Germaanse vrouwenideaal. Mevrouw Werner droeg een lange, donkerblauw fluwelen jurk met hooggesloten witte kraag. Haar gezonde gelaatskleur verried dat ze zich veel buiten ophield. Ze had de modieuze make-up en de Berlijnse chique van haar gastvrouw bij de kennismaking misprijzend ter kennis genomen. Marlene mocht de vrouw instinctief niet. Ze liet het niet merken, maar vroeg met gespeelde interesse: 'Dat moet u mij absoluut laten zien, lieve mevrouw Werner. Misschien kan ik zelfs een beetje meehelpen op de boerderij?'

'Mijn vrouwen kunnen het wel alleen,' zette Gertrud Werner haar koeltjes op haar plaats.

'Wees niet zo streng tegen ons stadskind, Hauptsturmführerin,' temperde dr. Noack gemoedelijk. Hij was pas een paar minuten geleden aangekomen vanuit Berlijn, met een grote bos theerozen voor Marlene en een fles cognac voor Freddie.

'Ik leid u graag rond, mevrouw Neubert,' bood de gast aan haar rechterhand bereidwillig aan.

Marlene raadpleegde haar servet. 'Dat is heel aardig van u, meneer Schäfer.'

'Zonder Oberscharführer Schäfer zou hier helemaal niets gaan. Hij is onze ware chef,' verkondigde Freddie goedgehumeurd. De zware man met grijs stoppelhaar begon verlegen te grijnzen.

'Laat dat zijn wederhelft maar niet horen,' grapte de jonge man naast mevrouw Werner.

'Untersturmführer Siebert leidt ons laboratorium,' legde Freddie zijn vrouw uit. Marlenes hoofd duizelde van de *unter-, ober-, haupt-, schar-,* en *sturmführern*. Haar servet hielp haar daarbij ook niet. 'Siebert is alleenstaand en zeer geliefd bij de meisjes.'

'Wat interessant.'

'Dat alleenstaande of het laboratorium?' Siebert knipoogde haar toe.

'Als succesvol getrouwde vrouw doel ik uiteraard op het laatste. Wat brouwt u voor moois in uw chemische keuken, meneer Siebert?'

'Wij houden ons met onderzoek bezig.'

De telefoon rinkelde. Freddie nam de hoorn op en luisterde even. 'Raab, dokter. Zijn bloeddruk is niet goed.'

Engel sprong op. 'Ik ga onmiddellijk naar hem toe.'

'Zorg dat er niets misgaat,' waarschuwde Noack hem. 'De Reichsführer is persoonlijk in hem geïnteresseerd.'

'Zijn bloeddruk is weer stabiel,' berichtte de arts tijdens het dessert. 'Als u mij wilt verontschuldigen, dames en heren. Ik moet er morgenochtend namelijk tamelijk vroeg uit.'

'Het is tijd voor ons allemaal,' besliste Noack. 'Hartelijk dank, lieve mevrouw Marlene, een kostelijk diner. Dat verdient een bijzondere beloning.' Marlene wist wat hij bedoelde.

Freddie en Noack wachtten op haar in de salon. Freddie verkrachtte haar op de vloer terwijl Noack gulzig toekeek. Daarna dwong Freddie haar tussen de knieën van zijn mentor.

Ze had het jaren geleden een keer gezegd en in gedachten herhaalde ze het steeds weer: ooit vermoord ik je, Freddie.

Haar man was al weg toen ze wakker werd. Ze nam een bad en kleedde zich aan. Jana ontving haar in de keuken met dampende koffie verkeerd en verse croissants. De zon speelde tussen de bladeren van de fruitbomen en tekende bonte figuren op tafel. De wereld was in orde.

'Ga zitten, drink koffie met me. Wil je een croissantje?' Het meisje schudde haar hoofd heftig. Haar zwarte bebophaar wipte op en neer. 'Ook goed, als je niet wilt... Anderhalf jaar ben je al hier, zeg je? Wil je niet naar je familie?'

Opnieuw een zwijgend schudden met het hoofd. Het kon afwijzing, angst of onbegrip betekenen. Marlene werd niet wijzer van het meisje. Waarschijnlijk reageerden zigeuners gewoon anders dan normale mensen. Hoewel zigeuners eigenlijk ook normale mensen waren, maar gewoon anders dan normale mensen.

'Is hier ergens een mand?' maakte ze zich los van haar warrige gedachten. 'We gaan mevrouw Werner om groente vragen. Je weet vast waar we haar kunnen vinden.'

Jana bracht uit de voorraadkamer een grote mand mee. Ze gingen vanuit de keuken de tuin in, over het voorplein naar de taxusheg waar een groene tunnel doorheen liep. Een golfplaten poort versperde het andere einde. Jana trok aan de bel die schel rinkelde. Er ging een klep open. 'Doe open voor mevrouw de commandant.' Jana genoot er zichtbaar van te mogen bevelen.

De wachtpost sloeg de klep dicht en deed de poort open. 'Excuses dat ik u niet meteen heb herkend, mevrouw Obersturmbannführer.'

'Ik ben noch mevrouw de commandant, noch mevrouw de Obersturmbannführer. Ik heet Marlene Neubert. Zegt u het alstublieft voort.'

'Wordt doorgegeven, mevrouw Neubert.' De wachtpost begeleidde haar een paar passen.

Ze wees op de platte houten gebouwen waar een verzorgd kiezelpad naartoe leidde. 'Werkt mijn man daar?'

'Jawohl, mevrouw Neubert. Dat is zijn dienstbarak.'

Jana boog zich over het rozenbed aan de ingang en rook aan een bloem. 'Mooie rozen.'

'Houd je van rozen?'

'Veel houden van.'

Marlene keerde een paar blaadjes om. 'Bladluis. De planten moeten worden bespoten. Het beste met een sopje van groene zeep.' Dat wist ze van een buurvrouw aan de Kleine Wannsee.

'Ik zal het de kapo zeggen.' De wachtpost keerde naar zijn plaats terug.

'We gaan mijn man straks wel opzoeken. Nu gaan we groente halen. Kom, Jana.' Het grint knarste onder hun voeten. 'Zijn je ouders hier?'

Jana zette de mand neer. 'Mama daar in vrouwenkamp. Papa aan hek. Met mama beetje praten over vroeger. Mevrouw Hauptsturmführer zien dat. Roepen Oberscharführer. Die komen met knuppel.'

'Die aardige meneer Schäfer? Hij heeft toch niet...?' vroeg Marlene bezorgd.

'Heeft hij,' kwam het laconieke antwoord.

'Dan is zijn temperament blijkbaar een beetje op hol geslagen. Voor zover ik weet worden de kleinste vergrijpen van opzichters niet geduld. Je vader moet een klacht indienen.'

'Oberscharrführer slaan met knuppel tot papa dood,' luidde de zakelijke informatie.

Marlene voelde zich verlamd. Ze had lang nodig om te kunnen reageren. 'Een ongeluk. Dat moet het zijn geweest. Meneer Schäfer wilde vast niet zo hard slaan,' probeerde ze haar wereldbeeld weer in orde te brengen. 'En je moeder?'

'Mama zeven dagen in kelder met ratten. Toen ze eruit, drie tenen weg.'

'Drie tenen?' Marlene was ontsteld.

'Eerst jij niet slapen. Dan jij moeten slapen. Ratten wachten tot jij slapen.' Het zigeunermeisje pakte de mand weer op. Marlene volgde haar – en verstarde. Voor haar neus torende een hoog prikkeldraadhek de lucht in. De houten wachttorens op de vier hoeken leken te komen uit een reuzenschaakspel. De poort werd bewaakt door een wachtpost met hond. Daarachter lagen smerig grijze barakken in rijen van vijf. Op de kaarsrechte grintpaden daartussen groeide geen sprietje onkruid.

Freddie had het haar voor de verhuizing uitgelegd: 'In Blumenau worden personen vastgehouden die niet in onze volksgemeenschap horen. Joden, homo's, communisten, zigeuners en wat al niet meer. Wie serieus wil, kan zich door te werken bewijzen. Als kampcommandant ben ik verantwoordelijk voor rust en orde.'

Er lag een beangstigend zwijgen over de troosteloze kaalheid. 'Natuurlijk. De mensen zijn aan het werk.' Ze was opgelucht een verklaring voor de dodelijke stilte te hebben gevonden. Ze knikte de wachtpost toe. De hond gromde toen ze langsliepen.

'Jij sterk, jij werken, jij eten.' Jana wees op een rij keurige donkergroene houten gebouwen op de achtergrond, blijkbaar de arbeidersbarakken.

Jana duwde de deur open van een van de grijze barakken voor hen. De stank van ontlasting en urine sloeg Marlene in het gezicht. Toen haar ogen gewend waren geraakt aan het schemerdonker, kon ze lange rijen vier etages hoge stapelbedden herkennen. Er lagen kromgetrokken, met huid bespande ribbenkasten op de houten bedden. Moeizaam hieven kaal geschoren hoofden zich op. De diep in hun schedel liggende ogen staarden wezenloos naar Marlene. 'Niet werken. Niet eten. Alleen maar watersoep.' Jana sprak mechanisch. Alsof ze een gids was.

Marlene voelde niets anders dan een gapende leegte. Ze had in de afgelopen vijf minuten meer ellende gezien dan gedurende haar hele bestaan tot nu toe. De misère van de Rübenstraat was hierbij vergeleken zelfs zonnig, en de afstotende begeerte van betalende mannen een onschuldig genoegen. 'Ik zal met mijn man praten. Hij weet hier vast niets van.'

Jana wees vooruit. 'Landbouw daarginds.'

In eindeloos lange groentebedden kromden zich de gestreepte ruggen van honderden onkruid wiedende vrouwen met hoofddoeken om. Hun werk werd geïnspecteerd door opzieners.

Hauptsturmführerin Werner stond groot en slank tussen de bedden, haar pet diep over het voorhoofd getrokken. Ze droeg laarzen bij haar uniformrok en een rijzweep. Ze zag er op een weerzinwekkende manier ontzagwekkend uit en was zich van haar uitstraling bewust. Marlene zette koers naar haar. 'Goedemorgen, mevrouw Werner.'

Jana mompelde iets wat klonk als 'goedemorgen'. Ze was bang, dat was duidelijk te zien.

Marlene strekte haar hand uit. Mevrouw Werner deed alsof ze het niet zag. 'Ik zou graag een beetje groente willen hebben. Een paar wortelen en erwten en twee kropjes sla, als het niet te veel moeite is.'

'Ben jij in je nieuwe baantje vergeten hoe er wordt gegroet?' spuwde Werner tegen het zigeunermeisje.

Marlene nam Jana in bescherming. 'Ze heeft toch goedemorgen gezegd.'

'Naar voren! Hoe groet jij?'

Jana nam een stap naar voren, ging houterig in een militaire houding staan, haalde diep adem en schreeuwde met overslaande stem: 'Gevangene 304476. Heil Hitler, Frau Hauptsturmführer!'

Een lelijk knallende zwiep. Een bloedige striem liep van het linkeroor tot aan de kin over Jana's wang. Werner liet de zweep zakken. 'Zodat je het groeten niet verleert.'

Marlene was buiten zichzelf van woede. 'U onmens! Daar zal mijn man u voor straffen!'

Gertrud Werner bekeek Marlene ijskoud van top tot teen. Ze stootte de naast haar geknielde gevangene met de punt van haar laars in de zij. 'Een mand met wortelen, erwten en twee kroppen sla voor mevrouw de kampcommandant. Vrije levering aan huis,' voegde ze er spottend aan toe.

'Kom Jana. Dr. Engel zal je verzorgen.' Het rode kruis op een witte achtergrond wees Marlene de weg. Alles in de ziekenbarak was wit betegeld en steriel. In kleine glazen kasten blonken chirurgische instrumenten. Een klapdeur leidde naar een ruimte ernaast, waar het naar desinfecteermiddel rook. Blijkbaar een operatiezaal.

Jana gilde toen de arts haar wond met alcohol depte. Toen het verschrikkelijke wijf haar sloeg, gaf ze geen kik, dacht Marlene verbaasd.

'Afschuwelijk, dat geweld,' luchtte ze haar hart.

'Zeer betreurenswaardig, toegegeven. Het kampleven werkt ons allemaal op de zenuwen. Eerlijk gezegd, zou ik liever aan het front werken. Na onze bliksemoverwinning in Polen trekken we richting westen.'

Dr. Engel trok Jana's oogleden een stukje naar beneden. 'Fascinerend, die zwarte zigeunerogen.' Hij plakte een grote pleister op de wang. 'Binnen een of twee dagen is het weer over.'

'In de grijze barakken verhongeren de gevangenen met die watersoep.'

Engel nam een reageerbuisje van een standaard en hield het kritisch tegen het licht. 'Voor het kamp is de commandant verantwoordelijk. Mijn plek is hier, bij mijn wetenschappelijke werk.'

'Wij wilden u ook niet langer storen, dokter.'

'U stoort niet in het minst. U kunt mij altijd komen opzoeken, wanneer u maar wilt.' Hij gaf een vriendschappelijk kneepje in Jana's gezonde wang.

In de keuken wachtte een jonge gevangene op hen met een mand vol groente. Ze fluisterde Jana iets in het oor en rende opgejaagd weg. 'Sema ook zigeuner.' Jana begon de peulen te doppen.

'Een knappe man, die dr. Engel. Ik geloof dat hij je mag.' Marlene greep een handvol bonen en dopte mee.

'Het is al negen uur,' begroette Lene haar man toen hij die avond laat uit het kamp kwam.

'Een hoop administratieve rompslomp. Het spijt me schat, ik had het je moeten zeggen. Maar je had ook kunnen bellen. De veldtelefoon in de keuken is direct met mijn dienstkamer verbonden. Je hoeft alleen maar de hoorn op te nemen. Kijk bij het schoonmaken wel een beetje uit. Zo'n provisorisch gelegde veldlijn is niet zo robuust.'

'De volgende keer weet ik het. Kom aan tafel.' Ze had zich voorgenomen na het avondeten met hem over de toestand in het kamp te spreken en over Hauptsturmführerin Werner, maar Freddie smoorde haar voornemen in de kiem: 'Hier is lang nog niet alles zoals het zou moeten zijn. Een moeilijke taak, hier alles onder controle te krijgen. Maar ik red het wel. Jij houdt me mijn rug toch vrij, nietwaar?' Marlene begreep waar hij op doelde. Hij wenste geen gezeur aan zijn hoofd.

'Dank je, Jana. Je kunt gaan slapen,' ontsloeg ze het meisje van haar plichten. 'Afwassen doen we morgen wel, welterusten.'

'Heil Hitler, commandant. Heil Hitler, mevrouw Neubert.'

'Een lieve meid.'

'Een gevangene, net als de rest. Vergeet dat niet.' Freddie schonk zichzelf een cognacje in en leunde behaaglijk achterover in zijn fauteuil. 'Zo is het uit te houden, niet?'

'Zolang de heg maar hoog genoeg is...', flapte Marlene eruit.

Toen ze de huisdeur af wilde sluiten, hoorde ze buiten stilletjes huilen. Jana zat op de trap met haar hoofd tussen haar knieën. 'Hé, kleintje, wat is er aan de hand? Moet je niet gaan slapen?'

Het meisje keek met haar betraande gezicht naar haar op. 'Sema zegt dat mevrouw de Hauptsturmführer heel boos. Wacht met zweep op Jana.'

'Ik breng je wel even. Als ik bij je ben, zal ze het niet wagen.'

Gepijnigde zwarte ogen keken naar haar op. 'Als mevrouw Neubert weg, mevrouw Hauptsturmführer nog meer boos. Dan moeten Jana naar ratten.'

'Kom.' Ze trok het meisje het huis in, de trap op. Freddie lag al te slapen. Op de zolder lagen een paar matrassen. 'Dat moet voldoende zijn voor vannacht. Morgen zien we wel verder.'

Bij het ontbijt was Freddie vrolijk als altijd. Met een wijds gebaar stemde hij erin toe dat Jana bij hen in zou trekken. Marlene was enthousiast. Ze fietste het plaatsje in, kocht gebloemde linnen gordijnen en beddengoed. Op de zolder vonden de twee vrouwen nog een paar meubeltjes, die ze samen lichtblauw verfden. Ze richtten het kleine kamertje samen in.

Die middag greep Marlene naar de veldtelefoon in de keuken om Freddie te vragen of hij even langs wilde komen wippen voor een kop koffie. Verrast hoorde ze zijn stem én die van iemand anders. Hij sprak met het hoofdkwartier in Berlijn. Ze legde de hoorn meteen weer op de haak. Blijkbaar een foutje in de provisorische lijn die vanuit het keukenraam van boom tot boom, over de taxusheg tot aan de dienstbarak slingerde. Ze zou het Freddie zeggen.

Ze bracht Jana een oude, vernikkelde wekker die ze in een kist had gevonden. Het ding ratelde zo hard dat je er bijna in bleef. 'Dan verslaap je je tenminste niet,' pestte Marlene het meisje.

'Jana niet slapen. Jana graag werken voor mevrouw Neubert.' Het meisje sloeg haar armen om Marlenes nek en kuste haar op haar wang.

'Houd op met die onzin,' weerde Marlene ontroerd af. 'Ik zal aan mijn man vragen of je met de fiets naar het dorp mag fietsen om bij de bakker lekkere broodjes te kopen. Kun je fietsen?'

'Weet niet.'

'Geeft niks, liefje. Ik leer het je wel.'

Jana slaakte opgewonden gilletjes toen Marlene haar op de fiets zette. Ze hadden geweldig veel plezier. De telefoon was vergeten.

Het kamp kon Marlene niet vergeten. Het was alomtegenwoordig. Als de wind richting huis stond, kon Marlene het ruiken. Het rook naar honger, latrine en angst. Naar het zweet van zijn bewoners en het zwarte schoensmeer waarmee ze de koppels en laarzen van hun kwelgeesten moesten poetsen.

Ze meed het kamp, maar het kamp kwam dagelijks naar haar toe, als een vrouwelijke gevangene haar de groente bracht. Ze zag niet de mand met de kroppen sla en de wortelen, maar het legertje gebogen vrouwenruggen op de eindeloze akkers.

Freddie had Jana's uitstapjes naar het dorp verboden en dus fietste Marlene één keer per week naar Blumenau om boodschappen te doen. Bij de kruidenier verstomden de gesprekken meteen als ze binnenkwam. Wantrouwen, angst en vijandigheid hingen in de lucht. Ze had het liefst uitgeschreeuwd: 'Ik kan er niets aan doen! Ik heb met al die dingen niets te maken!' Maar ze riep het niet. In plaats daarvan groette ze vrolijk.

Op deze vrijdag, 14 juni 1940, werd haar groet overstemd door de radio. De Duitse Wehrmacht had Parijs bezet. Marlene kocht brood en boter. De rantsoenen waren niet karig: Men kreeg extra koffie en chocolade uit buitgemaakte goederen. De Engelsen hadden tijdens hun vlucht naar de Atlantische kust alle voorraaddepots hals over kop achtergelaten.

Buiten vroeg iemand haar zachtjes: 'Mag ik even met u praten?' De vrouw was rond de vijftig, eenvoudig gekleed en ze hield haar smalle handtas tegen haar borst geklemd. In de andere hand droeg ze een boodschappentas van bruin pakpapier. Ze maakte een afgetobde en zieke indruk. Ze was ooit mooi geweest, maar dat was nauwelijks nog te zien.

'Met mij praten? Waarom?'

'U bent de vrouw van de commandant. Ik heet Mascha Raab. Mijn man zit bij u in het kamp.'

'Raab?' Marlene schoot de naam te binnen. 'Hij had iets met zijn bloeddruk. Dr. Engel heeft hem verzorgd.'

'Hij is diabeet. Ze vertroetelen en verzorgen hem, zodat hij het lang volhoudt. Het is ware mensenliefde.' Haar bittere hoon droop ervan af.

'U bent nogal onvoorzichtig, mevrouw Raab. Vergeet niet dat ik de vrouw van Obersturmbannführer Neubert ben.'

Mascha Raab liet haar handtas zakken. Er werd een op haar jurk genaaide gele davidsster zichtbaar. Er stond JOOD op. 'Iemand als ik is helderziend. Het is een kwestie van overleven. Mijn gevoel zegt mij dat ik van u niets te duchten heb.'

'En als uw gevoel u in de steek laat?'

'U kunt mij gevangen laten nemen of laten doden. Meer niet. Mijn excuses, ik wilde u niet laten schrikken. Ze zullen dat momenteel niet doen, om Georg te sparen.' Ze hield de tas omhoog waar de hals van een fles bovenuit stak. 'Een Chablis uit 1934. Erg droog en dus geschikt voor diabetici. Een delicatesse. Zoiets mag eigenlijk niet aan joden worden verkocht. Maar de wijnhandelaar kent ons nog van vroeger. Georg is dol op Franse wijnen. Het is vandaag onze dertigste trouwdag. Zou u hem de fles willen geven?'

'Ik zal mijn man vragen of u per uitzondering toestemming kunt krijgen om uw man op te zoeken.'

'Nee. U moet Georg de fles brengen. Lieg voor mij. Vertel hem hoe stralend ik eruitzie en dat ik er alle vertrouwen in heb dat hij gauw weer bij mij is. Mijn trein gaat over tien minuten. U bent een goed mens. Vaarwel.'

Freddie was helemaal opgewonden tijdens het middageten. 'De Fransozen zijn zo goed als overwonnen. Nu zullen we die Britten eens even een lesje leren. Is er nog nieuws uit het dorp?'

'Stel je voor. Ik werd aangesproken door een zekere mevrouw Raab. Gewoon zo. Behoorlijk brutaal, die joden. Haar man zou bij jullie in het kamp zitten. Of ik hem ter gelegenheid van zijn dertigste huwelijksdag een fles wijn kon geven. Ik heb de fles in ieder geval meegenomen. Wat vind je ervan?'

Ze had de goede snaar getroffen. Freddie knikte minzaam. 'Kan geen kwaad, Raab wat stroop om de mond te smeren.'

'Sinds wanneer kan jou het humeur van je gevangenen iets schelen?'

'Raab is een bijzonder geval. Wat eten we?'

'Kalfsschnitzel naturel, met roomsaus en rijst. En sperzieboontjes.

'Schäfer brengt je na het eten naar Raab. Overigens moet ik een paar dagen op zakenreis. Ervaringen uitwisselen met mijn collega in Buchenwald. Niet echt een pretje. Men zegt dat zijn vrouw een slechte kok is. Jana, schiet eens op. Ik heb een reuzenhonger.'

Oberscharführer Schäfer verwachtte Marlene aan de poort achter de taxusheg. Hij had zijn pet afgedaan en veegde zijn voorhoofd af. 'Heet vandaag, niet?' De zware man met het grijze stoppelhaar probeerde te lachen. Hij zag eruit als een portier van een tweederangs hotel die op een fooi hoopte. Hij leek helemaal niet op een moordenaar. En dat was wat de beulen van Blumenau zo verschrikkelijk maakte: het waren normale mannen en vrouwen die lachten, zweetten, elkaar beminden, naar de wc gingen en ongeduldig wachtten op de dag dat ze hun weekloon kregen.

Schäfer sloeg met zijn knuppel tegen de golfplaten. Het klonk als een oerwoudtrommel die onheil aankondigt.

De wachtpost deed onmiddellijk de poort open en sprong in de houding. 'Al goed, mijn jongen,' dankte de Oberscharführer joviaal. 'Hierlangs, mevrouw Neubert.' Hij marcheerde op een bungalow af die net als de dienst- en ziekenbarak buiten het eigenlijke kamp lag. Ook hier maakten de aangeharkte grintpaden en de keurig verzorgde bloembedden dat de bezoeker dacht een ordentelijk wereldje binnen te stappen. Binnen in de bungalow was het schoon en koel. Gladgewreven lichtgrijs linoleum dempte het geluid van de spijkerzolen van Schäfers laarzen. Aan het einde van de gang bevond zich een deur. 'Bezoek voor u, Raab. Gaat u maar naar binnen, mevrouw Neubert.'

Een kamer vol licht. Een mengeling van werkplaats en laboratorium. Een kleine, dikke man die over zijn gevangenenpak een witte jas aanhad. Hij had een vergrootglas op de band om zijn hoofd, die hij omhoog klapte. Daarachter kwamen slimme, bruine ogen tevoorschijn. Hij nam stram de houding aan, wat er nogal komisch uitzag. 'Gevangene 48659, Heil Hitler,' zei hij met zachte, vriendelijke stem.

'Bent u meneer Raab?'

'Professor dr. Georg Raab in een vroeger leven.'

'Ik ben mevrouw Neubert.'

'Ik weet het, madame.'

'Van harte gelukgewenst met uw dertigste huwelijksdag. Met de groeten van uw vrouw.' Marlene gaf hem de tas met de fles.

'Was Mascha hier?'

'In het dorp. Helaas was een bezoek niet mogelijk. Ze ziet er geweldig uit. Een mooie vrouw.'

'Oh ja, ze is mooi.' Er verscheen een dromerige blik in zijn ogen. Hij trok de fles uit de zak. 'Heerlijk, een Chablis uit 1934. Dat zoiets nog bestaat. Ik ga mezelf bij het avondeten met een glas verwennen. Het zou leuker geweest zijn in gezelschap, maar ik mag niet klagen.'

'Moet u 's avonds niet naar de barak?'

'Ik heb hier een comfortabel klein slaapvertrek, een eigen badkamer met wc en dezelfde verzorging als het bewakingspersoneel.'

'Als gevangene?'

'Men heeft mij nodig. Gaat u toch zitten, madame.' Hij schoof een stoel voor haar bij. 'Uw man vond het goed dat u mij kwam opzoeken. Dus heeft hij er niets op tegen dat u hoort wat ik hier doe, hoewel het streng geheim is.'

'Dat klinkt hartstikke spannend, meneer de professor.'

'Een echte Berlijnse en nog een mooie ook.' Raab wreef zich verheugd in de handen. 'Wij wonen in Köpenick, in het stadsgedeelte Wendenschloß, als u weet waar dat is.'

'Ken ik niet.'

'Een mooie omgeving. U moet ons daar eens komen opzoeken.' Hij boog zijn hoofd en voegde er zachtjes aan toe: 'Ze hebben Mascha een klein kamertje in ons huis toebedeeld.'

Hij nam een wit blad papier, legde het in het cliché bij het raam en draaide aan de knevelschroef tot het leren kussen het papier op de drukplaat perste. Hij haalde het papier van het cliché af en hield het in de lucht. 'Wilt u het eens zien?' Marlene kon sierlijke zwarte letters tegen een witte achtergrond herkennen.

'Het is een bankbiljet van twintig pond sterling. Papier en watermerk doorstaan elke test. De druk is net zo goed als het origineel. Er mist nog een piepklein haakje aan de "C" van "Chief Cashier". Daar ben ik nu mee bezig. En, wat vindt u ervan?' Er klonk trots in Raabs stem.

'Vals geld?'

'Vals geld, dat zelfs de Bank van Engeland niet van het echte kan onderscheiden. Het wordt in miljoenen op de markt gebracht om de valuta van

Groot-Brittannië te destabiliseren. Een project van het SS-Wirtschaftamt, op instigatie van de Reichsführer.'

'U bent vervalser?'

'Uit passie. Verder ben ik ontslagen professor Kunstgeschiedenis van de Universiteit van Berlijn, voormalig lid van de Pruisische Academie der Kunsten. Bovendien geleerd kopergraveur en houtsnijder. Prominente internationale kunstexperts zijn al in mijn Dürers en Piranesi's getuind. Het was een hobby die ik tot voor kort voor mijn plezier en als brodeloze kunst heb uitgeoefend. Ik heb er nu profijt van. Ik mag langer blijven leven en ze laten mijn Mascha met rust.'

'U bent heel open tegen mij, professor.'

'Mascha vertrouwt u. Dat is voor mij voldoende. Bovendien hebben ze mij nodig. Zolang Himmlers lorgnet met een goeiige glans op mij rust, heb ik niets te vrezen...'

. 'En als uw werk voltooid is?'

'Is er nog genoeg te vervalsen. Wij werken aan dollars en Zwitserse franken om wapens mee in te kopen. Er zijn paspoorten met alle nationaliteiten voor de geheime dienst in de maak. Identiteitskaarten, marsbevelen, benoemingsoorkondes. Een origineel van elk van deze documenten ligt hier bij mij in de kluis. Ze zijn de gevangenissen al aan het afstropen naar vakkundige medewerkers. Ah, meneer Siebert, daar bent u.'

De jonge Untersturmführer droeg een laboratoriumjas over zijn uniform. 'Dag mevrouw Neubert. Wat een eer voor ons laboratorium. We hebben het nikkelgehalte van het veiligheidsdraadje met 0.03 milligram verhoogd. Ik hoop dat het zo goed is, professor.' Ze was verrast hoe respectvol de SS'er de gevangene behandelde.

'Dank u meneer Siebert. Excuseert u mij, madame, ik moet me gaan concentreren op het genoemde haakje aan de "C". Komt u me weer eens opzoeken?'

'En mij ook?' Siebert was blijkbaar altijd in voor een flirt.

Marlene deed of ze het niet hoorde. 'Tot ziens, professor. Dag meneer Siebert.'

'Ik zal u een kussen geven. Dan kunt u lekkerder zitten, professor,' hoorde ze Siebert bij het weggaan nog zeggen. Zou hij de professor onder andere omstandigheden doodslaan?, schoot het door Marlenes hoofd.

'Een maaltijdsoep zoals de Führer het in elk Duits huishouden eens per week wenst te zien. Water uit onze bron erbij en als dessert fruit uit onze kampeigen oogst. Wij zijn trots op ons eenvoudige, voedzame eten.'

'Praat nou maar niet zo bekakt.'

Freddie was duidelijk nerveus. De Reichsführer had zijn bezoek aangekondigd. Hij wilde zichzelf persoonlijk overtuigen van de vorderingen in het valsemuntersproject dat de codenaam 'Naald en Draad' had gekregen. De Bank van Engeland bevond zich in de Threadneedle Street.

'Maaltijdsoep van rundvlees, varkensvlees of schapenvlees?' wilde Marlene weten.

Freddies ouderwetse sarcasme kwam weer op. 'Kippensoep. Tenslotte was de man vroeger kippenfokker.'

'Ik zal het Jana zeggen.'

'Duitse vrouwen koken hun soep zelf. Een keukenhulpje in het tweede oorlogsjaar zou volksvreemde luxe zijn. En denk eraan, Duitse vrouwen roken niet. En geen lippenstift.'

'Verder nog iets? Misschien een bos korenaren op tafel en de tafelkaartjes in Germaans runenschrift?' spotte Marlene.

'Stuur Jana terug naar haar soort in de zigeunerbarak.'

'Zodat Werner haar kan mishandelen? Dat laat ik niet toe.'

'Ik heb rust verordend voor de bezoekdag. Onze gast is nogal sensibel als het om de praktijk gaat.'

'Een dag zonder knuppelen en moorden? Het kamp vreemd opkijken, Freddie.'

'Houd je waffel,' zei Freddie kwaad.

Ze hadden professor dr. Georg Raab in een gloednieuw gestreepte gevangenenkloffie gestoken met bijpassende ronde muts. Hij stond voor de laboratoriumbungalow naast Freddie en Siebert. Net een teddybeer in zebravel, dacht Marlene terwijl ze het tafereel door de op een kier geopende golfplaten poort gadesloeg. Ze was niet toegelaten tot de bezichtiging.

Twee zware, open Mercedesen rolden in beeld. Er rolden petten met doodshoofden erop, duifgrijze uniformen en glanzende, zwarte rijlaarzen uit. Marlene herkende de lorgnet onder de voorste pet.

Freddie sprong stram in de houding en rapporteerde. Zijn uniformjasje spande sinds kort een beetje om zijn buik. Op zijn linker borstzakje prijkte een IJzeren Kruis uit de Grote Oorlog dat Freddie bij de een of andere marskramer had gevonden. 'Mundus vult decipi' was zijn stoere commentaar. Marlene liet het vertalen door professor Raab.

Opscheppers, dacht ze geringschattend bij de aanblik van zoveel laarzen. Niemand van hun heeft ooit op 'n paard gezeten. Ze doorzag en verafschuwde deze mensen, zoals ze zichzelf doorzag en verafschuwde. De taxusheg scheidde haar bestaan in twee. Aan deze kant het gezapige, burgerlijke dagelijks leven in huis en tuin. Aan de andere kant het kamp met foltering en dood.

De lorgnet verdween met zijn gevolg de bungalow in. Marlene overtuigde zich er voor de zoveelste keer van dat in de keuken en de eetkamer alles in orde was. Binnen een halfuur verwachtte ze haar onwelkome gasten aan tafel.

'Heil Hitler, Reichsführer. Uw bezoek doet mij persoonlijk veel plezier en is een grote eer voor mijn huis.' De standaardzin kwam gemakkelijk over haar lippen. Zijn hand lag slap in de hare. De ogen achter de lorgnet ontweken haar blik en zochten ergens steun. Hij is bang voor vrouwen, besefte ze verbluft.

Hij dankte haar met zachte stem en wendde zich tot Freddie: 'Ik ben onder de indruk, Obersturmbannführer Neubert.' Hij ging zitten. De anderen volgden zijn voorbeeld. Er werd gewacht tot de Almachtige verder zou spreken. Hij zweeg en greep naar de waterkruik. Freddie wilde hem voor zijn, om voor de grote baas in te kunnen schenken. Ze botsten op elkaar. Het water klotste de kruik uit en liep over het hoogste van alle SS-uniformen. De drager ervan kreeg een paar druppels op zijn neus en lorgnet en keek verdwaasd.

Marlene begon te proesten. Iedereen aan tafel verstarde. Freddie werd bleek. Het einde van zijn carrière was nabij. De nat geworden man droogde zijn neus en zijn brilletje met zijn servet – en lachte. Eerst geluidloos, maar daarna schaapachtig mekkerend. Opluchting alom. Freddie haalde opgelucht adem. Deze beker, of beter gezegd kruik, was aan hem voorbijgegaan.

Het gemekker hield net zo abrupt op als het was begonnen. Marlene diende de soep op. De zachte stem sprak verder. 'Ik ben onder de indruk van hetgeen ik heb gezien. Operatie Naald en Draad is een doorslaand succes. De uitvoerende hand verdient lof. De gevangene heeft bijna geen Semitische trekjes. Waarschijnlijk heeft hij overwegend Arische voorouders. Dat zou een verklaring zijn voor zijn buitengewone kwaliteiten. Ik wens dat de man verder uw volle ondersteuning geniet en dat het hem ook persoonlijk aan niets ontbreekt.'

'Men zou hem een verlof kunnen aanbieden en het laboratorium onder zijn leiding als SS-eigen onderzoekscentrum buiten het kamp kunnen laten doorlopen,' stelde dr. Noack voor.

'Geheimhoudings- en veiligheidsredenen laten dit niet toe, dr. Noack. Daarom moet de gevangene na afloop van de operatie geliquideerd worden. Uw kippensoep is erg lekker, mevrouw Neubert.'

Hopelijk blijft er een kippenbotje in je strot steken, jij smerig stuk stront, dacht Marlene. 'Dat is heel vriendelijk van u, Reichsführer,' bedankte ze hem hoffelijk.

Die avond lag Freddie breeduit op de bank met zijn rijbroek en zijn geruite pantoffels. Hij had een tevreden grijns op zijn gezicht. 'Nou dat is allemaal prima verlopen. Kom hier, lieveling.' Hij schoof haar jurk omhoog en trok haar onderbroek naar beneden. Ze had geen kracht om zich te verdedigen. Ongelovig luisterde ze naar haar binnenste. De gehate lichaamsreactie bleef uit. Ze voelde helemaal niets. Een gevoel van triomf overkwam haar. De jarenlange ban was gebroken.

De volgende ochtend schrok ze wakker omdat er iets niet klopte. De vertrouwde koffielucht en het serviesgerinkel vanuit de keuken ontbraken. Natuurlijk. Jana was er niet. Marlene douchte snel en kleedde zich aan. Ze moest snel zijn en het meisje naar huis halen voordat die vreselijke Werner op afschuwelijke gedachten kwam. Ze liep langs de dienst- en ziekenbarak en door het prikkeldraadhek naar het eigenlijke kamp. 'Haal Jana,' beval ze een oude vrouw voor de zigeunerbarak.

'De vrouw keek haar merkwaardig aan. 'Jana niet hier.'

'Waar is ze?'

'Hé, hier wordt niet rondgehangen.' Oberscharführer Schäfer schoof de vrouw met zijn knuppel terug in de barak. 'Heil Hitler, mevrouw Neubert. Wat een zeldzaam genoegen. Ik doe net mijn ronde. Kan ik u behulpzaam zijn?'

'Ik zoek mijn huismeisje.'

'Jana, nietwaar? Geen idee waar die rondscharrelt.'

'Is bij dokter,' siste de oude zigeunerin door de deur.

In de ziekenbarak was het stil. Marlene betrad de behandelingsruimte. In de glazen kasten blonken de chirurgische instrumenten zoals bij haar eerste bezoek, toen dr. Engel Jana had behandeld. 'Is er iemand?'

De klapdeur naar bewoog zich zachtjes door de tocht. Marlene klapte hem open. Onzichtbare reuzenhanden drukten haar borst samen. De aanblik was zo onvoorstelbaar dat haar hersens weigerden het op te nemen.

Op een plank aan de muur stonden vijf mensenhoofden. Jana's hoofd was het tweede van links. Marlene kwam dichterbij. 'Jana...' fluisterde ze. Ze raakte de koude wangen aan en streek teder door het bebophaar, keek in de tot voor kort zo prachtige zwarte ogen. Die waren nu blauwachtig doorlopen.

'Een interessante serie experimenten. Ik injecteer organische pigmenten.' Dr. Engel haalde het hoofd van het meisje van de plank. 'Ik neem er gezonde exemplaren voor. Mevrouw Werner is een grote hulp bij de selectie. Binnenkort ben ik zover dat ik een voor de soort vreemde donkere iris kan veranderen in Scandinavisch blauw. Gaat het niet goed met u? Wacht, ik zal een glaasje water halen.'

Nee, dank u,' hoorde Marlene zichzelf zeggen.

'Dan ga ik nu lunchen. In de kantine hebben ze kalfsschenkel vandaag.'

Marlene voelde niets meer. Ze wist niet wie en waar ze was. Ze was helemaal verdoofd. Ze kwam langzaam bij toen koude waterstralen op haar neer regenden. Ze zat ineengedoken in de douche met haar kleren aan en gilde als een speenvarken. De ijzige kou haalde haar terug naar de werkelijkheid. Ze trok haar natte kleren uit, droogde zich af en trok iets aan. Daarna woelde ze in haar kleerkast tot ze vond wat ze zocht en haalde een schep uit de schuur.

Ze kwam niemand tegen op haar weg naar de ziekenbarak. Ze haalde het hoofd van de plank en hulde het in grootmoeder Mines witte kanten sjaal. In het bed met de rozen stak ze een graf uit en bedde het hoofd erin. 'Rozen mooi,' hoorde ze Jana's stem, terwijl ze het kleine graf effende. 'Het ga je goed, kleintje,' zei ze rauw.

Het was meer dan een normaal mens kon verdragen. Maar Marlene was een taaie meid uit de Rübenstraat. Verdriet en ontsteltenis maakten plaats voor ijskoude woede. 'Als dit ooit uitkomt, dan zijn jullie allemaal aan de beurt. Jij, Engel, Noack en de anderen, en niet te vergeten die Reichs-piet. En weet je wat? Dan zal ik toezien hoe ze jullie hangen en dan lach ik me suf.'

Freddie bleef er gelaten onder. 'Doe nou even rustig, schatje. Ik begrijp wel dat je boos bent, zo zonder meisje.' Hij haalde een biertje uit de keuken. 'Maar je mag blij zijn dat dr. Engel geen aanklacht tegen je indient, wegens sabotage van een serie experimenten van de Rassenhygienischen Forschungsstelle. Ach, wat doet het er ook toe. Met het jodentransport van vanochtend is een krachtige zeventienjarige aangekomen. Ga haar eens bekijken. Misschien deugt ze voor het huishouden.'

'Ik ga nu eerst maar eens naar Berlijn, boodschappen doen. Meneer heeft er toch niets op tegen?'

'Neem een fles Petrol Hahn uit de Kadewe voor me mee.'

Ze kocht zijn haarwater en kocht ondergoed voor zichzelf. Het was maar een voorwendsel. Ze wilde naar Frank Saunders. Haar ongelooflijke ontdekking moest openbaar worden gemaakt.

Het kantoor van de New York Herald Tribune bevond zich in de Friedrichstraat. Een met waterstofperoxide geblondeerde dame hamerde met roodgelakte nagels op een Underwood, een sigaret tussen de stevig gestifte lippen. Ze deed erg Amerikaans: 'How can I help you?'

'Met mij kun je rustig Duits praten, juffie. Ik wil naar meneer Saunders.'

De blondine deed beledigd alsof ze het niet had gehoord. 'Your name, please?'

Marlene deed haar het genoegen. Freddie had haar voldoende Engels geleerd. 'My name is Marlene Neubert. Mister Saunders knows me.'

'Mister Saunders is now in our Paris office. Mister Wilkins will be back in half an hour. Would you like to speak to him?' Marlene wilde niet met meneer Wilkins spreken. Ze kende hem niet en hij zou geen word geloven van wat ze zei. Dat gelooft sowieso geen mens, bedacht ze.

In de voortuin van Café Wien aan de Kurfürstendam zaten zomers geklede, zorgeloze mensen. Een paar goed uitziende jonge officieren flirtten met hun meisjes. Een krantenjongen riep de koppen van de BZ am Mittag om. Duitse parachutetroepen hadden de Engelsen van Kreta verdreven.

Hier lepelen we ijsjes met slagroom en in Blumenau snijden ze je kop eraf, dacht ze teneergeslagen. Er moet iets gebeuren. Ze wist alleen niet wat. Ze stond machteloos, zelf een gevangene hoewel ze zich vrij kon bewegen.

Ze overnachtte in Pension Wolke, waar de ramen met karton en punaises waren afgeplakt wegens de luchtafweer. Mevrouw Wolke herinnerde zich Marlene. 'U hebt een paar dagen bij ons gewoond.' Nee, de waardin wist ook niet wat er van juffrouw Von Aichborn geworden was. 'Vast voornaam getrouwd, met een graaf of zo,' veronderstelde ze.

Thuisgekomen greep Marlene als eerste naar de veldtelefoon om Freddie van haar terugkeer op de hoogte te stellen. Ze was verbaasd dat ze stemmen hoorde, tot ze zich herinnerde dat er een foutje in de verbinding zat. Ze had helemaal vergeten Freddie daar op te wijzen.

Ze herkende Noacks stem: '... observeren wij onder andere alle buitenlandse perscorrespondenten.'

'Natuurlijk, Standartenführer.'

'Ook het kantoor van de New York Herald Tribune. De secretaresse staat op onze informantenlijst. Ze meldt dat er gisteren een zekere Marlene Neubert bij haar verscheen om met Frank Saunders te spreken. Obersturmbannführer Neubert, uw vrouw onderhoudt contacten met de buitenlandse pers.'

Kort zwijgen. Daarna Freddie: 'Saunders was vroeger een eh, gast van haar.'

'Vroeger, oké. Maar nu? Neubert, er wordt een smerig spelletje gespeeld.'

Freddies stem klonk onderdrukt. 'Ze heeft in het laboratorium het hoofd van haar huismeisje gevonden. Dr. Engel had de zigeunerin voor een serie onderzoeken geselecteerd. Ik hechtte dus niet veel waarde aan wat ze daarna zei.'

'Wat zei ze dan? Zeg op, man!'

'Dat ze Engels experimenten openbaar zou maken, daar dreigde ze mee.'

'U bedoelt met openbaar blijkbaar die Amerikaanse perscorrespondent. Neubert, dat is hoogverraad. Dat kan onaangename gevolgen voor u hebben.'

Freddies stem klonk zonder enige emotie: 'Standartenführer, ik verzoek om onmiddellijke ontbinding van mijn huwelijk.'

'Dat siert u, Obersturmbannführer. Ik zal alles voor u regelen. Laat uw vrouw vooral niets merken. Alledaags gedrag, begrepen?'

'Jawohl, Standartenführer.'

'Wat doen we met haar? Ik wens een onopvallende oplossing.'

'Wij brengen de prostituee Marlene Kaschke als schadelijke voor het volk naar kamp Theresienstadt.'

Freddie, jij vuil varken, dacht Marlene zonder erg verrast te zijn. Ze legde de hoorn neer. Weg hier, dacht ze voor de derde keer in haar leven.

Freddie liet niets merken. Hij was hooguit aardiger dan normaal. Hij maakte een fles moezelwijn open voor het avondeten. 'Omdat het woensdag is,' grapte hij.

Man, wat heb jij een gotspe, dacht ze.

Na het eten gaapte hij: 'Ik ga naar bed.'

'Ik ben niet moe. Heb je er iets op tegen als ik die ouwe jood in zijn lab opzoek? Hij vertelt altijd zo leuk over vroeger. Hij heeft zelfs de keizer ooit ontmoet.'

'Voor mijn part.' Freddie verdween naar boven.

De nachtwacht deed de poort open. Er scheen een schel licht vanaf de wachttorens. Het grint op de paden kreeg hierdoor een harde glans.

Professor dr. Georg Raab graveerde onder een sterke lamp een koperen plaat. Zijn witte haarkrans glansde in het halfdonker. Hij zag eruit als de gemoedelijke grootvader die Marlene nooit had gehad.

'Meneer de professor, ik moet weg.' Ze verzweeg hem niets. 'Ik weet niet waarheen. Geef mij alstublieft raad.'

'U hebt wel veel vertrouwen in mij, madame.'

'Ik heb toch verder niemand.'

Raab ging door met graveren. 'Misschien is er een manier.'

'Ik doe alles wat u zegt.'

'Ik maak een pas voor u met een vergunning om te mogen reizen, een Zwitsers doorreisvisum en een toelatingsvergunning van de Duitse militaire gouverneur naar Frankrijk. U reist via München en Genève naar Parijs. De directe weg via de Duits-Franse grens is voor burgers afgesloten.'

'Voor een gevangene bent u goed geïnformeerd over de situatie in de wereld.'

'Ik mag kranten en radio ontvangen. De BBC is een informatiebron van onschatbare waarde.'

'Waarom uitgerekend Parijs?'

'Omdat niemand u daar zal zoeken. En omdat ik daar iemand ken die u zal helpen. Hebt u een pasfoto? Het liefst een iets oudere foto.'

'Vijf, als u wilt. Photomaton doet het namelijk niet onder de zes stuks. Twee jaar geleden had ik er eentje nodig voor mijn nieuwe identiteitskaart. De rest ligt bij mijn naaispullen in de doos.'

'Breng ze mij meteen morgenochtend. Marlene Neubert heet van nu af aan Helene Neumann. Dat heeft genoeg gelijkenis om goed te kunnen onthouden. We laten uw geboortedatum ongewijzigd. U hebt de opdracht bouwobjecten te controleren op hun geschiktheid voor de NS-vrouwenvereniging van de toekomstige lokale groep Parijs. Dat is zo mesjoche dat niemand het zal controleren. Bij eventuele controles laat u bovendien een brief van de partijleiding in München zien waarin zulks staat geschreven. Het briefhoofd is mij goed gelukt. Vooral de adelaar. Hij kijkt een beetje scheel.' De kleine professor hinnikte.

'U kent iemand in Parijs?'

'Een oude vriend. Hij heet Brunel. Aristide Brunel. U moet in het Louvre naar hem vragen.'

'Waar is dat nou weer?'

'Iedere Parijzenaar kan u de weg wijzen. Vraag Brunel of hij de twee Canaletto's eindelijk kan onderscheiden. Hij zal voor een veilig onderkomen zorgen. En dan wacht u af.'

'De eindoverwinning?'

'De onvermijdelijke overwinning van het verstand en de menselijkheid.' De kleine ronde man met de witte jas over zijn gestreepte gevangenenkloffie dacht na. 'U hebt geld nodig. De eerste serie Zwitserse franken is in productie. Ik druk er voldoende voor u mee. Wissel er niet te veel in één keer.' Hij pauzeerde even. 'Er is één probleem. Siebert kijkt voortdurend over mijn schouder mee als ik aan het werk ben.'

'Hoelang hebt u nodig?'

'Dagelijks een uurtje en wel een week lang.'

'Eén uur elke middag kan ik u Siebert wel van het lijf houden.'

'Hoe wilt u dat voor elkaar krijgen?'

'Dat wilt u niet weten.'

De ontmoetingen met de jonge Siebert waren niet bovenmatig opwindend, maar de gedachte dat ze Freddie in zijn eigen bed bedroog met een ondergeschikte en wel dagelijks tussen drie en vier, beviel Marlene wel. Meneer de commandant deed dan zijn ronde door het kamp. Ze zorgde er wel voor dat mevrouw Werner hoogte kreeg van de afspraakjes. Iemand moest het Freddie immers vertellen, anders was het maar half zo leuk.

Ze rollebolde een week lang met Siebert in de echtelijke kussens en gaf hem gul het gevoel een ongeëvenaarde minnaar te zijn. Daarna had de professor zijn vervalsingen voltooid. 'Met een nieuw geboorteregister als toegift. Veel geluk, mijn liefste.'

Ze hield hem aan zijn mouw vast. 'Ogenblikje professor. En wat gebeurt er met u? We moeten alle twee weg. Ik moet weg, omdat ze me naar Theresiënstad willen sturen. U moet weg, omdat die Reichs-pipo na afloop van operatie Naald en Draad uw liquidatie heeft bevolen.' Ze sloeg bewust een luchtig toontje aan: 'Wilt u daar op wachten? Geen sprake van. Tover nou maar een paar van die mooie papieren voor uzelf en dan peren we 'm samen, en stellen ons voor hoe dom de sukkels dan allemaal staan te kijken.'

Raab keek haar verdrietig aan. 'Ik zou niet verder komen dan de poort. Je kunt je lot niet ontlopen. Mascha zal me nakomen als ze het hoort. Onze afgang is niet belangrijk. Wat betekenen nou twee dode joden in de tweeduizendjarige geschiedenis van een monumentaal misverstand. U moet doorleven om de wereld te vertellen over het monsterachtige. En nu moet u snel weg, vooruit!'

'Jij stomme hond, jij superstomme jood!' schreeuwde ze haar onmetelijke verdriet en vertwijfeling eruit. Met een door tranen overstroomd gezicht rende ze weg.

Ze had zich achter haar *Vogue* verschanst om met rust te worden gelaten, maar ze las niet. Ze zweefde in een toestand tussen waken en slapen, alsof lichaam en geest het niet eens konden worden over ruimte en tijd. De afgelopen vierentwintig uur waren zelfs voor de onverwoestbare meid uit de Rübenstraat te veel geweest. De halsbrekende tour met de fiets naar het station van Blumenau met de koffer achterop. De vroege trein die vertraging had. De angst de aansluiting in Berlijn mis te lopen. De eindeloos lange rit naar München. Het overstappen in de trein naar Genève. De hartkloppingen bij elke kaartcontrole. De ambtenaar aan de Duitse grens die haar op bevelende toon zei: 'Kom eens mee!' – tot ze verward herkende dat het de conducteur was die de plaats in het niet-rokengedeelte voor haar had gevonden waar ze zelf om had gevraagd. De verademing dat Duitsland achter haar lag en dat nachtelijk Zwitserland voorbij gleed zonder controles en met hel verlichte raampjes. De uitgeputte slaap die alles verdoofde, behalve het geratel van de wielen op de rails dat klonk alsof honderd afgehakte hoofden aan het rollen waren.

'Votre passeport, s'il vous plaît.' Marlene schrok op. Het was vroeg in de ochtend. Er stond een Franse douanier in haar compartiment, met een Duitse veldwachter achter hem. Ik heet Neumann, hamerde het door haar hoofd, Helene Neumann...

De douanier bladerde door professor Raabs kunstwerk. De veldwachter las mee over zijn schouder. 'Waar naartoe?' vroeg hij kortaf.

'Parijs,' antwoordde ze net zo kort.

'Wat wilt u daar?'

Ze haalde de brief van de NS-partijleiding uit haar handtas. De veldwachter las de brief. Hij begreep er klaarblijkelijk niets van. 'Dank u, in orde.' Hij gaf haar de brief terug.

'Bon voyage, mademoiselle.' De ambtenaar overhandigde haar het paspoort en wendde zich tot de volgende reiziger.

Een Franse stoomlocomotief had de Zwitserse elektrische locomotief afgelost en pufte met een snel staccato tot de vliegwielen grip kregen en de trein zich langzaam in beweging zette.

Het Gâre de Lyon toonde een vredig beeld dat zelfs een paar rondhangende Duitse soldaten niet konden verpesten. Haastige reizigers. Handige bagagedragers. Bontgekleurde stalletjes. Een plassende hond tegen een zuil met een Picon-reclame. En bovenal hing er de onmiskenbare mengelmoes van geuren als roet, goedkoop parfum, Gitanes en pastis. De gearriveerde vrouw nam het in zich op. Ook niet anders dan op station Lehrten, maar dan anders, dacht ze met haar Rübenstraatlogica.

Voor het station stonden fietstaxi's te wachten. Benzine was schaars. Marlene tilde haar koffers in een van de gevaartes. 'Naar het Louvre.' Ze genoot van de schommelende rit door de stad die je een paar weken oorlog en twaalf maanden wapenstilstand niet kon aanmerken. 'Attendez,' beval ze bij aankomst, 'Wachten.'

Voor het Louvre schaarde zich een groep Duitse officieren om een gids heen die in erbarmelijk Duits iets aan het uitleggen was. 'Mon dieu non, c'est intolerable. Parlez français, s'il vous plait,' klaagde een hoofdman in accentloos Frans.

Een majoor maakte zich los uit het groepje en ging voor Marlene staan. Ze zette haar koffer neer om haar paspoort uit haar handtas te halen. Ze controleren je hier waarschijnlijk zelfs nog als je naar de plee moet,' dacht ze geïrriteerd.

'Vous permettez, Mademoiselle?' De majoor wilde haar paspoort niet, maar haar koffer! 'Ou puis-je vous la porter?'

'Daar naar boven, alstublieft.' Ze wees de trappen naar de ingang op.

'Bent u Duitse?'

'Dat hoort u toch.'

'Bezoek aan het Louvre?'

'Dat ziet u toch.' Een Duitse officier was het laatste wat ze kon gebruiken.

Hij liet zich niet afwimpelen. 'Majoor Achim Wächter, met uw welnemen. Misschien kunnen we elkaar een keertje ontmoeten?' Hij was ongeveer veertig en had grijs gemêleerd haar. Hij observeerde haar taxerend.

Nou probeert hij in te schatten hoe gemakkelijk hij mij het bed in krijgt, dacht Marlene. 'Bedankt voor het dragen.' Ze liet hem gewoon staan en wendde zich tot de suppoost: 'Je cherche monsieur Aristide Brunel.'

'Vous êtes la dame allemande?'

'Wat op aan te merken?'

'Allez.' De man liep voor haar uit. Een kleine zijdeur. Een smalle gang. Een wenteltrap. Een lange gang. Een hoge dubbele deur. Een imposant bureau. Een witharige heer in een donkere dubbelknoopse blazer. 'La dame allemande – monsieur le directeur.'

'Ons bezoek uit München.' De witharige man sprak Duits.

'De restauratrice uit de Alte Pinakothek, nietwaar? Bonjour, Madame.'

'Met restaurants heb ik niks te maken. Ik moet vragen of u beide Caneletto's eindelijk kunt onderscheiden.'

Brunels gezicht klaarde op. 'Hoe gaat het met mijn vriend Georg Raab?' riep hij verheugd uit.

'Belabberd. Maar zolang het belabberd met hem gaat, gaat het goed met hem want dan leeft hij nog. Maar vraag niet hoelang nog.'

'Is het zo erg?'

'Nog veel erger.'

'En u, Madame?

'Ik kon ertussenuit knijpen. Met zijn hulp. Hij zegt dat u een veilig onderkomen voor mij kunt vinden.'

Brunel telefoneerde. Hij sprak zachtjes en snel. Marlene verstond er geen woord van. Brunel legde op. 'U bent niet hier geweest en we zullen elkaar nooit meer zien. Mocht het onwaarschijnlijke geval optreden dat wij elkaar toevallig tegenkomen, kennen wij elkaar niet.'

'Begrepen. En nu?'

'Gaat u naar beneden. De rest gaat vanzelf.' Hij kuste haar hand. 'Bonne chance, ma chère.' Hij bracht haar tot aan de wenteltrap.

De Duitse officiersgroep was weg. Aan de voet van de brede trap stond de fietstaxi te wachten. Marlene stond versteld. Het was niet dezelfde chauffeur, maar een donkere vent met een snor die haar zwijgend toeknikte dat ze in moest stappen.

Het gevaarte zette zich met een ruk in beweging. Ze reden in hoog tempo door de stad. Marlene had er geen idee van hoelang het duurde en waar ze heen reden. Tegen de berg op moest de chauffeur hard trappen. 'Montmartre,' hijgde hij buiten adem. Daarna schoten ze de berg af, een oprit in. BERTRANDS VELOTAXI's las ze boven de poort die met daverend lawaai achter hen dichtsloeg. Het was pikkedonker om hen heen. En nu? Dacht ze meer verbaasd dan bang.

'Votre nom?' baste een stem in het donker.

'Helene Neumann.'

'Votre vrai nom.'

'Vree versta ik niet. Mijn Frans is nogal beperkt, als u begrijpt wat ik bedoel.'

'Wij willen uw echte naam weten,' eiste de stem ongedurig.

'Als u een beetje licht maakt hier, zodat ik u in uw mooie ogen kan kijken.'

Een zacht gemompel, gevolgd door een pauze en het knarsen van luiken. Marlene werd verblind door het licht dat de omtrekken van drie personen prijsgaf. Beschermend hield ze haar hand voor haar ogen. Ze herkende de man met de snor. Naast hem stond een jonge vrouw. Ze droeg een bont zomerjurkje met modieuze blokhakken eronder. Ze had het lange, donkere haar bijeengebonden in een Grace Kelly-rol en bekeek Marlene geringschattend. 'Wij willen weten wie u bent, hoe u werkelijk heet, waar u vandaan komt.' De spreker was rond de dertig. Een grote, donkere man met een hoekige kin. Zijn Duits klonk vloeiend. Marlene meende een dialect te horen dat ze niet kende.

'Waarom wilt u dat per se weten?'

'Parce-que vous êtes allemande et les allemands sont nos ennemies,' zei de jonge vrouw scherp.

'Nou goed dan, als je het precies wilt weten: mijn naam is Marlene Neubert. Ik kom uit kamp Blumenau bij Berlijn. Een vriend van jullie vriend monsieur Brunel heeft me daar geholpen met valse papieren. Daar staat in dat ik Helene Neumann heet en de opdracht heb in Parijs een geschikt gebouw te vinden voor de vrouwenvereniging van de nationaal-socialisten. Hier, mijn paspoort en de net zo vervalste brief van de partijleiding.' Ze gaf de spreker de papieren. 'Misschien zijn jullie ook zo vriendelijk je voor te stellen.'

'Ik heet Armand. Dat is Yvonne en dat is Bertrand.'

'Notre nom de guerre,' vulde de vrouw aan.

'Jij heet van nu af aan Madeleine,' besloot Armand. 'Wij tutoyeren elkaar. Wat gebeurt er als de Duitsers je controleren?'

Op zich niks. Maar als ze gaan navragen in Berlijn, ben ik de klos. Dan draaien ze me de nek om of ze sturen me naar Theresienstadt, wat hetzelfde is. Nog vragen?'

'Ja. Ben je bereid om bij de strijd tegen de Duitsers te helpen?'

'Tegen de Duitsers niet. Tegen de SS, Gestapo en nazi's: ja.'

'C'est la même chose,' spuwde Yvonne verachtend.

'Dan ben ik dus hetzelfde als die moordenaarsbende? Nee, mademoiselle, dat moet je maar even anders zeggen.'

'Laat dat, Yvonne,' maande Armand. 'Notre nouvel allié prend le même risque que nous. Wat ze binnenkort bij haar eerste actie kan bewijzen,' voegde hij er peinzend aan toe. 'Laat Madeleine haar slaapplaats zien.'

Op de met onkruid overwoekerde binnenplaats verrees een serre, tot voor kort een schildersatelier, waarvan de ramen tot op halve hoogte met linnen doeken waren behangen om de bewoners een beetje privacy te gunnen. De kunstenaar was naar de Provence uitgeweken. Zijn abstracte werk hing en lag nog overal.

Het rook er naar olieverf en terpentijn. Op de ezel stond een half afgemaakt vrouwelijke naakt met scheve borsten en een oog in plaats van een navel. 'Wat een onzin,' was Marlenes commentaar.

'Armand slaapt hiernaast in het kamertje. Je laat hem met rust, d'accord?'

'Wees gerust. Van mannen heb ik voorlopig mijn buik vol.' Marlene inspecteerde de kleine spiritusbrander in de kookhoek en brouwde koffie voor zichzelf. Ze keek Yvonne niet meer aan. Die keerde haar beledigd de rug toe.

Armand was voortdurend onderweg en kwam alleen maar om te slapen. De overige leden van de groep, een twaalftal in totaal, woonden verspreid door Parijs. Bertrands fietstaxi's boden hun bewegingsvrijheid en een perfecte camouflage voor hun verzetsoperaties. In een van de voertuigen zat een zender verborgen die voortdurend van positie veranderde en dus door de Duitse zenders niet kon worden gelokaliseerd. Ze hadden de zender op Londen ingesteld, vanwaar de verzetsstrijders hun bevelen kregen. Dat hoorde Marlene allemaal gedurende haar eerste dagen in het verzet. Om haar heen was het een druk komen en gaan, wat duidde op een volgende operatie. Welke rol zou men haar toebedacht hebben?

Ondertussen verveelde ze zich. Ze wilde niet naar buiten. Ze zou ook niet hebben geweten waar ze naartoe moest. De groep had geen tijd voor haar. Alleen Yvonne bekeek haar wantrouwig, vooral als Armand 's avonds in de buurt was.

Mannen waren echt het laatste waar Marlene aan dacht. Het zijn allemaal varkens, vatte ze haar twintigjarige ervaring samen. Nou ja, bijna allemaal, beperkte ze. De oude meneer Eulenfels was wel in orde geweest. Frank Saunders ook wel. Ze dacht aan Franz Giese en kreeg plotseling een gek gevoel in haar maag. Verlangen? Ze wist het niet. Maar ze wist wel iets anders. Als je destijds ja had gezegd, dan was je nou mooi mevrouw Giese geweest en de hele rotzooi was je bespaard gebleven. Tegelijkertijd besefte ze dat alleen zij van het genot van deze besparing zou hebben geprofiteerd. Voor Jana, de kleine professor en alle andere arme zielen in Blumenau zou alles even ellendig zijn verlopen.

Op de derde dag na aankomst, rolde er een grote, wijnrode Panhard-limousine met een Parijs' nummerbord de binnenplaats op. Er stapte een

Duitse officier uit. Marlene schrok. Toen ze Armand herkende, haalde ze opgelucht adem. Hij droeg het uniform van een hoofdman van de Wehrmacht. Voor Marlene had hij de kleding van een Duitse verpleegster van het Rode Kruis meegenomen.

Marlene haalde haar neus op. 'Stinkt wel erg, zeg.'

Armand lachte. 'Onze kleermaker uit de Maghreb laat zich graag inspireren door knoflook als hij Duitse uniformen namaakt.'

Het bevel kwam uit Londen. De Duitsers hadden een verkenningsvliegtuig van de Royal Air Force neergeschoten. De piloot en zijn verkenner waren met een parachute uit het vliegtuig gesprongen en gevangen genomen.

'De piloot interesseert ons niet,' legde Armand haar uit. 'We willen de andere man. Luitenant-kolonel Colby is opperstrateeg bij de RAF. Hij kent alle bomdoelen van Bordeaux tot aan Berlijn. Hij heeft bij de landing zijn arm gebroken en bevindt zich in het Duitse officiershospitaal in Neuilly. De Gestapo heeft er lucht van gekregen wie de patiënt is. Ze hebben Edelgard als zogenaamde verpleegster op hem afgestuurd.'

'Edelgard?'

'Edelgard Bornheim is gediplomeerd psychologe. Ze heeft de ambitie iedereen aan de praat te krijgen. Men heeft haar vanwege haar perfecte Frans naar de Gestapocentrale in Parijs overgeplaatst. Haar Engels is net zo goed. Een gevaarlijke tegenstandster. Het doel heiligt alle middelen. Ze kan meevoelend zijn, begripvol en suikerzoet. Als het helpt, gaat ze ook met haar slachtoffer naar bed, hetzij man of vrouw. Ze zal proberen Colby's vertrouwen te winnen. We moeten hem zo snel mogelijk uit het hospitaal halen. Hier. Voor het geval dat.' Hij gaf Marlene een klein pistool. 'Een 6.35 Beretta. Op korte afstand dodelijk. Bij eigen gebruik bij voorkeur in de mond steken en de trekker overhalen. Het doet geen pijn. Kom. Bertrand chauffeert ons.'

Bertrand droeg een zwarte chauffeurslivrei met pet.

'Een Duitse officier in een Franse limousine met een Franse chauffeur?' vroeg Marlene verbaasd.

'Dat hoort bij onze camouflage. Stap in, zuster Magda,' zei Armand.

'Hoe komt het eigenlijk dat jij zo goed Duits kunt?' vroeg ze terwijl ze door de straten van de Seinestad reden.

'Ik ben Elzasser. Ik zag het licht als onderdaan van zijne majesteit keizer Wilhelm II en ben opgegroeid als "citoyen de la Republique". Mijn hart behoort aan Frankrijk. Sinds kort ben ik weer Duitser en dus dienstplichtig. Als ze me pakken, fusilleren ze me wegens desertie.'

'In dat geval bij voorkeur in de mond steken en de trekker overhalen. Het doet geen pijn,' zei Marlene, niet onder de indruk.

Het Duitse officiershospitaal was ondergebracht in een grote villa uit de dagen van Napoleon III in het Park van Neuilly. Een barok versierde ingangspoort leidde naar een binnenplaats. 'Als hun het hek dichtgooien, komen wij d'r niet meer uit, redeneerde Marlene.

'Neem de regenmantel en volg mij, zuster Magda,' kapte Armand haar af. Een hospitaalsoldaat sprong op en groette. 'Ik ben overste Klemens. Hoe heet de baas hier?'

'Officier van Gezondheid Eerste Klas Fahrenkamp.'

'Breng ons naar hem toe.'

'Jawohl, overste.' De soldaat haastte zich voor hen uit langs een paar verschrikte verpleegsters en sloeg een dubbele deur open. 'Overste Klemens, officier,' zei hij luidkeels.

'En dit is zuster Magda. Zij zal voor onze patiënt zorgen,' zei Armand.

'Overste, zuster Magda...' de geneesheer-directeur klakte met zijn hakken. 'Om welke patiënt gaat het?'

'Heeft men u de telex uit het hoofdkwartier van onze Führer niet gegeven? Ongelooflijk! Nou ja, dat zooitje zoeken we straks wel uit. Laten we eerst onze Engelsman maar eens klaarmaken voor de reis.'

'Luitenant-kolonel Colby?'

Armand begon zachter te praten. 'Geheime staatskwestie. Colby is nauw verwant met het Engelse koningshuis. Wij hebben het bevel hem naar het vipkamp kasteel Südmaringen te brengen. Het zou kunnen dat men hem tegen Hess uitwisselt. Maar dat hebt u niet van mij.'

'Natuurlijk niet, overste.' De directeur snoof verwonderd in de lucht.

Armand grijnsde. 'Excuseert u ons, meneer Fahrenkamp. Zuster Magda en ik hebben gisteravond slakken in knoflookboter gegeten. Terzake. De patiënt moet onopvallend worden vervoerd. Vandaar mijn Franse wagen met Franse chauffeur. Wij hebben een regenmantel meegenomen. Zuster Magda zal die over zijn uniform aantrekken.'

'Kan ik de patiënt eindelijk zien?' Marlene speelde de rol van energieke verpleegster met verve.

'Soldaat Fink, breng zuster Magda naar onze gevangene. Mag ik u ondertussen een armagnac aanbieden, overste?'

'Nee, dank u. Geen tijd. Haast je, zuster. De Luftwaffe wacht niet eeuwig met de machine,' blufte Armand.

De soldaat bracht Marlene naar een lichte, vriendelijke ziekenhuiskamer. Een dunne man in een kaki hemd en bretels stond op van de bedrand. Hij greep naar zijn uniformjasje. 'You must excuse me. I did not expect any visitors.' 'I am sister Magda. I will help you.' Ze hielp hem in zijn rechtermouw en legde het jasje om zijn linkerschouder, zodat de gegipste arm ontspannen in de mitella rustte. 'We will get you out of here. Please, trust us,' zei ze zachtjes. 'And now your raincoat.' Ze wilde hem net de regenmantel omleggen, toen de deur openging. Als dat maar geen moeilijkheden zijn, dacht Marlene bezorgd.

De vrouw die binnenkwam was een knappe vrouw van rond de dertig. Ze droeg een keurig blauw pakje en een gestevend verpleegsterkapje. 'Onze patiënt heeft bezoek,' stelde ze lachend vast. 'Ik ben zuster Edelgard, goedendag.'

'Zuster Magda,' stelde Marlene zich voor.

'Aangenaam, zuster.' Edelgard stak spontaan een hand uit. 'Bent u hier nieuw?'

'Wij zijn hier om de gevangene op te halen. Hij wordt naar kasteel Südmaringen overgeplaatst.'

Armand kwam binnen. 'Overste Klemens,' stelde hij zich voor.

'How do you do, Herr Oberst?' antwoordde de Engelsman hoffelijk en vertrok zijn gezicht. Blijkbaar deed de breuk pijn.

'Zuster Magda heeft pijnstillers bij zich. Ze zal zich uw arm onderweg verzorgen,' stelde Armand de patiënt gerust.

'Een fractuur van het femur,' zei zuster Edelgard vakkundig. 'Dat geneest gauw. Ik zal thee zetten ten afscheid.' Ze deed de deur open naar een kamertje zonder raam waar op tafel een gasbrander en een fluitketel stonden – en een veldtelefoon waarvan de kabel door het open raam van de ziekenhuiskamer naar buiten leidde.

'Tocht is niet goed voor onze patiënt.' Marlene deed het raam dicht.

Edelgard vulde de ketel aan de wastafel. 'Südmaringen moet heel mooi zijn. How nice for you, Lieutenant Colonel. De thee komt zo.' Ze wilde de deur van het zijkamertje achter zich dichtdoen.

Armand haalde bliksemsnel uit. Met een zucht viel zuster Edelgard om. 'Ze wilde toch alleen maar thee zetten,' zei Marlene verwijtend.

'Ze wilde alarm slaan.' Armand deed de deur van het zijkamertje dicht en stak de sleutel in zijn zak. 'Femur is het bot van het dijbeen, niet de arm. Een echte zuster weet dat. De telefoon is direct verbonden met de centrale van de Gestapo.'

'Wás verbonden,' corrigeerde Marlene hem en hield de twee uiteinden van een telefoondraad omhoog die ze bij het sluiten van het raam had stukgetrokken. 'Zo'n provisorisch aangelegde veldlijn is niet zo robuust, heeft iemand mij ooit verteld.'

'Jolly good show,' prees de Engelsman.

'En nu peren we hem zonder opzien.' Marlene legde de man de regenmantel om en begeleidde hem de kamer uit. Armand vormde de achterhoede. Op de trap werden ze vergezeld door de geneesheer-directeur die ze naar de auto begeleidde. 'Het ga u goed, meneer de luitenant-kolonel,' nam hij afscheid van Colby.

'Thank you, Doctor.' De bordeauxrode Panhard kwam aanrijden. Colby wendde zich tot Armand. 'And now?'

'Over een paar dagen bent u in Londen.'

Ze stopten midden in het park, beschermd door een dikke haag bosjes. Bertrand floot schel op twee vingers. Over het gras kwamen twee fietstaxi's aangesneld. Armand gooide de pet en het uniformjasje in de auto. Marlene liet het verpleegsterkapje volgen. Ze hielp de Engelsman in een van de taxi's en wrong zich naast hem. De fietsers klommen in de pedalen. 'Daar word je vrolijk van, van jullie Résistance,' riep ze uitgelaten.

'Alleen zolang ze je niet pakken,' temperde Armand haar overmoedigheid.

Mij pakt niemand, dacht Marlene ondernemingslustig en informeerde bij Yvonne: 'Waar ga je hier winkelen?'

'Bij Printemps, of in Galeries Lafayette. Als je genoeg geld hebt, aan de Place Vendôme.'

Een van de fietstaxi's bracht haar naar de stad. Aan de kassa van de Crédit Lyonnais wisselde men haar valse Zwitserse franken zonder problemen om in francs, genoeg voor een leuke jurk en een bijpassende lichte mantel van Printemps. Alles volgens de niet te evenaren Parijse chique, net als het paar hemelse schoenen met hoge hakken en een bijpassende handtas van de Place Vendôme. Verder nog zijden ondergoed en kousen uit Madame Schiaparelli's Boutique in Hotel Ritz.

Vanuit de hotelbar klonk geroezemoes. Marlene ging aan een van de tafeltjes zitten. Een paar hoge Duitse officieren zaten met hun dames aan het aperitief. Een paar Franse zakenmannen druppelden hun Ricard via een suikerklontje in hun glas. 'Weelderig gaat de wereld ten onder.' Ze bestelde een glas champagne.

Aan de bar zaten twee mannen whisky te drinken. Marlene keek op de ruggen van hun tweedjasjes. Een van de twee mannen observeerde haar in de spiegel. Het was Frank Saunders. Hij knikte haar onopvallend toe en keek haar daarbij vragend aan. Ze neeg instemmend haar hoofd. Hij nam zijn glas en slenterde naar haar toe.

'Heb je je jachtgebied naar hier verplaatst?' pestte hij haar.

'Bij deze sterke inheemse concurrentie?' haakte ze losjes in op zijn toon, alsof ze elkaar gisteren nog hadden gezien.

'Jij hebt geen concurrentie.' Hij kuste haar vingertoppen. 'Hoe staat het ermee? Ik woon hier om de hoek.'

'Nu meteen, of mag ik eerst mijn drankje opdrinken?'

'Hey, sweetheart, zo teergevoelig was je vroeger ook niet. Vertel, wat doe je in Parijs?'

'Dat is een lang verhaal. Ben je nog steeds bij de *Herald Tribune*?

'Ik leid ons kantoor hier. Fascinerende baan. Als neutraal persoon heb ik bewegingsvrijheid.'

'Ik heb iets voor je. Waar kunnen we ongestoord praten?'

'Ik zei al dat ik hier om de hoek woon.'

'Niet neuken, Frank, praten.'

'De pianist bij Harry speelt zo hard dat je jezelf bijna niet kunt verstaan. Het is maar een paar passen van hier vandaan.' Saunders wenkte de ober en betaalde. 'Tot morgen, Ernest.' Hij klopte de tweedrug aan de bar in het voorbijgaan op de schouder. 'Een collega. Hij werkt voor de *New York Times* en hij schrijft romans.'

Harry's New York Bar bevond zich in de Rue Daunou. Pianomuziek tokkelde hun met een blikken staccato tegemoet. 'Twee scotch naar achteren,' riep Saunders. 'Ok, shoot,' zei hij tegen Marlene.

'Wat wil je het eerst horen? Met huid bespannen skeletten die verhongeren boven watersoep? Bewakers die hulpeloze gevangenen met een knuppel doodslaan? Testpersonen die het hoofd wordt afgesneden? Of heb je genoeg aan een verblijf in een kelder waar de ratten je tenen eraf knagen? Dit geheel heet Blumenau en is een van de kampen waar ze mensen mishandelen en vermoorden.'

'Klinkt verdomd onwaarschijnlijk. Hoe kom je als Duitse burger midden in de oorlog naar Parijs? Waar heb je dat verhaal vandaan? Kloppen de details? Overtuig me.'

Marlene praatte ononderbroken een halfuur lang. Ze vergat bij al de gruweldaden het valse geld niet. Saunders schoof zijn whiskyglas heen en weer. Hij dacht na. 'Ja, zo zou het moeten kunnen,' zei hij ten slotte. 'Let op. Mijn secretaresse Nancy is net zo blond als jij. Met een hoornen bril op, lijk je op haar pasfoto. We nemen de vliegboot van Lissabon via de Azoren naar Florida en vliegen verder naar New York. Zo gauw ons programma loopt, stel ik je voor aan de pers en de radio.' Hij werd al pratend steeds enthousiaster. 'Ex-vrouw van een kampcommandant pakt uit. Hoe vind je dat? Goed, niet? Sweetheart, dat wordt een sensatie, met jouw sex-appeal. Je krijgt een geweldig honorarium. En wat het belangrijkste is: je bent veilig.'

'Zo eenvoudig is het.' In haar woorden klonk de vertwijfeling van alle slachtoffers voor wie er geen uitweg was.

'Nancy heeft korter haar dan jij. Je moet naar de kapper.'

'Telefoon!' riep de barman en hield de hoorn in de lucht. Na een kort gesprekje keerde Frank Saunders terug naar de tafel.

'Ik wil niet naar Amerika,' zei Marlene zachtjes. 'Ik wil hier blijven. En als de hele ellende voorbij is, wil ik weer naar Berlijn.'

'Dat kan sneller gebeuren dan je had durven hopen. Het telefoontje kwam van mijn kantoor. Hitler heeft de Verenigde Staten de oorlog verklaard. Dat hij hem daarmee heeft verloren, weet de pechvogel nog niet. Sorry, ik moet inpakken. Wij krijgen maar een paar uur om het land te verlaten.'

'Breng je het verhaal?'

'Zonder jouw persoonlijke optreden is het niets waard. Bij ons verkoopt zoiets alleen maar met sex-appeal. Sorry, sweatheart. Probeer het bij de Zweden. Die hebben een morbide, Scandinavische voorliefde voor gruwelverhalen.'

Ze verliet hem zonder een woord. Er viel niets meer te zeggen.

Marlene trof majoor Wächter voor het café aan de opera. Het was al te laat om hem te ontwijken. 'deze keer wimpelt u mij niet af toch, alstublieft?'

'Nou goed dan, één kop koffie.'

'Ik weet nog niet eens hoe u heet.'

'Helene Neumann. Ik kom uit Berlijn. Ik moet hier een passend kwartier vinden voor de toekomstige plaatselijke groep van onze vrouwenvereniging.'

'Ik kom uit Neurenberg. Speelgoedfabrikant. Als adjudant van de stadscommandant zie ik veel van Parijs.' Hij wachtte op haar reactie. 'We kunnen veel plezier hebben samen,' voegde hij toe.

Hij weet nog niet precies hoe hij me moet versieren, analyseerde ze zijn aanval.

'Adjudant van de stadscommandant, dat is vast een interessante baan' zei ze oppervlakkig.

'Voor een liefhebber van de Franse spijzen en wijnen je reinste paradijs. De overwinnaar wordt met alle egards behandeld. Ik begeleid de generaal bij vele recepties en banketten. Een paar van onze Nürnberger worstjes en een biertje erbij zouden soms lekkerder zijn.'

Ze stond op. 'Dank u voor de koffie.'

Hij sprong op. 'Zien wij elkaar nog eens, juffrouw Neumann?'

'Misschien. Ik kom hier wel vaker langs voor een kop koffie. Dag majoor.'

Hij liet zich niet afwimpelen. 'Ik breng u thuis. Ik roep mijn dienstwagen.' Hij stevende op de telefooncel af.

Marlene wenkte een fietstaxi. 'Montmartre.' Opgelucht viel ze achterover in haar zitplaats.

'Spionne. Verraadster, sâle boche,' siste Yvonne. Iemand had Marlene met de majoor gezien.

'Je bent ons een goede verklaring schuldig,' eiste Armand rustig.

'Hij sprak me aan toen ik aankwam voor het Louvre. Hij wilde per se mijn koffer dragen. Majoor Achim Wächter. Ik trof hem toevallig vandaag voor Café de l'Opera. Had ik weg moeten lopen? Ik nam zijn uitnodiging voor een kop koffie aan. Het was niet eenvoudig hem af te schudden.'

'Wat weet je van hem?'

'Dat hij in het gewone leven speelgoedfabrikant is en nu adjudant van de stadscommandant.'

'Allemaal leugens. Ze werkt voor de Duitsers!' riep Yvonne opgewonden. 'Ja, zien jullie dan niet hoe geraffineerd ze zich bij ons heeft ingelikt? Ze doet voor de schijn aan een paar operaties mee en dan levert ze ons uit aan de Gestapo.'

Armand dacht hardop na. 'De Duitse stadscommandant resideert in het Palais Verny. De markies van Marquis de Verny heeft het in de vijftiende eeuw gebouwd. De tekeningen van alle ruimtes van de keldergewelven tot aan het dak hebben we uit het stadsarchief. Wij weten van het Franse personeel dat de generaal zijn werkkamer in de bibliotheek heeft en dat zijn secretariaat zich in de aangrenzende muzieksalon bevindt. De inlichtingendienst is op de tweede etage ondergebracht. De veldgendarmerie neemt haar bewakingsdienst vanuit de zuidelijke vleugel waar. Wat wij niet weten is de precieze positie van de cellen in de kelder waarin men arrestanten tot hun uitlevering aan de Franse of

Duitse politie, respectievelijk de SS, vasthoudt. Madeleine, ik wil dat je de adjudant weer ontmoet. Van het goede antwoord op onze vraag zou het succes van onze op handen zijnde bevrijdingsactie kunnen afhangen.'

Van nu af aan dronk ze elke middag haar koffie voor het Café de l'Opéra. Ze moest een week geduld hebben voor de majoor opdook. 'Ik was met een kort verlof thuis. Ilse en de jongens wilden mij niet meer laten gaan. Ik hoop dat u vandaag niet weer wegvlucht. Ik heb vanavond vrij. Doet u mij het grote genoegen met mij te dineren?'

Hij had een suite in het George V gereserveerd, met een geluidloze kelner in de kamer die champagne inschonk en het diner serveerde. Er was vers gerookte zalm uit de Loire, een ossestaartconsommé en snip met wilde perziken.

Man, wat maakt die kerel onkosten. En dan te bedenken dat ik ook voor een knakworstje met hem het dons in was gedoken. Ze grinnikte in zichzelf. Ze had besloten recht voor zijn raap te zijn. De snelste weg ging door het bed en – dat wist ze uit ervaring – leidde gewoonlijk ook tot succes. Ze at met veel smaak, maar zonder de culinaire delicatessen op waarde te kunnen schatten. Voor het kind uit de Rübenstraat was eten letterlijk een levensmiddel.

Ze liet zich verleiden, om de schijn op te houden. Hij frommelde wat aan haar en ging daarbij net zo plomp te werk als de rest van zijn soortgenoten. Zuchtend gaf ze toe zodra het fatsoen het toeliet. Hij had geen grote conditie en dat kwam goed uit.

'Lok je de dames altijd in zulke dure bedden?' pestte ze hem.

'Bij ons in de centrale is vrouwenbezoek niet inbegrepen.'

'Ook niet overdag?'

'We zouden elkaar kunnen ontmoeten in een daghotel.'

Ze trok met haar vinger een imaginaire lijn van zijn borstbeen tot aan zijn navel. 'Waar jij alweer over nadenkt,' koerde ze. 'Ik vraag het om een andere reden. Ik zei al dat men mij naar Parijs heeft gestuurd om een geschikt gebouw voor de vrouwenvereniging te vinden. Ik ben namelijk architecte en interesseer me natuurlijk voor historische gebouwen. Ik ken het Palais de Verny uit de literatuur. Ik heb de vijfhonderd jaar oude bouwtekeningen en ontelbaar vele afbeeldingen bestudeerd. In het bijzonder de constructie van het fundament zou ik graag een keertje van nabij bestuderen. De oude bouwmeesters waren hun tijd in vele dingen vooruit.'

'Onze veiligheidsvoorschriften zijn aangescherpt sinds we een paar dagen geleden een inbreker hebben gepakt in de grote salon.'

'Alsjeblieft, Achim.' Ze blies in de krulletjes op zijn borst en gleed dieper.

Haar lippen wekten hem opnieuw. Ze bereed hem met een ritmisch draaiend bekken en kwam nu ook zelf aan haar trekken.

'Kom dinsdagochtend naar mijn kantoor,' zei hij ten afscheid. 'Ik zal zien wat ik voor je kan doen.'

De dinsdag was nat en koud. Marlene trok voor het eerst haar nieuwe regenmantel aan en de chique overschoenen van rubber, beide uit de Galeries Lafayette. Haar schoudertas hing ze zoals gewoonlijk over haar rechterschouder. Bertrand reed haar met de fietstaxi naar de centrale van de stadscommandant. Hij zou wachten. 'Voor het geval dat.' Hij stak een Caporal op.

Een onderofficier bracht haar naar Achim Wächter die net aan het bellen was. 'Wat een onzin. De man is geen agent van de Secret Service. Een doodgewone inbreker die het op het tafelzilver had voorzien. Een mooie blamage voor onze veldwachters, dat hij tot in de grote salon kon doordringen. De generaal heeft bevolen dat we hem uitleveren aan de Franse politie. Uitlevering aan de Gestapo is niet aan de orde. Als u de gevangene per se wilt verhoren, komt u maar hier naartoe en een beetje vlot als het kan. De Fransen halen hem namelijk vanmiddag op. Uw chef persoonlijk, zegt u? U kunt voor mijn part de Reichs-nul persoonlijk sturen. Over en uit.'

Geërgerd gooide hij de hoorn op de haak. 'Excuseert u mij voor dit voorval. De heren van de Gestapo willen voortdurend een voorkeursbehandeling.' Formeel kuste hij de hand van zijn bezoekster. 'Mevrouw de gediplomeerde architecte Neumann, wat vriendelijk van u dat u gekomen bent. Ik heb de stadscommandant uw wens voorgedragen. Hij heeft toegestemd. Onderofficier Lehmann, begeleidt onze hooggeleerde mevrouw naar Gaston.'

'Jawohl, Herr Major.'

'Gaston is conciërge hier en kent elke hoek. Excuseert u mij. Ik heb zakelijke verplichtingen,' zei de majoor. Hij nam de houding aan en sloeg zijn hakken tegen elkaar. 'Wanneer zien wij elkaar?' vroeg hij zachtjes zodat de onderofficier het niet hoorde.

'Gauw.' Ze gunde hem een veelbelovend lachje.

Gaston was een gebocheld mannetje met zilveren haar en een grote neus. 'Bonjour madame. Je suis à votre entière disposition,' begroette hij Marlene met een ouderwetse buiging. Men had hem blijkbaar geïnstrueerd, want hij liep ijverig voor haar uit de gedraaide marmeren trap op.

Het werd een zware proeve van geduld. Ze moest de meterslange galerij der groten van schilderij tot schilderij langs en meer dan veertig ruimtes bezichtigen. Pas na twee uur was Gastons repertoire uitgeput. 'Et maintenant j'aimerais voir le sous-sol. Les fondations m'intêressent.'

Ze leerde dat het oudste gedeelte van de grondvesten zich onder de zuidelijke vleugel bevond. Romeinse catacomben, die later werden opgenomen in de middeleeuwse vestingsgebouwen.

In de zuidelijke vleugel werd ze ontvangen door een officier van de veldgendarmerie. 'Mevrouw Neumann, nietwaar? Majoor Wächter heeft ons al laten weten dat u kwam. Ik ben hoofdman Grosse. Hier naar beneden, alstublieft.' Uitgeholde stenen treden verdwenen in de diepte. Beneden bevond zich een bakstenen gewelf dat links en rechts uitmondde in een gang. Voor de rechtergang waren ijzeren tralies aangebracht. 'Daar kom je bij de cellen voor de arrestanten,' legde de hoofdman uit. 'In een ervan is net een verhoor gaande. Laat u hierdoor niet storen.' De wachtpost bij de traliepoort salueerde. 'Al goed, soldaat. Deze architecte wil hier beneden een beetje rondkijken.'

'Jawohl, Herr Hauptmann.'

'Een waar labyrint. Verdwaal maar niet, mevrouw.'

'Ik hoop dat mijn gids de weg weet. Dank u, meneer Grosse.' De hoofdman verdween weer naar boven.

De jonge soldaat deed de poort open. Het gaat van een leien dakje, dacht Marlene.

'De Fransman mag hier niet naar binnen,' weerde de wachtpost af.

'Monsieur Gaston, attendez.'

De gang maakte een bocht. De wachtpost had geen zicht meer op wat er na de bocht gebeurde. Drie stalen deuren, net zo nieuw als de tralies. De cellen! Ze probeerde haar positie in het geheugen te prenten. De middelste celdeur stond half open.

Een stoel met daarop een man. Zijn handen achter de rugleuning met een snoer vastgebonden. Een veldbed, met daarop een achteloos neergesmeten duifgrijze uniformmantel, een pet met een doodskop en een holster met pistool. De eigenaar stond voor de gevangene.

'We can handle this in a civilised manner. So, once more – who are you? Secret Service? British Army Intelligence?'

'Je ne compris pas, monsieur.'

De SS'er haalde uit om te slaan, maar zijn arm verstarde in de lucht. Ook Marlene stond versteend.

Freddie kwam als eerste bij zijn positieven. 'Hallo, lieveling. Wat een verrassing. Hier had ik je niet verwacht. Ach, geeft ook niks. Sommige dingen lossen zich vanzelf op.' Marlene keek naar de celdeur. 'Doe geen moeite. Je komt hoogstens tot aan de trap. Blijf maar mooi hier en luister goed. Ik zou je met het volgende transport naar Auschwitz kunnen sturen. Of, wat veel leuker is, een ontmoeting met onze beul organiseren. Monsieur le Paris, zo noemen ze hem moet je weten, is snel en precies. Maar desgewenst kan hij je natuurlijk ook uitgebreid en langzaam op de plank gespen. Dan vergaan er een paar klamme minuten, voordat de bijl valt.dat kan ik je zeggen.' Freddie genoot zichtbaar van elk woord.

Marlene werd weer kalm. Er klonk diepe verachting in haar stem. 'Nog steeds hetzelfde vieze varken, Freddie.'

'Brigadeführer Neubert, alsjeblieft. Dat staat ongeveer gelijk aan generaal-majoor. Blumenau is geschiedenis. Ik ben hier tot chef van de Gestapo benoemd. Af en toe doe ik persoonlijk een verhoor.' Hij grijnsde gemeen. 'Om in vorm te blijven.' Haar blik viel op de holster en het pistool. 'Nee, darling. Daar ben je niet snel genoeg voor.' Met één sprong stond hij bij het veldbed.

De luttele seconden waren genoeg. Ze greep de Beretta in haar schouder-tas. Armand had het met haar geoefend. Ze schoot door het leer heen. Tas en inhoud dempten de knal. Freddie zonk op zijn knieën. Smekend keek hij naar haar op, wilde iets zeggen. Haar tweede schot trof hem midden op het voor-hoofd.

Ze handelde snel en voorzichtig. Ze maakte het snoer los. De gevangene wreef over zijn polsen. In de opwinding sprak ze Duits. 'Hup, schiet op. Doe dit aan.' Ze wierp hem Freddies mantel toe. De man begreep het. Hij knoopte de jas dicht tot onder zijn kin, gespte de holster om en zette de pet op. Gelukkig droeg hij een grijze broek en zwarte schoenen. 'Jij houdt je smoel en ik praat.' Ook dat leek hij te verstaan.

Ze liepen tot aan de tralies. 'De rest hier bekijk ik een ander keertje. Kom brigadegeneraal. Wij vieren ons weerzien.' Marlene praatte ononderbroken. 'Hoe gaat het met uw vrouw? Ik heb Nina al eeuwig niet gezien. Monsieur Gaston, allez.' De kleine conciërge dribbelde achter hen aan. 'En uw herders-hond Harro?' De trap op, niet te haastig. Marlene dwong zichzelf tot kalmte. 'Zo'n lief dier.' Stap voor stap over de zwart-witte tegels van de begane grond tot de open dubbele deur. Nog een wachtpost. 'Wat denkt u van een glas champagne in het Ritz, brigadegeneraal? Het is niet ver te voet. We laten de wagen nakomen.' Eindelijk op straat. Rustig doorslenteren. Met een sprong de hoek om. Op adem komen.

Onder een poort trok de bevrijde man zijn vermomming uit. Bertrands fietstaxi kwam slippend op het van de regen natte basalt in beeld. Ze waren gered.

Slapen, alleen maar slapen. Na vierentwintig uur doorbreekt Armand de stilte in de serre. 'Opstaan Madeleine. Je moet weg. Ze zoeken je overal. Je hebt niet alleen het hoofd van de Gestapo gedood, maar en passant ook een van onze belangrijkste mensen gered. We brengen je naar de Provence. Daar ben je veilig tot de oorlog voorbij is.'

Ze speelden marsmuziek en verzetsliederen en de Marseillaise, steeds opnieuw. De Parijzenaars jubelden de soldaten toe die hen hadden bevrijd. De lange dunne generaal torende boven de jubelende menigte op een podium. Armand, in het uniform van een kolonel van de vrije Franse strijdkrachten, stond naast hem. 'Madeleine – mon general,' stelde hij de twee aan elkaar voor. De generaal omarmde Marlene en speldde een orde op haar blouse.

Ze klom van het podium en ging bij de andere gedecoreerden staan. Haar buurvrouw in de rij had ook een kruis van het erelegioen gekregen. Ze droeg een Amerikaans uniform. 'What's your name? Where are you from?' vroeg ze met doorrookte stem.

Onbewust schoot Marlene terug in haar oude dialect. 'Ik heet Marlene en ik kom uit Berlijn.'

'Ik ook,' zei haar buurvrouw.

'De generaal is erg onder de indruk van je verhaal,' zei Armand. 'Hij wil weten of je een wens hebt die we kunnen vervullen.'

Marlene hoefde niet lang na te denken. 'Ik wil naar huis.'

De DC3 met de Franse kokardes op romp en vleugels landde hobbelend. De rolbaan had enorme scheuren. Een bomkrater was provisorisch opgevuld. De Amerikanen hadden een paar dagen geleden hun deel van Berlijn bezet en de luchthaven Tempelhof overgenomen. De Fransen hadden nog geen vliegveld in hun sector.

Marlene klom uit de machine. Een elegante officier wachtte haar op. 'Capitaine de Bertin, madame. Ik heb de opdracht gedurende de tijd van uw oponthoud voor u te zorgen. Wij hebben een kamer voor u in het gasthuis van ons hoofdkwartier. U bepaalt wanneer u weer naar Parijs wilt.' Capitaine de Bertin tilde de koffer in de grote stafauto.

'Ik wil niet naar Parijs. Ik wil naar de Rübenstraat.'

'Pardon, madame?'

'Naar de Rübenstraat, alstublieft.'

De kapitein had veel ervaring met diplomatieke missies. Deze gecompliceerde opdracht kon hij echter pas na een lang debat met de chauffeur en met inmenging van meerdere Duitse arbeiders vervullen. Eindelijk reden ze, langs eindeloze stromen gehavende mannen en vrouwen die onbekende doelen nagejaagd hadden. Anderen waren bezig met opruimen. Kinderen met hongerige gezichten staken hun handen uit naar de auto. 'Chocolade,' bedelden ze, 'Chocolade.' Overal lag alles in puin. Marlene huilde. Dit was haar stad.

Er bestond geen Rübenstraat meer. Alleen een maandlandschap van gebarsten stenen en puin, waar een schoorsteen van drie etages hoog tussen stond. Ook goed, dacht ze en veegde de tranen weg. 'Arrêtez, s'il vous plaît.' Ze stopten. 'Vanaf hier moet ik alleen verder.'

Capitaine de Bertin gaf haar zijn kaartje. 'U kunt mij te allen tijde onder dit nummer bereiken.' Hij hielp haar galant uit de limousine en salueerde. 'Het ga u goed, madame. U bent een erg dappere vrouw.' De wagen verdween in een stofwolk.

Marlene nam haar koffer en ging op pad. Ze wist dat ze de juiste beslissing had genomen.

Van het huis in Schöneberg stond alleen de ingang nog overeind. 'Familie Reich nu in Lichtenrade' had iemand in krijt op de verkoolde deur geschreven, met het adres erbij. Meer dan tien huurders hadden zich zo vereeuwigd. Franz Giese stond er niet bij.

Marlene klom over het puin tot aan de plek waar ooit de trap naar boven had gestaan. Overal woekerden paardebloemen tussen de stenen. Tussen baksteenpuin en brokken cement glansde iets van goud. Het was het burlende hert in het herfstbos. Ze haalde de laatste glassplinters uit de lijst en nam het schilderij onder de arm. En wat nu?, dacht ze. Franz zoeken natuurlijk.

Ze sliep in het stadpark. Ze had een *saucisson* in haar koffer, waarvan ze als het ontbijt een stukje at. Water om te wassen kwam uit de brandweerkraan. 'Smaakt afschuwelijk, maar is drinkbaar,' zei een oudere man en slurpte het met veel lawaai uit zijn hand.

ARBEIDSBUREAU – het bord hing aan een zijdeur van het bijna onbeschadigde raadhuis van Schöneberg. Ze ging achteraan in de rij staan. Na twee uur wachten bereikte ze een tafel.

'Naam?'

'Kaschke, Marlene.'

'Identiteitsbewijs?'

Marlene gaf de man haar oude paspoort dat haar al die jaren had gered.

'Het is niet meer geldig.'

'Voor de volgende wereldreis zal ik hem op tijd laten verlengen. Nu heb ik werk nodig en een dak boven mijn hoofd.'

'Voor een onderkomen is huisvesting verantwoordelijk. Ik kan u registreren als werkzoekende. Maar momenteel hebben wij niets.'

'Do you speak English?' vroeg een oudere dame.

Marlene was verbaasd. 'A little. Why do you want to know?'

'U moet het eens proberen bij het arbeidsbureau in Lichterfelde. Mij hebben ze helaas niet genomen. Ik ben te oud.'

'How old are you, Fraulein Kaschkie?' De baas van het German American Employment Office kon het in haar pas nalezen, maar wilde blijkbaar haar Engels testen.

Marlene rekende na: 'I was born in 1912. Now we are in 1945. That makes me thirty-three years, right?'

'Your English is okay. Let's see what we have for you. How are your legs?'

'Sorry?'

'Doe uw jurk omhoog.' De man sprak Duits met een zwaar Amerikaans accent.

'Anders nog iets?' wond Marlene zich op. 'Als u vers vlees zoekt voor uw legerbordeel bent u bij mij aan het verkeerde adres, mister.'

'Nonsens. De ouvreuses in de legerbioscoop dragen een kort jurkje. Onze jongens zien graag meisjes met mooie benen. Dus, wat denkt u ervan?'

'Ouvreuse? Man, wat een bak!' Ze kon haar jurk niet snel genoeg omhoog krijgen.

Hij bekeek haar benen. 'All right, ze zijn in orde. Wij betalen hondertwintig mark per week. U krijgt de verzorging van het leger en een half CARE-pakket per maand. Gaat u nu naar het medisch onderzoek. Uw adres, alstublieft.'

'Stadpark, derde bank. Ik kom net uit het oosten. Ik was dwangarbeider in de landbouw,' loog ze. 'Mijn appartement is niet meer.'

'Sorry, zonder adres geen werk.' De Amerikaan schreef iets op een papiertje en zette er een stempel onder. 'Hier gaat u mee naar huisvesting Zehlendorf.'

'Zou hij dat doen omdat hij met me naar bed wil?, dacht ze. Maar meneer

Chalford keek haar niet meer aan. Hij streek liefdevol over de zwarte marmeren obelisk op zijn bureau. 'Het lijkt wel een grote tandenstoker.'
'Het is een echte Barlach,' zei meneer Chalford beledigd.

Een Engelse bom had een derde deel van het huis aan de Argentiniëlaan nummer 198 aan de voorkant doen instorten. De bizarre dwarsdoorsnee door alle etages deed denken aan een poppenhuis. Slaapkamer, keuken en badkamer op de derde etage links waren onbeschadigd, inclusief het meubilair. De deur naar de woonkamer leidde in het niets. Eén stap en je stond aan een ravijn.

Marlene pakte haar spullen uit. Het kruis van het erelegioen legde ze op de commode. Het burlende hert zette ze erachter.

'Mooi schilderij.' Geschrokken draaide ze zich om. De man in de deuropening had zijn gele haarplukken dwars over zijn schedel geplakt. Hij droeg een broek waar de knieën in stonden en geruite pantoffels. 'Mühlberger. Ik woon hiernaast. Mijn vrouw is in het westen.' Hij krabde in zijn kruis. 'En u bent...?'

'Marlene Kaschke. Men heeft mij deze woning toegewezen. Klopt of belt u de volgende keer alstublieft, meneer Mühlberger, of kom maar beter helemaal niet.'

'Hoog in de bol soms? Maar goed, als mevrouw denkt zonder mannelijke bescherming te kunnen. Vooral 's nachts is men hier in de buurt als vrouw niet erg veilig, hoorde ik pas.'

'Geen probleem voor mij – zolang ik u niet tegenkom,' antwoordde ze ad rem. De man verdween met een vuil lachje.

In de keuken vond ze een hamer en spijkers. Ze hing het hert boven de commode. Franz zou vast blij zijn dat ze het schilderij had gered. Haar gezicht klaarde op. 'En nu gaan we maar eens naar de bioscoop.'

Het was net een droom. De schemerig verlichte publieksruimte met de gebogen zitrijen. Het zware zilverblauwe gordijn dat zo meteen open zou gaan voor Hans Albers, Willy Fritsch of Heinz Rühmann. Daarvoor zou de man aan het Wurlitzer orgel uit de diepte opstijgen om de kleurrijke reclamedia's met aanzwellende toverklanken te begeleiden. Marlene herinnerde zich elk detail van haar bezoek aan de Onkel Tom-bioscoop destijds.

De manager was een bleke korporaal met de naam Pringle. Hij dronk koffie in zijn kantoor met een smal uitziende Duitse vriend. 'There will be no playing around with the boys. Gisela will get your dress.'

Gisela was een resolute roodharige die haar aanraadde: 'Doe maar net als ik vier onderbroeken over elkaar aan. In verband met dat verdomde geknijp in je billen. Hier, dat past wel denk ik.' Ze hielp Marlene in het korte paarse taf-zijden jurkje met pofmouwen en bevestigde een groot, lila lint in haar haar. Ze duwde Marlene voor de spiegel en ging ernaast staan. 'Ontwerp en produc-tie: korporaal Pringle. De taf heeft hem vier sloffen Chesterfield gekost. Detlev en hij naaien zo graag. Nou ja, ze knijpen tenminste niet, de schatten.' De twee jonge vrouwen keken elkaar aan en proestten het uit.

Marlene kreeg een zaklantaarn en een bak met chocoladerepen, zakken popcorn en een kleine koelbox voor de ijsjes voor haar buik. Haar gebied was de gang aan de linkerkant. Rechtsbuiten paradeerde een donkerharig meisje met een poppengezicht. Gisela deed de middelste gang.

Het Wurlitzer orgel, de reclame en de cultuurfilm bestonden niet meer. In plaats daarvan klonk er swingmuziek uit luidsprekers en werden er dia's getoond die voor geslachtsziektes waarschuwden. In plaats van een held op het witte doek van de UfA, Terra of Tobis, werd er een Metro-Goldwyn-Mayer film met Clark Gable aangekondigd. De zaal ging open om acht uur. De film begon om tien over halfnegen.

Alles verliep gladjes. Ze kon zich aardig onttrekken aan de billenknijperij. Clark Gable stelde rauwe mannelijkheid ten toon en kreeg, zoals verwacht, Loretta Young. Om halfelf was het afgelopen. De meisjes kleedden zich om.

'Vergeet alsjeblieft je identiteitsbewijs niet,' waarschuwde Gisela Marlene. 'Anders sluiten ze je op vanwege het overtreden van de Sperrstunde.'

'Heb ik bij me.' Marlene sloeg met haar vlakke hand op haar schoudertas.

'Hé, daar zit een gat in. Mijn Erik is zadelmaker. Hij heeft vast wel een stukje leer om je tas te repareren.'

'Die tas blijft zoals hij is. Een aandenken. Bedankt voor het aanbod. Tot morgen.'

Ze hoefde niet ver. Langs de wachtpost het Sperrbezirk uit en dan rechts-af de Argentiniëlaan in. De oorlog had de aanleg van een tweede rijstrook ver-hinderd. Parallel aan de straat liep daarom een met onkruid overwoekerd brede strook zand die Marlene overstak om naar de huizen aan de andere kant te komen. Ze moest uitkijken dat ze niet struikelde over een van de konijnen-holen.

In de donkerte kwam een motor naderbij. Vlak voor haar sprong opeens een schijnwerper aan. Ze redde zich met een sprong naar de kant. 'Ben je gek geworden?' schold ze de motorrijder na. De motor keerde. Ze hoorde dat hij weer op haar afkwam. deze keer scheurde hij zonder licht vlak langs haar heen.

Ze wachtte niet af tot hij nog een keer omdraaide, maar rende over een stoepje naar het eerste het beste huis. De deur was niet dicht. Hoestend leunde ze binnen tegen de deur en kalmeerde. Maar het hijgen hield niet op. Marlene knipte de zaklantaarn aan. Op de trap stond een Amerikaanse soldaat met zijn meisje. Het meisje leunde een trede hoger tegen de muur. Ze had haar jurk omhoog getrokken en een bloot been om zijn heup gelegd. Het meisje steunde in het ritme van zijn bewegingen.

'Sorry.' Marlene verdween. Buiten was het rustig nu. Heelhuids bereikte ze haar huisdeur en deed open.

'Nogal laat, mevrouwtje.'

Marlene dook ineen. Ze kende de stem. Haastig klom ze de trappen op. Hij volgde haar. Het leek een eeuwigheid te duren voor ze eindelijk de deur van haar appartement open kreeg. 'Welterusten, meneer Mühlberger.' Ze sloeg de deur dicht. In de badkamer liet ze de wastafel vollopen. Dankzij de Amerikanen functioneerde de watervoorziening in Onkel Tom weer. Marlene dompelde haar gezicht onder water. Het chloor brandde in haar ogen.

Ze viel uitgeput in slaap. Ze droomde. Franz had beschermend zijn arm om haar heen gelegd. 'Jullie kunnen me allemaal wat...' mompelde ze tevreden.

Mühlberger leek haar komen en gaan te raden. Hij was altijd toevallig in het trappenhuis, krabde in zijn kruis en maakte vervelende opmerkingen. 'Zo klein is ie, als zijn vrouw er is.' Mevrouw Müller van de tweede etage liet een piepklein stukje tussen haar duim en wijsvinger open. 'Maar zeg eens – is er niemand die op je past?'

'Natuurlijk is die er.'

'De mijne is in Rusland.' Mevrouw Müller verwachtte geen antwoord.

Zou Franz ook in Rusland zijn? Marlene herinnerde zich hoe ze hem voor het laatst had gezien, in de kelder aan een paal vastgebonden, gemarteld door de Gestapo. Ze wilde er niet aan denken.

'Franz Giese, meld je alsjeblieft. Lene woont in Onkel Toms Hütte, Argentiniëlaan 198, derde verdieping,' schreef ze op een smerig wit deksel van een schoenendoos. Ze prikte de boodschap met punaises aan de ingang van zijn voormalige huurhuis.

Het deksel achtervolgde haar in haar dromen. Wat als Franz helemaal niet meer langs zijn oude huisdeur kwam, omdat hij allang ergens anders onderdak had gevonden? Of als de een of andere bengel de boodschap van de deurpost afscheurde? Regen kon de inkt hebben laten doorlopen of de wind het karton hebben weggeblazen. Om de dag ging Marlene op weg naar Schöne-berg. De boodschap hing ongewijzigd en blijkbaar ongelezen op zijn plek. Haar stiekeme hoop op een erachter geklemd papiertje met zijn antwoord, inclusief een korte uitleg waarom hij haar nog niet was komen opzoeken, werd kleiner en kleiner.

Ook op woensdag reed ze teleurgesteld naar huis. De tram was, zoals altijd, overvol. De man achter haar wreef zijn geslacht tegen haar heup. Ze draaide zich om, wat niet eenvoudig was. 'Zodat je er ook echt plezier van hebt.' Ze ramde haar knie in zijn kruis. Zijn gezicht werd bleek van de pijn.

Bij de volgende halte stapte er een vrouw in. Ze had uitgemergelde wan-gen en droeg een hoofddoek. Haar blik gleed over Marlene en de overige pas-sagiers en keerde ongelovig naar Marlene terug. Haar stem was eerst zacht en twijfelend, alsof ze zichzelf moest overtuigen: 'Mevrouw de kampcomman-dant Neubert, nietwaar? Wat een verrassing!' Ze begon harder te praten: 'Waar is uw rijzweepje, mevrouw de kampcommandant?'

Marlene besefte dat de vrouw haar verwisselde met de verschrikkelijke Gertrud Werner. In haar door pijn getergde herinnering, waren de gelijkenis-sen door elkaar geraakt. Voor haar waren Marlene en Werner één persoon. Argumenten en uitleg zouden niets helpen. Marlene zou bij de volgende halte uitstappen.

Beschuldigend richtte de vrouw zich aan alle passagiers: 'Ze sloeg je medo-genloos, tot je niets meer kon uitbrengen.' De mensen begonnen te kijken. Sommigen toonden hun medeleven. De meesten keerden zich af. Daar wilde men niets mee te maken hebben. Maar iedereen luisterde:

'Ze vond het leuk je op een stoel vast te gespen zodat haar collega in je kon rondwroeten tot je binnenste brandde als vuur. Ze wrikte je tanden los en goot chemicaliën in je bek, zodat die gepromoveerde misdadiger de werking ervan kon bestuderen. Als je geluk had, crepeerde je niet, maar kreeg je een paar onschuldige bijwerkingen.' De vrouw trok de doek van haar hoofd. Haar schedel was kaal en vuurrood. 'Mag ik me even voorstellen, dames en heren?' riep ze. 'Dr. Lilo Goldblatt, voormalig proefkonijn in kamp Blumenau. Herrinert u zich mij nog, mevrouw de kampcommandant?'

'Ophangen zulke lui!' schalde de man die Marlene had aangerand. 'Naar de politie met haar,' riep een ander.

Weg hier, dacht Marlene. Voor de hoeveelste keer eigenlijk? Ze haalde diep adem en sprong uit de rijdende tram. Haar val werd opgevangen door een heg die de rails van het trottoir scheidde. Ze stond op en rende, zoals destijds in de Rübenstraat toen ze als eerste op de hoek had willen zijn om een stuk brood van de kar van het Leger des Heils te bemachtigen. Acht was ze toen geweest. Ze merkte hoe haar adem sneller ging en haar stappen langzamer. Ze was inmiddels drieëndertig.

Toen ze het hek van de begraafplaats zag, begon ze te sprinten. Ze remde af midden in een rouwgezelschap voor een open graf en lachte de pastoor verontschuldigend toe. Ze had hem bijna het graf in geduwd. De geestelijke boog vol christelijke naastenliefde zijn hoofd en zette zijn preek voort.

Ze was even veilig voor haar achtervolgers, maar wat dan?, vroeg ze zich nuchter af. Wat als ze verder naar haar zouden zoeken en haar zouden vinden? Dan moest ze verklaring afleggen. In Parijs hoefde ze niets uit te leggen. Eén telefoontje naar capitaine Bertin was voldoende. Maar dat kun je Franz niet aandoen, zei een stemmetje van binnen.

De pastoor hield de bijbel met twee handen voor zijn befje en verkondigde wat voor een bijzonder mens de gestorvene was geweest: 'Een van onze beste leiders... vooruitziend en een doener... herkende de signalen perfect... laat ons bidden...'

De rouwenden verlieten het kerkhof in groepjes en gingen uiteen. Marlene keek naar alle kanten. De kust leek vrij. Een oudere man schudde ontroerd haar hand. 'Hij was een begenadigd machinist.'

Marlene schudde krachtig mee. 'Natuurlijk was hij dat. Zeg eens, hoe kom ik van hier naar Onkel Tom?' Ze kreeg een omslachtige routebeschrijving met meerdere alternatieven en koos de gemakkelijkste.

Thuis wachtte haar een brief. Sinds een paar dagen werd de post weer bezorgd. Ze jubelde toen ze het houterige handschrift op de envelop herkende. Ze scheurde de envelop open, trok het gelinieerde velletje eruit en las:

Zeer geachte juffrouw Lene!

Heb uw boodschap aangetroffen en meld mij bij dezen. Dus zijn we
allebei toch nog in leven, wat meer is dan je van velen kunt zeggen.
Ik was gedurende de oorlog soldaat in Denemarken. Maar daar was
eigenlijk geen oorlog, wat mij wel goed beviel, want ik heb van de eerste
nog steeds mijn buik vol. Na een paar weken gevangenschap werden wij
vrijgelaten en nu ben ik weer in Berlijn en wel in Ruhleven als chauffeur
voor de Engelsen. Ik kom u zondag opzoeken. Schikt het u om vier uur?'
Hoogachtend, uw Giese (Franz)

Ze lachte en huilde, omdat hij leefde en zondag komen zou, en omdat hij de enige mens was die ze echt kende. De rest deed er niet meer toe. Ze dacht aan de transportonderneming met de driewieler en later misschien met een grotere vrachtwagen. Nu komt alles goed, dacht ze.

'Goed nieuws?' informeerde Gisela op zaterdagavond, terwijl ze in de paarse jurkjes stapten en de belachelijke haarlinten vastmaakten.

'Heel erg goed,' straalde Marlene. 'Hij komt morgenmiddag. Doe me een lol. Zet Rita in plaats van mij in.'

'Okay, lover.' Dat had Gisela van Mae West opgepikt.

'Korporaal Pringle hoeft toch niet te weten te komen dat ik zondag spijbel.'

'Geen zorg. Hij heeft alleen maar ogen voor Detlev en het nieuwe breipatroon.'

Marlene deed de riem van de bak om haar schouders. Ze was in de middelste gang ingedeeld. Dat betekende dubbel werk, omdat het publiek links en rechts bediend moest worden. Het knijpen in haar billen liet ze gelaten over zich heengaan. Vandaag kon niets haar uit haar humeur brengen.

Een grote, leptosome captain kocht twee zakken popcorn en gaf er eentje aan zijn vriendin. Marlene bracht de twee naar hun plaats. De captain bedankte Marlene met een glimlach, wat zijn vriendin niet leek te bevallen. Wind je niet op, ik pak hem niet van je af, dacht Marlene overmoedig.

Ze had een reep chocola uit haar buikwinkeltje ontvreemd. Daar kreeg ze bij de stoker een paar briketten voor. Ze schoof ze zondag aan het eind van de ochtend in de badkachel, die algauw gezellig brandde. Het stuk Camay-zeep kwam uit het toilet van de bioscoop. Het rook heerlijk en schuimde zalig.

De fles champagne koelde onder stromend water. Hij had weliswaar het grootste gedeelte van haar CARE-pakket gekost, maar hij paste heerlijk bij het legerrantsoen bacon uit blik. Ze wikkelde de plakjes om de gedroogde pruimen die ze nog uit een vorig rantsoen had. Crackers en pinda's maakten de luxe compleet.

Ze trok madame Schiaparelli's flinterdunne dessous aan en de kostbare zijden kousen. Ze was helemaal vergeten dat ze lange, slanke benen had en een goed figuur. De schoenen met hoge hakken brachten die goed tot hun recht. De chique jurk van Printemps was nog als nieuw. Parijse elegantie in Onkel Toms Hütte. Franz zou wel opkijken.

De wekker stond op klokslag vier uur toen er werd geklopt. Bij elke stap naar de deur groeide de voorpret. Ze deed langzaam open. Hij had een pot geraniums onder zijn arm en slikte verlegen. 'Daar ben je dan.'

'Dag juffrouw Lene,' zei hij stijf. 'Hoe is het met u?'

'Dank je, uitstekend. En nu laat je de chauffeur maar even buiten staan en zeg je je tegen mij. Kom op, naar binnen met je.'

Hij zette de pot neer. 'Leuk hier.'

'Bij jou in Schöneberg was het leuker. Maar ja, dat krijgen we wel weer voor elkaar. We zijn toch nog jong, of niet?' Ze schonk champagne in. 'Proost, Franz.'

'Proost, Lene.' Zijn afstandelijkheid smolt als sneeuw voor de zon. Hij ging zitten. 'Ik kan nog steeds niet geloven dat wij twee elkaar weer hebben gevonden.'

'Wij drie.' Marlene wees naar het brullende hert boven de commode. Hij keek naar het schilderij alsof hij het voor het eerst zag. Ze nam hem helemaal in zich op. Hij was een beetje ronder geworden, wat hem goed stond. Het kuiltje in zijn kin was tengevolge hiervan iets dieper geworden. Zijn haargrens was een beetje teruggetrokken. Zijn bruine ogen waren onveranderd. Ze keken rustig en eerlijk de wereld in.

'Is even geleden, hè?'

'Toen kwam je bij mij omdat je weg wilde van die pooier en ik stuurde je naar pension Wolke. Dat was de laatste keer dat ik je zag.' Hij boog zijn hoofd. 'Ik heb ze verteld waar je was. Dat was laf. Maar ik was bang. Gek, ik heb nooit begrepen waarom ze me opeens met rust lieten. Ieder ander zou in een kamp zijn beland. Hebben ze jou ook met rust gelaten?'

'Natuurlijk,' loog Marlene. 'We hebben alle twee geluk gehad, dat is het.' Ze ging voor hem staan. 'Sta op, Franz. Ik wil graag dat je me eindelijk kust.' Ze trok hem aan zijn geverfde Engelse uniformhemd omhoog tot hun gezichten heel dicht bij elkaar waren. Daarna waren ze alleen nog maar man en vrouw en alles tussen hen was duidelijk.

Zijn lid was groot en hard. Haar vocht maakte hem tot een soepele liefdesbode voor wie de namiddag niet voldoende was en ook de avond niet. Ze praatten niet veel tussendoor, ofschoon er veel te vertellen viel.

Even voor tienen kleedde hij zich aan. Hij mocht de laatste metro voor de Sperrstunde niet missen. Ze nam een van de flakkerende kaarsen van de commode. 'Zodat je niet van de trap valt.' Er was geen uitgebreid afscheid. Hij zou immers morgen weer komen.

'Dan praten we over de toekomst,' beloofde hij.

'De toekomst,' herhaalde ze plechtig, omdat ze er eindelijk eentje had.

Dronken van geluk ging ze de badkamer in. De badkachel was nog warm. De fijne straaltjes van de douche veroorzaakten onbeschrijflijke erotische tintelingen op haar huid. Ze richtte de douche op haar onderlichaam en bereikte al snel een climax. Het was als het slot van een wondermooi eerste hoofdstuk.

Ze bond haar badjas net dicht, toen ze een zacht geklop hoorde. Ze knoopte de ceintuur dicht en pakte de zaklantaarn van de kapstok in de gang. 'Franz?' Had hij zijn metro gemist? Buiten stond een verschijning met een stofbril en een leren muts. Tussen twee hoog geheven kaphandschoenen rinkelde een ketting 'Hé, wat moet dat?' riep ze.

Ze had geen tijd meer om bang te worden. De gestalte duwde haar terug de woning in. Koud metaal werd om haar hals strak getrokken en knelde haar slagader af. Het zuurstofgebrek in haar hersenen veroorzaakte euforie. Ze werd vervuld van een hemelse rust, een rust waar geen aardse pijn kon doordringen. Gewichtloos zweefde ze naar een zonnige Rübenstraat, met lichte huizen en vrolijke mensen, met voorop een lachende Franz.

'Pas op mensen, Lene komt eraan!' riep ze gelukzalig.

ZEVENDE HOOFDSTUK

De grote met walnotenhout gefourneerde ontvanger van dr. Hellbich had bommen, Russen en Inge Dietrichs gezeur dat ze de radio liever wilde inruilen voor levensmiddelen bij mevrouw Molch, overleefd. Zelfs het vooruitzicht van een paar pakjes Joegoslavische Drina-sigaretten, die goedkoper waren dan de Amerikaanse merken, konden de wethouder niet overhalen. 'Je moet weten wat er in de wereld gebeurt,' verkondigde hij en luisterde naar het nieuws als er elektriciteit was.

Er gebeurde nogal wat in de wereld aan het begin van de herfst van het jaar 1945. Japan was voor Amerika's atoombommen gecapituleerd en mocht zijn keizer behouden. Een onbekende Britse generaal had de net zo onbekende nieuwe Keulse burgemeester, Konrad Adenauer, ontslagen wegens onkunde. In Hollywood draaide Greta Garbo haar veertiende film. De Engelsman Alexander Fleming kreeg de Nobelprijs. Hij had een of ander wondermiddel ontdekt. 'Uit schimmels, stel je voor zeg,' was Hellbichs commentaar.

'Kunnen we AFN aandoen?' vroeg zijn kleinzoon Ralf toen het nieuws afgelopen was en de presentator met vrolijke operetteklanken dreigde.

'Dat kan als ik niet thuis ben.' Zijn grootvader verafschuwde het 'gejengel' van de Amerikaanse soldatenradiozender American Forces Network.

De radio had een geheimzinnig groen oplichtend venstertje met namen als Tripolis, Hilversum en Brindisi. Ze wekten een verlangen naar elders bij Ben, ofschoon hij eigenlijk nergens heen wilde. Behalve misschien naar Amerika, omdat je daar de langste auto's en de beste herenmode had. Een GI had het laatste nummer van *Esquire* in de metro laten liggen. Ben bladerde door de steriele wereld van geslachtloze glamour en gekunstelde hoogglansreclame, waarin een fles Johnnie Walker werd aangeprezen alsof het wijwater was. Achter in het tijdschrift stuitte hij op de kleurrijke advertentie voor een Buick Eight. Dat was nog steeds zijn lievelingswagen. De chauffeur leunde nonchalant tegen de motorkap. Hij droeg een dubbelknoops pak en dat bracht Ben in een ernstig dilemma. Kon hij misschien beter, zoals hier werd getoond, kiezen voor een sluiting ter hoogte van de zakken, wat lange revers betekende, of was de tot nu toe favoriete sluiting in de taille je van het? Hij moest het er absoluut met kleermaker Rödel over hebben. De man was ten slotte een professional en derhalve een autoriteit op dit gebied.

Voorlopig moest hij echter eerst de op de grootste journalistieke scoop der moderne tijd hopende Clarence P. Brubaker twintig sloffen Amerikaanse sigaretten ontfutselen. Pas dan kwamen het gehoopte pak en de suède schoenen in zicht. De rechterhand van de Führer zou een handje helpen. Ben grijnsde tevreden voor zich uit, omdat hij inmiddels wist hoe.

Die middag draafde hij door de chique buurt achter het US-hoofdkwartier. Brubakers auto stond op de oprit. De kandidaat voor de Pulitzerprijs had zijn Ford uit Hackensack laten overkomen. De Amerikaanse regering betaalde de vrachtkosten.

Ben drukte niet zoals gewoonlijk op de bel om zijn komst aan te kondigen, maar liep om het huis heen. Zachtjes klopte hij op het raam. Brubaker keek op van het velletje papier dat in zijn Remington stak. Ben duidde er met een samenzweerderige blik op dat Brubaker de achterdeur open moest doen.

Brubaker deed open. 'What's happening?' vroeg hij verwonderd.

'I've been followed. But I could shake them off.' Ben speelde zijn rol met een vleugje Humphrey Bogart. Hij had net de *Maltese Falcon* gezien.

De sterreporter uit Hackensack begreep het niet. 'Wie is je gevolgd?'

'Zíj natuurlijk. Ze hebben er lucht van gekregen. We moeten snel zijn. Hij wacht op u. Hebt u de sigaretten?'

'Vijftien sloffen. Ik wist dat het je zou lukken.' Brubaker was erg in zijn nopjes met deze ontwikkeling in de zaak.

'Chesterfield?' wilde Ben zeker weten en dacht na hoe hij op twintig kon komen. We hadden het hier immers niet om een doorsnee-nazi zoals die aardige meneer Adler, die met gebogen hoofd door zijn voormalige ambtsgebied sloop alsof hij een oorlogsmisdadiger was. Hij had eigenlijk alleen maar het kantoor van de sociale dienst van de nationaal-socialisten in Onkel Tom beheerd en de altijd krappe huisvrouwen een paar extra bonnen voor levensmiddelen toegestopt. Nee, dit was andere koek. Het ging hier om een nazi van de bovenste plank en dat had zijn prijs.

'Lucky Strike,' verontschuldigde Brubaker zich. 'Chesterfield was uitverkocht.'

Ben rook zijn kans. 'Tja, ik weet niet. Normaal rookt ie alleen maar Chesterfield. Maar misschien maakt hij bij u een uitzondering als u er nog vijf sloffen bovenop doet.'

'Vijf sloffen Philip Morris, mijn eigen voorraad,' stemde Clarence P. toe. De suède schoenen met crêpezolen waren binnen. 'Waar zie ik hem?'

'Hij bezoekt net een geheime ontmoeting van de Weerwolven.'

Brubaker raakte helemaal opgewonden. 'Dick Draycott van United Press beweerde onlangs nogal arrogant dat de Weerwolven een hersenspinsel waren van kleine provinciale journalistjes, voornamelijk afkomstig uit Hackensack, New Jersey. Dat zal ik die hautaine meneer eens even fijntjes onder zijn neus wrijven. De Hitlerjugend gaat dus gewoon ondergronds door?'

'Nou, en hoe,' bekrachtigde Ben en loerde naar de sloffen sigaretten die voor hem op de tafel torenden.

'Je weet niet toevallig een beetje preciezer wat ze daar zoal doen?'

'Zingen,' putte Ben uit recente eigen ervaring.

'Naziliederen?'

'Tuurlijk.'

'Ken jij er een paar?'

'Hoch auf dem gelben Wagen,' herinnerde Ben zich, hoewel hij er niet zeker van was óf het lied wel voorbelast was, zoals de arme meneer Adler. 'High on the yellow car...' vertaalde hij zo goed hij kon. Brubaker schreef te goeder trouw mee. 'I sit in front with my brother-in-law,' ging Ben voort in de tekst. De Hackensacker Herold noteerde dit als een uitdrukking van typische Duitse familiezin. 'Ik kan het ook zingen als u wilt,' bood Ben aan en vouwde de aardappelzak uit die hij had meegenomen om de sigaretten in te verstouwen.

'Some other time. Let's go,' drong Brubaker aan.

'We moeten de sigaretten eerst bij zijn onderduikadres afleveren. Eerder praat hij niet.' Ben wilde het zekere voor het onzekere nemen. Hij verstopte de schat in het schuurtje achter het huis van zijn grootouders onder dozen met lege weckpotten. Hij had geen scrupules. Hij kon er toch niets aan doen dat de yank zo'n sufferd was?

'No one is following us,' zei hij toen ze verder reden. Gulzig reed Brubaker de Ford naar de geheime ontmoeting. Er hing een journalistieke sensatie in de lucht.

Op Bens aanwijzing parkeerde hij de auto op een verlaten inrit en volgde hij hem kriskras door verschillende straten, waarbij hij meermaals de hoek om moest. Hij merkte het niet. Na het derde rondje hield Ben zijn hand omhoog ten teken dat hij moest stoppen. Daarna kroop Ben als eerste door een gat in de heg. Ze slopen en klommen over zes percelen en twaalf schuttingen. Ze hadden het doel ook gemakkelijk vanaf de straat kunnen bereiken, maar voor twintig sloffen sigaretten had je recht op een dramatische enscenering.

Ben verstopte zich achter een laurierstruik. Ook Brubaker zocht dekking. Hij overwoog om als camouflage de roep van een uil na te bootsen – dat had hij jaren geleden bij de Hackensacker padvinders geleerd – maar ten eerste riepen uilen niet overdag en ten tweede had Ben waarschuwend zijn wijsvinger aan zijn lippen gelegd voor hij de laatste meters naar de achterkant van de Zehlendorfer GYA-club tijgerde. Padvinder Clarence deed het hem na. Zijn lichaam prikkelde van de ondraaglijke spanning. Maar misschien waren het ook wel gewoon de mieren.

Ben had alles precies berekend. Sergeant Allen was op rapport bij de kolonel en korporaal Kameha knutselde met de meisjes aan het poppenhuis. De kust was vrij. Hij duwde Brubaker naar de kelderdeur, waar je door een betralied raampje een goede blik op het toneel van de theatergroep had. De timing was perfect. De rovers zongen uit volle borst 'Ein freies Leben führen wir.'

'Het strijdlied van de weerwolven,' fluisterde Ben. 'Dat zingen ze voor elke grote operatie. Ga maar liever niet zo dicht op het raampje staan. Ze schieten zonder pardon. Let op de man onder de trap. Dat is hem.'

'Hitlers rechterhand,' fluisterde Brubaker ontroerd.

De argeloze conciërge Appel was een paar muizenvallen aan het legen. *'Das Winseln der verlaßnen Braut ist Schmauß für unsere Trommelhaut,'* zong het roverskoor, terwijl meneer Appel nieuwe muizenvallen deze keer van popcorn als lokaas voorzag. Heidi Rödel zat op de rand, liet haar blote kuiten bengelen en keek verveeld toe.

'Zijn er ook meisjes bij?' vroeg Brubaker verwonderd. 'And very pretty ones too.'

'Dat is Dynamiet-Heidi. Die doet de speciale operaties,' verzon Ben monter. Hij kreeg steeds meer plezier in het verhaal.

'Kan ik nu met hem spreken?'

Ook dat had Ben zorgvuldig van tevoren uitgedacht. 'Sluip in dekking tot aan het tuinhuisje. Wacht daar op ons.' Hij observeerde geamuseerd hoe Brubaker met zijn beste padvinderstechniek van struik naar struik tijgerde en het open grasvlak tussen de laatste forsythia en het tuinhuisje met een snoekduik bedwong. De vroegere training in het honkbalteam van de Hackensack High School kwam hem daarbij goed van pas. Zijn lichaam was nu eenmaal verreweg beweeglijker dan zijn geest.

Ben betrad de kelder. Heidi zat nog steeds met haar benen te bungelen. 'Je bent niet gekomen laatst.' Ze schoof een stukje dichter naar de rand, zodat haar jurk omhoog gleed.

'Naakt zwemmen met de hele troep...?' Ben snoof verachtelijk.

'En met mij alleen?'

'Weet ik niet.' Hij keek naar de bruine dijen. Hoe zouden die aanvoelen?'

Regisseur Gerd Schlomm klapte in zijn handen. 'We gaan twee pagina's terug in de tekst. Moor vermoordt Amalie. Hup, Heidi. Ga deze keer alsjeblieft een beetje langzamer dood.'

Ben wachtte niet op de dolkstoot, maar slenterde tussen de geïmproviseerde stoelrijen door naar achteren, waar de conciërge zich bevond. 'Hallo, meneer Appel. Hebt u misschien eventjes tijd? Ik heb hier zo'n yank die journalist is en hij wil een stukje schrijven over mensen met een volkstuintje.'

Een Amerikaan die zich voor Appels koolrabi interesseerde! De conciërge verborg zijn vreugde achter een stug: 'Ik kan wel even kijken.' Hoe de man van de andere kant van de oceaan wist van zijn bestaan en dat van zijn volkstuin, vroeg hij zich niet af. 'Spreekt hij Duits?'

'Geen woord. Maar dat regel ik wel.' Ben duwde hem het tuinhuisje in. 'This is Herr Appel.'

Brubaker hield een notitieblok en een potlood gereed. 'The Führer's right hand, is that correct?' wilde hij even verifiëren.

Ook al kon meneer Appel geen Engels, 'Führer' verstond hij vast en zeker. Ben reageerde als de gesmeerde bliksem: 'Klopt het dat de Führer zich erg interesseerde voor Duitse bezitters van een volkstuintje?'

Meneer Appels bolle ogen puilden nog meer uit. 'Dat is mogelijk. Als vegetariër at hij immers alleen maar groente. Maar meer weet ik niet. Ik was namelijk geen lid van de partij. Dat wil ik hierbij nog even duidelijk zeggen.'

'Ik was altijd aan zijn zijde,' vertaalde Ben.

'Waar is hij nu?' Brubaker had er moeite mee deze wereldschokkende vraag tussen neus en lippen door te stellen.

'Wat is uw lievelingsgroente?' tolkte Ben.

'Bloemkool. *Brassica oleracea argentinensis*. De Argentijnse variant. Groeit bijna vanzelf en is kostelijk met bruine boter. Zei ik boter?' Meneer Appel lachte kort en droog.

'Dood, of in Argentinië. Of beide,' versloeg Ben de culinaire verhandelingen van de amateur-tuinier.

'Mocht hij nog in leven zijn, hebt u dan toevallig zijn adres?' vroeg Brubaker door.

'Met broodkruim uit de oven?' liet Ben de reporter vragen.

'Nee,' zei meneer Appel.

'No,' zei Ben.

Buiten klonk een fluitje. Sergeant Allen was terug en riep zijn honkbalteam op. 'Ik moet weer aan het werk,' bromde meneer Appel. 'Vergeet niet te schrijven hoe moeilijk het voor ons tuinders vandaag de dag is onze oogst te beschermen tegen dieven. Vorige week bijvoorbeeld...'

'Het alarmsignaal. Ze hebben onze ontmoeting ontdekt. Ik moet meteen weg,' vertaalde Ben en schoof de rechterhand van de Führer de deur uit.

Vanuit het huis klonk alweer een andere strofe van het roversgezang: 'Mercurius ist unser Mann, ders Praktizieren trefflich kann...'

'Inspecteur Dietrich met zijn getuige, meneer,' meldde Gertrud haar baas. 'In verband met de kaartenbak.'

Curtis S. Chalford wierp een blik op de gang waar zijn bezoekers wachtten. 'I am busy. Regelt u dat maar, Gertrud. Laat hun de kaartenbak zien. En dan eruit met die gasten. We hebben echt wel iets beters te doen.' Hij deed de deur van zijn kantoor met nadruk dicht.

Gertrud Olsen zette in het secretariaat twee kaartenbakken op tafel. 'Alstublieft heren. Schiet een beetje op, want meneer Chalford is niet goedgehumeurd. Desalniettemin, als u koffie wilt...'

'Nee, dank u mevrouw Olsen,' zei Dietrich, zeer tot Mühlbergers ongenoegen. 'Wij willen meneer Chalfords humeur niet onnodig belasten.' Ze gingen de bak door. Mühlberger wees trots op zijn eigen foto. Dietrich herkende ook de vuilnisman Ziesel. Maar die kwam als dader ook niet meer in aanmerking.

De inspecteur trok de bak met vrouwelijke werknemers naar zich toe, alhoewel die in deze kwestie eigenlijk niet van betekenis waren. Hij vond Henriette von Aichborns kaart onder de A. Achter de naam stond een zwart kruisje. 'De andere vier heeft de baas ook met een kruisje gemarkeerd. In zulke dingen is hij heel precies,' legde de secretaresse uit toen ze Dietrichs verwondering merkte.

'Wat een piëteit,' spotte Mühlberger. 'Kunnen we gaan?'

'Ik breng u naar huis.'

Chalford zag vanuit het raam van zijn kantoor, hoe de Opel van de politie zich moeizaam in beweging zette. 'Wat nu, Gertrud?'

'Mevrouw Weber is er.'

'Show her in.'

Jutta kwam binnen. 'Goedemorgen, meneer Chalford. U wilde mij spreken?'

'Yes. Wij hebben elkaar al een tijdje niet gezien.'

'Sinds mijn indiensttreding.'

'Sit down, please.' Chalford wees naar een stoel en trok zich terug achter zijn bureau. 'Naar wat ik hoor is sergeant Panelli zeer tevreden over u. He praises you a lot. He says you are a damned good cook, mevrouw Weber.' Hij streek over zijn dunne blonde haar. 'Ik vind het altijd fijn als mijn bemiddeling succesvol is.' Het sterke Amerikaanse accent liet zijn Duits moeizamer klinken dan het in werkelijkheid was. 'Wat eten we vandaag voor lekkers?'

'Königsberger Klöpse.'

'Kounigsbörger Klapse,' herhaalde Chalford en lachte om zijn onbeholpen uitspraak. 'What's that?'

'Net zoiets als jullie "meatballs". Met kappertjessaus en gekookte aardappelen. De jongens hebben het al voor de derde keer op het bord geschreven als speciale wens. Alles is voorbereid. Sergeant Panelli doet de rest. Ik ben een paar dagen vrij.'

'Wonderful. Dan hebt u vast wel tijd om met mij te gaan dineren. Wat dacht u van vanavond?'

'Bedankt voor de uitnodiging. Maar ik ga naar mijn ouders in Köpenick.' Jutta was blij dat ze geen smoesje hoefde te verzinnen.

Hij liet niet merken of hij teleurgesteld was. 'Mevrouw Weber, ik heb u laten komen in verband met uw kookkunst. Meneer Gold van BZ zoekt een eerste klas kokkin. Hij krijgt door zijn functie vaak belangrijke gasten te eten. U zou veel bijkomende voordelen hebben. Maar ook veel overuren. Wat vindt u ervan?'

Het zou minder tijd met John betekenen. 'Het is vast een interessant aanbod, meneer Chalford. Maar ik ben gelukkig waar ik nu ben.'

'Ik kan u niet dwingen, mevrouw Weber.' Hij bracht haar naar de trap.

'Königsberger Klöpse,' herhaalde hij geamuseerd.

'Bravo. Nu hebt u het helemaal accentloos gezegd,' prees Jutta hem.

Ze fietste naar huis om haar tas te halen voor de nacht. Op de trap kwam ze een magere vrouw met hoed en mantel tegen. Ze droeg een versleten koffer. 'Haast je, wil je!' riep ze zonder Jutta een blik waardig te gunnen. Jürgen Brandenburg tastte met zijn blindenstok de trap af. Hij droeg een oude jopper tot op zijn enkels die hem nog kleiner deed lijken dan hij al was. Hij droeg een over zijn oren getrokken ballonpet op zijn hoofd en zag er deerniswekkend uit. Toen hij als een schaduw langs Jutta heen kroop, leek het alsof hij iets wilde zeggen, maar niet durfde.

In het appartement werd Jutta begroet door een opgewonden meneer König. 'Een oplichter en bedrieger, die Brandenburg. Jachtvlieger en drager van het ridderkruis, je grootje! Zijn moeder had de mazelen toen ze van hem zwanger was, zegt zijn zus. Daarom is hij blind geboren. Juffrouw Brandenburg heeft hem via het kaartenbureau opgespoord. Ze is uit Klein Beelzen gekomen om hem naar huis te halen, zodat hij niet nog meer schade aanricht. Onze luchtvaartheld heeft de weduwe van een generaal in Potsdam haar laatste ring afgetroggeld voor de dure operatie die hem zogenaamd het licht in de ogen terug moest geven. Bij ons heeft hij in die richting ook al zoiets geprobeerd. Ilse stond op het punt hem haar platina broche te geven. Nu kan hij onder het toeziend oog van zijn zuster verder manden vlechten, de schurk. Ik zal het u zeggen: ik vond het meteen al zo vreemd.'

'Natuurlijk vond u dat, meneer König.' Jutta pakte haar tas. 'Tot de volgende drager van het ridderkruis.'

John Ashburner pakte een doos vol blikjes en flessen in de jeep, als cadeau voor Jutta's ouders. 'Doe dat alsjeblieft niet, John. Ze zouden het kunnen opvatten als aalmoes.' Schouderophalend droeg Ashburner de doos terug de keuken in. 'Hoe was het bij Chalford?'

'Hij heeft me een andere baan aangeboden. Ik heb nee gezegd. En hij wilde me uitnodigen voor een etentje.'

'Meneer heeft dus een oogje op je. Hoe vind je hem?'

'Een vriendelijk mens. Als man zegt hij me helemaal niets.' Ze ging op haar tenen staan en legde van achteren de armen om zijn nek. 'Bovendien heb ik er al eentje die met me wil trouwen. Dat laat een meisje zich niet ontgaan,' fluisterde ze ondeugend in zijn oor.

Ashburner raadpleegde de kaart. Köpenick lag in de Russische sector en was het beste dwars door de stad te bereiken. De demarcatielijn tussen de vier bezettingsgebieden had tijdens deze eerste dagen na de oorlog slechts symbolische waarde. Geallieerden én Duitsers konden zich in heel Berlijn vrij bewegen.

Ze reden door het ruïnelandschap van het centrum. 'Tot nu toe was het altijd een wereldreis naar mijn ouders.' Jutta legde haar hoofd op Ashburners schouder. 'Toen had ik nog geen grote knappe yank met een auto.'

'Hoe zijn ze, je ouders?'

'Mammie is hopeloos ouderwets. "Hij is getrouwd..." was haar eerste reactie toen ik haar van ons vertelde.'

'En je vader?'

'Hij ligt overhoop met de tijd. Maar in werkelijkheid ligt hij overhoop met zichzelf.'

'Is hij een nazi?'

Ze ging rechtop zitten. 'Wil je met hem trouwen of met mij? Als het je geruststelt, pappie is weliswaar nationalistisch, maar geen nazi.'

Links en rechts van de straat lagen twee uitgebrande pantsers. Ashburner wilde er tussendoor rijden. Een vuilbruine jeep met rode ster schoof in het gat. De captain ging vol op de rem staan. Een man met stiekelhaar en de schouderstukken van een luitenant sprong uit het voertuig. Hij zette omslachtig zijn pet op en controleerde in de zijspiegel of alles goed zat voor hij de twee in de jeep naderde. 'Propusk,' eiste hij.

Ashburner vermoedde dat de man om een identiteitsbewijs vroeg. Hij groette nadrukkelijk uiterst correct. 'Captain John Ashburner, United States Army. Volgens de overeenkomst van ons oppercommando zijn de dragers van geallieerde uniformen niet verplicht zich te identificeren.'

De Rus blafte iets wat zowel onbegrijpelijk als onvriendelijk klonk. Zo kwamen ze niet verder.

'Laten we teruggaan, darling,' zei Jutta zachtjes.

'Dat kan ik alleen al uit principe niet. Ik heb het recht op vrije doorgang. Laat ons er door, luitenant.' Hij duidde de Rus er met een handbeweging op dat die zijn wagen uit de weg diende te ruimen. De Rus riep op zijn beurt woedend iets over zijn schouder.

De drie Russische soldaten bij het voertuig trapten hun sigaretten uit en pakten hun geweren in de aanslag. De vierde inzittende, een man in een blauw monteurspak en een arbeiderspet op zijn hoofd, klom de auto uit en kwam traag naderbij. 'Verstaat u Duits?' wilde hij weten.

'Mijn naam is Weber. Ik ben Duitse,' legde Jutta uit. 'Maakt u deze man alstublieft duidelijk dat hij geen recht heeft een Amerikaanse officier in zijn bewegingsvrijheid te belemmeren.'

'Storch, secretaris bij de communistische partij, afdeling Köpenick. Ik ben met het glorieuze Rode Leger teruggekeerd naar het vaderland.'

'Wat fijn voor u, meneer Storch. En nu willen wij er graag door.'

Storch sprak Russisch met de luitenant. 'Uw identiteitsbewijs,' eiste hij. Jutta wilde de kwestie niet laten escaleren en gaf hem de kaart met foto die haar als werkneemster van de Amerikanen identificeerde.

'What's going on?' vroeg Ashburner ongeduldig.

De tolk sprak met de Rus en deelde hun het resultaat mee: 'De Amerikaan kan doorrijden. De Duitse komt mee om te worden gecontroleerd.' Hij stak haar kaart bij zich.

'John, ze willen me meenemen.'

Instinctief greep Ashburner naar de Magnum aan zijn zij. Gelukkig had hij hem op kantoor laten liggen. 'Mijn begeleidster verlaat de jeep niet. Is that understood?'

Jutta vertaalde naar het Duits. De tolk vertaalde naar het Russisch. De luitenant schreeuwde een bevel. De soldaten zetten hun Kalasjnikovs op scherp.

'Dat gaat niet goed,' bromde Ashburner en greep naar zijn mobilofoon. 'Even horen wat het hoofdkwartier hierover te zeggen heeft.'

De luitenant trok zijn pistool en schreeuwde: 'Ne swonjit'!'

'Al goed, mijn vriend en bondgenoot. Ik heb het begrepen,' kalmeerde Ashburner hem en zette de schakelaar van het apparaat op 'uit'. Hij vouwde het nieuwste nummer van *Stars and Stripes* uit en leunde achterover. 'Op een gegeven moment wordt hem dit te duf,' stelde hij zijn vriendin gerust.

'Zij hebben ook mobilofoons,' dacht Jutta hardop.

'Ja en wat dan nog, darling?'

'Je Russische vriendje. Die met zijn witte sportwagen. Misschien kan hij ons helpen.'

'Maxim Petrovitsch? Mijn slimme engel, dat is het idee van de eeuw. Zeg die Duitse bolsjewist dat zijn rode bevrijder met het kantoor van generaal Bersarin moet bellen en vragen naar majoor Berkov. Zeg hem ook dat hij een hoop heibel krijgt als hij het niet doet.'

Jutta wenkte het afdelingshoofd naderbij. 'Ach, meneer Storch, alstublieft. Wij hebben uw hulp nodig.' Ze zette uiteen waar het om ging. 'Majoor Berkov zal de verantwoording op zich nemen. Dan is uw luitenant ook uit de brand.'

Storch praatte op de Rus in. Die nam zijn pet af en krabde zich in zijn stekelhaar. 'Da,' besloot hij. Hij trok uit de aan zijn lange riem bungelende kaarttas papier en potlood en gaf het aan de tolk.

'Ik moet rang en naam van de Amerikaan in cyrillisch schrift noteren,' zei hij tegen Jutta, die het gevraagde vervolgens voor hem spelde.

De luitenant keerde terug naar zijn voertuig. Hij sprak in de microfoon. Hij gesticuleerde en wees herhaaldelijk naar de jeep. 'Hij heeft blijkbaar nogal wat op zijn lever,' zei Ashburner bedaard.

Twintig minuten later remde de witte BMW naast de jeep. Majoor Berkov trok zichzelf uit de wagen. 'John, how are you?'

'Thanks, very well. Afgezien van uw lichtgeraakte collega, dan.'

'Dat regelen we zo. Stelt u mij eerst de knappe dame aan uw zijde maar eens even voor.'

'Maxim Petrovitsch Berkov – Jutta Weber,' zei John Ashburner opgelucht.

Jutta gaf de majoor een hand. 'Wij hebben elkaar al eens gezien, of niet?'

'Dat herinner ik me met genoegen.' Berkov stak zijn bewondering niet onder stoelen of banken. 'John, what seems the problem?' Ashburner legde het hem uit. 'Leave it to me.' De majoor liep naar de luitenant en keerde na een korte woordenwisseling terug. 'Hij heeft het bevel alle hier passerende voertuigen te controleren. Natuurlijk alleen onze eigen voertuigen. U moet zijn overijverigheid excuseren. Alstublieft, madame.' Hij gaf Jutta haar identiteitsbewijs terug. 'Wat brengt u in dit deel van de stad?'

'Wij willen naar mijn ouders in Köpenick. Ze hebben daar een café. Zum Roten Adler.'

'Ik wens u een fijne middag.' Een lange, bewonderende blik. 'Jammer dat wij elkaar niet weer zullen zien. Ik ben teruggeroepen naar Moskou.' De majoor klom in de sportwagen. 'Goodbye, John.'

'Thanks, Maxim Petrovitsch. You were a great help. It was nice to know you.'

Berkov beantwoordde de woorden van dank met een nonchalante, kleine handbeweging en de BMW vloog ervandoor. Ashburner liet bij de start van zijn jeep de vier banden zo doordraaien dat hij vijf hoestende figuren in een stofwolk achterliet.

Na een kwartier waren ze er. Boven de deur van Zum Roten Adler hing de Brandenburgse wapenvogel. Een paar hongerige kinderen omringden de jeep. Jutta deelde chocoladerepen uit die ze uit Johns doos had gepakt.

Er kwam een man van in de zestig het huis uit. Jutta omarmde hem.

'Pappie, dit is John Ashburner. John, dit is mijn vader, Ludwig Reimann.'

Meneer Reimann droeg ter ere van de feestelijke dag zijn donkerblauwe pak met zilvergrijze das. In zijn knoopsgat droeg hij het kleine zwart-witte lintje van het IJzeren Kruis Eerste Klasse uit de Eerste Wereldoorlog. Hij schudde Ashburner de hand. 'Aangenaam, hoofdman.'

'Gewoon John, alstublieft.'

'Kom, ik stel u aan moeder voor.' Hij trok de gast het huis binnen, door de lege gastenkamer direct naar de keuken. Mevrouw Reimann stond fris gekapt aan het fornuis en liet met een schuimspaan dikke aardappelknoedels in het kokende water zakken. 'Moeder, dit is hem. John Ashburner. En dit is Else, mijn vrouw.'

Else Reimann veegde haar rechterhand af aan haar schort voor ze de bezoeker de hand gaf. 'Houdt u van gebraden rundvlees met aardappelknoedels? Als voorgerecht eten we snoekbaarsfilet uit de Müggelsee met kreeftjes, en tussendoor een runderbouillonnetje. De hemel zij dank dat ons oude kolenfornuis het nog doet. De gasleidingen zijn kapot en op de elektrische kookplaat kun je niet fatsoenlijk koken. Als de stroom niet ook nog afgesloten is. Mijn man heeft een moezelwijntje gekoeld voor bij de vis en bij het vlees drinken we een Bourgondische wijn. Als dessert heb ik chocoladepudding met vanillesaus.' Ze is opgewonden en nogal in de war, dacht Jutta terwijl ze aan het vertalen was. Plotseling besefte ze wat voor onbereikbare kostelijkheden haar moeder zonet had opgesomd.

Jutta's vader behielp zich met zijn rudimentaire Engels: 'Onze zaak blijft vandaag gesloten. We zijn dus onder ons. Een glas mousserende wijn, meneer de hoofdman, oh sorry, John?' Reimann opende luidruchtig een fles. Het was geen mousserende wijn, maar een Duval-Leroy Champagne uit 1940. Waar hadden haar ouders al die lekkernijen vandaan gehaald?

'Jullie zijn laat.' Ludwig Reimann greep naar het horloge in zijn vestzakje. Aan de gouden ketting pendelde alleen maar een hangertje. 'Ach, ik was helemaal vergeten dat mijn horloge in reparatie is,' mompelde hij verlegen. En Jutta begreep het. Haar vader had zijn gouden horloge geofferd om de gast voor te spiegelen hoe breed ze het hadden.

John Ashburner keek om zich heen in het café. De versleten houten tafels met de schoongeboende asbakken stonden keurig netjes geordend. De tafelkleden achter in de herberg waren gestevend en hadden persvouwen. Alles was hier eenvoudig en schoon. Alleen de raamkozijnen pasten niet in het beeld. Ze leken wel aangevreten door houtworm. Maar het waren geen wormgaten. Het waren de gaatjes van ontelbare punaises, herinneringen aan de dagelijkse verduistering tijdens de oorlogsjaren. Zwart papier had elk straaltje licht naar buiten moeten afdichten. Reimann legde het aan de gast uit en zei met duistere stem: 'Onze buurman heeft het zijn kop gekost. Ze zeiden dat hij vijandige bommenwerpers lichtsignalen zou hebben gegeven. De arme kerel was alleen maar vergeten het wc-raampje te verduisteren. Uitgerekend die nacht had hij diarree en moest hij voortdurend naar de wc.'

'Waarom doen jullie dit?' vroeg Jutta in de keuken verwijtend. 'John en ik zijn niet gekomen om hier uitgebreid met jullie te tafelen.'

'Wij hebben ook onze trots.' Haar moeder kruidde de bouillon. 'Jochen bracht mij bloemen toen hij destijds om je hand vroeg. "Jutta en ik, dat is voor het leven", zei hij.' Else Reimanns ogen vulden zich met tranen. 'En nu verraad je hem.'

'Een weduwenverbranding had je zeker liever gehad!' Op het moment dat ze het zei begreep Jutta dat sarcasme voor haar moeder te hoog gegrepen was. Verzoenend zei ze: 'Natuurlijk kan ik Jochen niet zo gemakkelijk vergeten. John weet dat en hij begrijpt het.'

Haar moeder kreeg smalle lippen: 'Weet hij ook wat die beesten met je hebben gedaan?'

'Ik heb hem verteld dat ik twee keer verkracht ben en bijna nog een derde keer en dat ik niet van plan ben mijn liefdesleven daaronder te laten lijden.'

'Hij is nog niet eens gescheiden.'

'Zo is het genoeg, moeder. Verpest de dag niet.'

Aan de muur hingen een paar wimpels van de plaatselijke voetbalvereniging en een groepsfoto. 'Proost, jongens.' Meneer Reimann hief het glas richting de foto. 'Alleen de linksbuiten van dat team leeft nog.' John Ashburner keek peinzend naar de elf jonge mannen in hun voetbalshirtjes. Ook al wilde hij het niet toegeven, hij was verward en geëmotioneerd over een oorlog die hij niet had meegemaakt en die zijn verbeelding volledig te boven ging.

'Aan tafel!' Jutta haakte bij hem in en bracht hem naar een afgescheiden ruimte naast het cafégedeelte. Galant schoof hij de stoel van Jutta's moeder bij. Hij incasseerde hiervoor een schuw lachje.

Reimann schonk de moezelwijn in. 'Een Wehlener Sonnenuhr. Onze Duitse wijnen hebben nogal bloemige namen. Deze hier herinnert mij aan de professor uit de villabuurt aan het Wendeschloß. Professor dr. Georg Raab, kunsthistoricus. Hij kwam regelmatig langs voor een glas moezelwijn. Zijn vrouw mocht het niet weten. Hij was namelijk diabeet.'

'Jutta, weet je nog dat hij je altijd tekende?'

'Veertien keer, en altijd naakt.' Ze keek haar moeder uitdagend aan.

Else Reimann sneed nerveus een ander thema aan: 'Ze hebben de arme ziel opgehaald, net als de meeste anderen. Zijn vrouw werd gespaard. Dat was namelijk maar een halve joodse. En toch stond ze erop de davidsster te dragen. Ze mocht een klein kamertje in hun villa houden. Ze liep verteerd en half verhongerd rond. Halve porties, meer kregen die mensen niet. Op een dag heeft ze zichzelf opgehangen.

'Je had haar toch iets kunnen toestoppen,' zei Jutta nuchter.

'En ons allemaal in gevaar brengen? Kind, wat praat je nou voor onzin?'

'De waarheid.'

Haar moeder serveerde met een gekweld gezicht de snoekbaars.

'John, wat vindt u van de joden?' wilde Ludwig Reimann weten.

Ashburner haalde radeloos zijn schouders op. 'Ik weet het niet. Bij ons in Rockdale zijn er geen.'

'Ik vind ze niet erg sympathiek. Niet dat ik ze ooit leed zou hebben toegewenst. Dat was Hitlers grootste fout: dat hij ze vermoordde in plaats van ze naar Madagascar te sturen. Op die manier joeg hij het totale joodse kapitaal van Amerika tegen zich in het harnas en die zetten jullie president Roosevelt net zo lang onder druk tot de Verenigde Staten ook aan de oorlog meededen. Zonder Amerika als tegenstander hadden wij de oorlog gewonnen. Geloof dat maar van een oude wereldoorlogsveteraan.' Reimann legde een wijsvinger op zijn lintje. 'Proost, mijn beste.' Hij dronk zijn glas opgewonden leeg en schonk meteen bij.

'Je snoekbaars wordt koud, vader,' zei Jutta vermanend, in de hoop hem van dit thema af te brengen.

'Hebben ze hem al gepakt, die verschrikkelijke moordenaar?' gaf moeder Else het gesprek een nauwelijks prettigere wending.

'Bijna, ma'am. Ik heb een zeer hard werkende Duitse collega.'

John Ashburner nam een slok moezelwijn. 'Wonderful, die wijn van u. Hartelijk dank. En dank u voor uw uitnodiging. Ik vind het heel belangrijk dat u mij leert kennen. Ten slotte wil ik uw dochter mee de Atlantische Oceaan over nemen.'

Else Reimann begon te snikken. 'Nou, nou, moeder,' suste haar man haar. 'Er komen gauw betere tijden en dan gaan we die twee opzoeken. Ik wilde altijd al eens naar Amerika.'

'Very nice people, your parents,' zei John Ashburner bij het afscheid.

Hij is alleen maar beleefd, dacht Jutta. Mammie zit maar te grienen, net als altijd, en pappie heeft er ook niets van begrepen. Maar voor een kroeg in Köpenick is het blijkbaar voldoende.

John Ashburner hees zijn lange benen de jeep in. 'Hoelang blijf je hier?' 'Tot woensdag. Ik wil mammie een beetje helpen in de tuin. Ze heeft het aan haar rug.' Ze boog zich voorover en kuste hem. 'Weet je wat? Mrs John Ashburner klinkt eigenlijk helemaal niet zo slecht.'

Meester Rödel trok de linkermouw van de schouder. Het lelijke scheuren ging Ben door merg en been. Hij keek naar zichzelf in de spiegel en zag iets wat in de verte leek op een jasje, waaruit van alle kanten paardenhaar stak. Rijgdraden verwoestten de strakke lijnen van het klassieke ruitpatroon.

Vanuit de werkplaats op de veranda kon hij door de woonkamer de slaap-kamer inkijken. Heidi zat naakt tot aan haar taille aan de kaptafel en borstel-de haar haar. Haar borsten bewogen bij elke strijkbeweging naar boven en weer naar beneden. Ze had blijkbaar niet gemerkt dat de deur half openstond.

De kleermaker scheurde ook de rechtermouw af. Ben dacht dat hij het als fysieke pijn voelde. 'Moet dat zo?' protesteerde hij zwakjes. De witte meisjes-borsten met de lichtrode knopjes wipten in het ritme.

Rödel zette zijn vernietigingswerk bedaard voort. 'Nog twee keer passen en u hebt een pak als uit het *Herrenjournal* van baron Eelkings.' Sinds Ben tot de betalende clientèle van de kleermaker behoorde, was hij 'meneer Dietrich' en werd er u tegen hem gezegd.

Heidi stond op. Ze had een handdoek om haar heupen geslagen die bij het opstaan op de grond viel. Ze liep naar haar commode. Haar billen trilden tegen elkaar aan.

'We laten de sluitknoop op taillehoogte. U mag dat afgrijselijke Amerikaanse voorbeeld niet volgen.' Heidi deed een lade open en nam er een wit gymshirt uit. Ze deed haar armen omhoog en trok het shirt over haar hoofd.

'Wat hebt u tegen de Amerikanen, meneer Rödel?'

'Wat ik tegen de Amerikanen heb?' zei Rödel uitdagend. Heidi's borsten verdwenen onder het mouwloze witte gymshirt dat tot net boven haar navel kwam. 'Ik heb er iets op tegen dat uitgerekend die halve inboorlingen ons iets over cultuur willen vertellen. Maar je mag het momenteel niet hardop zeggen, anders ben je meteen een nazi!'

Ben wist niet waarom, maar in het korte gymshirt leek ze naakter dan zonder. Hij probeerde zich op het pak te concentreren: 'Wanneer is het klaar?'

'Volgende week passen we het nog een keer. Zullen we zeggen, over veertien dagen?'

Ben keek gebiologeerd naar Heidi's donkere driehoek, waar het tussen de krulletjes roze schemerde. Hij kreeg een zinderend gevoel tussen zijn liezen.

'Hebt u schoenen, herensokken, een overhemd, een das?' somde de kleermaker op. 'Zonder dit toebehoren kunt u het pak wel vergeten.'

Heidi draaide zich met haar rug naar de deur en bukte zich om haar gymschoenen dicht te binden. Ben bleef maar staren naar de geheimzinnige schaduw tussen haar dijen, tot ze de zwarte meisjesgymbroek aantrok.

'De suède schoenen krijg ik van de Hollander. De rest heb ik al.'

Heidi verscheen in het atelier met een bal onder haar arm. Ze sloeg de bal met de vlakke hand tegen de grond en ving hem handig weer op. 'Ik ga handballen. Ga je mee?'

'Geen tijd.'

Ze wierp Ben een veelzeggende blik toe. 'Jammer, want ik houd wel van publiek.'

Ze had de hele tijd geweten dat hij had toegekeken.

Een hevig ontdane meneer Mühlberger leunde zijn fiets tegen een schutting en stormde het bureau van de recherche in Zehlendorf binnen. 'Hij is er weer!' Rechercheur Franke was bezig zijn schrijfmachine te maltraiteren. Het hoofdbureau verlangde een precieze inventaris van de gedurende de afgelopen maanden gebruikte kantoorbenodigdheden. 'Wie is er weer?' vroeg hij zonder al te veel belangstelling en schreef in een vlaag van sarcasme:

APRIL: *500 vel schrijfmachinepapier door de druk van een bomexplosie overal verstrooid. 64 vel opgeraapt, daarvan 14 intact, 26 licht vervuild, 11 sterk beschadigd en 13 licht verkoold. De opsporing van de resterende 436 velletjes wordt voortgezet.*
MEI: *doos met honderd vel doordrukpapier door plunderende Muschiks. Gezien hun opvattingen over civilisatie vermoedelijk om hun gat mee af te vegen.*
JUNI: *1000 paperclips tegen 2 typelinten ingeruild.*
JULI: *1 typelint tegen 3 potloden ingeruild.*

'De moordenaar. Die man met het kuiltje in zijn kin,' hijgde Mühlberger.

Franke schreef verder:

AUGUSTUS: *3 potloden aan buurtkinderen cadeau gedaan voor school.*
'Waar?' Franke voltooide zijn werk:
SEPTEMBER: *2 vel schrijfmachinepapier en een enveloppe verkwanseld voor deze stompzinnige inventarisatie.*

'Hij sloop om het huis. Het is zo klaar als een klontje, meneer de rechercheur. Hij wordt bijna magisch door de plek des onheils aangetrokken.'

'Meneer Mühlberger. Zien we elkaar toch eerder terug dan we hadden gedacht!' riep inspecteur Dietrich die in de kamer ernaast had zitten luisteren.

'Franke, de auto!'

'Is in reparatie, baas. De ontsteker was kaduuk.'

'Ook goed. Wie fietst, leeft beter. U houdt hier alles onder controle. Kom mee, meneer Mühlberger.'

Twaalf minuten later waren ze er. 'Daar, bij de ingang, dat is hem,' fluisterde Mühlberger, ofschoon de man hen op deze afstand onmogelijk kon horen.

'Houd mijn fiets vast.' Klaus Dietrich liep over de rijbaan via de zandstrook naar nummer 198. De man zat op de trede voor de huisdeur. 'Inspecteur Dietrich, recherche. Uw naam, alstublieft?'

De man stond op. 'Giese. Franz Giese. We hadden afgesproken, Lene en ik. Ik ben een beetje vroeg. Dus wacht ik maar.'

'Op Marlene Kaschke?'

'Wij hebben jarenlang moeten wachten, Lene en ik. En nu hebben wij elkaar eindelijk gevonden, eergisteren was dat en niets zal ons nog scheiden. Dat hebben wij elkaar beloofd.'

'Was u eergisteren hier?'

'Om vier uur 's middags. Ze had lekkere hapjes gemaakt en champagne. We hebben elkaar bemind tot laat in de avond.'

'U bleef tot in de avond, meneer Giese. Tot wanneer?'

'Tot de laatste metro.' Mühlberger schoof de fietsen nieuwsgierig dichterbij. Klaus Dietrich maakte een handbeweging dat hij op moest krassen. Giese ging weer zitten. 'Ze is een goede vrouw. Ze heeft veel door moeten maken, ook al praat ze daar niet over.' Hij liet een lange stilte vallen, alsof er verder niets te zeggen viel. Daarna keek hij op naar Dietrich, met een gezicht waarop ellende, vertwijfeling en wanhoop stond geschreven: 'Wie doet zoiets, inspecteur?'

Klaus Dietrich had in stukken gereten soldatenlijken in Russische berken

zien hangen, hij had het gegil van de verschroeiende inzittenden van brandende tanks gehoord en het gejammer van stervende vrouwen en kinderen in
brandende hutten. Maar de oorlog, waarin zelfs het ergste routine werd, was
voorbij en de weeklacht van deze volwassen man trof hem dieper dan alles wat
hij tot nu toe had doorstaan. Zachtjes legde hij zijn hand op het hoofd van de
man. Hij wist ook niet waarom. 'We zullen hem vinden, meneer Giese. U kunt
ons helpen. Kom naar het bureau. Hier is het adres. Dag, meneer Giese.'

Mühlberger stond met de twee fietsen op gehoorafstand en zei geen
woord. De inspecteur wilde zijn fiets pakken, maar Mühlberger hield hem
krampachtig vast. 'Opsluiten die moordenaar,' foeterde hij. 'U moet hem
opsluiten.' Met een boze ruk bevrijdde Dietrich zijn fiets en reed weg.

Rechercheur Franke sloeg de handen ineen. 'U hebt hem laten lopen?'

'Ik heb hem gevraagd een dezer dagen bij ons langs te komen.'

'En u meent serieus dat hij op uw uitnodiging ingaat?'

'Hij komt. Dat is niet de moordenaar.'

'Mühlberger heeft hem bijna precies op het tijdstip van de moord in het
trappenhuis gezien, baas. Zoveel mannen met een kuiltje in hun kin lopen er
niet rond.'

'Hij heeft Franz Giese gezien toen die de trap afliep. Dat kan kloppen.
Giese ontkent ook helemaal niet vanaf vier uur 's middags tot kort voor de
Sperrstunde bij Marlene Kaschke te zijn geweest. Twee mensen die van elkaar
houden, Franke, en die elkaar weer terug hadden gevonden. Er hing tederheid
in de lucht en de hoop op een mooie toekomst samen. De moordenaar kwam
een paar minuten later.'

'Wie, inspecteur? Wie was het?'

'Dat weet ik niet. En toch heb ik het gevoel dat we hem kennen.'

Hendrik Claasen woonde vier rijtjeshuizen verderop. Hij boende zijn Triumph
in de voortuin.

'Dag, meneer Claasen,' groette Ben beleefd. Hij tikte tegen zijn schooltas.
'Vijf sloffen Philip Morris, is dat goed?'

De Hollander legde de spons op het zadel van zijn motorfiets. 'Kom binnen.' Ze gingen het huis in. Claasen verdween tot aan zijn schouders in een
dressoir en kwam er met een paar schoenen weer uit. 'Op mijn laatste tour uit
Nijmegen meegenomen. Probeer maar eens.'

Ben streek voorzichtig over het fluweelbruine suède en duwde kritisch
tegen de dikke crêpezolen. 'Tjemig,' steunde hij overweldigd. Dat de schoenen

een halve maat te groot waren, kon de pret niet drukken. Claasen sneed inleg-zolen uit een pak krantenpapier. Ben schoot de schoenen aan. Het strikken was een rituele handeling. De eerste stappen waren een openbaring. Hij ging als op wolken door de kamer. Voorzichtig trok hij de schoenen uit. Ze zouden met het pak samen worden ingewijd. Over veertien dagen, had meneer Rödel gezegd.

ACHTSTE HOOFDSTUK

De sinaasappeloogst op de Krim was bijzonder goed dit jaar. De directeur van de kolchoz Rode Zon organiseerde daarom ter ere van het roemrijke Rode Leger een viering en zond na een warme toespraak en het meeslepende gezang van een koor jonge pioniers uit Odessa een wagon met sappige vruchten op weg naar 'onze dappere zonen in de veroverde hoofdstad van de fascistische vijand'. Zijn slim bedachte actie werd meteen door de partijpers overgenomen en buiten proportie opgeblazen. Het was al snel een dozijn goederenwagons geworden dat naar het westen op weg was. Dit kwam de directeur goed uit, want zo kon hij het leeuwendeel van de oogst tegen een honderd keer zo hoge prijs verkopen op de zwarte markt.

De wagon met de voor de helft verrotte citrusvruchten bereikte Berlijn inderdaad. De nog eetbare helft werd op bevel van de Sovjet-stadscommandant aan soldaten met gezinnen uitgedeeld. Twee sinaasappelkistjes kwamen bij de cultuurattaché luitenant-kolonel Talin terecht. Die had weliswaar geen gezin, maar voelde veel genegenheid voor de blonde solodanser Heinz-Otto Druschke. Hij schonk hem een kistje.

Druschke had de Hitlertijd in het bed van een hogere SS-topman overleefd, wat hem het concentratiekamp had bespaard. 'Het was pure noodweer, de man stonk verschrikkelijk uit zijn bek,' bazelde hij na de bevrijding. Men wees hem als nazislachtoffer met urgentie een appartement in Zehlendorf toe aan de Eschausweg. Hier ruilde hij de sinaasappels in bij zijn buurvrouw, mevrouw Molch, voor twee flessen kersenlikeur van Mampe. De kleverig zoete alcohol moest hem helpen jonge knapen te versieren.

De kist met sinaasappels, samen met twee gerookte hammen, tien kilo briketten, drie kilo aardappelen, vijf liter olie en twee kilo gerstekorrels, gele erwten en witte bonen, waren de opbrengst van mevrouw Hermine Hellbichs bontmantel. 'Ik heb de dikke wollen jas toch nog,' was haar verlegen excuus. 'En de jongens moeten het in de winter warm hebben, en ze moeten goed te eten krijgen, en de rest van de familie heeft dat ook nodig.' Ze had er zelfs nog zes pakjes Stella-sigaretten voor haar man uit weten te slepen.

Vijf sinaasappels deed ze in een zak. 'Breng die maar naar je vader op het bureau,' beval ze haar kleinzoon Ralf. 'De vitamines zullen hem goed doen.'

Ralf ging er als een speer vandoor. Misschien kon hij op het bureau een misdadiger met handboeien om zien. Maar pappa zat vredig achter zijn bureau en nam de sinaasappels blij van hem aan. 'Wat een lekkere verrassing. Hier heb je er een. Ga maar stil in de hoek zitten tot we klaar zijn. Wilt u er ook eentje?' De inspecteur hield zijn ondergeschikte de zak onder de neus. 'Wat is er verder voor nieuws?'

'We hebben bevel van boven onze geplande razzia naar de zwarthandelaren op station Schlachtensee af te blazen. Het zou gaan om "displaced persons" waar wij niet tegen mogen optreden. Gespuis, als u het mij vraagt, inspecteur.'

'Het lijkt erop dat onze handen dus gebonden zijn. Dan concentreren we ons verder op onze man.' Klaus Dietrich stak een stuk sinaasappel in zijn mond. Hij drukte het met de tong tegen zijn gehemelte zodat het uit elkaar spatte. Het sap stroomde heerlijk verfrissend zijn keel in. 'Nog eentje, Franke?'

'Ja, graag. Ik neem hem mee naar huis voor mijn vrouw.' Franke knoopte de kostbare vrucht in zijn zakdoek. 'Geloof me chef, als we de motor vinden, hebben we ook de dader.'

'Ik bewonder uw scherpe inzicht. Verraadt u mij ook waar we moeten zoeken?'

'Bij mevrouw Kalkfurth in de garage,' klonk het uit de hoek van de kamer. Klaus Dietrich was verbluft. 'Wat zeg jij daar?'

Ralf spuugde doeltreffend een sinaasappelpitje de prullenmand in. 'De kat zat op het ouwe plaid. Nou, en die lag over de motor heen.'

'Wanneer was dat?'

'Een paar dagen geleden.'

Franke was sceptisch. 'De machine staat daar gewoon zo in die garage, zodat iedereen het kan zien?'

'Je moet wel door een hoop troep heen en donker is het daar ook,' zei Ralf

'Is er nog een andere ingang?' vroeg zijn vader op een toon die hij ook in het verhoor gebruikte.

'Ja, er is een achterdeur,' herinnerde Ralf zich.

'Kom eens hier.' Klaus Dietrich legde zijn handen op de schouders van zijn zoon. 'Waarom heb je me dat niet eerder verteld?'

'Ik wist toch niet dat jullie daarnaar zoeken? Is hij gejat?'

'Luister, mijn jongen. Wat wij hier bespreken is strikt geheim. Je mag er met niemand over praten. Ook niet met mama of Ben.' Ralf draafde met een van trots gezwollen borst naar huis. Hij kende een echt politiegeheim.

Franke was overtuigd: 'Zoon Kalkfurth is niet in Polen gesneuveld, maar hij heeft de oorlog overleefd. Nu moordt hij weer. Zijn moeder verstopt hem en de motor. Ik stel voor dat we die dame de duimschroeven aandraaien. Een paar uur in de cel koken haar wel gaar. We verzinnen gewoon een aanklacht.'

'Niet zo haastig, rechercheur. Mocht dit allemaal kloppen, zouden we de moordenaar waarschuwen. Bovendien hebben we geen enkel bewijs.'

'Hij leeft en moordt. Ik voel het aan mijn water,' insisteerde Franke eigenwijs. 'Wat bent u van plan?'

'We observeren de garage. Als onze verdenking klopt, zal hij op een gegeven moment met zijn motor naar buiten komen om op jacht te gaan.'

Franke was weer sceptisch. 'En dan sukkelen wij er met onze raceauto op houtgas achteraan?'

De inspecteur greep naar de telefoon. 'Hallo, captain Ashburner. Hier Dietrich. Ik geloof dat we op het goede spoor zitten.' Hij rapporteerde in het kort en besloot met: 'Wij observeren de garage. Het probleem is: hoe kunnen wij de motor eventueel volgen? Onze verrijdbare kachel komt niet boven de vijfentwintig kilometer per uur. Als we een jeep zouden hebben, dan...'

'Vergeet het maar, inspecteur. De MP is geen autoverhuur. Daar het inmiddels duidelijk is dat u naar een Duitser zoekt, die bovendien zo vriendelijk is geen Amerikaanse vrouwen de nek om te draaien, heb ik strikte orders me te beperken tot adviezen.' Ashburner keek naar de foto in zilveren lijstje op zijn bureau. 'Maar misschien kan ik u toch helpen. Ik meld me morgen. Goodbye.'

De captain zette de foto recht. De schoonmaakster had het lijstje bij het stoffen verschoven. Op de foto stonden Jutta en hij arm in arm voor de deur in de Wilskistraat. Ze hadden de opname gemaakt met de zelfontspanner. Jutta had het dolkomisch gevonden hoe hij met zijn lange benen van de camera aan haar zijde was gesprongen. Het was meer dan een kiekje voor hem.

Hij bekende openlijk zijn liefde voor haar. Zelfs de niet echt fijngevoelige sergeant Donovan onthield zich van commentaar.

Kolonel Harold Miles Tucker was minder tactvol. De adjudant van de stadscommandant klakte met zijn tong. 'Lekker blond ding. Een snoepje voor onze Onkel Tom-killer, vindt u niet?'

'Houd uw smakeloosheid voor u, Tucker.'

'It was only a joke. Weet u captain, wat ik die rotmoordenaar het meest verwijt? Dat hij onze Helga een kopje kleiner heeft gemaakt. Nu hangt Myra weer aan de fles met gin.'

'De Duitse politie heeft een belangrijk spoor.'

'Dat zal generaal Abott graag horen. Maar dat is niet de reden van mijn bezoek. U moet mij helpen, John. Het gaat om senator William Bullock uit Washington. Hij heeft de Bandenburger Tor bezichtigd, op de zwarte markt een Leica gekocht en de lokale pers verzekerd dat de ogen van de vrije wereld op Berlijn zijn gericht. De ogen van de senator waren echter meer op de Berlijnse vrouwen gericht, om precies te zijn op een wulps roodharig exemplaar dat luistert naar de naam Waltraud. Bullock vliegt vandaag naar Frankfurt. Hij ontmoet daar de militaire gouverneur voor een diner. Na dit uitputtende programma wil hij een paar dagen ontspannen in de Taunus. In ons guesthouse, een voormalig Duits luxehotel, en wel in gezelschap van de al genoemde dame. Generaal Abott wenst niets te maken te hebben met deze aangelegenheid en heeft mij de zwarte piet toegespeeld.'

'Een heikele diplomatieke missie, sir,' spotte de captain. 'Hoe kan ik helpen?'

'Ik heb iemand nodig die de dame in Steglitz ophaalt en naar het vliegtuig brengt. Een captain van de MP is boven alle twijfel verheven.'

'Dat komt goed uit. Ik moet sowieso naar Tempelhof. Mijn vrouw komt vandaag aan en wel met de machine die de senator naar Frankfurt vliegt.'

'Het enige wat nog ontbreekt, is een plausibele verklaring waarom dit Duitse meisje mag vliegen met de AOA.'

'Geen probleem, meneer. We zeggen gewoon dat het gaat om een getuige van de US-justitie die in Frankfurt moet worden gehoord in een zaak tegen een nazi-wapenfabriek. Vorige week moesten we een voormalig staatssecretaris als getuige naar Frankfurt vliegen. Dat controleert geen hond.'

'Perfect idea, John. Ik zal onmiddellijk de benodigde papieren laten opstellen. Thanks a lot, u hebt er eentje van me tegoed.'

De wulpse roodharige heette Waltraud Sommer en woonde in de

Albrechtstraat. Ze genoot er zichtbaar van dat een heuse US-captain haar koffer droeg en haar galant de jeep in hielp. 'Schommelt het erg in dat vliegtuig?' vroeg ze meer met voorpret dan uit angst.

'Niet bij mooi weer,' suste Ashburner.

Aankomst- en vertrekhallen van de *American Overseas Airlines* waren provisorisch ondergebracht in een bijgebouw van het voor tweederde kapotgeschoten vliegveld Tempelhof. De rest behoorde toe aan de *US Air Force*. De twee weken geleden hervatte burgerluchtvaart was bescheiden en werd alleen door familieleden van in Berlijn gestationeerde soldaten en een paar officiële bezoekers benut.

Senator Bullock was een forse man met een witte Texaanse hoed. Hij was omringd door pers en deed een paar nietszeggende uitspraken. 'Daar is ie. Hello Bullie-darling.' Waltraud fladderde met open armen op de senator af. Ashburner dirigeerde haar bijtijds in een andere richting en duwde haar onzacht op een bankje. 'U kent de senator niet,' instrueerde hij haar zachtjes. 'Hij neemt contact met u op.'

'Ik heb het al door. Zodat niemand het merkt en ons bij zijn vrouw verklikt.'

Ze zaten rug aan rug met twee op hun vlucht wachtende passagiers. 'Hitlers rechterhand een Berlijnse hobbytuinier,' hoorde Ashburner achter zich. 'Ze hebben je bij de neus genomen, Clarence Preston Brubaker, en niet te zuinig ook.'

'Een vergissing. Ik geef het toch toe, pap.'

'Als ik niet meteen hier naartoe was gekomen en Dick Draycott van UP de opdracht had gegeven het verhaal te checken, was de *Hackensack Herald* nu het mikpunt van spot in de branche. Het heeft me een hoop geld gekost Draycott te laten zwijgen.'

'Het spijt me, pap.'

'Het zal je nog veel meer spijten als je hoort dat het voorbij is met je buitenlandse post. In de toekomst zorg jij thuis voor de pretpagina.'

'Ja, pap. Daar komt onze machine.'

John Ashburner zag met gemengde gevoelens hoe de zilveren vogel tussen de ruïnes aan het Neuköllner Ende de provisorisch opgelapte landingsbaan aanstuurde. Ethel had haar komst met een paar nuchtere regels aangekondigd. In haar brief stond geen woord over een scheiding. Zonder haar toestemming had hij geen schijn van kans. De wetten van Illinois stonden aan haar kant. Hij had Jutta verzwegen dat zijn vrouw kwam en voelde zich daarom hondsberoerd.

'U beweegt zich niet tot de vlucht wordt opgeroepen,' zei hij streng tegen Waltraud. 'En blijf weg van de senator. Goede reis.' Hij stond op.

'Al goed. And thank you very much.' Ashburner nam afstand, voor Waltraud hem dankbaar tegen haar volumineuze boezem kon drukken.

In het voorbijgaan wierp hij een blik op vader en zoon Brubaker. Pappa had een spekkig gezicht met hangwangen. Brubaker junior was zo kleurloos als een glas water. De captain deed de net weer van glas voorziene deur van de lounge open en stapte naar buiten. Op de achtergrond lag het verkoolde skelet van een viermotorig vliegtuig met Duits kenteken. 'De laatste vlucht van de Lufthansa vanuit Barcelona,' vertelde een jonge Air Force sergeant hem. 'Een Junkers 290. Na de landing werd hij door een brandbom geraakt. Dat was in mei.'

De DC4 zwenkte met brullende bakboordmotor onder het sterk beschadigde hangdak boven de parkeerplaats. Twee mannen rolden de trap naar de deur. Boven aan de trap werd een stewardess zichtbaar die met de stralende lach van een Coca-colareclame over de roetzwarte resten van de centrale luchthaven keek alsof het een zonnig sprookjeslandschap was. Routineus zei ze de luttele passagiers gedag die de trap langs haar heen afdaalden. Daarna keerde ze dankbaar terug naar de geborgenheid van de cabine.

Ethel droeg haar oude trenchcoat en een alledaagse hoed. Ze had nooit veel om kleding gegeven. 'Daar ben je dan.' Hij nam haar reistas en koffer.

'Krijg je genoeg te eten?' Ze had over de hongerrantsoenen in Duitsland gelezen.

'In de PX krijg je alles wat je nodig hebt. Of ik ga voor het avondeten naar het Harnackhuis.' Hij stouwde de bagage in de jeep. Het was warm geworden. Een stofwolk waaide over vanaf de ruïnes aan de Berlijnse Straat.

Tijdens de rit door het puin zei ze kritisch: 'Ze zouden wel een beetje beter kunnen opruimen.'

'Als de Duitse Luftwaffe tot in Rockdale was doorgedrongen, zou je niet zo'n onzin kakelen,' zei hij boos tegen zijn vrouw en merkte verbaasd dat hij de stad en zijn inwoners verdedigde. Hij remde, omdat een met puin beladen paardenkar de rijbaan overstak.

'Wat ouderwets. Hebben ze hier geen vrachtwagens?'

'Nee,' zei hij geërgerd. Hij voelde hoe hij zich met elk woord meer tegen haar afzette. 'Vertel toch eens, lieveling, wat er thuis voor nieuws is,' probeerde hij verzoenend.

'Ze hebben Jesse Rawlins als pitcher naar de Chicago Redfoots gehaald.'

Ethel behoorde tot de bewonderaarsters van honkbalpro's.

'Heeft hij nog steeds een verhouding met de vrouw van de burgemeester?'

'Een verhouding ja, maar niet meer met Millie Walker.' Ze giechelde alsof ze een goeie mop had verteld. De rest van de rit vertelde ze over de buren. 'Liz Nunnon verwacht haar vierde kind. Er wordt gezegd dat het niet van haar man is. Dick en Ella Jarwood gaan scheiden. De enige reden: zij wil weg uit Rockdale en hij niet. Vanessa King ligt in de clinch met de burgemeester. Zij zegt dat Amerika een vrij land is en weigert dat Lady Chatterley-boek uit de etalage te halen.' Ze hikte: 'Ik heb het gelezen. Waar die tuinman overal bloemen plant bij haar...'

Hij luisterde en dacht aan Jutta. Zou ze ook stikken in Rockdale, net als de levendige Ella? Misschien niet als ze bevriend raakte met Vanessa. Die was ook boekhandelaar. Maar voorlopig stond Ethel nog tussen hen in. Die had tot nu toe nog met geen woord gerept over wat ze van de scheiding vond.

Ze stopten aan de poort van de US-zone. 'Onkel Toms Hütte,' zei hij.

'Ik heb als klein meisje bij sommige stukken gehuild.'

'Niet het boek. Het metrostation en de buurt eromheen heten zo. Okay, Ted?'

'Ja, meneer.' De jonge MP groette en deed de slagboom open. Ashburner sloeg rechtsaf.

'Acacia's, wat enig!' riep ze blij. 'Bij mijn ouders in Springville hebben ze ze allemaal omgehakt toen de telefoonkabels ondergronds werden verlegd.'

Hij droeg de koffer en de tas de slaapkamer in en zette ze neer bij het bed. 'Het is schoon opgemaakt,' benadrukte hij en ontving hiervoor een geamuseerde blik. 'Ik slaap hiernaast op de bank. Zal ik koffie of thee zetten?'

'Liever een borrel. Hebben ze hier bourbon?' Ze strekte zich uit in de fauteuil, schopte haar platte loafers uit en strekte ongegeneerd haar benen. Ze herinnerde hem aan het sportieve, jongensachtige *highschool*-meisje waar hij tien jaar geleden mee was getrouwd.

Hij schonk twee whisky's in. 'Hoe was je reis?'

'Eindeloos. Met de bus naar Chicago en de Century naar New York. Zes uur vliegen van New York naar Newfoundland. Tanken in Gander. Je moet overvolle tanks hebben om tot Shannon in Ierland te kunnen komen. Dat is de kortste weg naar Europa. De stewardess heeft het ons uitgelegd. Tien uur boven de Atlantische Oceaan, stel je voor zeg. Om nog maar te zwijgen over de vier uur tot Frankfurt en bijna twee uur naar Berlijn.'

'Je zult wel doodop zijn.'

'Ik ben zo wakker als het maar kan, en ik heb ongelooflijke honger. Ik ga me douchen en dan rijden we naar dat Harnackhuis van je om te dineren. Okay, Johnnie?' Zo had ze hem in hun eerste huwelijksjaren genoemd.

'Okay.' Hij bewonderde haar energie.

Ze was fris en een beetje rozig van het bad. Het stond haar goed, net als het vochtig glanzende bruine haar dat ze had opgestoken. Ze droeg hoge hakken en een wijde witte zomerjurk met blauwe stippen met een blauwe bolero erop. Zo chique had hij haar lang niet meer gezien. Ze trok de jurk omhoog tot aan haar dijen om de jarretels recht te trekken. Hij wist niet dat het bij haar plan hoorde.

Voor het Harnackhuis stonden enorme slagschepen van auto's en leger-voertuigen. Binnen speelde een band. 'Captain & Mrs Ashburner' noteerde hij in het gastenboek. Dat was voorschrift, net als het tonen van zijn id-card. Duitsers hadden alleen toegang als ze begeleid werden door een geallieerde.

Harold Tucker en zijn vrouw kruisten hun pad. Myra Tucker was dronken. 'Alles goed verlopen op Tempelhof, John?' wilde Tucker weten.

'Ja, meneer. Mag ik u mijn vrouw voorstellen? Ethel, dit zijn kolonel en mevrouw Tucker.'

'Hi Ethel. Noem me maar gewoon Myra,' lalde Myra Tucker en zocht steun aan Ethels schouder.

'Zeer aangenaam, mevrouw Tucker. John en u moeten ons binnenkort echt een keertje komen opzoeken,' wuifde de kolonel de pijnlijke situatie weg. 'Kom, Myra.' Hij voerde zijn zwalkende echtgenote af.

'Die arme ziel heeft duidelijk een probleem,' spotte Ethel.

Ashburner schoof haar stoel bij. De ober bracht de kaart. Ze kozen kalfs-goulash met rijst en een Rijnwijn. Als dessert appeltaart met vanille-ijs. Ethel kletste vrolijk over koetjes en kalfjes. Bij de koffie kon hij het niet langer voor zich houden: 'Je hebt mijn brief gekregen?'

'Swing, that's great!' riep ze en klapte in haar handen. 'Come on, Johnny.' Ze trok hem van tafel weg naar de nachtclub. Technici hadden het hoefijzer-vormige auditorium van het Harnackhuis omgebouwd. De verhoogde rijen banken waren nu terrassen met tafeltjes. Boven bevond zich de bar. Beneden, waar ooit Max Planck college had gegeven, werd gedanst.

Ethel was niet te stoppen. Ze wervelde over de dansvloer, ving zijn hand, stootte hem van zich af, trok hem dicht naar zich toe zodat ze tegen elkaar aan botsten en snelde weer met verve op armlengte. Hij had niet meer zo uitgela-ten gedanst sinds hun verloving. Ze leek jonger en levendiger dan bij hun afscheid zes maanden geleden. Bij de dansvloer was een tafeltje vrij. 'Champagne,' verlangde ze. Dat was ook nieuw.

Hij deed haar het genoegen. Hij moest haar in een goed humeur houden. 'Cheers,' proostte hij haar toe.

'Cheers, Johnny.' Ze leegde haar glas. 'Let's dance again.' Hij had geen keus. Gelukkig beperkte de slowfox hun swing een beetje. In plaats daarvan drukte ze zich zo stevig tegen hem aan, dat haar knieën bij elke pas tussen zijn dijbenen terecht kwamen.

'Hé, je drinkt helemaal niet,' daagde ze hem uit toen ze weer op hun plaats zaten.

Hij dronk zijn glas in één slok leeg. En nog een toen ze voor de derde keer verhit van de dansvloer kwamen en ten slotte nog een. Op weg naar huis merkte hij dat hij een beetje te veel had gedronken.

'Kunnen we nu praten?' vroeg hij in de slaapkamer.

'Morgen, Johnny.' Ze liet haar jurk naast het bed op de vloer glijden. Ze zag er erg sexy uit in haar jarretels en haar slipje.

'Okay, morgen dan.' Hij pakte een deken uit de kast om in de kamer ernaast zijn bed op te maken.

'Maak je me even los?' Hij wachtte tot ze zich zou omdraaien om haar bh open te maken. 'De sluiting zit voor.' Hij frommelde onhandig tussen haar borsten tot ze hem tegemoet sprongen. Plotseling begon het hem te dagen dat ze dit allemaal had gepland. Maar toen waren ze al innig in elkaar verstrengeld, net als op de hete zondagmiddagen aan het begin van hun huwelijk, toen ze niet genoeg van elkaar hadden kunnen krijgen.

'Hoe is ze, je nieuwe vlam?' vroeg Ethel later in het donker. 'De Duitse meisjes moeten goed zijn in bed, heb ik gehoord. Gefeliciteerd.' Ze lachte stilletjes. 'Onze afscheidswip, Johnny. Ik hoop dat je het leuk vond. Ik verhuis met Jesse Rawlins naar Chicago. We willen trouwen. Ik ben gekomen om de scheidingsrompslomp met je te regelen.'

'Jij kreng!' Hij gooide haar omver en nam haar met wilde stoten.

Mevrouw Inge pakte twee boterhammen voor haar man in. Ze deed ze in zijn aktetas die hij achter op zijn bagagedrager klemde. 'Kom je op tijd thuis?'

'Ik weet het niet. Wacht maar niet op me.' Hij kuste haar vluchtig, was ver weg met zijn gedachten. Het onbestemde gevoel liet hem niet los. Het gevoel dat hem iets belangrijks ontgaan was. Hij had er met zijn neus bovenop gezeten en hij had het niet gemerkt. Hij had de halve nacht wakker gelegen op zoek naar het ongrijpbare. Tegen de ochtend leek het antwoord heel dichtbij te zijn, maar dan glipte het hem weer door de vingers.

Inge maakte zich zorgen. Ze wist dat de moorden op de vrouwen haar man tot in zijn dromen achtervolgden. Hij had de uitdaging van de griezelige moordenaar aangenomen. Voor hem was het een gevecht van man tegen man, waarbij er maar eentje kon winnen.

Ze sneed brood voor de rest van de familie. Het was grijs en glibberig. De bakker lengde het deeg aan met aardappelschillen die hij van tevoren door de molen draaide. Ze had gisteren bij mevrouw Kalkfurth een portie stroop bemachtigd als extra rantsoen. Het was gemaakt van het afval van suikerbieten. Haar vader druppelde het dikke vloeibare donkerbruine goedje op een sneetje brood. 'Ik maak me zorgen over je man. Hij heeft gevraagd wanneer de bewakingsdienst weer wordt ingesteld.'

'Hij wil terug naar zijn oude baan zo gauw deze verschrikkelijke moorden zijn opgehelderd.'

'Zou ik niet doen, in zijn plaats,' zei dr. Hellbich. 'Als hij volhoudt, wordt hij ambtenaar. Dan is hij pensioensgerechtigd. Je moet ook aan de toekomst denken.' Hellbich gunde zichzelf nog een lepel stroop.

Ben beet in zijn tweede plakje en inspecteerde de halve cirkel die zijn tanden hadden uitgestanst. Meer kreeg hij niet, maar dat kon zijn opperbeste humeur ook niet bederven. Zijn pak wachtte op hem. Nog niet eens een half-uur en hij zou zijn op maat gemaakte droom ophalen.

Zijn moeder verscheen met een hoofddoek om en haar jas aan. 'Bij de apotheek kun je zonder bonnen pepermuntthee krijgen. Is weer eens iets anders dan kastanjekoffie en bovendien goed voor de luchtwegen.' Weliswaar had niemand behalve haar door een chronisch rokershoestje geplaagde vader problemen met de luchtwegen, maar Inge bekeek de dingen positief. Het was haar manier de hopeloze misère van alledag in de naoorlogse dagen het hoofd te bieden.

De wethouder greep naar zijn hoed. Ralf klemde zijn schooltas onder zijn arm. 'Ben, kom je?'

'Ga maar vast,' riep zijn broer van boven. Vanuit het raam zag hij hoe grootvader, Ralf en zijn moeder het huis verlieten. Hij haalde de suède schoenen uit hun bergplaats. De sokken hadden een gat bij de linkerteen, maar in de schoenen zag je dat niet. De kraag van zijn catechisatieoverhemd was twee maten te klein en kon niet meer dicht. De gestreepte das uit vaders kleerkast hield het hemd in de nek bij elkaar. Hij stopte het hemd in zijn broek en trok zijn trui erover aan. De schooltas verstopte hij in de schuur. Vol verwachting betrad hij het atelier aan de Ithweg. 'Momentje alstublieft, meneer Dietrich.' Meester Rödel was bezig een zware Ulster uit te borstelen. 'Die heb ik al die jaren vergeten. Hij hing in een mottenzak achter op zolder. Dokter Simon heeft hem in 1938 hiernaartoe gebracht om te strijken. De volgende dag werden hij en zijn gezin opgehaald.'

Ben luisterde nauwelijks. Zijn ogen zwierven door het atelier. Het pak was nergens te zien. 'De jas leg ik straks schoon in de mottenballen, voor het geval de dokter terugkomt. Een paar hebben het kamp immers overleefd. De kleine Rademann van drogisterij Schmidt bijvoorbeeld. Hij praat er weliswaar niet over, maar het moet verschrikkelijk zijn geweest. En nu willen ze hem daarvoor ook nog pakken. Hij was toch alleen maar het jongetje van de commandant. Heidi – Heidi! Breng meneer Dietrichs pak eens!'

Heidi nam de tijd. Ben zag door de open deur hoe ze voor de spiegel haar haar fatsoeneerde en een knoopje van haar blouse losmaakte. Het was vandaag ook wel warm. Ze verdween uit zijn blikveld en kwam kort daarna het atelier binnen met het pak over haar arm.

'Hoi.' Ben strekte zijn hand uit, maar Heidi was veel te druk de kleermakerspop het jasje van het pak aan te trekken. Ze gaf Ben de broek en bleef afwachtend staan.

'Heidi, alsjeblieft...' Haar vader maakte een ongeduldig gebaar. Ze wierp uitdagend haar haar achterover en verliet het atelier.

De broek was lang en slank, met scherpe vouwen, hoge omslagen en viel als gegoten op de bruine schoenen. Ben was het liefst in gejubel uitgebarsten, maar een man van de wereld begon bij een goedzittende pantalon niet te juichen. Koeltjes gaf hij het jasje een cijfer: 1-A, het prefix dat sinds mensenheugenis de nummerborden van de hoofdstad van de minderen uit de provincie onderscheidde. Het was het synoniem voor eerste klasse en werelds.

'Een prachtstuk. Zoiets zie je niet elke dag.' Meneer Rödel hielp Ben in het jasje en schoof zijn das recht. 'Het allerfijnste paardenhaar van voor de oorlog en ivoren knopen. Mijn laatste reserves.' De kleermaker zocht in een laatje.

Heidi kwam terug. Er was nog een knoopje aan haar blouse opengegaan. De bovenste helft van haar borsten glansde Ben blank tegemoet. 'Staat je echt goed, dat pak.' Ze ging voor hem staan. Haar handen gleden over de revers. 'Wat zijn ze zacht.' Haar adem streek warm en zoet over zijn gezicht. 'Zondagmiddag om twee uur in de kuil,' zei ze zachtjes. Ben haalde diep adem. Het was duidelijk dat zijn pak Gerd Schlomms Lederhosen voorgoed had overtroefd.

Rödel had gevonden wat hij zocht. 'Hier. Klein cadeautje.' Hij stopte het zijden doekje in zijn borstzak. 'Zegt het voort, meneer Dietrich, maak reclame voor mij.' Ben deed zijn ouwe plunje weer aan. De kleermaker vouwde het pak in een grijs doek en legde het de jongen over de arm.

Thuis lukte het Ben ongezien de trappen op te komen. Hij verborg zijn schat in de kast op zolder. Zelfs zijn grote fantasie was niet voldoende geweest zijn ouders deze verrassende uitbreiding van zijn garderobe uit te leggen. Het pak verdween achter het zwarte rokkostuum van dr. Hellbich, dat de man voor het laatst had gedragen bij de begrafenis van zijn zoon. Onderofficier Werner Hellbich was in een lazaret bezweken aan de verbrandingen die hij als opleider van een *Volkssturm*-groep had opgelopen. Een zeventigjarige dwangarbeider had per ongeluk de achterwaartse vuurstraal van zijn raketwerper op hem gericht.

Grootmoeder Hellbich wreef de vloer met boenwas. 'Je bent vroeg vandaag,' zei ze verwonderd.

'Onze wiskundeleraar is ziek,' loog Ben. 'Ik ga naar de kapper.'

'Zorg ervoor dat ie het deze keer een beetje korter knipt, hoor je?'

'Middellang, met scheiding,' instrueerde Ben meneer Pagel. De kapper had zijn zaak naar zijn woning verplaatst. Zijn kapsalon lag onbereikbaar in de Amerikaanse zone bij metrostation Onkel Toms Hütte. Een GI uit Brooklyn millimeterde daar nu het haar van zijn kameraden.

'Subiet, meneer. Wilt u een tijdschriftje?' Meneer Pagel had een paar jaargangen van de *Berliner Illustrierte* gered. Ben kreeg een oud nummer in handen waarin de eerste vlucht van de zeppelin Hindenburg naar New York werd gevierd.

'En een pakje Frommser,' zei hij nonchalant toen hij moest betalen.

'Eerste klas waar van na de oorlog. Scheurt gegarandeerd niet.' Meneer Pagel schoof het begeerde pakje over tafel. 'Zodat de jongeheer niet verkouden wordt.' Hij knipoogde naar Ben. Die stak het pakje in zijn zak en maakte dat hij wegkwam. Hij had eigenlijk wel een of twee vragen willen stellen over het gebruik, maar hij schaamde zich. Hopelijk zat er een gebruiksaanwijzing bij.

Inspecteur Dietrich had een paar mensen van het politiebureau opgetrommeld die mevrouw Kalkfurths garage dag en nacht onafgebroken zouden bewaken. Zonder succes. 'Moordenaars als deze hebben een zesde zintuig,' zei Franke duister.

'Eerder een macabere cyclus.' Klaus Dietrich had een paar boeken over de criminele psychologie omtrent vergelijkbare gevallen doorgeploegd. 'Hij komt als hij er weer door gegrepen wordt.'

Vollmer stak zijn hoofd om de deur. 'Captain Ashburner, meneer.'

'Come in, captain. How are you?'

'Fine, thanks.' Ashburner legde een klein metallic voorwerp ter grootte van een lucifersdoosje op het bureau van de inspecteur. 'Weet u wat dit is?'

'Geen idee.'

'Kom mee. Ik zal het u laten zien.'

Op het trottoir stonden twee jeeps. In de voorste zat korporaal Miller en rookte zijn pijp. Ashburner bukte zich en bevestigde het doosje in één beweging onder Millers voertuig. 'Een magneet. Het ding plakt beter dan stroop. Okay, corporal, drive on.' Miller gaf gas. Ashburner liep rustig naar zijn jeep. 'Stap maar in, inspecteur. Hier, neem dit.' Hij gaf Dietrich een canvas tas.

'Kunt u mij vertellen wat dit te betekenen heeft?'

'Maak maar open.' Ashburner begon te rijden.

In de tas zat een grijs kastje ter grootte van een sigarendoos, voorzien van schakelaars en knoppen. Net als bij een radio. 'Een radarapparaat?' raadde Klaus Dietrich.

'Helemaal niet slecht, inspecteur. Haal de linkerschakelaar over en draai de middelste knop naar rechts.' Er werd een luid gepiep hoorbaar dat al snel zwakker werd. 'Dat is de kleine zender onder Millers jeep. De korporaal rijdt sneller dan wij. Hoe groter de afstand, hoe zwakker het signaal. Gassen dus.'

Ashburner trapte het gaspedaal in en de pieptoon werd sterker. Plotseling werd het signaal zachter. Ashburner remde. Ze reden een stukje achteruit en bogen de zijstraat in die ze zojuist waren gepasseerd. Het piepen werd steeds harder. Ze stopten. Millers jeep wachtte verborgen op een oprit. Ashburner leunde uit zijn jeep en viste het doosje weg onder het voertuig van de korporaal.

'Geweldig.' Dietrich was opgetogen.

'Ons geleend door het Office of Strategic Services. Ze werken daar al aan een kleinere versie die je een verdachte onder zijn schoenzolen kan plakken.'

'Dat gelooft niemand als ik het vertel.'

'Dat gaat ook niemand iets aan. Mijn adviserende rol behelst namelijk niet het voorzien van de Duitse politie van elektronisch speelgoed.' De captain legde de kleine zender bij de ontvanger in de tas. 'Er zit ook een koptelefoontje in. Die stop je in het apparaat en dan druk je op de rechterknop. Ik breng u naar de recherche.'

'Niet nodig. Een ommetje doet mij goed.'

'Good luck, Inspector.'

Dietrich pakte de tas bij de schouderriem en stapte uit. Ashburner keek hem hoofdschuddend na: de magere, vroeggrijze man in een te wijd pak die met zijn linkerbeen trok.

'En dat wil een seriemoordenaar vangen.' Korporaal Miller zei wat de captain dacht.

'Ik wil graag die garage in en de motor bekijken zonder dat iemand het merkt. Heeft er iemand een idee?'

'Een afleidingsmanoeuvre,' stelde Vollmer voor en wist ook al hoe.

'Uitstekend,' loofde de inspecteur hem. 'Morgenochtend om halfnegen.'

Om negen uur waren ze aan de Am Hegewinkel. Vollmer ging als zogenaamde controleur van het elektriciteitsbedrijf van deur tot deur om te controleren of er iemand zwart stroom aftapte. Dietrich en Franke sprokkelden intussen achter de huizen achtergebleven hout. De inspecteur droeg een oude windjekker en een vettige zeilpet. Franke had zich vermomd met een trui vol gaten. Hij trok een kleine ladderwagen. Langzaam naderden ze het perceel van Kalkfurth.

'Achter aansluiten,' scholden de in de rij staande vrouwen toen Vollmer zich langs hen heen een weg de winkel in baande.

'BEWAG.' Vollmer toonde een ambtelijk document. 'Ik wil graag alle elektrische aansluitingen in dit huis zien,' eiste hij van Winkelmann, die met een pafferig gezicht de hongerige klanten bediende.

'Ga maar met hem mee. Ik doe het hier wel.' Martha Kalkfurth draaide haar rolstoel naar achter de toonbank. 'Wat mag het wezen, mevrouw Krüger?'

Dietrich keek op zijn horloge. Hij knikte Franke toe. De poort in de schutting was geen hindernis. Met een paar passen waren ze bij de achterdeur van de garage. Franke haalde een bosje lopers uit zijn zak. Even later hadden ze het eenvoudige slot geopend.

Binnen was het schemerig. Twee meter voor hen torende de rotzooi tot aan het plafond en versperde de doorgang naar het voorste gedeelte van de garage. Rechts aan de wand hingen een tuinslang en een grasmaaier. Links waren onder een versleten lappendeken de omtrekken van een motorfiets zichtbaar. De inspecteur sloeg de deken op. Hij onthulde een NSU 300, bouwjaar 1936. Een paar vochtige bladeren aan de voorband bewezen dat de machine kort geleden nog was gebruikt.

Dietrich zakte door zijn knieën alsof hij het nummerbord wilde inspecteren. Hij plakte de kleine metalen box onder het achterste spatbord. Het was zijn persoonlijke wapen in het duel met de moordenaar. Daar hoefden de anderen niets van te weten.

'Wat heb ik gezegd, chef?' zei de rechercheur triomfantelijk toen ze weer buiten stonden.

Dietrich grijnsde. 'Dat u mij zou helpen de buit van onze houtinzamelingsactie bij mij thuis af te leveren. Ik woon hier op de hoek.'

Vollmer dook vlak na de twee andere mannen op bij de recherche. 'Buiten stond een lange rij klanten en binnen mevrouw Kalkfurth en haar medewerker Winkelmann,' rapporteerde hij. 'Ik heb zogenaamd elk stopcontact van de kelder tot op zolder gecontroleerd en zorgvuldig om mij heen gekeken. Er is niet de geringste aanleiding om aan te nemen dat er behalve mevrouw Kalkfurth nog iemand in het huis woont of zich verborgen houdt.'

Zoals altijd wachtte hij tot de nacht kwam. De nacht was zijn jachttijd. Rond tien uur ging hij naar de garage en deed de looplamp aan. Hij trok de deken van zijn motor en schrok. Er was iets anders dan normaal. De benzinedop! Hij schroefde hem altijd zo dicht dat het logo verticaal stond. Het was verdraaid! Hij had minder dan een minuut nodig om het kleine metalen doosje onder het achterste spatbord te ontdekken. Hij draaide het dingetje radeloos heen en weer. Hij plakte het als experiment aan de grasmaaier vast, pakte het er weer af en dacht na. Grijnzend deed hij het kastje in zijn zak. Hij had het begrepen. Hij snoerde de kinriem onder zijn leren helm vast en zette de stofbril op.

'Ze zijn je op het spoor, jongen,' drong de stem door de rotzooi.

Hij lachte droog. 'De inspecteur heeft iets bijzonders bedacht. Hij denkt dat ik het niet weet.'

'Ze zullen je vinden, waar je je ook verstopt. Deze keer kan ik je niet helpen. De tijden zijn veranderd. Laat je motor hier, jongen. Loop weg voordat ze je kop eraf hakken. Ofschoon dat misschien wel het beste voor ons alle twee zou zijn.'

'Moeder, nu ga je toch echt te ver,' zei hij verontrust.

Klaus Dietrich hing de tas met de ontvanger om en fietste het donker in: een wonderlijk silhouet met een koptelefoon op. Het was de derde achtereenvolgende nacht en zijn vrouw Inge vroeg zich af hoelang zijn uitgeputte, ondervoede lichaam dit zou volhouden.

Zijn rondje bracht hem eerst naar de Am Hegewinkel, waar een gelijkmatige pieptoon de afgelopen twee nachten had aangegeven dat de motor in de garage stond. Vandaag was de pieptoon er niet. De moordenaar was onderweg.

De zelfingenomen monologen van haar vader en het eeuwige gejammer van haar moeder werkten Jutta op de zenuwen. Ze ging twee dagen eerder dan gepland op weg naar huis. Het duurde een eeuwigheid om van Köpenick naar Berlijn centrum te komen. De totale ineenstorting van de hoofdstad was bijna vier maanden geleden. De verkeersmogelijkheden lieten dus nogal te wensen over. Vanaf het Wittenbergplein reed de metro normaal. De route door de westelijke voorsteden was nauwelijks beschadigd.

Onderweg dacht Jutta aan John. Ze voelde een schaamteloos mooi, fysiek verlangen naar hem. Ze stelde zich voor hoe ze hem zou overvallen en raakte opgewonden, wat een oudere man tegenover haar met een knipoogje beloonde, alsof hij haar gedachten kon lezen.

Ze bereikte Onkel Toms Hütte met de laatste metro. Ze rende de trap op en verliet het station door de smalle, met prikkeldraad beschermde ingang die de Amerikanen voor de Duitsers hadden opengelaten. Bij de slagboom liet ze haar identiteitsbewijs zien. Vol verwachting betrad ze het goed verlichte Sperrgebiet. Uit een van de ramen klonk Benny Goodman, begeleid door lachende stemmen. In de Wilskistraat nummer 47 drukte ze op de onderste bel.

De seconden die ze moest wachten leken wel uren, en ze verhoogden de spanning. Ze voelde al bijna hoe zijn stevige lichaam zich tegen haar aan zou drukken, haar tong tussen zijn lippen. Eindelijk deed er iemand open. 'John, darling...' wilde ze zeggen. De vrouw in de deuropening was haar voor: 'John, darling!' riep de vrouw over haar schouder.

Ze wist meteen wie die vrouw in badjas was die voor haar stond met haar haar in de war, een glas in de hand. Ze wist ook dat deze vrouw was gekomen om aanspraak te maken op haar bezit. Jutta rende weg als aangeschoten wild.

John Ashburner kwam de badkamer uit. Ethel was geamuseerd: 'Nogal impulsief, die jongedame van je.'

'Ik ga er achteraan,' zei hij gedecideerd.

De inspecteur ging de hoek om, de Argentiniëlaan in. Zijn beenstomp deed pijn bij elke trap op het pedaal. De fiets rammelde zachtjes. In sommige raamkozijnen brandden kaarsen. Het leek wel Kerstmis. Maar het was oktober en de stroom was uitgeschakeld en een moordenaar reed hier ergens door de warme nacht vol sterren. Hij luisterde naar zijn koptelefoon alsof daar het antwoord op zijn vragen lag.

Dietrich liet de gebeurtenissen van de week de revue passeren. Waar was hij geweest? Wat had hij gedaan? Captain Ashburner had hem de pieper laten zien, hij was met getuige Mühlberger wegens de personeelsdossiers in meneer Chalfords kantoor geweest, hij had onopvallend de bergplaats in de garage doorzocht en de motor geprepareerd. En hij was drie nachten op fietspatrouille geweest. Ergens en op een bepaald moment in de week die achter hem lag, was hem iets opgevallen. Hij had het in zijn onderbewustzijn opgeslagen en daar rustte het nu en er was niets wat het naar de oppervlakte bracht.

Er klonk een ijl gepiep in zijn koptelefoon dat snel sterker werd. Dietrich remde, legde de fiets plat op de stoep en dook achter een schakelkast aan de stoeprand. Geen twee meter voor hem pruttelde de motor langs hem heen. In de stofbril van de moordenaar spiegelde de heldere sterrenhemel.

Dietrich stapte weer op zijn fiets en volgde de zwakker wordende pieptoon die hem aanduidde dat de motor zich verwijderde. Hij maakte geen schijn van kans met zijn ouwe fiets. Tot zijn eigen verbazing werd het signaal na een minuut weer sterker en zwol het aan tot fortissimo. De vijand was dichtbij.

Dietrich stopte en keek om zich heen. Toen zag hij de kleine metalen box. Hij was tegen de lantaarnpaal voor hem geplakt. De moordenaar had hem te pakken.

Uit de nabije doorgang raasde opeens een portie gebundelde kracht op hem toe. De NSU 300! Een droge knal wierp hem omver. De vijand draaide en ging opnieuw tot de aanval over. Een lelijk geknars alsof al zijn botten versplinterden en de motor racete weg.

Dietrich lag hulpeloos op straat. Plotseling schoot het door hem heen als een elektrische schok. Dat waar hij zijn hersens al dagenlang over pijnigde: het was er opeens. Hij probeerde op te staan. Het lukte hem niet. De banden van de motor hadden zijn prothese verbrijzeld. De resten hingen in bizarre hoeken aan zijn beenstomp. Hij stroopte zijn broek op en maakte de prothese los.

Een jeep kwam naderbij. Het zoeklicht zocht het trottoir af. Dietrich zwaaide, maar vlak voor het zoeklicht hem bereikte, zwenkte hij naar de andere kant van de straat. Dietrichs geroep was niet te horen bij het lawaai van de motor van de jeep. Verdomme, ik moet op de been komen, dacht hij. Op mijn ene been, hoe waar, dacht hij sarcastisch.

Hij draaide zich om en kroop op handen en knieën naar de lantaarnpaal waar zijn fiets lag. Het was maar drie meter, maar het leek wel drie kilometer. Hij trok zich aan de lantaarnpaal omhoog. Bij de derde poging lukte het hem pas de fiets rechtop te zetten. Hij greep het stuur met beide handen vast, schoof zijn halve been over de stang en ging op het zadel zitten. Hij zette zich af met zijn gezonde been.

Even dreigde hij om te vallen, maar hij hervond zijn evenwicht snel. Hij trapte op het pedaal en trok de trapper met zijn wreef weer omhoog. Het ging beter dan verwacht. Hij versnelde het tempo. Hij mocht geen tijd verliezen. Hopelijk liet de post bij het Amerikaanse Sperrgebiet hem telefoneren. En daarna had hij een ontmoeting met de moordenaar.

Benny Goodman en de lachende stemmen klonken honend en het schelle licht van de schijnwerpers brandde in Jutta's ogen. Ze probeerde zich te beheersen. Nu niet in elkaar klappen. Die triomf gunde ze de ander niet.

Aan de andere kant van de slagboom was de stroom afgesloten. Met energieke stappen haastte Jutta zich weg. Ze was woedend op zichzelf en op John. Hij had haar voorgelogen. Hij wilde een keurig net avontuurtje tot Ethel kwam en zij, domme gans, was erin getuind.

Ze bleef staan en haalde diep adem. De nachtlucht deed haar goed. Ze herinnerde zich wat achter haar lag. De bomnachten. De rode hordes. De onbeschrijflijke vernederingen. En ze wond zich op over een Amerikaan aan wie ze zich eigenlijk heel graag had gegeven. 'Zand erover,' hoorde ze Jochen zeggen, zoals na hun eerste ruzie als echtpaar. Ze hadden zich daarna heerlijk verzoend in bed. Jutta moest glimlachen.

Ze werd teruggeroepen naar de realiteit door een geluid. Jutta draaide zich om. Vanuit het donker kwam een gestalte op haar af met opgeheven armen. Rinkelend werd er een ketting om haar hals gelegd. Kuchend begon de gestalte aan haar jurk te trekken. Ze hapte naar lucht als een vis op het droge. Haar handen grepen in het niets. De ketting snoerde haar de adem af. Ze kreeg paarse vlekken voor haar ogen.

Tijdens de laatste seconden voor het einde, ziet de stervende zijn hele leven aan zich voorbijgaan, dacht ze. Waar heb ik dat ook alweer gelezen?

Jutta

Was het een droom of was het werkelijkheid? Ze voelde zijn gewicht op haar en zijn mannelijkheid diep tussen haar benen. Zijn gezicht bleef in het duister. Jochen? Of de ander, die ze weliswaar nog niet kende, maar die ze ooit op een dag zou leren kennen. Hij bestond. Hoe kon ze anders over hem dromen? Haar hart klopte luid en hardnekkig, alsof het mammie was die tegen de deur stond te bonzen.

Het was mammie. 'Zeven uur, meisje!' riep ze. Met tegenzin trok Jutta zich uit haar kussens. Haar kruis was vochtig en warm. Het liefst zou ze zijn teruggekeerd naar haar droom, om zijn gezicht te herkennen. Ook onder de douche bleven zijn gelaatstrekken wazig.

In de keuken smeerde ze haar geijkte boterhammetje en keek naar een vlieg die over Keizer Wilhelms neus trippelde. De oude man met de bakkebaarden hing op de deur van de voorraadkamer. Jutta's overgrootvader, een trouwe onderdaan, had de keizer daar ooit opgeplakt.

Mammie schonk koffie in uit de grote blauwe emaillen kan die op het gietijzeren fornuis stond. Ook 's nachts doofde de kolengloed niet. In de gastenkamer maakten een paar arbeiders lawaai bij hun ochtendbiertje. Pappie lachte maar wat mee bij een van hun opmerkingen. Hij lachte altijd maar wat mee, kort en zogenaamd verrast. Zo hoefde hij niet mee te praten. Mammie zette de kan weer terug op het fornuis. Dan bleef het zwarte brouwsel heet, mocht een gast koffie bestellen. 'Zien we je nog vanavond?'

'Dat hangt ervan af.' Ze had geen idee waarvan, maar ze zei het om mammies onherroepelijke volgende vraag te vermijden: waarom ze niet eindelijk eens trouwden? Overnachten bij een man, ook al was het je aanstaande, dat hoorde niet. Jochen moest dat toch weten als verantwoordelijk mens en academicus.

'Ik moet ervandoor.' Ze meed de gastenkamer en verliet de Rote Adler door de groentetuin. Het was tien minuten naar station Köpenick.

In de metro nam ze de nieuwe roman van Hans Fallada uit haar aktetas. Als toekomstig boekenverkoopster moest ze op de hoogte blijven. Vandaag waren de laatste bladzijden aan de beurt: een deprimerend gevangenisverhaal met een held zonder hoop.

Toen ze het boek had uitgelezen, probeerde ze te raden wie haar medepassagiers konden zijn. Mensen met ernstige, vrolijke, aphatische, vriendelijke of afwijzende gezichten. Een meneer met een dophoed op, wiens buik strak in zijn vestje gespannen stond. Juwelier, verzekeringsmakelaar, docent? Hij verborg een partijspeldje achter het huis-aan-huisblaadje dat hij aan het lezen was. Jutta las de koppen van deze julidag in 1934: 'Oostenrijks kanselier Dollfuß vermoord – Hans Stuck wint Grote Prijs van Duitsland op Auto Union – Marie Curie overleden'. De oude vrouw tegenover, in wier mand een dozijn eieren, een ham, twee worsten en een bos rabarber waren gestouwd, kwam vast uit Rahnsdorf, Zeuthen of van nog verder buiten de stad, om de kinderen in de stad iets gezonds te eten te kunnen geven. De dame met hoed en handschoenen van getwijnd garen naast haar had vast en zeker met andere dames met hoed en handschoenen van getwijnd garen bij Kranzler of Café Schilling afgesproken voor een koffiekransje. De majoor ter lucht, met zomers witte pet en een gegroefde leren map, was vermoedelijk op weg naar zijn bureau in het nieuwe Reichsluftfahrtministerium.

Nieuw in het stadsbeeld waren ook de vlaggen met hakenkruis die aan de postkantoren wapperden en de borden in enkele etalages waarop stond: ARISCHER BETRIEB. Het vertrouwde Pruisisch blauw van de politie was vervangen door een lelijk groen, waarvan zelfs boswachters gruwden.

De Berlijners bleven er gelaten onder. Het stamde allemaal uit verre, zuidelijke provincies die sowieso geen mens serieus nam. Men was het erover eens dat het Oostenrijks-Beierse circus gauw weer zou verdwijnen.

Ook de vent met het bruine hemd en de laarzen aan op het Heidelbergerplein, waar Jutta van de stadtrein overstapte in de metro, was in eerste instantie Berlijner en dan pas lid van de SA. 'Mensen, geef gul! De Führer heeft warm ondergoed nodig,' riep hij en rammelde met zijn blikje voor de nationaal-socialistische winterhulporganisatie. 'Heb jij ook bruin ondergoed aan?' vroeg een klein jongetje. 'Alleen als ik natte scheten laat,' was het olijke antwoord.

Jutta reed tot aan Onkel Toms Hütte. Een paar jaar geleden had de architect Doering daar een modern winkelcentrum rondom het station laten ingraven in het Markse zand. Het centrum lag ter hoogte van het metrospoor, dus onder straatniveau.

De boekhandel bevond zich in een van de twee winkelstraten die het perron aan twee kanten begeleidden. Links naast de boekwinkel zat Zabels zeepwinkel, rechts juffrouw Schummels herenmode. Nog verder naar rechts verkochten en repareerden de heren Müller & Hacker radio's, die tegenwoordig *Rundfunkempfänger* heetten, terwijl links van de zeepwinkel vishandel Ehlers noordzeelucht verspreidde.

In de boekwinkel rook het naar verse koffie. Jutta's bazin dronk de koffie onvermoeibaar uit piepkleine mokkakopjes en rookte er Egyptische sigaretten bij. In de namiddag dronk ze thee. Ze zat zoals altijd in de achterkamer en las. Diana Gerold was een dertiger met kort, zwart haar en een gezonde teint die ze opdeed tijdens het tennissen op de club aan de Hüttenweg. 'Ook eentje?'

Jutta schonk ook een kopje in. De winkel ging open om negen uur. Ze had dus nog tien minuten. Ze wees op het boek. 'Nieuwe verschijning?'

'Oud bestand. Stefan Zweig, novelles. Twintig onverkoopbare, want tegenwoordig verboden exemplaren. "Artfremd und undeutsch", zeggen ze. En dat terwijl er bijna niemand is die de Duitse taal zo subtiel beheerst als hij. In tegenstelling tot de grove manier van uitdrukken van ene meneer Beumelburg, wiens oorlogsproza ons door het beursblad der Duitse boekhandels warm wordt aanbevolen. De uitgeverij houdt vijftig exemplaren voor ons klaar, met de subtiele boodschap dat als we er minder afnemen, dat geen goede indruk maakt. Een ongehoorde chantage.' Diana Gerold wond zich steeds meer op.

'Tijd om de deur open te doen.' Jutta zorgde voor de bibliotheek en de verkoop, terwijl de eigenaresse meestal onzichtbaar bleef.

Meneer Lesch stond al te wachten. Ewald Lesch, weduwnaar, ambtenaar bij de posterijen in ruste en stamgast in de bibliotheek. 'Goedemorgen meneer Lesch. We hebben een nieuwe Lord Peter Wimsey,' begroette Jutta de man. Lesch was een liefhebber van Engelse detectives. Ze nam de band van Dorothy Sayers uit de kast.

'Hopelijk niet zo'n misser als Edgar Wallace. Ik dacht dat Sanders vom Strom een detective was. Ik wist niet dat de man ook verhalen over Afrika schreef. Verhalen uit Afrika interesseren me niet.'

'U hebt daarvoor toch een Agatha Christie van me tegoed,' kalmeerde Jutta hem. 'Wat dacht u van Hercule Poirot?' Tevreden ging meneer Lesch weer weg. Zijn plek werd ingenomen door een goedgeklede jongeman die een beetje radeloos rondkeek in de winkel.

'Goedemorgen, meneer. Zoekt u iets bijzonders?'

'Ja. Hitlers *Mein Kampf.*' Het leek wel of hij zich er voor schaamde.

'Gedeeltelijk of volledig linnen?' vroeg Jutta zakelijk.

'Helemaal in leer, alstublieft. Jucht- of marokijnleer. Met gouden inschrift. Als het kan een dundrukuitgave.'

'Ik vrees dat wij u met een dergelijke luxe-uitgave niet kunnen helpen, meneer. Misschien een van de grote boekhandels in de stad...'

'Ik kan het gewenste gaarne telefonisch voor u bestellen.' Mevrouw Gerold was naar voren gekomen. 'De groothandel stuurt het morgen met de levering mee. Neem toch in de tussentijd de halflinnen band mee om te lezen. Op kosten van de zaak, natuurlijk.'

'Ik wil die onzin niet lezen. Ik heb een opzichtig geval nodig voor op mijn bureau in mijn nieuwe advocatenkantoor.'

'O, ik begrijp het. Als goede Duitser en oprechte Volksgenosse is het prettig het werk van de Führer en Rijkskanselier onder handbereik te hebben.' Diana Gerold had een spottende trek om haar mond.

De man gaf Jutta zijn kaartje. 'In verband met de bestelling.' Hij heette mr. Rainer Jordan en hij was advocaat. Zijn blik verried dat ze hem beviel. 'Zoals gezegd ben ik nieuw hier in de buurt en ik ben alleenstaand. Zou u het opdringerig vinden als ik u vroeg met mij een glas wijn te gaan drinken na sluitingstijd?'

'Helemaal niet opdringerig, mr. Jordan, eerder een compliment. Maar ik heb al een afspraak.'

'Ik wens u desalniettemin een goede dag.' Hij tilde zijn hoed op.

'Gefeliciteerd, een aanbidder,' grapte mevrouw Gerold achter uit de winkel.

'Een hele aardige zelfs,' riep Jutta verheugd en zette *Sanders vom Strom* weer op zijn plek. Ze dacht aan Jochen.

Klokslag zeven uur, vrij van haar werk, stond Jutta boven bij de klok. Ze hoorde het knetteren van de motor al van verre. De kleine Hanomag, door de Berlijners vanwege zijn vorm 'Kommisbrot' genoemd, kwam de hoek om en stopte met een flinke boer. Jochens haar was zoals altijd in de war en zijn das zat ook zoals gewoonlijk scheef. 'Hoi boekenwurm,' riep hij goed geluimd.

'Goedenavond, meneer de docent.'

Isabel zat naast hem. Isabel Severin, donkerblond, grijze ogen, groot en slank. Jochen en zij zaten vlak voor hun kandidaats. Jochen als toekomstig docent aan het gymnasium voor Duits, Engels en geschiedenis. Isabel zou aan het lyceum Frans en aardrijkskunde gaan doceren.

Geen dag zonder Isabel, dacht Jutta boos. 'Schuif es op.' Ze perste zich naast Isabel. 'Hoe was het vandaag?'

Jochen gaf gas. 'Ik krijg de Merovingen in mijn mondeling. Dat heeft Isabel gehoord van de assistent van professor Gabler.'

'Ik heb hem een stukje van mijn knieën laten zien en toen deed hij zijn mond open.' Isabel had bezienswaardige benen. 'Brengen jullie mij naar huis?' Ze had een kamer in onderhuur in de Lynarstraat. Haar moeder was overleden bij haar geboorte. Haar vader was weer getrouwd. Hij betaalde haar voldoende alimentatie. Verder zorgde hij niet voor haar. Ze had geen verdere familie. Waarschijnlijk ook daarom had ze zich bij het paartje aangesloten. Een beetje te gezellig allemaal, vond Jutta.

Ze was opgelucht toen Isabel uitstapte. Ze keek uit naar een avond met Jochen in zijn originele treinhuisje.

'Ik kom strakjes langs,' smoorde Isabel Jutta's hoop in de kiem. 'Ik neem de aantekeningen van Gablers college over het nieuwe nationaal historisch besef mee. Daar moet je bij je mondeling iets over laten vallen, Jochen. Dan voelt hij zich vereerd.'

'Kunnen we dan nooit alleen zijn?' klaagde Jutta.

'Mijn werk is belangrijk voor me. Isabel geeft goede tips.'

'Straks zit ze nog bij ons op de bedrand en geeft goede tips.'

'Ze offert veel tijd voor me op. Dus doe niet zo moeilijk.'

'Breng me alsjeblieft naar de stadstrein. Ik ga naar huis. Veel plezier met Isabel,' zei ze kattig.

De luxe-uitgave van *Mein Kampf* werd op vrijdagochtend vroeg met een paar kookboeken en de gevreesde vijftig exemplaren Beumelburg aangeleverd. 'Leg er maar eentje van in de etalage,' zei mevrouw Gerold. 'Verstop het maar achter *De Franse Keuken*. De telefoon ging. 'Uw verloofde.' Ze gaf Jutta de hoorn.

'Hoi boekenwurm. Hoe gaat het met het gedrukte woord?'

'Je leest en je verbaast je erover hoeveel heroïsche onzin er tegenwoordig wordt gepubliceerd.'

'De tekenen des tijds,' zei hij onbekommerd.

Jutta had besloten niet haatdragend te zijn. 'Haal je me om zeven uur op?'

'Daarom bel ik. De staatsbibliotheek is vanavond langer open. Isabel en ik kunnen daarom een hoop materiaal inkijken. Zaterdag en zondag werken we bij mij door. Maandag haal ik je op zoals altijd.'

'Ik wens je een fijn weekeinde.' Ze probeerde beheerst en koel te klinken, maar ze kwam niet verder dan dat ze haar jaloezie sneu moest toegeven.

'Isabel is geweldig in overhoren.' Het moest blijkbaar een verklaring en een excuus tegelijkertijd zijn.

'En verder? Ook geweldig?'

'Praat geen onzin. We houden ons moeizaam op de been met behulp van Pervitin.'

'Dat moet een lekker stimulerend middel zijn,' katte Jutta. Maar toen had Jochen al opgehangen.

'Haal maar een zak kersen voor tussen de middag,' zei mevrouw Gerold.

'Dan kan ik mr. Jordan meteen zijn bestelling langsbrengen,' zei ze tussen neus en lippen door en kreeg een argwanende blik toegeworpen.

Het was maar een paar straten lopen. Achter de winkel uit en het leveranciersstraatje naar de Wilskistraat door. Een messingbordje op nummer 47 waarop stond: MR. RAINER JORDAN, ADVOCAAT. De zoemer liet Jutta binnen. Het kantoor bevond zich op de begane grond rechts. Mr. Jordan deed zelf open. 'Mijn secretaresses hebben lunchpauze. Volgt u mij maar naar mijn kantoor.'

'Uw bestelling. De rekening zit erbij.' Jutta legde het pakje op zijn bureau, waarachter tientallen juridische werken torenden. Ze volgde hem met haar ogen terwijl hij het boek uitpakte. Hij had iets wat ze voorzichtigheidshalve negeerde omdat ze precies wist hoe beschamend snel ze eraan zou toegeven. Aan de andere kant was dat een prettige gedachte die een tinteling veroorzaakte onder de navelstreek. In het secretariaat klonk het getik van schrijfmachines. Er rinkelde een telefoon. Een vrouw riep iets.

'Aha, de dames zijn terug.'

'Ik wil u niet verder storen, mr. Jordan. U bent erg druk, zie ik.'

'Is het te merken?' vroeg hij vrolijk. 'Kom mee.'

WACHTKAMER – SECRETARIAAT I – SECRETARIAAT II las ze op de drie deuren op de gang. Jordan deed de een na de andere deur open. Achter de melkglazen deur van de 'wachtkamer' bevond zich de keuken. De badkamer was 'secretariaat I' en 'secretariaat II' stond leeg. Op de vloer stond een grammofoon waaruit het staccato van typmachines, het gerinkel van telefoons en druk gepraat klonk.

'Heette een van uw voorvaderen wellicht Potemkin?'

'Het hoort allemaal bij de show. Als er daadwerkelijk per ongeluk een cliënt binnenvalt, ben ik de drukke advocaat. Tot nu toe is dat alleen nog maar een loodgieter, wiens rekening niet is betaald. Voor het overige leef ik zoals de meeste beginnelingen in mijn vak van de schamele boterham van de verplichte advocaat.' Zijn ogen rustten op haar hemelsblauwe truitje. 'Loop ik weer een blauwtje als ik u vanavond voor een glas wijn uitnodig?'

Jutta dacht aan Jochen en Isabel. 'Nee, dat doet u niet.'

'Om zeven uur bij Brumm?'

'Tien over zeven als dat kan.'

'Dan gun ik mij nu een welverdiende siësta.' Hij klapte de boekenwand achter zijn bureau naar beneden zonder dat er een boek uit viel. Het waren allemaal vastgeplakte ruggen van nepboeken! Er kwam een onopgemaakt bed tevoorschijn.

'Zo gauw ik de succesvolle advocaat van een hele reeks prominente mensen ben, wat ik overigens vast van plan ben, huur ik vanzelfsprekend een kantoor in de beste buurt en een appartement aan de Kurfürstendam. Kan ik het boek volgende week betalen? Ik ben momenteel een beetje platzak.'

'Mijn bazin vindt het vast goed. Ik wens u een aangenaam middagdutje.'

Jutta kocht kersen bij Froweins Groente en Fruit, dikke roodgele kanjers uit Werder, die ze met mevrouw Gerold in het opkamertje achter de boekhandel opat. 'Zijn bed achter een nepboekenwand, en in plaats van een typgeit een grammofoon in de andere kamer,' vertelde Jutta. 'Zei u niet dat u af en toe een advocaat nodig had?'

'Momenteel niet.' Mevrouw Gerold legde een arm om Jutta's schouders. 'U vindt hem leuk, hè? Maar pas op voor complicaties.'

Brumms Gaststätten lag recht tegenover het metrostation. Links in het bargedeelte speelden een paar eenvoudige arbeiders en ambtenaren uit de buurt een kaartspel. In het midden bevond zich de bakkerij met lunchroom en rechts was het café-restaurant. De jonge lindes in de voortuin schemerden goudkleurig in de avondzon.

Rainer Jordan was er al. Hij schoof haar stoel voor haar aan. 'Wat dacht u van een moezelwijn? Die past goed bij de verse snoekbaars uit de Havel. De loodgieter kwam vanmiddag langs. Zijn klant heeft naar aanleiding van mijn brief eieren voor zijn geld gekozen. Ik heb mijn honorarium gekregen.'

'Wat geen reden is om meteen lichtzinnig te worden.' In haar hoofd berekende ze het geld dat ze nog bezat. Het moest genoeg zijn. En in het ergste geval kon ze nog wat van pappie lenen. 'Ik betaal de helft.'

'U bent erg gul.'

'Alleen maar praktisch ingesteld.'

'Annie!' Hij wenkte de serveerster, een knap, blond meisje met blauwe ogen. 'We nemen de snoekbaars en een fles moezel erbij.'

'Twee keer snoekbaars en één keer moezel. Komt eraan, meneer Jordan.'

'U kent elkaar?'

'Alleen maar als serveerster en betalende gast. Maar het klopt dat sommige mannen alleen maar voor Annie komen. De zoon van Kalkfurths Worstjes zit elke zondagmiddag urenlang in haar buurt en bestelt eindeloos koffie met gebak.' Hij grijnsde. 'De jongen zou het eens moeten proberen met een paar knakworstjes van eigen fabrikaat als geschenk aan zijn aangebedene. Serveersters houden wel van lekker pittig.'

'Hebt u ervaring, meneer de advocaat?' plaagde ze hem.

'Daar zwijgt een heer over. In welke mate bent u eigenlijk gebonden?'

'Waarom wilt u dat weten?'

'Omdat ik u zeer sympathiek vindt.' Hij fileerde zijn snoekbaars erg handig.

Het begon te schemeren. De gaslantaarns van de straatverlichting sprongen aan. Een bus van lijn T blies dieselwalm vanaf de halte in de buurt over. Er stapten een paar passagiers uit om zich naar huis te haasten of over te stappen in de metro. 'En u, mr. Jordan?'

'Alleenstaand met een stukje geschiedenis. Marion was erg chique en erg verwend. Dochter van een fabrieksdirecteur. Ze hield de arme student als een schoothondje. Als hij haar naar dure etablissementen meenam, reikte ze hem onder tafel haar portefeuille. Op een gegeven moment had ze er genoeg van en ontdeed zich van hem met afschuwelijk dure manchetknopen. Die verkocht hij en financierde daarmee de rest van zijn studie. Sindsdien waren er een paar eendagsvliegen, als u het precies wilt weten.'

Jutta observeerde hem terwijl hij sprak. Ze mocht zijn open gezicht dat haar deed denken aan een jonge hond als hij zijn wenkbrauwen optrok. Weer die tinteling in de navelstreek waar ze zo van genoot.

'Ongebonden dus. Nemen we ijs als toetje?'

'Annie, twee ijs alsjeblieft.'

'En de rekening,' voegde Jutta toe. 'Fiftyfifty, weet u nog?'

'Mijn oom wil een baantje voor me regelen bij de UfA. Hij is regisseur. Theodoor Alberti. Kent u hem wellicht?'

'Sorry, nee.'

'Geeft niks. Oom Theo vindt dat ik een beetje moet rondsnuffelen in de juridische afdeling van de filmproductie. Na een jaartje of twee zou ik dan met een lucratieve clientèle uit de filmbusiness achter de hand een eigen kantoor kunnen opzetten en veel geld verdienen. Dan trakteer ik u echt. Zal ik u naar de bus of naar de metro brengen?'

Jutta lepelde haar ijsje op. Isabel en Jochen zaten over hun dikke boeken gebogen. Gezellig dicht bij elkaar natuurlijk. Hoe ver ze zouden gaan? En hoe ver zou zij zelf gaan?

'Koffie?' stelde ze voor.

Hij stak zijn hand op. 'Annie!'

'Ik bedoel – bij u.'

Ze genoot van de verrassing op zijn gezicht en was net zo verrast over zichzelf.

'Koffie bij mij dus. Met plezier, maar helaas moet het wel zonder melk en suiker zijn.'

'Het gaat om het genoegen.' Jutta vond het steeds leuker worden. Bovendien zou ze de dingen gewoon nemen zoals ze kwamen. Voor berouw was er naderhand nog tijd genoeg. Mocht er wat te berouwen zijn, dacht ze voorzichtig.

Naast de stoeprand voor huisnummer 47 in de Wilskistraat stond een wagen zonder licht te wachten. Er stapte een man in uniform uit. 'Bent u advocaat mr. Jordan?'

'Dat ben ik.'

'Rechterlijk opperwachtmeester Kuhlmann. Het gaat om uw cliënt Paul Belzig. Hij heeft zich opgehangen in voorarrest. We hebben u nodig als getuige. Een vertegenwoordiger van justitie is al onderweg. Een formaliteit, meneer.'

'Wat vreselijk,' zei Jutta.

'Een kruimeldief. Voor de zesde keer een terugslag. Volgens de nieuwe richtlijnen dreigde hem, als zogeheten volksongedierte, na het uitzitten van zijn straf tbs in een kamp, wat vandaag de dag levenslang betekent. Dat heeft hij nu ingekort.' Jutta voelde Rainers boosheid. 'Het spijt mij zeer dat onze avond zo moet eindigen.'

'Niet uw schuld.' Ze reikte hem de hand. 'Welterusten.' De achterlichten van de auto verdwenen de hoek om en met hen het antwoord op een onuitgesproken vraag.

Het was al te laat om naar huis toe te rijden. Ze had de sleutels van de boekhandel. In de achterkamer klapte ze het vouwbed uit dat Diana Gerold soms voor haar middagdutje gebruikte. Zou Isabel met hem naar bed gaan?, vroeg Jutta zich af en was verbaasd hoe zakelijk ze zichzelf die vraag stelde.

Op zaterdag gingen de winkels om één uur dicht. Anja Schmitt kwam langs om Diana Gerold op te halen. Anja was een iel witblond jongenskoppie in een tennisjurkje. De twee vrouwen wilden een partijtje ballen op de club. Jutta was er pas na een tijdje achtergekomen dat de twee vrouwen als paar samenwoonden.

'Wat doet u voor interessants dit weekeinde, juffrouw Reimann?' vroeg Anja beleefd.

'Onkruid wieden in Köpenick. Mijn ouders redden het niet meer zo met de tuin sinds het café zo goed loopt. Mijn verloofde hangt boven zijn kandidaats en kan me niet gebruiken.'

Het Brandenburgse wapen boven de deur straalde rood in de zon. Jutta's overgrootouders hadden de Rote Adler in 1871 geopend. Destijds hoorde het stadje Köpenick nog niet bij Berlijn en pakte schoenmaker Wilhelm Voigt hier nog zijn pilsje, lang voor hij wereldberoemd werd.

Achter de bar tapte pappie liefdevol bier in glazen kruiken. Zijn gezicht stond tevreden. Hij knikte zijn dochter toe zonder het tappen te onderbreken en wees met zijn hoofd richting keuken.

Jutta's moeder braadde tientallen gehaktballen in een reusachtige zwarte ijzeren braadpan. 'Laat de eieren even schrikken, wil je?' riep ze in plaats van een begroeting. Jutta pakte de pan van het vuur en droeg hem naar de gootsteen. Er steeg damp op toen ze het kokende water afgoot. Ze draaide de messing kraan open en liet koud water over de eieren stromen voordat ze ze een voor een pelde, twintig stuks in totaal. Ze kwamen samen met de gehaktballen onder de vliegenkap op de bar.

Jutta wiedde de hele middag het onkruid in de groentebedden en kieperde het vanuit de kruiwagen op de composthoop bij de schutting. Ze dacht na over Jochen Weber en Rainer Jordan en over de onvermijdelijke Isabel Severin. Ze moest met iemand praten.

Professor dr. Georg Raab was lid van de Pruisische Kunstacademie en professor voor kunstgeschiedenis aan de universiteit. Hij woonde met zijn vrouw in het stadsgedeelte Wendeschloß in een koopmansvilla uit de *Gründerjahre*. Hij kwam soms wel eens voor een glaasje wijn naar de Rote Adler. Jutta kende hem van kindsbeen af.

In de voortuin rook het overal zoetig naar rozen. Op het leistenen pad dat rechtstreeks van de smeedijzeren poort tot de villa liep, sprong een langharige slanke barzoi haar tegemoet. 'Al goed, Igor, laat dat,' weerde ze af en beklom de treden tot aan de huisdeur.

Mevrouw Mascha deed open. Ze was een knappe vrouw van in de veertig met smalle handen en donkere fluwelen ogen. 'Jutta, wat enig, dat vindt mijn man leuk. Hij is in het atelier. Loop maar naar beneden.'

Ze was hier al ontelbare keren langsgelopen. Door de ruime hal, langs de enorme reftertafel waar altijd verse bloemen op stonden, direct naar de donkere eiken wand waarin zich de deur naar beneden verborg.

Het lichte souterrain was werkplaats en atelier tegelijk. Midden in de kamer stond een drukpers met een geweldig wiel. Langs de wanden stonden kasten vol verschillende soorten papier. De grove werkbank met daarin de sporen van jarenlang werk stond voor een van de twee getraliede ramen, van waaruit men op ooghoogte zicht had op de tuin. Op de ezel daarnaast stond een houtskoolschets van Igor de hond.

De professor stond over een houten stok gebogen en pelde met een piepklein mesje fijne spaantjes uit de gladde oppervlakte. 'Dit wordt een houtsnede van Dürer. Stilleven met kool en aardappelen. Zogenaamd een tot nu toe onbekend werk van de meester. Ik maak er een afdruk van op het papier uit die tijd. Ik heb met Max Liebermann gewed dat de nieuwe curator van de Nationale Galerie zich gigantisch zal blameren en wel dubbel en dwars. Ten eerste zal hem de vervalsing op zich ontgaan en ten tweede het feit dat aardappels pas honderd jaar na Dürer naar Duitsland kwamen. Tot nu toe heeft de man zijn beperkte vermogen ingezet op de jacht naar Entartete Kunst. Liebermanns overal ter wereld geliefde meesterwerken horen daar ook bij.' De professor giechelde als een stout schooljongetje. 'Weet je wat hij zei? "Zoveel als ik wil spugen, kan ik niet vreten."' Hij sneed ijverig door. 'Wat mijn persoontje betreft, verwacht ik elke dag dat ze mij er bij de academie uitgooien en dat ik aan de universiteit wordt ontslagen. Als joden zijn wij hun namelijk opeens niet meer Duits genoeg. Mascha verheugt zich op mijn vroegtijdige pensionering. Ze hoopt dat ze mij dan meer voor zichzelf heeft. Hoe is het met je, Juttakindje?

'Wel goed, professor.'

'Dus niet zo goed als je wilt.'

De ronde kleine man met de grijze haarkrans legde zijn gereedschap neer. 'Je bent nog knapper en volwassener geworden sinds onze laatste zitting.

Nou interesseert zich meer dan één man voor je en daarom ben je hier.'

'Ik weet niet wat ik moet doen. Jochen en ik zijn samen. Isabel komt voortdurend tussen ons en nu heb ik een interessante jonge advocaat leren kennen. Ik geloof dat hij mij wel leuk vindt.'

'Je bedoelt dat jíj hem wel leuk vindt. Zo leuk als Jochen? Of leuker? Of alleen maar als welkom wraakinstrument?'

Zo duidelijk had ze het tot nu toe nog niet gezien. 'Ik denk in verband met de wraak.' Ze grinnikte. 'Maar niet alleen maar.'

Raab ging op de kruk aan het raam zitten en legde een groot tekenblok op zijn knieën. 'Kleed je je uit?'

'Tuurlijk.' Ze kleedde zich zonder schroom uit.

'De vorige keer was je zestien en daarvoor veertien.' De professor begon te werken met het zachte potlood. 'Herinner je je onze eerste zitting nog?'

Mevrouw Mascha verscheen met een dienblad met limonade. 'Toen was ze vijf. Je stond erop dat ze haar moeder meenam. Hoe is het met haar overigens?'

'Goed, dank u. Mammie heeft het huishouden en de keuken goed onder controle.'

'Toen je zeven was, kwam je voor het eerst alleen. Mascha, lieveling, weet je nog? Toen wilde het kind zich in geen geval uitkleden. Het is me nog steeds een raadsel waarom dat was.'

Jutta lachte. 'Omdat ik een spiksplinternieuwe jurk aanhad. Rood met witte stippen. Ik vond mezelf prachtig. Hoe vaak hebt u mij eigenlijk getekend, professor?'

Het waren in totaal veertien naakttekeningen. Na de zitting trok Raab ze uit zijn map en bekeek ze tevreden. 'Van klein meisje tot mooie jonge vrouw. Stuk voor stuk goed gelukt. Als ik doodga, krijg je ze allemaal. Sta je ook in de toekomst nog model voor me?'

'Zolang u maar wilt.'

'Als we niet weg moeten,' zei mevrouw Mascha bezorgd.

'Onzin, lieverd. Niemand wil ons iets doen. Ze ontslaan mij uit mijn functies. Een soort vervroegd pensioen. Daar kunnen we toch wel mee leven?'

'Tijd voor je insuline, Georg.'

'En ik moet gaan. Ik moet mammie helpen in de keuken,' zei Jutta ten afscheid.

De professor begeleidde haar naar de deur. 'Wees begerenswaardig voor die Jochen van je.' Hij glimlachte fijntjes. 'En stel Isabel voor aan die advocaat.'

Zoals altijd kort voor sluitingstijd, echoden ook op maandag haastige voet-stappen door de winkelstraat. Er klonken stemmen uit de winkels. Werkende mensen haalden op weg van de metro naar huis nog snel hun avondeten. Jutta kocht bij de melkboer een half pond boter uit het vat en bij slagerij Lehmann een kwart pond vleeswaren.

'Hoi boekenwurm,' begroette Jochen haar bij de klok.

'Goedenavond, meneer de docent.'

'Instappen, alstublieft.' Hij nam een aangebeten appel van de zitting naast hem. 'Wil je ook een hapje?'

'Je wordt bedankt. Ik heb al ontbeten. Was het leuk, het weekeinde met haar?'

'Doe niet zo raar, alsjeblieft. We hebben verdomd hard gewerkt. Isabel is een goeie maat, verder niets.' Hij trok haar naar zich toe. 'Ik houd namelijk alleen maar van jou.'

'Wanneer?' Ze liet het puntje van haar tong spelen met zijn oor.

'Straks, stout kind. Eerst moeten we naar school.'

De Hanomag zette zich gezellig pruttelend in beweging. In het stadsdeel Dahlem stopten ze voor een groot gebouw met een dubbel dak. Boven het brede portaal torende een machtige torenklok. Links en rechts daarvan sloten de vleugels van het gebouw aan.

'Het Ernst Moritz Arndt-Gymnasium, mijn toekomstige werkplek als leraar Duits, Engels en geschiedenis. Aspirant-docent Weber. Klinkt goed, of niet?'

'Onder de voorwaarde dat je je kandidaats binnen hebt,' remde Jutta zijn enthousiasme.

'Het laatste examen was vanochtend. Vanmiddag kregen we onze diploma's. Ik heb de hele zooi gehaald. En, wat zeg je me nou, boekenwurm?'

'Hoera!' riep Jutta zo hard dat een voetganger zich naar hen omdraaide. Ze vloog hem om zijn nek. 'Waarom heb je mij daar niets van verteld? Ik dacht dat je pas volgende week aan de beurt was.'

'Zodat jij onnodig met mij mee zou zitten te bibberen? Het is klaar nu.'

'Je bent een genie,' zei Jutta blij.

'Meer een geluksvogel. Bij het mondeling geschiedenis kon ik dankzij Isabels knieën moeiteloos pralen met de Merovingers.'

'Je hebt de boel dus bedonderd.'

'Niet meer dan Armin Drechsel. Die heeft van professor Gabler persoon-lijk mogen vernemen dat hij aan de beurt was met Karel de Grote.'

'Gablers lievelingetje?'

'Gablers partijgenoot.'

'Is hij dat die altijd met uitgelubberde, te korte broeken rondloopt?' Jutta had Drechsel een paar keer gezien en bepaald niet in het hart gesloten.

'Drechsel is een hogere piet bij de Hitlerjugend. Hij doceert wiskunde. We zullen elkaar dagelijks zien in de lerarenkamer. Ik moet met hem door één deur, net als met mijn andere collega's. Isabel neemt straks champagne mee. We willen proosten op ons succes.'

'Geen dag zonder Isabel.'

'Wees geen spelbreker. Ze is een aardige meid. Kom, we bezichtigen mijn nieuwe werkomgeving. De conciërge weet dat we komen.' Ze liepen hand in hand de trappen op naar de ingang. Binnen bevond zich een vestibule met pseudo-Romaanse zuilen, met daartussen een plaquette met de namen van alle in de Eerste Wereldoorlog gevallen voormalige scholieren.

Jutta las hardop: 'Graaf Kuno von Schweinitz – Baron Artwig Schreck zu Cadelbach – Prins Heinrich von Selb XXIII... Geen enkele Schulze, Meier of Müller. Het is een galerie der groten.'

'Heel Pruisen stuurt zijn zonen naar het internaat dat bij de school hoort,' bevestigde Jochen. 'Een Germaans Eton. De directeur van dit instituut was leraar van de keizerlijke prins.'

'Je bent een echte snob.'

'Wat denk je waarom ik prinses Jutta von Köpenick wil huwen?'

'Wil je dat echt?'

'Natuurlijk, prinses. Kom, ik laat je een klaslokaal en de aula zien. De conciërge sluit de boel om acht uur af.'

Na de bezichtiging reden ze op een sukkeldrafje verder. Twintig minuten later parkeerden ze het wagentje aan het einde van de Trabenstraat. Het was windstil en zwoel. Er hing onweer in de lucht. Jochen deed voor de zekerheid het dakje dicht.

De ambtenaar bij het toegangshekje van rangeerstation Groenewoud begroette hen. Ze klommen over roestige rails en met distels begroeide kiezelstenen. Ze waren op weg naar een uitgerangeerde salonwagen op een dood spoor dat Mitropa goedkoop verhuurde. Jochen had zich hier met boeken, een spiritusbrander en een petroleumkacheltje huiselijk teruggetrokken. Een eersteklascompartiment diende als slaapkamer. Jutta genoot twee tot drie keer per week van deze idylle.

Ze draaide de koffergrammofoon aan en zette een elpee op. *'Ich hab kein Auto, ich hab kein Rittergut...'* klonk de meezinger van het seizoen uit de zwarte, met kunstleer beklede doos.

'Waar gaat de reis vandaag naartoe?' vroeg Jochen.

'Naar de Italiaanse rivièra. We rijden van Mentone naar San Remo en verder naar Genua.' Ze ging het slaapkamergedeelte in. Hij volgde haar even later. Ze boog uit het raampje. 'Kijk toch eens hoe blauw de zee is! En daar, dat grote witte schip!' fantaseerde Jutta. Ze droeg nog altijd de blouse die ze die dag had gedragen, maar vanaf de taille naar beneden was ze naakt. Ze gilde verrukt toen hij bij haar binnendrong. Ze noemden het 'op reis gaan'. Het was hun lievelingsspel.

Isabel balanceerde over het spoor, met in haar netje twee flessen champagne. Ze keek geïnteresseerd omhoog naar Jutta, wier verhitte gezicht boekdelen sprak.

De elpee was blijven steken toen ze weer naar voren kwamen. Jochen deed hem uit. Isabel lag op de bank. 'Hallo, jullie twee,' mompelde ze traag.

Jutta zette water op. Ze had haar badjas aangedaan. Toen het water kookte, draaide ze het vuur lager en deed ze een halve erwtenworst in de pan. 'Elke dag iets warms, daar staat mammie op. En we hebben ook vleeswaren.'

Jochen sneed hompen brood en wikkelde de eiergele boter uit het boterpapier. Het rook naar erwtensoep. 'Erwtenworst,' doceerde hij. 'geblust erwtenmeel met vet, zout en specerijen in de vorm van een worst geperst. Het recept werd ontwikkeld voor het Pruisische leger in de oorlog van 1870-1871 om transportgewicht te beperken en de opslagmogelijkheden te vergroten.'

'Wat jij allemaal weet!' bewonderde Isabel.

Jochen streek smeerworst op een paar plakken brood en deed ham op de andere. Hij maakte een fles champagne open en schonk drie glazen in.

Jutta gaf Isabel een kop soep. 'Heb jij je examen ook gehaald?'

'Niet zo glanzend als je verloofde.'

Jochen wees op de brief naast zijn bord: 'Post uit Afrika. Mijn ouders doen ons de groeten. Ze zouden je graag leren kennen, als Windhoek niet zo ver weg was.' Jochens grootouders waren aan het eind van de vorige eeuw van Mecklenburg naar Duits Zuidwest-Afrika gegaan om runderen te fokken. Zijn ouders hielden de fokkerij ook na het einde van de Duitse koloniale heerschappij. Ze stuurden hun jongere zoon naar school in het oude vaderland. Jochen groeide op bij familie in Naumburg.

'Ga er toch op jullie huwelijksreis heen,' stelde Isabel voor.

'En dan kom jij natuurlijk mee,' spotte Jutta.

'Als jullie daar prijs op stellen.' Isabel liet zich niet kennen. Ze beet krachtig in haar boterham.

Na het eten luisterden ze naar de Berliner Philharmoniker onder leiding van Furtwängler. Ze speelden Mendelsohns Vijfde. 'Ik zou het raampje maar naar boven schuiven,' waarschuwde Isabel. 'Mendelsohn is sinds kort verboden.'

'Denk je echt dat daarginds in het seinhuisje iemand Felix Mendelsohn kan onderscheiden van Paul Lincke? En wat als ze ontdekken dat hij een joodse overgrootmoeder heeft? Worden zijn Glühwürmchen dan ook verboden? Moeten we hier echt aan meedoen, aan die onzin?' tierde Jutta.

Jochen bleef gelaten. 'Wind je niet op, boekenwurm. Wij maken de regels nou eenmaal niet.'

'Nee, we lopen erachteraan als een stelletje schapen.' Jutta trok haar knieën op tot onder haar kin en verdiepte zich in *De Franse Keuken*. Haar bazin had haar gevraagd het boek te lezen. 'Wisten jullie dat er in een Daube Provençal ook vos wordt verwerkt? Er wordt een stuk vlees in kaasdoek gewikkeld en voor de smaak meegekookt.'

'Wist ik niet.' Hij gaapte. 'De tweede fles drinken we een andere keer.'

'Goed. Dag schatten.' Isabel verdween in het donker.

Jutta zuchtte. 'Een beetje minder Isabel zou beter zijn.'

'Ze heeft verder niemand.'

Jutta sliep dicht tegen Jochen aan. Ook het onweer hield haar niet uit de slaap. In de ochtenduren droomde ze dat ze door Afrika reed. Rainer Jordan zat naast haar. Hij droeg een tropenhelm en zag er geweldig uit. Ze genoot van het ritme van de wielen op de rails en de onmiskenbare geur van stoom en roet. De geur stond voor haar gelijk aan het verlangen naar verre oorden.

Even voor Windhoek floot de locomotief en Jutta schrok op. Het was vroeg, nog geen zes uur. Buiten gleed het seinhuisje langs dat tot nu toe aan het andere einde van het rangeerstation had gestaan. Met een schok stonden ze stil.

'Wat is er aan de hand?' Jochen was nog half in slaap.

Jutta schoot haar badjas aan en leunde uit het raampje. Naast de rails stonden mannen in spoorweguniform. 'Hé, wat doet u daarbinnen?' blafte er eentje met een zilverkleurige pet naar boven.

'We hebben geslapen. We gaan nu ontbijten als u er niets op tegen hebt.'

Blijkbaar had de zilveren pet er iets op tegen. Hij stormde de wagon binnen. 'Dit is geen plek voor daklozen!' schreeuwde hij.

Jochen stond op. 'Uw grove manieren bevallen mij niet, meneer. Mag ik vragen wat dit te betekenen heeft?'

'Reichsbahn-secretaris Schmitz,' blafte de zilveren pet. 'U moet hier weg. De wagon is overgedragen aan de SA-Sturm Groenewoud als verzamelings-depot.'

'Ik ben de rechtmatige huurder.' Jochen zocht in zijn koffer. 'Hier is mijn huurovereenkomst met Mitropa. Hier is de aanmelding bij de politie. Mijn verloofde juffrouw Reimann is bij mij op bezoek.'

'De slaapwagenonderneming heeft de wagon aan ons overgedragen. De Reichsbahn is daarmee eigenaar. Uw overeenkomst met Mitropa interesseert ons niet. Aan het einde van de week moet u eruit. Heil Hitler.'

'Van hetzelfde,' zei Jochen brutaal terug. 'Schat, wat doen we? De wonin-gen liggen niet voor het oprapen.'

'Ontbijten,' zei Jutta laconiek. 'En dan gaan we onze advocaat opzoeken.'

'Ik wist helemaal niet dat we er eentje hadden,' zei Jochen verbaasd.

De onvermijdelijke Isabel zat al in de Hanomag. 'Nemen jullie mij mee?' Het was haar blijkbaar om het even waarheen. Normaliter had Jutta er iets op tegen gehad, maar vandaag paste het goed bij haar plan. 'We gaan naar mr. Jordan. Een interessante man en jurist. Hij moet Jochens woning redden. Je mag mee om te luisteren.'

Ze genoot van Isabels reactie toen ze Jordan aan haar voorstelde. Isabel deed erg gedistantieerd, maar verloor de man niet uit het oog. Jochen legde de situatie aan Jordan uit: 'Als de Reichsbahn ons eruit gooit, ben ik eigenlijk dak-loos. Natuurlijk kan ik voorlopig bij mijn verloofde en haar ouders in Köpenick intrekken, maar dat is geen duurzame oplossing. Het is vooral ver-velend met betrekking tot mijn toekomstige werkgever, het ministerie van onderwijs. Ik begin namelijk na de grote vakantie als junior docent aan het Dahlemer Arndt-Gymnasium.'

Rainer Jordan was goed gehumeurd. 'Juffrouw Reimann, meneer Weber, u komt op het juiste moment. U kunt zich een conflict met de Reichsbahn besparen. Volgende week begin ik bij de juridische afdeling van de UfA. Ik ver-huis naar Babelsberg in de buurt van de filmateliers. U kunt mijn woning hier overnemen. Ik begrijp dat u binnenkort wilt trouwen. De eigenaar, een groot makelaarskantoor, stemt vast en zeker in met een docent aan het gymnasium als huurder. Ik meld u graag aan bij de beheerder. Neemt u dan meteen de benodigde documenten mee.'

'Mogen we even rondkijken,' vroeg Jochen.

'Natuurlijk. Twee kamers, keuken, badkamer, als dat voldoende voor u is?' Terwijl ze de woning bezichtigden, hoorde Jutta hoe Rainer een afspraakje met Isabel maakte. Ze grijnsde stilletjes voor zich uit.

De moderne kleine keuken was volledig elektrisch, in het Berlijn van 1935 ongewoon. Er stond zelfs een elektrische waterkoker in die Jutta dagelijks gebruikte. Het toastapparaat daarentegen, een bouwsel van bakeliet met verhittingsdraden en blik waar je je vingers aan brandde bij het openklappen, werd alleen op zondag gebruikt. Het was een huwelijksgeschenk van Rainer en Isabel Jordan geweest. Het was de twee gelukt nog voor Jochen en Jutta te trouwen.

Het was een troosteloze novembermorgen. Het water droop van de acacia's aan de rand van de straat af. Een natte hond dronk het uit een plas aan de stoeprand. 'Hondenweer. Ik neem de bus.' Eigenlijk reed Jochen altijd met de fiets naar school. 'Als we weer een auto hebben...' droomde hij hardop. De Hanomag was van ouderdom bezweken.

'Met chauffeur uiteraard,' grapte Jutta.

'Een auto is niet zo onbereikbaar als je denkt,' doceerde hij. 'Je spaart vijf rijksmark per week. Als je drie jaar lang markenzegels geplakt hebt, kun je de wagen bestellen. De rest, tweehonderdvijfenzeventig mark, betaal je bij levering.'

Jutta was snel in rekenen. 'Een auto voor duizend mark? Dat geloof je toch zelf niet.'

'De Führer garandeert die prijs. Volgend jaar worden de eerste Volkswagens opgeleverd.'

'Vijf mark per week, dat is twintig mark per maand. Die moeten we eerst maar eens verdienen,' zei Jutta nuchter.

'Drechsel geeft privé-lessen wiskunde. Hij heeft me aanbevolen bij de ouders van een scholier. De jongen heeft extra lessen Engels nodig. Aardig van Drechsel.'

'Vind je?' Jutta's afkeer van Jochens collega bleef onveranderd. 'We kunnen het geld natuurlijk wel goed gebruiken,' zei ze. 'Ik heb namelijk een meubelmagazijn in Klein Machnow ontdekt. Alleen maar moderne meubels uit de volkswerkplaats. Dat is toch iets voor ons.'

'We hebben alles wat we nodig hebben.'

'Oh, hebben we dat?' Ze wees naar het dressoir, de eettafel met zes stoelen en de boekenkast met het lelijke notenhoutfineer. Er stonden twee volledig versleten clubfauteuils voor. Ouders en vrienden hadden het jonge paar van een uitzet voorzien. Jutta haatte de hele inrichting, inclusief de zware, groene gordijnen. Tot nu toe waren de salarissen van beiden net voldoende geweest voor een slaapkamer in licht berkenhout. Daar stond ook Jochens bureau. In de woonkamer was niet voldoende plek.

'Twee mark per lesuur. Twee of drie scholieren per week. Daar redden we de auto mee. Ik ga in ieder geval alvast een spaarboekje halen.'

Ze ruimde de ontbijttafel af. 'Haal je kolen voor me van beneden?' Hij bracht een schep kolen uit het kolenhok naar boven en vulde de boiler in de keuken op die de vier radiatoren verwarmde. Als je de luchttoevoer afgrendelde, was het warm tot de avond. Ze omhelsden en kusten elkaar. Jutta's waarschuwing 'Vergeet je paraplu niet' verhinderde een stormachtige terugkeer naar bed zodat ze niet te laat op hun werk kwamen.

Om vijf voor negen sloot Jutta de deur van het appartement achter zich. Meneer Vollmer, de buurman, kwam net binnen. 'Goedemorgen mevrouw Weber.' Hij tilde beleefd zijn hoed op.

'Goedemorgen meneer Vollmer. Zijn er nog luchtaanvallen in zicht?' zei Jutta gekscherend.

De *Reichsluftschutzbund* had de buurwoning gehuurd als kantoor Zehlendorf. Meneer Vollmer was de baas. Hij was een vriendelijke vijftiger die ook niet precies wist waarom men zich tegen vijandige luchtaanvallen moest beschermen terwijl er geen oorlog op komst was. 'Dat moet u aan Hermann Göring vragen. Ik ben voor de donaties van onze volksgenoten verantwoordelijk. Ik wens u een prettige ochtend.'

Die verstreek snel met het ordenen van de uitleenkaartenbak en een kop koffie in de achterkamer. Het licht brandde en hield de grijze dag buiten. Mevrouw Gerold was ontstemd over de een of andere ambtelijke brief. 'Ik heb vanmiddag mijn huishoudelijke middag,' herinnerde Jutta haar.

'In orde. Bij dit weer is er toch niet veel te doen.'

Ze maakte de bedden op, stofte en deed de afwas. Daarna ging ze lang in bad. Om drie uur ging de bel. Voor de deur stond een jongen die zijn ogen wijd opensperde. Haastig sloot Jutta haar badjas, die nogal ver open had gestaan. 'Ik zat net in bad,' zei ze verontschuldigend. 'Je komt vast voor de privé-les, nietwaar? Ik ben mevrouw Weber. Kom binnen.'

De jongen stond voor de boekenkast toen ze aangekleed de woonkamer in kwam. Hij droeg een korte broek. Zijn naakte kuiten waren rood van de natte kou buiten. Het stoorde hem blijkbaar niet. Hij was een krachtige knaap met donkere krullen. 'Karl May,' zei hij plechtig. Jochen had de twintig boeken uit zijn jeugd bewaard. Ze stonden tussen de encyclopedie en de *Muret-Sanders*.

'Hoe heet jij?'

'Paul Grabert.'

'Hoe oud ben jij?'

'Elf.'

'Tweede klasser?'

'Ja.'

'En je komt voor privé-les Engels?'

Jochen kwam thuis en beëindigde het moeizame gesprekje. 'Sorry, de vergadering duurde langer dan gepland,' zei hij.

'Ik laat jullie alleen. Dag Paul.' Ze gaf hem een hand.

'Tot ziens, mevrouw Weber.' Hij boog netjes.

'Een aardige jongen.' Lachend vertelde Jutta bij het avondeten over haar opengevallen badjas.

Jochen vond het niet erg. 'Dan heeft hij tenminste een fraaie fantasiefiguur bij het masturberen.'

'Masturberen alle jongens?'

'De meesten wel.'

'En mannen?'

'Soms.'

Ze liep om de tafel heen en legde haar armen om zijn nek. 'Laat je mij dat zien?' fluisterde ze hem in het oor. Het was de prelude van een verhitte vrijpartij. Jutta kon er geen genoeg van krijgen.

Nieuwe meubelen kwamen het jaar daarop. Ze waren licht en modern, precies zoals Jutta zich had voorgesteld. Mevrouw Gerold had ingestemd met een salarisverhoging. Ook haar ouders hadden er iets bij gedaan. Jochen spaarde stug door voor een Volkswagen.

'Spaar liever voor onze zoon. Een kind kost geld.'

'Eerst maken we met de nieuwe auto een grote reis.' Hij was al een vakantie aan het plannen voor de zomer van 1939. Dat was over drie jaar. Hij had folders en kaarten gehaald bij het Italiaanse reisbureau in de Friedrichstraat. 'We verwekken onze zoon aan het Gardameer. En jij stopt dan natuurlijk met werken.' Hij nam nog een stuk rundvlees en wat bier uit de kruik die hij elke zondag in een bar haalde.

Hij vraagt mij niet eens iets, dacht Jutta verbaasd. Hij heeft het allemaal al besloten. Ze keek hoe hij zijn vlees onder de bruine saus bedolf. Hij hield van vette, pittige saus.

Na het eten spraken ze een halfuur Engels. Jochen had dat nodig als oefening voor het wekelijkse uur conversatie van zijn eindexamenklas. Jutta verbeterde haar schoolkennis er aanzienlijk mee. Ze had er plezier in en het leidde haar af van bijvoorbeeld haar gedachten over Jochen en haar.

Hij was veranderd de afgelopen maanden. Niet zozeer uiterlijk, ofschoon hij was aangekomen. Ze vond het al niet eens meer erg dat hij niet meer de vurige minnaar van vroeger was. Ze hadden een bevredigend seksleven met vastomlijnde hoogtepunten. Ze mocht niet ontevreden zijn.

Nee, dat was het niet. Het was de gezapige tevredenheid die hij sinds kort aan de dag legde en die ook haar dreigde mee te zuigen. Wat ze miste, was een uitdaging.

Toen Jutta op dinsdagochtend broodjes haalde, verzamelden zich allemaal opgewonden mensen in Brumms voortuin. 'Dood, gewurgd, daar aan tafel. Overal was bloed,' hoorde ze. 'Nee, niet die roodharige. Die blonde. Annie heette ze.'

'Gewurgd?' herhaalde iemand. 'Onzin. Een bloedspuwing. Ze had tuberculose. En zo iemand bediende in een café.'

Het gerucht van de vrouwenmoordenaar doofde al snel. De kranten brachten er niets over, dus was er blijkbaar ook geen misdaad. Bovendien hielden de Olympische Spelen iedereen in de ban. Fotoboeken van vroegere wedstrijden vlogen als zoete broodjes over de toonbank. Mevrouw Weber kon ze niet snel genoeg aanslepen.

'Drechsel verzorgt met zijn Hitlerjugend-jochies in het stadion een erehaag bij de loge van de Führer,' zei Jochen plechtig.

Jutta was bezorgd: 'Hopelijk vallen die kinderen bij die hitte niet flauw.'

'Die houden het wel vol.'

'Ook het kleine jongetje van Müller?' Dieter Müller was een van Jochens privé-scholieren. Het was een iel jongetje dat Didi werd genoemd. Jutta had hem in haar hart gesloten.

'Die is net zo taai als de rest. De jeugd vandaag de dag is niet meer zo slap als vroeger.' Deze toon kende Jutta nog niet.

'Zo taai als leer en zo hard als Kruppstaal,' citeerde ze de Hitlerspreuk ironisch. 'Oh pardon, dat was ik vergeten, ze zijn natuurlijk ook nog zo snel als een windhond. Met voorop jouw opper-Hitlerjugend-jongetje Drechsel. Is je eigenlijk al eens opgevallen dat hij uiterlijk helemaal niet zozeer aan het Germaanse ideaal voldoet?' Ze kende Jochens collega van sporadische ontmoetingen. Het was een schriel mannetje met een leeg, infantiel gezicht en roodachtig haar.

'Drechsel is in orde. Hij heeft mij aangeboden een goed woordje voor me te doen om in de NSDAP te kunnen worden opgenomen. Als partijgenoot word ik sneller bevorderd. Het salaris van een docent zou ons goed van pas komen. Wat vind jij ervan?'

'Dat je een goede leraar bent. Scholieren en collega's mogen je. Je promotie krijg je ook wel zonder de partij.'

Ze had gelijk. Jochen werd precies op tijd tot docent bevorderd. Het was net voor de grote vakantie van 1937, toen de geabdiqueerde koning Edward XIII trouwde met een zekere mevrouw Simpson, de Japanners Peking veroverden en de zeppelin Hindenburg tijdens de landing in Lakehurst bij New York explodeerde. In Gerolds boekhandel werd druk gediscussieerd. Was het een ongeluk of een aanslag? Meneer Lesch kende de schuldigen: 'De Amerikanen, dat is toch duidelijk. Als die ons helium hadden verkocht, was er niets gebeurd. In plaats daarvan moesten wij de aandrijvingscellen met hoogexplosieve waterstof vullen. Dan is één vonkje al genoeg.' Waar dat vonkje vandaan kwam, kon meneer Lesch ook niet zeggen.

Meneer Lesch wist ook in het jaar daarop wie de schuldige was: 'De joodse promotor Joe Louis natuurlijk. Die heeft die neger een hoefijzer in zijn linker bokshandschoen gestopt. Anders zou onze Max Schmeling nooit k.o. zijn gegaan. Dan was ie wereldkampioen geworden.'

Zou men Jutta hebben gevraagd welke gebeurtenis tijdens de laatste jaren voor de oorlog ze zich bijzonder goed kon herinneren, dan zou ze spontaan het bal van de Duitse Boekhandel in de zomer van 1939 hebben genoemd. Jochen had bij Koëdel in de Kantstraat een rokkostuum gehuurd en zag er heel aantrekkelijk uit. Haar lange witte avondjurk was een plaatje.

Jutta's bazin had het jonge echtpaar uitgenodigd. Zelf verscheen ze met haar witblonde vriendin geheel in het zwart. De twee vrouwen baarden opzien. Diverse mannen gaven blijk van interesse, maar Diana Gerold en Anja Schmitt hadden alleen maar oog voor elkaar. 'Het ontbreekt er nog maar aan dat ze samen dansen,' spotte Jochen.

'Je wordt steeds meer een klein burgermannetje,' schamperde Jutta. Jochen wilde beledigd antwoorden, maar het orkest begon weer te spelen.

Jutta klapte verrukt in haar handen. 'The Lambeth Walk! Dat is het nieuwste uit Londen. Isabel heeft mij laten zien hoe het gaat.' Ze trok haar man het parket op. Jochen begreep de eenvoudige pasjes al snel – de dans hield het midden tussen Tillergirls en de Pruisische parademars – en had er plezier in. Hij was opeens weer de onbekommerde jongen van wie Jutta hield.

Daarna speelden Kurt Widmann en zijn band een foxtrot waar de vonken van afsprongen. 'Heerlijke "artfremde" negerjazz!' riep Jutta overmoedig. Tot Jochens opluchting werden haar woorden door de drummer overstemd. Er waren dingen die je maar beter niet hardop kon zeggen.

Mevrouw Gerold kocht voor hen allemaal een lot voor de tombola. Bij champagne en kreeftmayonnaise wachtten ze gespannen op de trekking. Diana Gerold lachte tranen met tuiten. Ze had een boek van Beumelburg gewonnen. Jochen won een vulpen van Waterman.

'Dames en heren. En dan nu de hoofdprijs. Een mantel van rode vos, geschonken door Kaiser Bont en Nertsen. Het nummer alstublieft, Nadja Horn.'

De geliefde actrice greep lachend in de champagnekoeler en gaf de presentator het nummertje dat ze had getrokken. De presentator verkondigde theatraal: 'De hoofdprijs, dames en heren, luistert u goed, de hoofdprijs gaat naar nummer 1481. Ik herhaal: één-vier-acht-één. Wie heeft nummer 1481?'

'Ik,' zei Jutta nauwelijks hoorbaar. Beduusd bleef ze op haar stoel zitten.

Jochen bleef kalm. Hij nam haar het lot uit de hand en keek erop. 'Klopt. Ik denk dat je nu het podium op moet.'

Het was als een droom. De weg langs de applaudisserende gasten, de vier treden het podium op, de handkus van de presentator, de gelukwensen van de actrice die haar zusterlijk in de bontmantel hielp en nog meer applaus.

Terug aan tafel kwam de vreugde. 'Ik denk dat ik iemand ken die het koelere jaargetijde bijna niet meer kan afwachten,' pestte Diana Gerold Jutta een beetje.

Jutta omarmde haar spontaan. 'Bedankt mevrouw Gerold. Bedankt voor dit prachtige cadeau!'

Vrolijk aangeschoten keerden ze terug naar huis. Jochen hielp Jutta de traptreden op. Toen hij de slaapkamer in kwam, lag ze naakt op de nerts op de vloer. Ze beminden elkaar met net zoveel passie als toen in de Mitropawagon. Pas op de vroege zondagochtend belandden ze in bed.

Donderdag om halfeen ging Jutta naar huis om het middageten voor te bereiden. Diana Gerold bleef in de boekhandel. Ze had aan een beetje fruit voldoende. 'Tot morgen,' zei ze tegen haar werkneemster. Eén keer per maand had Jutta huishoudmiddag.

Om twee uur belde Jochen op. Ze hadden sinds kort telefoon. 'Wacht niet met het eten op me. Er komt iemand van de luchtafweer om het gebouw op brandveiligheid te controleren. Als jongste lid van de lerarengroep heb ik het ongenoegen die meneer te mogen rondleiden.'

Ze ging met een bord risotto onder de parasol op het balkon zitten. De begonia's in de bakken beschermden tegen nieuwsgierige blikken. Na het eten gunde ze zichzelf een sigaret. Ze inhaleerde niet, maar blies de rook de lucht in. Het pakje met twintig sigaretten van het merk Juno was voldoende voor het hele jaar. Ontspannen dutte ze in het zonnetje tot de dove meneer Schnorr van tegenover zijn radio keihard aanzette. Het middagconcert van de Reichs-zender Berlijn onder leiding van Otto Dobrindt dreunde onverbiddelijk door het open raam. Niemand durfde erover te klagen. Meneer Schnorr was een veteraan. Men zei dat hij zijn gehoor in de straatgevechten tegen de communisten bijna kwijt was geraakt. Jutta deed de balkondeur dicht. Ze zou met Jochen praten over de geluidsoverlast. Ook van iemand als Schnorr hoefde je zoiets niet te pikken.

De kleine Didi Müller belde om vier uur aan. Hij kwam elke donderdag voor zijn privé-les. 'Oh jee, dat ben ik helemaal vergeten. Mijn man is vandaag laat. Wil je misschien wachten?' Didi antwoordde niet. Hij leek erg verstoord. 'Wat is er aan de hand Didi? Gaat het niet goed met je? Kom mee naar de keuken. Ik maak pepermuntthee voor je.'

De jongen liep gedwee voor haar uit. Aan het zitvlak van zijn broek kleef-de bloed. 'Mijn God, Didi, ben je gewond?' De twaalfjarige jongen schudde stom met zijn hoofd. 'Wil je me niet vertellen wat er gebeurd is? Heb je gevochten met de andere jongens? Ach, wat een onzin, je was immers bij meneer Drechsel voor privé-les.' Didi begon te huilen. Jutta streek hem over zijn bol. 'Wat is er gebeurd? Je kunt het mij vertellen. Ik zal het niet verder ver-tellen, dat zweer ik je.'

De jongen was zo stijf als een plank. Pas na langer op hem in te hebben gepraat, was hij niet meer volledig verkrampt. Hortend en stotend zei hij: 'Hij zei dat ik mijn broek naar beneden moest doen.'

Jutta was geschokt. Ze had nooit gedacht dat Drechsel naar de stok zou grijpen. Vooral onder jongere docenten was dat taboe. Dat hij de jongen ook nog meteen tot bloedens toe sloeg, was barbaars. Ze pakte een desinfecterend middel en watjes uit het kastje in de badkamer. 'We zullen het eerst eens even schoonmaken. Het zal wel een beetje branden.' De jongen keek naar de grond. 'Ik wil niet. Ik wil naar huis.' Jutta voelde dat het beter was hem te laten gaan.

Die avond vertelde ze haar man wat er was gebeurd. Jochen geloofde het niet: 'Drechsel slaat niet, daar leg ik mijn hand voor in het vuur.'

'Didi zei letterlijk: "Hij zei dat ik mijn broek naar beneden moest doen."' Hij heeft het niet uit zijn duim gezogen.'

'Ik zal Drechsel vragen wat er is gebeurd.'

'Ik wist al meteen dat het allemaal hartstikke onschuldig was,' kwam Jochen de volgende middag terug op het gesprek. 'Drechsel was net zo verontrust als jij en eiste van Didi dat hij zijn broek naar beneden deed. Geen spoortje bloed. De bengel had te veel kersen gegeten. Daar wordt je stoelgang rood van. Hij had gewoon in zijn boek gepoept.'

Jutta was er niet gerust op en had het gevoel dat er iets niet klopte. De kersentijd was voorbij en van verkleuring van je stoelgang bij kersen had ze nog nooit gehoord.

Ze ontmoette dokter Olsen op zaterdagavond in de kroeg van haar ouders. Hij zat gezellig een biertje te drinken. 'Jutta, jou heb ik lang niet gezien.'

'U weet toch dat ik al twee jaar getrouwd ben. We wonen in Zehlendorf.'

'Is kinderen krijgen daar verboden?' grapte de oude huisarts. 'Of hebben jullie een doktersadvies nodig over hoe het moet?'

'Noch het een, noch het ander. Mag ik u iets vragen, dokter?'

'Kom maar op.'

Jutta vertelde over de zogenaamde verkleuring van de ontlasting.

'Na het genot van rode bieten kan het nog wel eens gebeuren. Bij kersen is het uitgesloten,' klonk de medische informatie. Dus loog Drechsel. Ze zag een kinderbips voor zich met bloederige striemen.

Buiten piepten remmen. Er stopte een vrachtwagen. De motor bleef draaien. Er werd geroepen. Politiemannen sleepten vier mensen uit het huis tegenover de kroeg hun huis uit. SA-mannen in bruine uniformen tilden vader, moeder en twee kleine dochters op het open laadvlak waarop al vele mannen, vrouwen en kinderen opeen geperst zaten. 'Ze halen in heel Berlijn de joden op,' zei iemand. 'Vandaag is Köpenick aan de beurt.' De vrachtwagen kwam traag op gang. De ventielen van de diesel piepten.

Mijn God, de professor, dacht Jutta bezorgd. Ze rende weg alsof de duivel haar op de hielen zat. Ze kende alle binnendoorweggetjes in de buurt. Maar ze kwam toch te laat. Professor dr. Georg Raab stond al op het laadvlak met een klein koffertje tegen zich aan gedrukt. 'Enkele reis Jerusalem,' hoonde de speknek voor haar.

Mevrouw Mascha wrong zich met beleefde verontschuldigingen tussen de toeschouwers door. Haar lange slanke postuur in het eenvoudige tweedkostuum, het voorname gelaat met de donkere fluwelen ogen en het in de nek tot een wrong gebonden haar deden haar met kop en schouders uitsteken boven de domme gapende menigte. Er ging een SA-man voor haar staan.

'Laat mij er door. Ik ga met mijn man mee,' hoorde Jutta haar zeggen met kalme stem.

'Hé mensen, dat geloof je toch niet. Hier wil er eentje vrijwillig mee,' bralde de SA-man.

'Mijn man heeft suikerziekte. Hij heeft mij nodig.'

'Geen zorg, hij krijgt genoeg zoetigheid bij ons.' De SA-branieschopper keek triomfantelijk in de menigte. Zijn kameraden lagen dubbel van het lachen.

Er ging een politieman beschermend voor Mascha Raab staan. Jutta kende hem wel. Hij was van het plaatselijke bureau en kwam vaker voor een glaasje naar de Rote Adler. 'Het spijt mij, mevrouw professor, maar halfjoden nemen ze niet mee,' zei hij droevig. Hoe absurd zijn woorden klonken, merkte hij niet. Hij baande een weg voor haar terug naar de poort en schoof haar behoedzaam door het hek. Igor begroette haar in de voortuin, kwispelend met zijn staart. Ze kroelde hem afwezig achter zijn oren met, over de hoofden van de menigte, de blik op haar man.

Jutta zat klem tussen de mensen. 'Waar gaan die mensen heen, mama?' vroeg een kleine jongen. 'Naar Palestina. Daar is altijd zon en aan de bomen groeien sinaasappels,' vertelde zijn moeder hem.

'Ophangen dat nazigespuis,' mompelde een man achter hen. 'Houd je mond, Egon,' waarschuwde zijn vrouw.

Jutta ontwaakte uit haar verstarring. Ze wrong zich naar voren en klom op de vrachtwagen. Ze sloeg haar armen om de kleine man met het grijze monnikskapsel heen en kuste hem op zijn wang. 'Dat jodenhoertje nemen we ook mee!' schreeuwde een SA-man kwaad.

De politieman haalde Jutta naar beneden. 'U komt mee naar het bureau,' riep hij bars en pakte Jutta bij haar arm. 'Bent u gek geworden?' fluisterde hij. Op de volgende hoek liet hij haar los. 'Die SA-bandieten zijn niet van hier en ik heb niets gezien. Schiet op, ga snel naar huis.'

In het café werd luidruchtig gevierd. De plaatselijke voetbalclub had van

Adlersdorf gewonnen. Jutta ging achter de bar staan om haar vader te helpen.
'Ze hebben professor Raab opgehaald!' riep ze hem toe.
'Drie nul!' riep haar vader blij.

Rainer en Isabel Jordan kwamen op een zondagochtend in augustus 1939 op bezoek. Ook zonder de open Mercedes met een eindeloos lange motorkap en de verchroomde compressorslangen waren ze een sensatie geweest: Isabel met haar lange benen in een sportieve mantel, het donkerblonde haar in de war door de wind en Rainer in een hippe, zachte wollige teddycoat. De auto veroorzaakte een oploopje in de anders zo stille Wilskistraat. De vier vrienden bekeken het vanuit het raam in de woonkamer met schalkse pret.

Jutta keek naar Rainers profiel: de ronde, ietwat vooruitstekende kin, de volle lippen, de krachtige wenkbrauwen boven de rechte neus. Hij was bijna niet veranderd, was nog steeds jongensachtig, ook al keek hij niet meer zo zorgeloos als op de eerste dag van hun vriendschap. Zijn fysieke nabijheid veroorzaakte weer de tinteling onder de navelstreek.

'Nogal nouveau riche,' zei Jutta een beetje spottend.

Rainer grijnsde. 'De vrucht van veel zwaar werk. Ik ben dag en nacht in de weer. Voor MGM moet ik over elke Hollywoodfilm die niet aan ons gezonde Duitse "Volksempfinden" voldoet met het propagandaministerie onderhandelen. Met uitzondering van Shirley Temple. Een Zwitsers horloge of een gouden dasspeld voor de verantwoordelijke referendaris en een paar fragmenten er pro forma uitknippen doen meestal wonderen. Natuurlijk laat ik mij daar door MGM goed voor betalen. Voor Tobis-Film ben ik juridisch raadgever bij auteursrechtelijke vragen. En dan al die scheidingen. Verbazingwekkend wie er allemaal liever afscheid neemt van zijn joodse vrouw dan van zijn filmcarrière. Rühmann had wel heel erge haast. Aan de andere kant zorg ik ook wel eens voor de juridische documenten die een innige verbintenis voor het leven bezegelen. Momenteel spelen Hoppe en Gründgens elkaar de mannelijke en vrouwelijke vrijers ter bescherming hun trouwringen toe.'

'Zo cynisch ken ik je helemaal niet,' zei Jutta verwonderd.

'Puur zelfbehoud. Hebben jullie een biertje?'

'Natuurlijk. In de keuken.' Jochen nam hem bij de arm en leidde hem naar de keuken.

Isabel bleef met Jutta in de woonkamer. 'Hoe gaat het met jullie?'

'Ik geloof dat Jochen tevreden is. Zijn werk bevredigt hem. Hij is leraar in hart en nieren.'

'Ik kan niet geloven dat ik dat ooit ook wilde worden. Sorry, dat was niet zo arrogant bedoeld. Hoe gaat het met jou?'

'Ik heb mevrouw Gerold en de boekhandel.'

'En jullie huwelijk?'

'Je bedoelt in bed? Regelmatige routine, zal ik maar zeggen.'

'Zin in afwisseling?'

'Ik denk het wel. Maar ik ben er niet naar op zoek. Te traag, te laf, vermoedelijk van allebei een beetje.'

Isabel knikte begripvol. 'Wij nodigen soms een bevriend paartje uit.'

'Daar zou Jochen nooit aan meedoen.' Jutta bood Isabel een Juno aan, maar Isabel wilde niet. Ze lachte droog. 'Het meest erotische vindt Jochen een Volkswagen. Ik geloof dat hij die liefde met onze geliefde Führer deelt. Behalve dan dat die waarschijnlijk geen spaarzegeltjes hoeft te plakken. Jochen financiert zijn Volkwagentje met privé-lessen. À propos, privé-lessen. Drechsel geeft ze ook en slaat daarbij. Hij heeft de kleine Didi Müller bloederige striemen geslagen. Hij ontkende natuurlijk, toen Jochen hem ernaar vroeg.'

'Daar klopt iets niet,' zei Isabel stellig.

'Hoe bedoel je?'

Rainer en Jochen kwamen de keuken in met elk een fles lagerbier van Engelhard. Jochen was ongewoon vrolijk: '... buig je de beugel uitelkaar en trek je de sluiting van de hals van de fles. Dat kan ook bij bruisflessen. Het porseleinen dopje haal je eraf. De beugelsluiting is een geweldige valse sleutel. Daarmee hebben we op het Domgymnasium in Naumburg een keer stiekem een lerarentoilet opengemaakt en de wc-bril met honing ingesmeerd.'

'Een nogal kleverige aangelegenheid.'

'Meneer Wetzer ging op een wesp zitten. Je had zijn geschreeuw moeten horen.'

De twee mannen lagen dubbel van het lachen. Rainer hapte naar lucht. Jochen kreeg een rood hoofd. Net twee kwajongens, dacht Jutta. Isabel knipoogde haar toe. Blijkbaar dacht ze hetzelfde. 'Wat zullen we doen?' vroeg ze haar man.

'Ik nodig jullie uit om een hapje te gaan eten bij Brumm.'

'Sommerfeld,' verbeterde Jochen. 'Zo heet die zaak tegenwoordig.'

Ze kregen het laatste vrije tafeltje. Het etablissement werd goed bezocht. De aanhoudende economische groei maakte een etentje buitenshuis een kleine luxe die velen zich konden veroorloven. Meneer Vollmer van de luchtafweer groette vanaf een ander tafeltje. Hij zat met zijn vrouw en zoon aan de hazenpeper. De jongen moest ongeveer twaalf zijn. Hij vocht wanhopig met de afgekloven botjes die van zijn vork gleden voor hij ze op de rand van zijn bord kon leggen.

'De snoekbaars hier was destijds uitstekend, de moezelwijn ook en het gezelschap om verliefd op te worden.' Rainer Jordan keek Jutta aan met een klein lachje dat de anderen ontging. 'Helaas werd de koffie erna niets.'

Jutta merkte verrast dat ze opgewonden raakte. Ze perste haar benen tegen elkaar aan, wat het proces echter alleen maar bevorderde, niet geheel tot haar ongenoegen.

In verband met het jaargetijde was er geen snoekbaars. Maar daar had sowieso niemand zin in. Ze kozen een uitstekende Weense goulash met knoedels en een wijn uit Franken erbij. 'Hoe gaat het met Armin Drechsel?' wilde Isabel weten. Ze wierp Jutta een veelzeggende blik toe.

'Zijn scholieren presteren geweldig goed bij alle repetities in wiskunde,' dweepte Jochen. 'Ze zeggen dat men hem vroegtijdig zal benoemen tot conrector. Hij is een begenadigd docent.'

'En een begenadigd Hitlerjongetje,' meesmuilde Jutta. 'Komt hij ook met een korte broek de les in?'

'Armin neemt zijn verantwoordelijkheid als Führer bij de HJ erg serieus,' wees haar man haar terecht. Isabel trok een pruimenmondje en snoof verachtelijk.

'Ik ga met Jochen een rondje rijden in de wagen. Bestellen jullie intussen maar koffie.'

'Om op Drechsel terug te komen...' zei Jutta ongeduldig toen ze alleen waren.

'Ja, dat wilde ik ook al. Luister. Dat met het pak slaag is onzin. Armin slaat geen kleine jongetjes, Armin misbruikt ze.'

'Waarvoor?' Jutta begreep het niet.

'Ik stuitte er toevallig op in de universiteit. Ik had het defectbordje op het damestoilet niet gezien. In het toilet stond Armin met zijn broek op zijn enkels en de twaalfjarige zoon van de conciërge voor hem. Ik heb nooit iets gezegd. Het is niet echt netjes een medestudent zwart te maken. Maar nu is mij duidelijk dat het geen eenmalige kwestie is geweest.'

'Hij misbruikt kinderen seksueel?' Jutta was onthutst.

'Kleine knaapjes. Hij heeft er de gelegenheid toe. Eerst was hij lid van de jeugdvereniging, toen bij de padvinderij en daarna bij de HJ. Ook zijn baan als docent op het gymnasium past in het plaatje. Hij is altijd daar waar veel jongetjes zijn. Op schoolreisje, in het tentenkamp, bij jullie op school. Je kunt je wel voorstellen waar het bloed aan de broek van de kleine Didi vandaan komt.'

Ze werden door de mannen onderbroken. Jochen was helemaal enthousiast: 'Rainer heeft me aan het stuur gelaten. De motor is pure muziek. En dan de acceleratie...'

'Ook die automobiel heeft maar vier banden,' probeerde Isabel Jochens enthousiasme te dimmen. 'Darling, we moeten naar huis. Omkleden. We worden om zes uur bij de Trencks verwacht voor een cocktail.'

Die avond rookte Jutta op het balkon een van haar sporadische Juno's. Jochen staarde de rook na die opging in het gele licht van de lantaarnpalen. Het was nog zomers warm en vredig, ook al wierpen duistere gebeurtenissen hun schaduw vooruit. Kranten en de radio beloofden al dagen niets goeds.

'Roepen ze je op als er oorlog komt?'

'Leraren zijn "onmisbaar". Dat weet ik van Armin. Hij heeft goede connecties naar boven.'

'Ach, daarom wordt hij ook niet aangepakt.'

'Ben je nog steeds niet tevreden?' zei Jochen boos.

Jutta gaf niet toe: 'Hij was bij de jeugdvereniging en bij de padvinders. En toen kwam hij bij de HJ. Drechsel was en is overal op plekken waar jongetjes zijn. Ook bij jullie op school.'

'Ik heb je een plezier gedaan en met hem gesproken. Hij heeft mijn vraag bevredigend beantwoord.'

'Vraag hem maar eens hoe het destijds was met de zoon van de conciërge. Isabel zegt dat ze Drechsel met de jongen op het toilet heeft betrapt.'

'Hij zal zich verdedigen tegen zo'n zware aantijging en hij zal terugslaan. En degenen die daaronder lijden, zijn wij. Drechsel heeft een lange arm. Ik zie me al verpieteren ergens in de provincie met jou erbij.'

'Je bent een lafaard.'

'Er is geen bewijs.'

'Oh nee, en de kleine Didi dan? Je hebt met de dader gesproken. Praat nu maar eens met het slachtoffer.'

'Op dinsdag ga ik met de klas op schoolreisje. We gaan naar het Groenewoud naar de Keizer Wilhelmtoren. Met een picknick en spannende spelletjes. De jongens verheugen zich er nu al op. Ik zal Didi wel even apart nemen. Alleen maar om eindelijk van je gezeur af te zijn.'

'En als er iets belastends uitkomt? Zul je Drechsel dan dekken?'

'Denk je echt dat ik dat zou doen?'

'Ik weet het niet.' Ze wist het werkelijk niet. Ze vond hem zo vreemd de laatste tijd.

Jochen was al thuis toen Jutta op dinsdagavond van haar werk kwam. Hij zat uitgeput aan tafel en staarde voor zich uit. Zijn stem was nauwelijks te horen: 'Je had gelijk. Ik ben een lafaard. Ik ben al veel te lang een lafaard.'

'Heb je iets uit Didi kunnen krijgen?'

'Drechsel heeft hem en andere jongens jarenlang misbruikt.' Jochen keek op. Hij had tranen in zijn ogen. 'Weet je wat de jongen tegen mij zei? "Het doet al helemaal niet zo'n pijn meer als meneer Drechsel dat met me doet."'

Jutta zweeg. Ze was er kapot van. Na een tijdje zei ze plotseling: 'Je moet hem aangeven. Didi moet getuigen, hoe erg dat ook voor hem is.'

Jochen sloot zijn ogen. 'Ik ben met de klas de toren opgeklommen. Het uitzicht daar boven is prachtig. Toen we boven waren, sprong Didi van de toren. Hij was op slag dood.'

Als Jutta naderhand nadacht over deze gebeurtenissen, werd ze er altijd weer pijnlijk van bewust dat dit het tijdstip was geweest waarop ze haar onschuld had verloren. Ze voelde zich machteloos. Machteloos stonden ze aan het open graf en hoorden de woorden van de pastoor die sprak over de jeugdige verwarring van een opgroeiende jongere, onwetend en naïef. Machteloos moesten ze toezien hoe Drechsel werd bevorderd en met persoonlijke lof van de *Gauleiter* naar het nationaal-politieke opvoedingsinstituut naar Schwerin werd overgeplaatst. Machteloos beleefden ze het begin van een oorlog die ze niet wilden. Machteloos moesten ze een paar dagen na het uitbreken van de oorlog Jochens oproep accepteren, hoewel leraren toch 'onmisbaar' werden geacht. Jochen had geprobeerd andere jongens uit de klas over te halen om te praten. Achtenveertig uur later zat hij aan het front, vrijwel zonder militaire opleiding.

'Dit is erg ongewoon. Hier moet iemand erg zijn best hebben gedaan om u kwijt te raken, beste man,' zei de bataljonscommandant die mij als een exotisch dier bekeek,' schreef Jochen naar huis. Het was zijn eerste en laatste brief. Een Poolse scherpschutter raakte hem op de latrines. Niemand had hem verteld dat het raadzaam was je hoofd in te trekken als je je behoefte moest doen.

Jutta kreeg een handgeschreven brief:

Tijdens de slag bij Rydcz op 6 september 1939 viel uw echtgenoot,
schutter Joachim Weber, tijdens de vervulling van zijn militaire plicht,
trouw aan zijn eed op de vlag voor het vaderland. Moge de zekerheid,
dat uw man zijn leven voor de grootsheid en het bestand van volk,
Führer en Reich heeft gegeven, u een troost zijn bij het dragen van het
zware leed dat u heeft getroffen. Ik groet u met welgemeend medeleven.
Kuntze, hoofdman en chef compagnie

Ze stuurde het nieuws via het Rode Kruis aan meneer en mevrouw Carl Weber, Boescamp Farm, Windhoek, Zuidwest-Afrika.

Drechsel heeft Jochen en Didi op zijn geweten. Daar zal ik hem voor doden, dacht Jutta.

Ze haalde Jochens spullen weg en dacht aan hem. Het was haar manier van rouwen. Ze moest lachen toen ze de foto in handen kreeg waarop ze verhit uit het raampje van de Mitropa-wagon leunde, met Jochen achter zich. Isabel had de foto met haar kleine Kodak gemaakt en gedaan of ze niets doorhad. Hoofdschuddend legde ze het spaarboekje weg waarin nog drie zegeltjes ontbraken. In oktober hadden ze de splinternieuwe VW in ontvangst moeten nemen. Die deed nu waarschijnlijk dienst als legervoertuig in de oorlog. De Waterman was gevuld met blauwe inkt. Jochen was hem vergeten op zijn bureau. Gedachteloos tekende ze een paar hartjes op het vloeipapier.

Gaandeweg keerde het dagelijkse leven terug. Het kleine wereldje in Onkel Toms Hütte dat de schone schijn ophield, overheerste. Jutta verliet dit wereldje maar zelden. Haar leven kabbelde voort tussen mevrouw Gerolds boekhandel en het kleine appartement in de Wilskistraat. De oorlog vond succesvol en godzijdank ver van het vaderland plaats. Het fanfaregeweld van de Grootduitse radiozender bracht de oorlog ook niet dichterbij. Dat deden eigenlijk eerder de tot die tijd onbekende geneugten uit geallieerde of veroverde landen. Bij Froweins Groente en Fruit verkochten ze plotseling ook kakivruchten. Niemand wist hoe je die at. Er werden artisjokken aangeboden en verse vijgen. Ook normale levensmiddelen waren er voldoende. Alleen koffie en thee waren schaars. Diana Gerold kreeg ze echter toch via een kennis uit de Zwitserse ambassade.

Op zaterdag sloten ze zoals altijd om één uur. Anja Schmitt kwam om Diana voor een potje tennis op te halen. 'Daarna willen we naar de bioscoop. In het Zeli draait een nieuwe film met Zarah Leander. Hebt u zin?' Maar Jutta wilde de stad in. Isabel had beloofd een paar schoenen uit Rome voor haar mee te nemen.

De Jordans woonden aan de Kurfürstendam. Het was zoals Rainer ooit had voorspeld. Hij deed zelf de deur open. 'Jutta, je komt als geroepen. Ik ben aan het koken. Een vroeg avondeten. Ik heb spaghetti meegenomen uit Italië. En ook parmezaanse kaas. En om het helemaal in stijl te houden, heb ik chianti.' De UfA had hem voor onderhandelingen over een film naar Cinecitta gestuurd. 'Isabel blijft nog een paar dagen in Rome.'

Ze kende het appartement van eerdere bezoekjes met Jochen. De grote salon was modern ingericht. Licht kalfsleer, wit eiken, plexiglas, een paar antieke stukken en als klapstuk een televisie. Het apparaat zag eruit als een radio, die naast de luidspreker een soort raampje van melkglas had. 'Een van de weinige privé-apparaten,' zei Rainer Jordan trots. 'Heeft me zeshonderdvijf-tig rijksmarken gekost. De overige veertig apparaten staan in een Berlijns hos-pitaal. Er is niet veel op te zien, behalve officiële meldingen en het zondags-programma met de mooie titel 'Wij zenden vrolijkheid – wij geven vreugde'. Na de oorlog wordt het programma uitgebreid. Dan willen ze zelfs films uit-zenden.'

Hij deed een paar druppels olijfolie in het kokende water en schoof de weerbarstige spaghetti in de pan tot de stengels slap werden en in de pan pas-ten. In een kasserol pruttelden tomaten met knoflook en dragon.

Als antipasta was er voor elk een blikje tonijn, calamari en olijven in pikante saus. 'Zoiets heerlijks heb ik nog nooit gegeten,' zwijmelde Jutta.

'In het filmcasino van Cinecitta krijg je dit allemaal vers.' Hij schonk chi-anti in. 'Ze draaien daar heel interessante dingen. Ook kitsch natuurlijk. In het nieuwste drama zingt en smacht Benjamino Gigli als Romeinse taxichauffeur. Dat wordt gegarandeerd ook een succes bij ons. Ik zou er een gemeenschappe-lijke productie uit moeten slepen. Hans Albers en Alida Valli als Duits-Italiaans paar. Met een lief Japans meisje als geadopteerd dochtertje. Uit de as Berlijn-Rome-Tokio ontstaan zeldzame vruchten.'

'De Italianen doen mee aan deze onzin?'

'Ze probeerden me beleefd aan mijn verstand te peuteren dat ik het bij de Spanjaarden moest proberen. Ze zouden zelf liever met de Fransen draaien. Conrad Jung is behoorlijk kwaad. Hij zou eigenlijk de regie doen, hoewel hij geen woord Italiaans spreekt.' Rainer Jordan raspte Parmezaanse kaas over de pasta. Hij fronste zijn voorhoofd daarbij en zag eruit om verliefd op te worden. Net als toen, net als altijd. En daar was het weer, het verraderlijke getintel.

Hij had een espressoapparaat meegenomen dat je op zijn kop moest zetten zodra het water kookte. Het brouwsel was gitzwart en gloeiend heet. Jutta dronk het met voorzichtige slokjes. Ze zette haar kopje neer. 'Toen kwamen we er niet aan toe om koffie te drinken.'

Hij wist wat ze bedoelde. 'We kwamen toen helemaal nergens aan toe.'

'We halen het in.'

'Vergeet niet dat ik een oudere man van midden dertig ben.' Hij knoopte zijn broek open.

'Ik ben vijfentwintig en wil jou.'

Ze legde haar benen links en rechts over de stoelleuning. Hij kniel de tussen haar benen. Zijn stijve penis stond een tikje naar boven gebogen. Hij stuurde zijn penis met de hand en wreef zijn eikel met cirkelende bewegingen over haar clitoris. Ze genoot van het onophoudelijk aanzwellende gevoel dat vervulling beloofde, maar geen einde kreeg. De eikel wandelde verder en pauzeerde tussen haar lippen. Hij bewoog zich niet en veroorzaakte daarmee een verrukkelijk orgasme dat ze nu nog helemaal niet wilde, alhoewel ze er wel koortsachtig naar toe werkte. Hij kleedde zich uit. Daarna gaf hij zich helemaal. Zijn staccato deed haar lichaam schokken. De stoel deed mee. De veren piepten. Ze keek naar zichzelf en zag hoe een harde staaf steeds weer haar blonde schaamharen deelde en doorkliefde. Haar lust steeg tot in het onverdraaglijke tot de verlossing kwam, maar niet het einde.

Toen ze aangekleed de badkamer uitkwam, stond hij in zijn huisjas aan het raam. 'We moeten het achter ons laten,' zei hij zonder zich om te draaien.

'Voor eens en voor altijd,' beaamde ze.

'Het zal niet weer gebeuren.'

'Natuurlijk niet.'

Het glas van de etalage was als door een wonder niet kapot. Jutta stond op kousenvoeten tussen de boeken. Ze opende het derde deurtje van de adventskalender. Buiten drukten twee kleine meisjes hun neus tegen de etalageruit en telden de dagen die het nog duurde tot de kerst. Alleen de kinderen verheugden zich er nog op. De volwassenen leefden tussen steeds minder hoop en steeds meer vrees. De onophoudelijke bomaanvallen van de geallieerden maakten van Berlijn vlak voor de kerst van 1944 een vagevuur. Het was het voorportaal van de hel die nog zou volgen.

Jutta zette de kalender weer tussen Rudolf Bindings *Reitvorschrift für eine Geliebte* en Goethes *Wahlverwandtschaften* die ze met een beetje lametta en dennengroen had versierd. Gapend klom ze de etalage weer uit. Een luchtaan-val van de Britten had haar de hele nacht de schuilkelder ingejaagd en daar kon je niet slapen. Bovendien had ze kiespijn. Er was een vulling uit de kies gevallen en er was allang geen tandarts meer in Onkel Toms Hütte. De jonge-re artsen waren onder de wapenen en de enige uit zijn pensioen teruggekeer-de oude dentist was al snel na het heropenen van zijn praktijk naar zijn zus-ter op het platteland gevlucht.

'Misschien hebben ze aspirine in de apotheek.'

'Neem een Eumed, Jutta, dat helpt ook.' Diana Gerold reikte Jutta het blik-ken doosje met de tabletten. 'En ga eindelijk naar mijn tandarts.'

Diana drong er al dagen op aan. Jutta schoof de beslissing al dagen voor zich uit. Dr. Bräuers praktijk bevond zich in de stad en dat betekende drie kwartier met de metro. Niemand verliet graag de bedrieglijke veiligheid van zijn naaste omgeving. Ook omdat zich daar tenminste een schuilkelder bevond.

'Nou goed dan, als u het per se wilt.' Ze wierp de zijden sjaal om haar hals en trok haar bontmantel aan. De gevoerde laarsjes waren een cadeautje uit Diana Gerolds garderobe.

Jutta liep de licht oplopende winkelstraat op tot ze op de begane grond was, kocht aan het loket een retourtje en liep de trap af naar het perron. De metro kwam net aan. Ze koos een gele wagon voor niet-rokers. De rokerswa-gons waren rood van kleur. In de wagon maakten vier kleine kinderen lawaai in de buurt van een vakantieganger. De man zag er doorvoed en gezapig uit. Hij was in Noorwegen gestationeerd. Zijn vrouw maakte een zieke en bange indruk. Ze droeg een kleurrijk geborduurd schapenvel – kennelijk een cadeau-tje van haar man – alsof het niet bij haar hoorde.

Het had gesneeuwd die nacht. Door de maagdelijke sneeuw leken de voor-steden gehuld in suiker. In het centrum was de sneeuw al veranderd in een vuilgele modder die door met paarden getrokken sneeuwploegen aan de kant werd geveegd.

Dr. Bräuer had zijn praktijk op de tweede verdieping van en huurhuis aan de Boedapeststraat. De assistente aan de receptie was al op de hoogte van Jutta's komst. 'Mevrouw Gerold heeft u telefonisch aangemeld. Er is nog één patiënt voor u. U kunt hiernaast even wachten.'

De patiënt bleek Armin Drechsel te zijn. Hij was dik geworden. Zijn bruine partij-uniform spande om zijn pens. Het rossige haar was dunner geworden in de afgelopen vijf jaar. Zijn bleke, infantiele gezicht was voller, maar net zo nietszeggend als altijd. 'Heil Hitler, mevrouw Weber,' groette hij zonder enkele verbazing.

Jutta's maag kromp ineen. Ze had onmiddellijk braakneigingen maar ze beheerste zich. 'Goedendag meneer Drechsel, wat een toeval.'

'Een verstandskies, en u?'

'Ik heb een nieuwe vulling nodig.'

'Het is eeuwen geleden dat we elkaar voor het laatst hebben gezien. Ik ben nu directeur van de partijschool in Schwerin. Hoe is het met u?'

Dr. Bräuer verscheen. Hij was een vriendelijke, witharige man met een goudomrande bril. 'Meneer Drechsel, alstublieft.' Ze was blij dat de deur dichtging. Alles deed pijn en ze werd vervuld van een ijskoude woede.

Dr. Bräuer bracht de patiënt kort daarna terug naar de wachtkamer. 'Een paar minuten geduld tot de verdoving werkt. Mevrouw Weber, alstublieft.' Jutta moest dicht langs Drechsel. Als ik nu een wapen had gehad, schoot het door haar heen. Het was geen melodramatische gedachte, maar dodelijke vastberadenheid.

'Eventjes spoelen nog,' zei de tandarts toen hij met de vulling klaar was. Op hetzelfde moment begonnen de sirenes te huilen. In de buurt ontploften de eerste bommen al. 'Ze waarschuwen niet meer op tijd,' mopperde Bräuer. 'Kom! Via de achtertrap komen we het snelst naar beneden!' Hij schoot met zijn wapperende witte jas voor Jutta uit.

Beneden werden de gewelven spaarzaam verlicht door kaarsen. Er kwamen steeds meer huisbewoners de kelder in. Ze gingen op de grof getimmerde banken zitten. Dr. Bräuers assistente haalde breigoed uit haar tas. Drechsel was in geen velden of wegen te bekennen.

Detonerende luchtdoelgranaten klonken als in het theater met blikken platen veroorzaakt gedonder. De 'vliegende vestingen' van de US Air Force dreunden tienduizend meter boven de stad. De luchtdruk van de vallende bommen vermorzelde de doelen al voordat de bom insloeg. Tot nu toe hadden de bommenwerpers het westen van de stad ontzien. De doelen lagen in de arbeidersbuurten. Men hoopte de arbeiders ermee in opstand tegen het bruine regime te brengen. Een miscalculatie van de geallieerden. De vrouw naast Jutta sprak uit waar iedereen bang voor was: 'Nu is het gebeurd met ons.'

De bevestiging van haar uitspraak volgde in de seconden erna. Het brullen van vijfhonderd kilo exploderende Amtex 9 verlamde de mensen. Er was een bom op het dak ingeslagen en ontploft voor hij de etages eronder doorboorde. Een deel van zijn werking ging hierdoor verloren.

Heel dicht in de buurt sloegen bommen in. Ze deden het huis op zijn grondvesten schudden. Gegil, gehoest en gehuil vulden de kelder. De straal van een zaklantaarn verlichtte het stof als de koplampen van een auto in de mist. De assistente leek wel een wit marmeren beeld, maar ze breide onverstoorbaar door.

Het rook naar bijtende fosfor. 'Ze leggen brandbomtapijten uit en wij zitten precies in de aanvliegroute,' schreeuwde iemand. 'We moeten naar buiten!'

Blind tastte Jutta door de dichte rook. Ze struikelde over de onderste tree van een trap. Op handen en voeten kroop ze naar boven. Niemand volgde haar. Blijkbaar kenden de bewoners een andere uitgang.

Het met stucwerk versierde plafond was naar beneden gekomen. Het versperde de ingang. Je kon er zo door naar boven kijken. Door een gat in de muur op de eerste etage kwam bijtende rook uit de omliggende brandende huizen binnen. Er snakte iemand hoestend naar adem. Wazig zag Jutta de omtrekken van een mens in de lift. Er lag een balk voor het hekwerk ervan. Ze probeerde de balk op te tillen – en keek in het infantiele gezicht van het normaal altijd zo uitdrukkingsloze gezicht. Het was nu vertrokken van angst.

Op de vierde etage gloeide het ijzerwerk. Brandend fosfor droop kleverig omlaag door de liftschacht en liep over het linoleum van de cabine. Drechsel huppelde van de ene voet op de andere, als een dansbeer op een hete plaat. 'Help me eruit!' riep hij schor.

Een inslag in de buurt wierp Jutta tegen de grond. Ze krabbelde overeind. De druk had de deur van de portierswoning eruit gerukt. In de muur van de woonkamer, waar voorheen nog ramen hadden gezeten, zaten gapende gaten. De weg naar buiten! Achter haar rammelde de gevangene wanhopig aan de tralies. Ze hoefde hem niet te doden, dacht ze. Ze hoefde alles alleen maar op zijn beloop te laten. Het was een aanbod van de duivel.

Ze vond het verraad aan Jochen en Didi, maar ze kon het niet. Ze kon hem niet laten verbranden. Ze duwde met haar hele lichaam tegen de balken. Haar schouder deed pijn, maar ze gaf niet op. Langzaam maar zeker kon ze de balken omhoog zetten. Een laatste krachtsinspanning en de zwaartekracht trok de balk naar de andere kant. Ze deed de traliedeur open en Drechsel strompelde langs haar heen.

Buiten regende het brandend puin van de daken. Mensen beschermden zich met natte dekens. Het water spoot uit gebarsten brandweerkranen. Splinterbommen namen tientallen vluchtelingen te grazen. Toen verwijderden de inslagen zich.

Jutta bleef midden op straat lopen. Haar bontmantel leek meer op het vel van een zwerfhond. Dieren uit de nabijgelegen dierentuin liepen onwennig los rond. Een gorillavrouwtje droeg haar jong op verkoolde stompjes, waar ooit haar armen hadden gezeten. Het fosfor had haar handen weggebrand. Drechsel lag dood op een zwarte sneeuwberg in de goot. Zijn bruine uniform was aan flarden gescheurd door bomsplinters. Een jakhals likte zijn lege, infantiele gezicht.

'Met Kerstmis gooien ze geen bommen.' Frowein wist het van een klant die het van haar naaister had, wier broer iemand kende bij de luchtafweer. 'Ze hebben hun oor dicht bij de vijand, dat mag je van mij aannemen.'

'Kerstmis niet in de kelder, dat zou fijn zijn,' zuchtte Jutta. Ze deed het pond appels en de paar noten van haar rantsoen bij de rode kool in haar netje. Naast de groenteboer, bij koffiebranderij Otto – waar eigenlijk allang niets meer te branden viel – was een extra portie bonenkoffie verkrijgbaar en zelfs een beetje peperkoek. Ze hing het boodschappennetje in de achterkamer van de boekhandel, waar haar bazin geheimzinnig iets uitpakte. Er kwam een benig ding tevoorschijn. 'Wat moet dat voorstellen?' vroeg Jutta wantrouwig.

Diana Gerold was gepikeerd. 'Een gans natuurlijk.' Haar kennis bij de Zwitserse ambassade was weer eens van pas gekomen. 'Toegegeven, hij is een beetje mager, maar voor ons drieën is het genoeg. Kunnen we bij jou vieren, Jutta? Ons gasfornuis is buiten werking. Er is een bom op de hoofdleiding neergekomen.' Ze sloeg de *Morgenpost* open. 'Stroomverzorging tijdens Kerstmis zeker' stond er op de tweede pagina. 'We braden de gans in jouw elektrische oven. Anja heeft nog een fles kersenlikeur van de vorige kerst. We moeten wel overnachten bij je, want zo laat rijdt er niets meer.'

'Ik draag een bourgogne uit pappie's laatste reserves bij.'

De winkeldeur ging open. Meneer Lesch bracht twee leenboeken terug. 'Het wordt tijd dat die rotzooi wordt beëindigd,' mopperde hij. 'Geen nieuwe Hercule Poirot in zicht. Denkt u dat Agatha Christie wel door heeft geschreven?'

'Dat horen we na de totale overwinning.'

'Gelooft u daarin?'

'In Agatha Christie?'

Meneer Lesch bromde iets onverstaanbaars en verliet de winkel. Van buiten spiedde hij door het meermaals gesprongen, met plakband provisorisch gerepareerde raam en keek toe hoe Jutta het laatste deurtje van de adventskalender in de etalage opendeed. Het was 24 december 1944.

Anja Schmitt kwam 's middags. Ze droeg voor de gelegenheid een redingote van zwarte stof, afgezet met grijs astrakan. Ze had er een bonten muts en laarzen bij aan en zag eruit als een knappe kozakkenknaap. 'Uit mijn Petersburgse nachten,' grapte ze. Ze had ooit een affaire met een Wit-Russische vorstin gehad. Diana Gerold droeg een jopper en een jagershoedje. Ze had daarin de flair van een grootgrondbezitster. Jutta had haar bontmantel met shampoo en föhn geprobeerd te herstellen. Je moest maar doen of je de kale brandvlekken niet zag. 'Doen alsof' hoorde bij de overlevingsstrategie.

'Dan zullen we de winkel eens even afsluiten.' Diana Gerold vergrendelde de winkeldeur van binnen en legde de beveiligingsstang ervoor. Ze verliet de boekhandel door de achterdeur. Ook hier deed ze alle drie de sloten dicht, wat ze anders nooit deed. Jutta observeerde het verwonderd. 'Maken we de omweg door het Fischtalpark? Even een frisse neus halen, dat doen we helemaal nooit meer.'

Er was verse sneeuw gevallen. De buurt kreeg er een beetje een kerstachtige sfeer door. De dennen in de tuinen waren wit gepoederd. IJskristallen glinsterden in de late middagzon. Kinderen gleden op hun sleetjes joelend de helling af. Een vijftienjarige jongen in het uniform van een *Luftwaffenhelfer* gleed op één ski langs. Zijn lege broekspijp had hij afgespeld.

De zon verdween rood in de nevel. Er was een fel koude nacht op komst. De drie vrouwen versnelden hun pas. Jutta sloeg rillend haar bontmantel om zich heen. 'We maken het thuis lekker warm. Ik heb nog wat kolen in de kelder.'

Uit de kerk aan het metrostation dreunde het orgel. Professor Heitmann speelde Bach. Binnen in het bakstenen gebouw was het overvol. Koster Held had het portaal wijd opengedaan, zodat de mensen buiten ook van de godsdienst en de klanken van het orgel konden genieten. Pastoor Geß leidde de mis. De geboorte van Jezus Christus was een onschuldig thema waar ook de spion van de Gestapo op de derde rij niets verdachts in kon ontdekken.

In de winter nam Jutta niet de moeite het zwarte papier van de ramen te halen als ze 's ochtends haar huis verliet. Zo kon ze de verlichting als ze thuiskwam zo meteen aandoen, zonder dat de luchtafweerwacht 'licht uit!' brulde. In de keuken deed ze het klepje van de boiler open en schudde rijkelijk kolen naar binnen. 'Vandaag wordt er niet gespaard.'

'Een cherry brandy om op te warmen? Geef eens glazen, Jutta.' Anja schonk in.

Jutta hief het likeurglaasje. 'We kennen elkaar nu lang genoeg. Diana, Anja – zullen we elkaar maar tutoyeren?' Ze warmde de oven voor. Daarna bereidden ze de gans. Ze schilden appels en aardappels en sneden de rode kool klein. Die werd met het laatste restje spekzwoerd gestoofd.

De kaarsen in de woonkamer dienden eigenlijk als noodgreep bij stroomuitval. Jutta hield een dennentakje in de vlammen. De pittige lucht van de aromatische olie gaf een indruk van een feestelijke stemming. Al snel vermengde de lucht zich met de geur van het vlees. Anja schonk cherry brandy bij en Jutta trok zich met haar glas terug in Jochens fauteuil. Ze wilde eventjes alleen zijn.

De telefoon ging. Het was pappie. Hij wenste een fijn kerstfeest en of ze niet wilde langskomen. 'Het is nog geen zeven uur. Je zou om negen uur in Köpenick kunnen zijn als er geen aanval tussendoor komt.'

'Ik heb bezoek en een gans in de oven. We drinken er jouw bourgogne bij. Vrolijk kerstfeest, ook voor mammie.' Ze legde de hoorn op de haak voor haar moeder aan de telefoon kwam. Ze had het huilerige gedoe niet kunnen verdragen.

Anja bekeek de foto van het schoolreisje uit 1938 naast de balkondeur. 'Hij zag er goed uit, je man. Mis je hem erg?'

'Het is allemaal zo lang geleden.' Jutta wilde er niet over praten.

'Zullen we een slokje rode wijn offeren voor de jus?' probeerde Diana af te leiden. Ze vermoedde wat er in Jutta om ging.

'Ik heb nog een maggiblokje. Die lossen we op in kokend water en blussen de gans ermee af.'

De gans was taai en smakeloos. De rode kool smaakte veel beter. Jutta had er een paar kruidnagels bij gedaan. 'Vrolijk kerstfeest!' proostte ze de twee vrouwen toe.

'Nou en of!' zei Anja stoer.

Ze genoten van de volle bourgogne en kauwden, berustend in hun lot, op het taaie ganzenvlees. 'Er bestaat erger,' troostte Diana haar tafelgenoten. Als dessert aten ze peperkoek en dronken ze koffie. Jutta deed de radio aan en meteen weer uit. Ze vond het 'Stille Nacht' van de Wiener Sängerknaben ongepast. Ze zwengelde liever de koffergrammofoon aan en zocht naar lang vergeten platen in de boekenkast. Ze legde een charleston op en begon door de kamer te dansen. Ze deed het heel goed. Anja volgde haar voorbeeld. Diana keek glimlachend toe. Bij de tango nam zij Jutta in haar armen en leidde haar correct door alle figuren.

Ze dronken cherry brandy en werden uitgelatener. Anja had een plaat van de Don Kozakken gevonden en sprong op haar hurken de kasatsjok. 'Daarna kwam er bij de vorstin wodka, kaviaar en heel veel Russische bezieling op tafel,' herinnerde ze zich.

'Daar willen we deze keer liever niet op wachten,' wendde Diana zich tot Jutta. 'Anja en ik gaan overmorgen naar Hessen. Mijn broer heeft daar een boerderij. We laten ons liever door de Amerikanen platwalsen. Kom toch mee.'

'Ik kan mijn ouders niet alleen laten.'

'Mocht je interesse hebben de boekhandel intussen verder te beheren...' Diana Gerold legde de sleutels op tafel.

De kaarsen waren opgebrand, de fles Cherry Brandy was leeg. Kerst was voorbij. Jutta deed het licht aan. De plafondverlichting werkte ontnuchterend. 'Ik maak jullie bed op. Ik slaap op de bank.'

'In bed is plaats genoeg voor drie,' besloot Diana.

Jutta lag tussen de twee vriendinnen en liet hun tedere liefkozingen over zich heen komen. Ze voelde zich zo eenzaam als nooit tevoren.

In een heldere februarinacht, begin 1945, openden honderden Engelse Lancasters de aanval op Berlijn en doodden vele duizenden kinderen, vrouwen en oude mensen. Zijne Britse Majesteit Luchtmaarschalk Arthur 'Bomber' Harris oefende voor Dresden.

Tussen de ruïnes in het centrum van Berlijn blies een vuurstorm. Wie in de hitte niet verzengde, werd door bommen aan flarden gerukt. Het inferno drong als een verre aardbeving door tot de kelder van Wilskistraat nummer 47. Wat als het dichterbij kwam? Jutta's maag kromp ineen van angst.

Mevrouw Reiche van de eerste etage links hield zich vast aan de familiepapieren. Mevrouw Frits van ernaast hield haar twee kinderen stijf vast. Luitenant Kolbe, eerste verdieping rechts, kwam de keldertrap af. Hij was in het burgerleven eigenlijk architect en nu met verlof. 'Dit moet u zien. Kom mee naar boven. Alles is rustig.' Zijn vrouw schudde angstig het hoofd.

Jutta raapte haar moed bijeen. De hemel in het oosten pulseerde bloedrood. In het noorden vormde de hemel het gitzwarte decor voor de de door loodsvliegtuigen uitgezette lichtmarkeringen die door de bevolking 'kerstbomen' werden genoemd. Kolb stak een sigaret op. 'Ze sparen de voorsteden. Ze willen hun toekomstige kwartieren niet vernietigen.' Hij wierp de sigaret weg en pakte Jutta bij haar heupen. 'Een snel nummertje als troost?' Hij duwde zijn penis tegen haar dijbenen.

'Meneer Kolbe, alstublieft.'

'Mijn vrouw is niet zo zuinig. Maar ja, u weet waarschijnlijk beter dan ik hoeveel geüniformeerd bezoek ze ontvangt. Dan ga je liever weer terug naar het front.'

'Ik weet niet waar u het over hebt.' Jutta bevrijdde zich en daalde weer de keldertrap af. Maar ze had zich dat kunnen besparen. De sirene op het dak schuin tegenover huilde dat het gevaar geweken was.

Haar appartement was koud en onwerkelijk. De kolenhandelaar had voor het weekend een paar briketten beloofd, maar ze was bang voor het in de rij staan en nog banger voor het belanden in een vreemde kelder als het alarm afging. Ze knipte de staande lamp in de woonkamer aan die een paar keer opflakkerde en toen uitging. Stroomuitval.

Het elektrische reservoir was gelukkig nog voorverwarmd. Jutta droeg een kaars de badkamer in en liet het bad vollopen. Het hete water verwarmde haar rillende lichaam en wiegde haar in een bedrieglijke geborgenheid. Jutta wikkelde de grote badhanddoek om en ging naar bed. Morgen doe ik de boekhandel weer open, nam ze zich voor bij het inslapen. Maar ze wist dat ze het niet zou doen.

Het voorjaar kondigde zich aan met het voorzichtige groen van de Acacia's en mildere temperaturen. De mensen in de kelder aan de Wilskistraat 47 rilden. Maar het was meer van angst dan van de kou. Ze aten aardappelen die een allang naar het platteland gevluchte medebewoner had achtergelaten. Meneer Von Hanke, een gecultiveerde zeventiger, steevast gekleed met das en een zijden pochetje, verdeelde de aardappelen. 'Alstublieft, lieve mevrouw, wees toch verstandig,' waarschuwde hij de oude mevrouw Möbich. 'Wie weet hoelang we ermee moeten doen.'

'Maar ik heb zo'n verschrikkelijke honger,' huilde de oude vrouw. Jutta gaf haar een paar aardappelen van haar eigen rantsoen. Ze kookten de knolletjes op een brander die ze samen met een paar repen droge spiritus hadden gevonden in hun kelder. Het deed Jutta denken aan de bohèmetijd in de Mitropawagon met Jochen.

'Ze kunnen er nu elke dag zijn. Wat dan?' jammerde de oude dame.

'Nou, u hebt toch niets meer te vrezen,' grinnikte Kolbe.

Meneer Von Hanke schraapte zijn keel gegeneerd. 'De Russen zijn geciviliseerde mensen, net als wij. Ik ken ze goed. Ik was in 1912 attaché aan de Keizerlijk Duitse Ambassade in Sint-Petersburg en had er vele vrienden. Ik spreek Russisch, moet u weten. Ofschoon men in de betere kringen Frans prefereerde.'

'Nou dat kunt u dan binnenkort uitproberen,' zei Jutta spottend.

Het oorlogsgedonder was minder geworden de afgelopen dagen. In plaats daarvan kon je machinegeweren horen ratelen. 'Tijd om ons om te kleden,' verkondigde luitenant Kolbe. 'Wat draagt de moderne man als de Russen komen?'

'Een pak met sobere kleuren. Smoking alstublieft pas vanaf zes uur,' stelde Jutta sarcastisch voor. De telefoon in haar appartement deed het nog. Ze draaide het nummer van haar ouders. Haar vader was helemaal overstuur. Op de achtergrond hoorde je gebral en geschiet. 'Jutta? Het is een verschrikking. Ze zijn er.'

'Jullie moeten rustig blijven en vriendelijk zijn, pappie. Hoor je me? Doe wat ze van je verlangen. En niet laten zien dat je bang bent. Het zal toch niet zo erg worden. Ik meld me als alles voorbij is.'

In Onkel Toms Hütte was het nog niet eens begonnen. Twee dagen lang huilden er laagvliegers boven de buurt, maar er gebeurde niets. Daarna rolden de tanks binnen. Drie T34's kropen de Riemeisterstraat op en kwamen voor het metrostation malend tot stilstand. Hun geschuttorens zwenkten dreigend heen en weer.

Op de bovenste verdieping van banketbakkerij Sommerfeld wapperde iemand met een wit laken op een bezemsteel. Kussenslopen, handdoeken en servetten volgden uit de raamopeningen van de omliggende huizen. Er ging een luik open op een van de stalen monsters. Er kwam een rond gezicht onder een leren helm tevoorschijn. De soldaat zwaaide lachend. Achter de witte doeken klonk applaus. De soldaat verdween, de klep ging weer dicht en de kolossen zetten zich weer langzaam in beweging.

Het applaus drong door tot in de kelder. 'En, wat zei ik?' zei meneer Von Hanke, trok zijn witte pochet en ging naar boven. Jutta en een paar anderen volgden haar weifelend. De oude mevrouw Möbius rende langs hen heen. 'Bij Frowein hebben ze verse groente!' brabbelde ze met een verdwaasde blik.

Er stopte een jeep met daarachter een soldatenwagen. Er sprong een officier uit de jeep. Het was een donker, klein mannetje met korte beentjes. Meneer Von Hanke sprak hem beleefd aan in het Russisch. Het was het Russisch van de tsaren en dus een dodelijke belediging. De officier trok zijn pistool en schoot meneer Von Hanke in het voorhoofd. Hij schopte de dode man met een trap van zijn laars aan de kant.

Zijn blik viel op Jutta. Hij schreeuwde een bevel. Twee soldaten grepen de heftig tegenstribbelende vrouw, sleepten haar naar de jeep en smeten haar op de hete motorkap met de rode ster. Ze hielden haar grijnzend vast. Kuchend walste de officier over haar heen. Hij stonk naar wodka en knoflook. Ze voelde niets omdat ze zichzelf voorhield dat zij het niet was die verkracht werd, maar iemand anders. De officier was snel klaar. Hij liet haar liggen en sprong de jeep weer in. Hij begon zonder pardon te rijden, zodat Jutta van de motorkap vloog.

Een soldaat hielp haar overeind. He was een vriendelijk lachende jongen. Ze bedankte hem, streek haar jurk glad en wilde teruggaan naar de anderen. Maar hij hield haar vast, zei hortend en stotend iets wat klonk als een vraag. 'Een ander keertje, ja?' beloofde Jutta, alleen maar om iets te zeggen. Hij kneep zijn ogen dicht. Hij sloeg haar in het gezicht, trok haar tussen de bosjes voor het huis. Deze keer duurde het lang. Haar verkrachter dwong haar in steeds andere onmogelijke bochten. Hij genoot lang en gretig van zijn overwinning. Daarna tuimelde Jutta uitgeput het huis in. 'Nou, dat hebt u tenminste gehad,' troostte mevrouw Reiche haar.

'Zo, denkt u?' kuchte Jutta. Ze wankelde haar appartement in en trok de kleren van haar lijf. Ze ging in de badkuip staan en draaide de douche open. Er kwam alleen maar een klein straaltje bruine soep uit. 'Godverdomme!' Het vloeken deed goed. Ze wreef zich met haar handdoek en een zielig restje eau de cologne schoon. Zo ontstond een beetje de illusie van reinheid.

Mevrouw Reiche verscheen weer met een rubberen laken in de hand. 'Herinnering aan opa. Hij was aan het einde niet meer helemaal zindelijk,' probeerde ze de spanning een beetje te breken. Ze spreidde het rubberen laken uit op het bed. 'Gaat u maar liggen.' Ze had een klisteerspuit meegenomen en een fles bronwater. 'Het is mijn laatste. Misschien helpt het.' Er klonk een droge knal toen ze de fles openmaakte. 'Doe uw benen wijd.' Het water was koud en het koolzuur prikte als speldenkopjes. Maar na de spoeling voelde Jutta zich beter.

De gemotoriseerde voorhoede werd gevolgd door paardenwagens met ruwharige paarden en geile soldaten. Ze waren zelfs voor hun eigen generaals geen mensen, maar primitief kanonnenvoer dat met tienduizenden tegelijk werd geofferd om een onbetekenend strategisch voordeel te bemachtigen. Je kon ze ook de mijnenvelden injagen om de weg vrij te maken.

Achter de wagens waggelden magere koeien. In rieten manden kakelde gevogelte. Het konvooi stond stil. Algauw brandden er vuurtjes op straat.

Een pokdalige Aziaat sneed een kip de keel door en liet de fladderende romp uitbloeden voor hij hem plukte. Een ander sneed dikke plakken donker brood en verdeelde het aan de hongerige kinderen. Daarna greep hij naar zijn trekharmonica en begon te spelen.

Jutta kleedde zich aan: lange broek, flinke riem, coltrui. Alsof het iets zou helpen. Ze stak een scherp keukenmes tussen haar riem. 'De volgende vermoord ik,' beloofde ze.

'Nou, moord er dan maar op los,' zei mevrouw Reiche laconiek. Een Mongool met een wilde snor stommelde naar binnen. Zijn pet hing vervaarlijk op zijn achterhoofd. Hij droeg een mand met aardappelen die nog onder de korsten aarde zaten. Zoekend slofte hij door het appartement. Zijn blik bleef hangen bij de wc, waar water in stond. Hij gooide de aardappelen erin om ze te wassen. Nieuwsgierig trok hij aan de ketting. De spoelkast was nog vol. Verbijsterd zag hij zijn maaltijd verdwijnen.

Jutta lachte hard. Het was een zeldzaam moment van volledige ontspanning. De baardman lachte bulderend mee en droop af. Mevrouw Reiches stem trilde: 'Dat had goed mis kunnen gaan.'

De vrouwen van Berlijn smeerden roet op hun gezicht. Ze kleedden zich in vieze vodden, wentelden zich in stront. Het was tevergeefs. Hun bevrijders waren de stank en het vuil gewend. Ze konden niet lezen, maar ze volgden de van haat doordrongen woorden van de infame Ilja Ehrenburg in de *Pravda*: 'Grijp hun vrouwen zonder barmhartigheid en breek hun Germaanse trots.' De soldaten stonden apathisch in de rij tot ze aan de beurt waren, soms wel dertig man of meer.

Tegen de ochtend werd het altijd stil. Het gegil van de verkrachte vrouwen ebde weg, de kampvuren op straat doofden. De bevrijders lagen bewusteloos in hun wodkaroes. Jutta zag het vanaf haar balkon. Het was de enige tijd van de dag die ze in de buitenlucht durfde door te brengen. Over twee tot drie uur zouden de gruwelen opnieuw beginnen.

'Hé, daarboven,' fluisterde een stem. 'Is dit nummer 47?'

Jutta boog over de reling. De man droeg een hooggesloten zwarte regenjas. Eentje met clips in plaats van knopen, zoals het voor de oorlog in de mode was geweest.

'De deur is open.'

Een mager grijs hoofd met een vaal gezicht en vermoeide ogen verscheen. 'Overste Werner Lüddeke, OKH,' stelde hij zich voor. 'Ik moet de bewoners van nummer 47 vertellen dat Frowein helaas geen groente heeft. Haar laatste woorden. Ik geloof dat ze niet meer helemaal goed bij haar hoofd was. Ze stierf een paar minuten geleden. Inwendige bloedingen, naar men mag aannemen. Die beesten schrikken voor niets terug.'

'Mevrouw Möbich? Mijn God, het mens was tachtig.'

De overste deed de clips van zijn regenmantel los. Hij droeg er een uniform onder. 'Is er hier iets wat ik kan aantrekken? Ik ben ontsnapt aan de nazi-slachters en ben niet van plan in handen van hun rode opvolgers te vallen.'

Jutta gaf de man Jochens oude trainingspak en propte het uniform in de oven van de verwarming. 'Wat bent u van plan?'

'Ik wil proberen als Franse gastarbeider naar het westen te komen. Ik heb de papieren afgepakt van een echte Fransman, of beter gezegd het stukje dat er nog van hem over was.'

'En als u wordt gepakt?'

'Doe uw hand eens open.' Er rolde een kleine capsule op Jutta's handpalm. 'Het glas kapot bijten en bidden,' instrueerde hij haar. 'Cyaankali werkt onmiddellijk op de slijmvliezen. Na vijftien seconden is het voorbij. Ik moet door, zolang het nog donker is. Ach en... Haal die oude vrouw naar beneden als het licht wordt. De monsters hebben haar aan de keukendeur gespijkerd.'

In de ochtendschemer legden ze het rimpelige, oude lichaam op het altaar. Jutta, mevrouw Reiche en de jonge mevrouw Kolbe, wier man al op de vlucht was geslagen. 'Hoe vaak?' vroeg mevrouw Reiche aan de jonge vrouw. 'Vijf keer,' was het nuchtere antwoord.

'We bidden nu,' besloot Jutta. 'Daarna leggen we haar in de bomtrechter achter de sacristie. En dan als de donder naar huis voor die varkens wakker worden.'

Na het gebed rolden ze de dode in de trechter en schopten ze de aarde aan de rand los. Het zand bedekte al snel barmhartig het geschonden lichaam. Een voor een slopen ze achteruit. Een nieuwe dag, dacht Jutta. Misschien wel mijn laatste. Ze klampte de kleine capsule in haar zak goed vast.

Op dokter Liselotte Dorns witte jas zaten bloedspatten. 'Mijn excuses voor de vieze jas, maar mijn huishoudster heeft zich na de vijftiende bevrijder opge-hangen en ik heb geen tijd voor de was. Mijn kaartenbak bestaat ook niet meer. Mevrouw Weber, nietwaar? U komt eens per jaar voor controle toch?'

'Ja. Jutta Weber, Wilskistraat 47. De spoeling van een behulpzame huisge-note heeft helaas niet geholpen.'

'Zesde of zevende week waarschijnlijk? U bent vanochtend de vierde.

De meesten zijn in de zesde of zevende week. Ze hebben mij niet te grazen genomen. Een arts schijnt ook in Rusland aanzien en bescherming te genieten.'

Vanuit het raam van de behandelkamer kon je bloeiende tuinen zien en een zomers, vrolijk Fischtalpark, waarin een paar Russische soldaten met hun meisjes dolden. Maarschalk Schukov had de beestachtige aanranders en moordenaars van het eerste uur teruggeroepen en door iets meer geciviliseerde troepen vervangen. Je kon de straat weer op.

'Leg uw benen daar overheen.' De dokter gespte Jutta's knieën links en rechts vast in de beugels. 'Zodat u geen ongecontroleerde bewegingen maakt. Ik heb namelijk geen narcose voor u.'

'De eerste twee Ivans hadden ook geen narcose voor me.' Het droge schrapen van de curette in de baarmoeder brandde als vuur in haar onderlijf. Het deed verschrikkelijk pijn.

'En de derde?' Mevrouw Dorn sprak in een toon alsof ze een gezellig gesprekje voerden terwijl ze het scherpe instrument de uterus uittrok om een nog grotere curette weer in te brengen.

'Mijn derde was een schone, goed geschoren sergeant. Eentje van de betere soort.' Het praten hielp tegen de pijn. 'Hij sleepte mij de kelder van slagerij Lehmann in. Daar had hij zwepen, slachtmessen en andere leuke speeltjes. Ik moest me uitkleden. Hij wilde mijn handen boven mijn hoofd aan een vleeshaak vastbinden. Duurt het nog lang?'

'We zijn bij nummertje zes.' De dokter draaide de curette heen en weer. 'Nummer acht, dat is de laatste.'

Jutta hijgde. De pijn was bijna niet te verdragen. Ze dwong zichzelf verder te praten. 'Er was maar één mogelijkheid hem ervan te weerhouden.' Jutta gilde van de pijn.

'Nummertje zeven,' rapporteerde dr. Dorn zakelijk. 'En, hoe hebt u dat voor elkaar gekregen?'

'Ik heb hem in mijn mond genomen en toen was hij stil. Daarna trok ik hem naar beneden. Hij dacht dat ik hem zou gaan berijden. Ik streelde zijn wang. Ik had de capsule in mijn hand. Ik ramde de capsule in zijn neusgat en sloeg er met mijn vuist op. Toen brak hij. De overste had gelijk. De slijmvliezen absorbeerden het gif meteen. Binnen vijftien seconden was hij dood. Het waren de langste vijftien seconden van mijn leven.'

'Klaar.' De dokter rechtte haar rug. 'U bent erg dapper geweest.'

Jutta lachte zuur. 'Zijn we dat niet allemaal?'

'De nabloedingen moeten over een paar uur ophouden. Als dat niet het geval is, komt u onmiddellijk terug. Overigens krijgen we over een paar dagen de westelijke macht in de stad. De yankees, de Britten en Fransozen krijgen elk een stukje van Berlijn als zogenaamde bezettingssector. Dat heb ik op de radio gehoord.'

'That's the best news in a long time.'

'U spreekt Engels?'

'Het was het vak van mijn man. Hij doceerde aan het Arndt-Gymnasium. We spraken één keer per week Engels thuis.'

'Ik hoop dat ze ons medicijnen brengen.'

'We hebben weer water en soms ook stroom. Ik was een paar jassen voor u. Bedankt, dokter.'

Op een donderdag, de eerste juli van het jaar 1945, rolden de verkennings-pantserwagens van de eerste US Air Borne Division van de Brandenburger Tor via Hitlers Oost-West-as door het verwoeste Tiergarten en namen hun deel van de stad symbolisch in bezit. Er waren maar weinig Berlijners die het schouw-spel bekeken. Ze hadden hun buik verschrikkelijk vol van wat voor opmars dan ook. In Onkel Toms Hütte vielen de nieuwe bazen op door de troepen landmeters die in jeeps rondreden en her en der markeringen plaatsten. Geen mens wist waarvoor.

Jutta hield haar raam de hele dag ver open bij een grote schoonmaak. De oude Protos-stofzuiger huilde en ze had ook nog een beetje Vim voor de keu-ken. Mevrouw Reiches groene zeep deed de rest. De *Völkische Beobachter* met stukjes over de heldhaftige strijd om Berlijn was weliswaar niet meer actueel, maar had wel de juiste inkt om de ramen mee te doen. De laatste spiritus was opgezopen door een paar soldaten van het Rode Leger.

Het appartement inclusief de inrichting was nog zo goed als nieuw. Meer dan de helft van de ramen was nog heel of slechts ten dele gebarsten. De rest spijkerde Jutta netjes dicht met karton dat ze wit verfde. De witte verf had ze in de kelder gevonden.

Luchten, boenen en verven hadden iets bevrijdends. Je kon weer adem-halen en plannen maken. Het openbaar vervoer reed weliswaar maar korte trajecten, maar op de een of andere manier zou ze zich wel naar Köpenick worstelen, dacht Jutta optimistisch.

'Wilt u daar echt heen? Köpenick ligt in de Russische sector.' Mevrouw Reiche kauwde aandachtig ergens op.

'Ik moet echt naar mijn ouders. Ik kan niet bellen. Wat kauwt u daar?'

'Een kauwgummetje met pepermuntsmaak. Wilt u er ook eentje? Ik heb het pakje van een yankee gekregen, een aardige man. Hij liet mij foto's zien van zijn gezin. Hij heette sergeant Backols, zei hij. Het heeft even geduurd voor ik snapte dat dat Amerikaans is voor Buchholz. Zijn opa kwam uit Königswusterhausen.'

Jutta probeerde de kauwgum. De smaak was verfrissend, maar het bleef een onbevredigende belevenis omdat je het niet kon eten. Jutta deed de radio aan en draaide aan de knop. Er klonk een vlotte swing uit de luidspreker. 'This is AFN Berlin, the American Forces Network,' zei de presentator. 'And now, "Frolic at Five" with George Houdac.'

Vaarwel Otto Dobrindt, dacht Jutta verheugd. Ze liep naar beneden de winkelstraat in. Tijdens de eerste dagen hadden dronken rode hordes de deuren ingetrapt en de inrichting van de winkels verwoest. Nu het rustiger werd, begonnen een paar eigenaars met het opruimen. Klokkenmaker Thomas zette een paar oude wekkers in de gebroken etalage. 'Zodat het er niet zo leeg uitziet.' Frowein en zijn vrouw schrobden de planken. 'In blijde verwachting van de eerste bananen,' grapte de groenteman.

Sinds het einde van de oorlog was Jutta hier maar één keer geweest, om de deur van de boekhandel te voorzien van ketting en slot. Vele boeken waren uit de kasten gerukt, maar de meeste waren in goede staat. Ze begon te stotteren.

'Die moeite kunt u zich wel besparen.' Er kwam een man met hoed en aktetas binnen, gevolgd door twee Amerikaanse officieren. 'Wacker, stadsdeelkantoor,' stelde hij zich voor.

De oudere officier groette beleefd. De jongere, een luitenant, bekeek Jutta van top tot teen en floot bewonderend. 'Hello, fraulein, wie gehts?' Het was blijkbaar de enige zin die hij in het Duits kende.

'What can I do for you, gentlemen?' vroeg Jutta terughoudend.

'Meneer Wacker will explain.'

Er was niet veel uit te leggen. De US Army had de hele Onkel Tombuurt van de winkelstraat tot het Fischtal in beslag genomen. Eigenaars van woningen en winkels moesten binnen twee dagen hun bezit verlaten.

'Wat wordt er van de boeken hier en mijn meubels thuis? Ik woon in Wilskistraat 47.'

'Als u de boeken tot uiterlijk overmorgen kunt verhuizen, is dat in orde. Uit uw appartement, mag u alleen uw persoonlijke bezittingen en uw kleren meenemen,' zei meneer Wacker.

'And don't forget to hurry, fraulein,' snauwde de luitenant.

'Looks as if you are not much better than the reds,' siste Jutta de twee Amerikanen toe.

'I am sorry,' verontschuldigde de oudere zich.

'Het stadsdeelkantoor zal u een woonruimte toewijzen,' beloofde meneer Wacker en lichtte zijn hoed.

Bouwtroepen van de US-technici waren al begonnen hoge palen in de grond te slaan en een meerdere kilometers lang, met prikkeldraad omwonden hek om Onkel Toms Hütte te plaatsen. Jutta was kwaad. Ze had gedacht dat alles beter zou worden. Er zou een nieuw leven op haar wachten. Het woord 'toekomst' zou weer inhoud krijgen. En nu hadden die Amerikanen niets beters te doen dan de vernederde, uitgehongerde mensen van hun laatste beetje bezit te ontdoen.

Ze ging naar bed om de lelijke realiteit uit te bannen. De gordijnen bewogen in de warme nachtlucht. Het laken verschafte koeling. Er trokken gezichten aan haar voorbij. Jochen, de kleine Didi, de verschrikkelijke Drechsel, de oude mevrouw Möbich. Ze waren allemaal dood. En ik?, vroeg ze zich bang af in het donker. Ben ik niet ook al dood?

NEGENDE HOOFDSTUK

De duisternis werd doorkliefd door koplampen. Met een geërgerd gegrom liet de moordenaar zijn slachtoffer vallen en verdween in de nacht.

John Ashburner sprong uit zijn jeep. Hij knielde naast Jutta neer, maakte de ketting zo snel mogelijk los en legde de rug van zijn hand op haar halsslagader. Hij zocht wanhopig naar haar pols. Niet ver uit de buurt startte een motor.

'Ik was heel ver weg,' mompelde ze met gesloten ogen.

'Maar nu ben je er weer,' zei hij dolgelukkig. Behoedzaam tilde hij haar op en droeg haar naar de jeep.

Dr. Möbius onderzocht de blauwrode wurgplekken op Jutta's hals. 'Geen blijvende uitwendige schade,' verzekerde hij. 'U hebt geluk gehad. Een halve minuut langer en u zou net als de anderen op de sectietafel zijn beland. Ik wil u tot morgen hier houden. Uw bloeddruk is nogal laag. Geen wonder bij zo'n schok. Zuster Dagmar brengt u naar bed.'

John Ashburner stond slungelig op de achtergrond. Hij had Jutta naar het nabijgelegen Bosrust gebracht en een bang halfuurtje in de wachtkamer doorgebracht, tot men hem de behandelkamer had binnengelaten. 'Kan ik met haar praten, dokter?'

'Twee minuten.'

'Er valt niets met mij te bepraten,' mokte Jutta toen hij bij haar aan het bed kwam zitten. 'Praat jij maar met je vrouw.'

'Met Ethel? Natuurlijk. Over onze scheiding. Daarom is ze namelijk hier.

Ze wil trouwen met Jesse Rawlins. Ze vindt je overigens erg aardig, misschien een beetje te impulsief.'

'Zoals nu bijvoorbeeld?' jubelde Jutta. Ze sloeg haar armen om zijn nek en kuste hem.

Zuster Dagmar verscheen in de deuropening. 'Kunt u alstublieft uw chauffeur kalmeren? Hij praat nogal hard en stoort de overige patiënten.'

'Tot morgen, darling. Welterusten, zuster.'

Ashburner liep naar de jeep. Sergeant Donovan galmde hem tegemoet vanuit de luidspreker: 'Hey boss, meldt u eindelijk eens. Het is verdomd dringend.'

Hij was teleurgesteld. Ze had hem slechts een kortstondig gerochel gegund en was hem ontgleden voor hij haar kon bezitten. Spelbreekster, dacht hij beledigd. Hij leunde zijn motor tegen de stoeprand en streelde de tank als de flank van een paard. De motor had hem geholpen die hardnekkige inspecteur uit de weg te ruimen. Nu was de motor niet meer nuttig. Schoorvoetend liep hij naar huis. In de keuken schilde hij aandachtig een appel en beet erin. 'Te zuur,' mompelde hij misprijzend.

Het glas vloog aan diggelen. De keukendeur die op de tuin uitkwam had plotseling geen ruit meer. Verbijsterd zag hij de inspecteur onbeholpen door de sponning klimmen. Klaus Dietrich had ergens een plank uit een schutting gebroken waar hij nu op leunde.

'Ik had er al dagen geleden op moeten komen. Uw secretaresse heeft het me argeloos op een presenteerblaadje aangeboden, en ik had het niet in de gaten. "De andere vier heeft de baas ook van een kruisje voorzien" zei ze. De andere vier kaarten, dat betekende in totaal vijf, nietwaar meneer Chalford? Met het kruis op de vijfde kaart had u Jutta Webers einde al meegerekend. Alleen de moordenaar kon weten wie de volgende was.'

Chalford greep naar het mes op de keukentafel. 'Een betreurenswaardige inschattingsfout inspecteur. Ik dacht dat u een inbreker was en dus stak ik u neer.' Met opgeheven arm ging hij op Dietrich toe.

Dietrich verplaatste zijn gewicht naar het gezonde been. Hij kon de balans maar een paar seconden houden, maar dat was voldoende. Met volle kracht sloeg hij zijn aanvaller met de lat in zijn knieholtes. Chalford klapte in elkaar. De inspecteur wankelde en viel naast hem op de vloer.

'De rest doen wij.' Captain Ashburner klom over de knerpende glassplinters de keuken in, gevolgd door sergeant Donovan. Ashburner hielp Dietrich op de been en schoof een stoel voor hem bij. De sergeant legde Chalford handboeien om en trok hem aan zijn kraag omhoog.

'Breng hem naar het bureau. Sluit hem op. Verlies hem geen seconde uit het oog,' beval Ashburner. 'En u rust wat uit, inspecteur. Ik kijk intussen rond.'

Klaus Dietrich was kapot. Hij had de moordenaar gepakt. Hij voelde triomf noch genoegdoening. Hij was gewoon tevreden dat de klus was geklaard. Terug naar de beveiligingsdienst, dacht hij met stille spot.

'Inspecteur, kijk hier eens.' Dietrich nam de plank van de schutting en hees zich hijgend overeind. Ashburner had in de kamer naast de keuken de kast opengebroken. Achter hen begon iemand verschrikt te gillen. Huishoudster Renate Schlegel staarde langs hen heen naar de kast waarin vier bloedbesmeurde slipjes aan een waslijntje hingen.

Inge Dietrich had haar man naar het Oskar Helene-ziekenhuis begeleid. Hij had een nieuwe prothese nodig. Ze wachtten tot Dietrich aan de beurt was.

'We hebben de obelisk van zwart marmer van Chalfords bureau meegenomen. Een echte Barlach, maakte hij zijn bezoekers wijs. Er is geen twijfel mogelijk dat hij daar zijn slachtoffers mee kwelde.'

'Houd op, Klaus, ik wil het niet meer horen.' Inge liep naar de receptie. 'Duurt het nog lang?'

'Als u aan de beurt bent, bent u aan de beurt,' zei de zuster.

Inge ging weer zitten. 'Wat gebeurt er met Chalford?'

'Er bestaat geen Curtis C. Chalford. Er bestaat alleen maar een slagersknecht Kurt Kalkfurth die al voor de oorlog moordde in Onkel Toms Hütte. De Amerikanen zullen hem opgelucht uitleveren aan de Duitse justitie.'

'En zijn moeder?'

'Martha Kalkfurth is net zo schuldig als haar zoon. Ze wist al sinds de eerste moord in 1936 dat haar zoon een pathologische moordenaar was. Ze had alle verdere moorden kunnen verhinderen als ze hem had aangegeven. In plaats daarvan kocht ze een medewerker van het Amerikaanse consulaat om, die een immigratievisum uitgaf. Kort voor het uitbreken van de oorlog verdween Kurt Kalkfurth. Zijn moeder verspreidde het gerucht dat hij zich vrijwillig bij de transporttroepen had gemeld en bij de opmars in Polen was gesneuveld. Ze betaalde voor haar apenliefde met een hersenbloeding en de daaropvolgende verlamming. Ze hoopte stiekem dat hij ooit naar huis zou komen, want ondanks haar handicap zorgde ze voor zijn motor en hield hem gedurende de oorlog verborgen.'

'Heb je haar verhoord?'

'Ze kan niets meer zeggen. Een tweede hersenbloeding, eergisteren. Ze heeft mijn aantijgingen met haar oogleden bevestigd. Ze zijn het enige wat ze nog kan bewegen.'

'En Chalford – ik bedoel Kalkfurth?'

'Heeft zich in de Verenigde Staten onopvallend gedragen. Voor een pathologisch moordenaar van zijn kaliber niet ongewoon. Hij was totaal gefixeerd op Onkel Toms Hütte. Toen de Amerikaanse regering banen in het overwonnen Duitsland uitschreef, greep hij de kans terug te keren.'

'En als iemand hem had herkend?'

'In een Amerikaans uniform? Erg onwaarschijnlijk. Hij nam het risico in ieder geval. Hij kon niet anders dan zijn drang weer in de oude buurt bevredigen.'

De zuster riep hun naam. De orthopedische werkplaats lag aan het einde van de met boenwas gewreven gang. De meester nam een houten steltbeen uit de kast. Het had aan de onderkant een rubberen schroefklem en boven een paar riemen. 'Ik kan u momenteel helaas niets beters bieden, meneer Dietrich.'

'Als u een papegaai op mijn schouder zet, treed ik op als John Silver.' Dietrich had besloten de zaak met humor te benaderen. *Schateiland*

'Een papegaai?' De man had *Schateiland* niet gelezen. 'Zo gauw ik materiaal binnen krijg, maak ik een prima onderbeen voor u. Maar het kan wel even duren. Bij die immense vraag en onder deze miserabele omstandigheden... Het spijt mij, mevrouw.'

'Het belangrijkste is dat je in beweging blijft. We zullen dat ding eens eventjes onder binden.' Inge hielp hem. 'Lukt het je om hiermee naar huis te komen?'

Hij gaf haar een arm. 'Met jou lukt mij alles.'

De Dietrichs hadden Jutta en John uitgenodigd. 'Bij wijze van verlovingsfeestje, zal ik maar zeggen,' had Klaus Dietrich een beetje onbeholpen gezegd. 'Nou ja, we kennen elkaar nu ook al een tijdje.'

John Ashburner had een paar flessen wijn meegenomen en sigaretten voor de wethouder. Hij luisterde geduldig naar Hellbichs interpretatie van de Onkel Tom-moordgeschiedenis. Hij had natuurlijk allang de juiste verdenkingen gekoesterd.

De vrouwen kenden maar één gespreksthema: wanneer wordt er getrouwd. Jutta straalde. 'Over vier weken. De inzegening van het huwelijk is in de protestantse kerk bij het metrostation. Er wordt gevierd in Club 48. John heeft het zo geregeld. Dan kunnen alle rangen komen. U bent allemaal uitgenodigd. Sergeant Panelli werkt al aan een huwelijkstaart met vier verdiepingen.'

'U krijgt ook nog voor die tijd uw nieuwe been, inspecteur. Ik heb met generaal Abbot gesproken. Hij heeft erin toegestemd dat het army-hospitaal een nieuw been voor u maakt.' Ashburner knikte naar het raam. 'Kijk maar eens naar buiten.' Voor het huis stond een driewieler met sergeant Donovan ernaast. 'Heeft hij in zijn vrije tijd voor u gemaakt. Wilt u weten welk compliment hij over zijn lippen heeft gekregen? – "Het is best wel een toffe vent, die rotmof."'

'Ik hoop dat hij ons eten lekker vindt. Dek nog maar een bord bij, Inge.' Klaus Dietrich strompelde naar de deur en wenkte Donovan naar binnen. Vol verwachting ging het gezin met de gasten om tafel zitten. Er werd dikke erwtensoep opgediend, met bruingebakken uien en vette stukken spek. Grootmoeder Hellbichs bontjas had het mogelijk gemaakt.

'Ben, kom je?' riep Inge Dietrich.

'Ik heb geen honger. Bewaar maar wat voor me,' galmde het uit het trapgat. Alle ogen waren gericht op de soepterrine. Ben sloop ongezien het huis uit.

De Riemeisterstraat sluimerde in de zon. De bewoners zaten allemaal aan tafel, als ze tenminste iets te eten hadden, of ze droomden op hun veranda van betere tijden. Er luisterde iemand bij een open raam naar de radio, die hard aan stond. Iemand van tegenover riep kwaad: 'Stilte!'

Ben haalde diep adem, rechtte zijn rug, hield zijn hoofd fier in de lucht en hield zijn linkerhand gestrekt in de zak van zijn jasje. Hij hield zijn duim aan de buitenkant tegen zijn jasje aan. Het nieuwe pak eiste een kaarsrechte, maar vooral ook een stoere, gelaten houding. Tot zijn teleurstelling kwam hij niemand tegen die vanwege zijn onovertroffen elegante uiterlijk in eerbiedige bewondering had kunnen neerzijgen. Er slenterde alleen maar een oude vrouw met gebogen hoofd langs.

Daar waar de Riemeister- en de Onkel Tomstraat samenkwamen om parallel naar de Kurfürstendam te lopen, begon het met bommen en granaten bezaaide Groenewoud. Vanaf de bosrand was het vijf minuten tot aan het meer.

De Krumme Lanke lag donkerzilver in zijn moerassige bed. Hij maakte deel uit van een ketting van meren die zich ooit als zijarm van de Havel door het Groenewoud hadden uitgestrekt en tot halverwege de zestiende eeuw bevaarbaar waren geweest. Zo kon Brandenburgs keurvorst Joachim II het bouwmateriaal voor zijn jachtslot tot midden in het oerwoud transporteren. Dat had Ben tijdens zijn lessen over het vaderland geleerd. Momenteel was hij echter niet geïnteresseerd in vorstelijke bouwwerken. Hij was geïnteresseerd in Heidi Rödel. 'Zondagmiddag om twee uur in de kuil,' had ze gezegd, wat bewees dat ze een goedgeklede man wel kon waarderen.

Vanuit het water klonk gelach en gegil. De algehele misère kon de pret van de badderende menigte niet drukken. Ben hield afstand van de oever om niet door een natte bal te worden geraakt, maar hij kwam toch ook weer dichtbij genoeg om door het publiek te kunnen worden bewonderd als echte heer in Schotse ruit.

De reactie van het publiek was enigszins flauw. 'Chic zwemmen zeg, tegenwoordig,' riep iemand hem na. Ben beantwoordde de opmerking met een laatdunkende trek om zijn mond, hoewel hij er niet zeker van was dat hem dit goed lukte.

'Een tikje overdressed, mijn jongen,' lachte een oudere meneer in een badjas. Ben deed of hij het niet hoorde. Hij liet zich over zijn pak niets wijsmaken. Het was het symbool van een onveranderde wereld waar elegante mensen woonden en waar genoeg te eten was.

Ben omzeilde de plassen van de vorige nacht. Het water had zijn schoenen anders geruïneerd. De omheinde helling was niet steil hier. Ben meed de braamstruiken en wurmde zich tussen twee berken door die zijn pak niet konden beschadigen.

Hij zag Heidi pas toen hij valk voor de kuil stond. Ze lag in een blauwe bikini te zonnen. Ben zag haar halfgeopende volle lippen, die ze bij zijn komst nog snel eventjes had bevochtigd en haar borsten die bij elke ademstoot verrassend ver omhoog kwamen. Heidi had haar ogen dicht en deed of ze hem niet zag.

Ben schraapte zijn keel. Heidi wreef in haar ogen en mompelde zogenaamd slaperig en nogal ongeïnteresseerd: 'Oh, jij bent het.'

Ben was gekrenkt. 'Ik kan ook weer gaan. Hoewel we eigenlijk hadden afgesproken.'

'Weet ik toch ook.' Ze was plotseling klaarwakker. 'Ziet er puik uit, je pak.' Ze sloeg uitnodigend naast zich op de grond. Hij ging zitten met zijn armen achter zijn hoofd gevouwen en keek naar de lucht. Hij was nog nooit zo dicht bij haar geweest. Ze rook naar notenolie met een vleugje lelietjes-van-dalen. Een eigen compositie van drogist Schmidt.

De vraag was hoe het nu verder ging. Verwachtte ze dat hij haar kuste? Of wilde ze liever praten en zo ja, waarover? Misschien wilde ze een sigaret? Hij had nog een paar Stella's in een pakje. Aan de andere kant was roken in het bos verboden.

Haar gezicht was opeens heel dichtbij. Ze drukte haar lippen op de zijne. Hij was benieuwd hoelang ze dat vol zou houden zonder adem te halen. Heidi liet het daar niet op aankomen en zei: 'Als je je mond wat opendoet, gaat het beter.'

Hij deed haar het plezier. Haar tong bewoog zich als die van een kleine slang en zocht naar de zijne. Hij begreep het en tongzoende heftig terug. Dat veroorzaakte een aangenaam gekriebel op een geheel andere plek.

'Veel beter dan Gerd Schlomm,' becijferde Heidi zijn inspanning tijdens een adempauze. 'Trek je pak toch uit, anders wordt het nog kreukelig, en dan die grasvlekken...' Het waren overtuigende argumenten, te meer omdat hij ook een zwembroek onder zijn pak aan had. Even later hing het kostbare stuk aan een jonge berk. De suède schoenen rustten in het mos. Ergens ritselden bladeren. Een ree?

Ben drukte Heidi in het gras en zette het tongen ijverig voort. Haar bovenstukje zat niet meer op zijn plek. Ze had het voor de zekerheid maar alvast opengemaakt. Haar borsten waren warm en zacht, een beetje glibberig van meneer Schmidts zonnebrandolie, maar over het algemeen zeer aangenaam.

'Zonder is veel fijner,' fluisterde ze en trok ook haar broekje uit. Twijfelend trok hij zijn zwembroek uit, omdat hij zich schaamde voor zijn stijve. Ze nam zijn penis in haar hand. Op de achtergrond ritselde de ree.

Hij streelde haar vagina. De haartjes waren zo zacht. Vijf minuten geleden had hij niet durven denken dat hij hier ooit iemand zou aanraken. Hij deed het met kloppend hart en ze leek het fijn te vinden. Haar hand wreef hem behoedzaam. 'Heb je al eens...?'

Een gevoel zei hem dat dit het uur van de waarheid was. 'Zo echt eigenlijk niet,' gaf hij toe. 'Maar ik weet hoe het gaat. En jij?'

'Ik weet ook hoe het gaat.'

'Ik bedoel, heb je al eens...?' Hij slikte. 'Met Gerd Schlomm of zo?'

'Zo achterlijk als die doet?' zei Heidi verontwaardigd. Haar hand wreef van boosheid een beetje ruwer.

Ben knielde tussen haar dijbenen. 'Help me eens even.' Ze wees hem de weg. Hij voelde haar vochtige warmte – en gleed weg. Geduldig leidde ze hem opnieuw. Tevergeefs probeerde hij het nog een keer. Door al zijn pogingen om alles goed te doen was zijn erectie verdwenen. 'Verdomme,' mompelde hij.

Heidi was teleurgesteld. Was dit alles? Daar nam ze geen genoegen mee. Haar instinct zei haar wat ze moest doen. Ze boog over hem heen. Tussen haar lippen groeide hij uit tot een nieuwe dimensie. Ben liet het allemaal maar gebeuren. Toen ze op hem ging zitten en hij zich tot zijn verbazing weer in haar bevond, begreep hij dat het begin was gemaakt. Hij zette zich in het ritme van haar bewegingen schrap. Haar gesteun vuurde hem aan. Het werd steeds mooier en mooier en de wereld om hem heen hield op met bestaan. Zo ook het ritselende gebladerte en de knakkende takjes die niet door een ree werden veroorzaakt.

Naderhand lagen ze verhit naast elkaar en hielden elkaars hand vast.

'Was het voor jou ook zo mooi?' fluisterde Heidi.

Ben was weer helemaal zichzelf, stoer en gelaten. 'Het was oké.' Hij dacht aan de condooms. Moest hij er nu eentje aandoen? 'Zodat de kleine man niet verkouden wordt,' had meneer Pagel gezegd, wat eigenlijk alleen maar kon slaan op erna. Het pakje zat in de zak van zijn jasje.

Hij stond op om het te halen en verstarde. Pak en schoenen waren weg. De jonge berk wiegde onschuldig in de oktoberwind.